大相撲の社会学

――力士のライフコースから相撲部屋の社会構造まで、スポーツ社会学から考察する

生沼芳弘

22世紀アート

本書を、故五代目高砂親方と、亡き父勘蔵の霊に捧げる。

改正相撲高砂稽古場之図（相撲博物館所蔵）

伊勢ノ海稽古場繁栄之図（相撲博物館所蔵）

はしがき

本書は、我が国の伝統的プロスポーツである「大相撲」の「部屋制度」及びその組織が形成する相撲社会を「家」制度とライフコースの視点から考察した社会学的研究の成果であって、平成五年三月二十三日成城大学より授与された博士（文学、甲文第二号）の学位論文「相撲社会の研究」に若干の修正を加えたものである。

大相撲の社会学的研究に私が着手したのは、東京教育大学体育学部大学院の修士課程（体育社会学専攻）に入学したばかりの頃（昭和四十九年）である。指導教授である菅原禮先生に修士論文の件で相談にいくと、「相撲部屋の研究をしてみないか、社会学で大相撲の研究はまだ誰もやっていないから」と言われたのが、この研究の始まりであった。当時の相撲界は輪島・北の湖の全盛期で、相撲は好きであったが、横綱のことくらいしか知らなかった。さてどうしたものかと思い悩んだが、「百聞は一見に如かず」取り敢えず相撲部屋を見なければ研究が始まらないことに気付き、研究室の先輩である岡田猛氏の伝手を頼りに高砂部屋を訪問した。この訪問を契機に高砂部屋に二年間寄宿することになり、力士と寝食を共にする中で見聞したり調査したことを纏めたものが、修士論文「相撲の部屋制度に関する社会学的研究」である。この論文が本研究の基盤となっていることはいうまでもない。

修士課程終了後、東海大学就職にともない高砂部屋を離れ、相撲社会を外から眺めるようになり、何本かの論文を発表した。昭和五十七年幸運にも東海大学からカナダへの一年間海外研修の機会を与えられ、今度は相撲社会を外国から眺めることになった。初めての海外生活から得た知見は計り知れない程多かった。特に大相撲の部屋制度が世界的に類を見ない制度であり、その社会構造に民族的特質があることに気付いたことが、スポーツ社会学の学徒である私にとって最大の収穫であった。この研修中に御指導いただいたのが元ウォータールー大学社会学科教授・新保満博士（現日本女子大学教授）であり、先生と書いた英語の論文が"The Social System of *Sumo* Training School"（「相撲部屋の社会システム」巻末収録）である。この英文の本書への収録に際しては、新保先生より御快諾をいただいた。

帰国に際して新保先生より紹介していただいたのが、成城大学教授の前日本社会学会会長・森岡清美博士である。森岡先生には、十年の長きにわたり家制度研究・ライフコース研究の基本を教えていただいた。特に後半の五年間は成城大学大学院博士課程（日本常民文化専攻）の院生としてお世話になり、また本研究を学位論文として審査していただいた。森岡先生の学位論文「真宗教団と家制度」には遠く及ばないこのような研究が、学位論文として成り立ち得たのは先生のご指導とお励ましによるものである。「大相撲研究」への道を開いていただいた菅原先生には、東京教育大学在学以来引き続いてお世話になっており、本書の出版についても御尽力いただいた。両先生の長年の学恩に対して改めて感謝の意を表する次第である。また、成城大学教授の伊藤幹治・吉原健一郎・石川弘義の三先生には大学院在学中および学位論文の審査で大変お世話になった。ここに併せて深甚なる謝意を表したいと思う。

今は亡き五代目高砂浦五郎親方（第四十六代横綱朝潮太郎）の高砂部屋に二年の長きにわたり寄宿させていただき、高砂親方はじめ啓子夫人（おかみさん）には家族同様の厚遇を受けた。また、錦戸親方はじめ高砂部屋および高砂一門の親方衆、とりわけ振分親方には弟弟子のように可愛がっていただき、右も左もわからない私に相撲界のことを一から教えていただいた。高砂部屋の皆様には大変お世話になり、現在も引き続きご厚情にあずかっている。

また、東海大学の井上一男・小村渡岐麿の両先生、同室の安田武四郎先生はじめ体育学部の諸先生方には、東海大学に在職しながらの大学院進学にご尽力とご配慮をいただいた。その外、資料の閲覧利用と数限りないご教示とご鞭撻にあずかった相撲博物館の館長・花田勝治氏（第四十五代横綱若乃花幹士）はじめ博物館職員の皆様、相撲趣味の会・相撲友の会の加藤健治氏、三谷光司氏、香山磐根氏、山室猪佐三氏、保田武宏氏、高橋譲氏、小池謙一氏他各位のご好意に対して、心から感謝を捧げる。そして、学位取得の二カ月後にこの世を去った父・勘蔵からは、本研究の基盤である「家」の大切さを身をもって教えられたことが想起される。

最後に、本書が平成五年度文部省科学研究費助成金研究成果公開促進費の交付による出版であることを銘記し、出版に際して不昧堂出版社長宮脇道生氏はじめ編集の方々のご協力に心から御礼を申し上げる次第である。相撲社会の研究は未開拓の分野であり、資料も乏しい。また、相撲社会は現実に生きて刻々と変化している。その研究方法は未だ確立されているとはいえない。謙虚に学ばねばならないことを痛感する次第である。多くの方々の忌憚なき御批判と御教示をお願いしたい。

尚、本書に掲載させていただいた諸先生・諸先輩の氏名の敬称は省略させていただいた。

一九九四年一月六日　研究室にて

生沼　芳弘

序章　問題と研究方法

相撲は、わが国固有の民族信仰である神道と関係が深く、神話や伝説の中に数多く登場している。日本の相撲が史実として現れるのは、『日本書紀』の西暦六四二年の条である。相撲のルールや技術が整ったのは、奈良・平安時代（七一〇―一一九二）であり、宮中の儀式である三度節（射礼・騎射・相撲）の一つとして、節会相撲が行われるようになってからのことである。

封建時代における相撲は、武士を鍛練する技術として広く行われていた。江戸時代に入ると、神社、仏閣の建立・修築の資金集めのために、相撲を催して見物人に寄進を勧める勧進相撲が各地で盛んになった。勧進相撲の興行にあたっては幕府や大名の許可が必要であり、許可を得た証明として「蒙御免」という高札を建てて興行した(1)。番付（後頁参照）の中央にある「蒙御免」は、これに由来する。江戸時代の中期になると、相撲は寺社への寄進という勧進相撲の本来の目的から離れて、営利を目的とするプロスポーツに変貌した。このようなプロの勧進相撲の組織である相撲会所（年寄が会合する場所）が、江戸（東京）・京都・大坂の三カ所に生まれた。しかし、京都相撲は明治末年に消滅し、大阪相撲は昭和初年に東京相撲と合併し、現在に至っている。

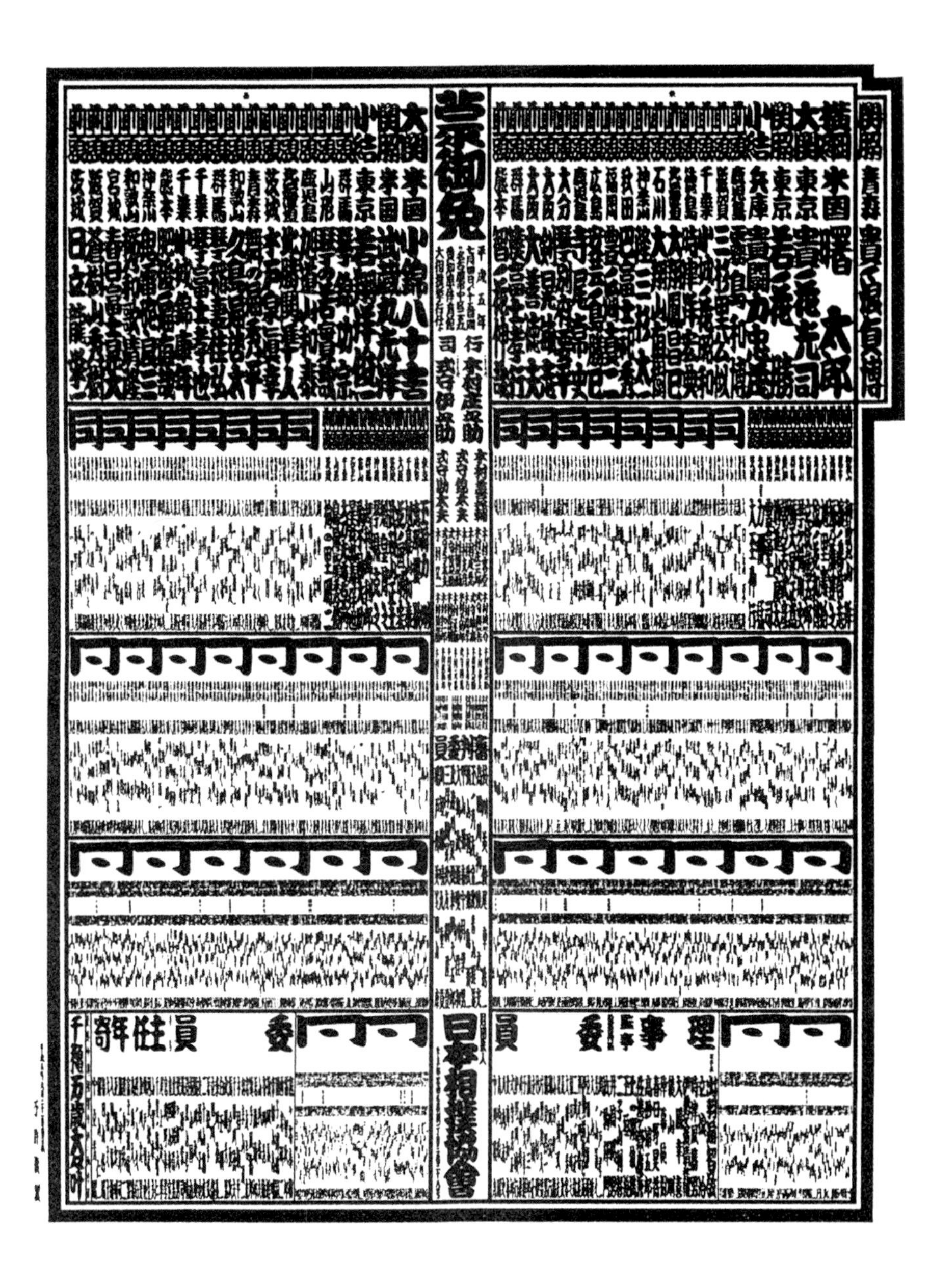
蒙御免
日本相撲協會
千穐万歳大々叶

十九世紀の中頃に日本は、徳川幕府の二百五十余年にわたる鎖国政策が終わり、明治維新によって急速な近代化・産業化が始まった。この明治維新によって、我が国には欧米の文化や科学・技術をはじめ、スポーツまで紹介されるようになった。現代の日本に広く普及している多くのスポーツは、明治維新以降の近代化とともに、欧米から導入された外来のスポーツである。十九世紀の英国にはじまり近代オリンピックに象徴される、これらのスポーツは近代産業社会とともに発達してきた。スポーツの近代化についてA・グートマンは著書『From Ritual to Record』(2)で、「スポーツはその宗教的儀式的性格を脱却し記録の追求に向かった」と述べ、その特徴として「世俗化」、「平等化」、「役割の専門化」、「合理化」、「官僚制的組織」、「数量化」、「記録の追求」の七つをあげている。これらは近代産業社会そのものの特徴でもある。

わが国には、欧米型外来のスポーツと並んで柔道、剣道、相撲、空手等の武士や僧侶の鍛練の技術として発達した、伝統的なスポーツがある。中でも、大相撲(3)はプロとしての勧進相撲が認められるようになってから約三百五十年の歴史があり、我が国の国技として国民に親しまれている。この大相撲の競技形式(ルール)や宗教的儀式について、L・トンプソンは世俗化、合理化、数量化、記録の追求の四点から検証し、「相撲は確かに近代化の過程をたどってきた(4)」と述べている。我が国の伝統的なスポーツの競技形式は、相撲も含めて確かに近代化し、近代産業社会の精神を反映して変化した。しかし、その集団（チーム）の社会関係も変化したのであろうか。ここでいう社会関係とは人間と人間の関係であり、二人以上の行為者の相互行為が持続的である時に形成される。この社会関係には、その民族あるいは国家のもっている社会的文化的な特性が反映される。

ここで一つの具体例を挙げておこう。昭和三十九年（一九六四）の東京オリンピックにおいて、日本の女子バレーボール・チームは金メダルを獲得した。日本代表チームのメンバーは、ほとんど日紡貝塚チームの選手たちであった。当時、彼女たちは「東洋の魔女」と呼ばれた。大松監督率いる日紡貝塚チームは、国内外において百七十五連勝を成し遂げ、向かうところ敵なしのチームであった。彼女たちは「大松一家」といわれ、寄宿制のもとで緊密な共同生活を営み、堅固なチームワークを誇っていた。大松監督は回転レシーブの考案等、技術的な指導の点でもすぐれていた。その上、彼は魔女たちにとって父親の役割を果たし、チームを精神的に支えていた。日紡貝塚チームの集団の構造は、このチームを研究した作田啓一も述べているように、日本の伝統的な家族制度である「家」の家父長制構造を、その基礎にしていたのである。

ここでいう家父長制構造とは、家父長が専制権力をもち他の成員がM・ヴェーバーのいう恭順Pietätの感情をもって、これに服従するという要素が導入されてつくられた集団の構造である。作田は「彼女たちのうちの四人までが父を失った母子家庭の娘であり、両親のいない磯部選手を含めると五人である。

谷田選手は母を失っているので、この人を加えると六人までが欠損家族から出ており、両親がそろっているのは、半田、増尾の両選手だけであった[5]」というチームの構成メンバーの家族的背景が、上述のような構造を説明する一つの鍵であると述べている。

わが国のスポーツ集団には、チームの構成メンバーの全部あるいは一部が、寄宿舎・合宿所等の施設で、緊密な共同生活を営んでいるケースが非常に多い。特に勝つ事に目標をおいたチャンピオンシップ志向のスポーツ集団には、この傾向が顕著である。例としては、甲子園に出場することを目的とした高校の野球チーム、大学リーグや日本（実業団）リーグのトップで活躍するチーム等があげられる。これは欧米のスポーツ集団には見られない、日本のスポーツ集団の特性である。欧米では、試合あるいは遠征のために一—二週間合宿をすることはあるが、チームのメンバーが同じ屋根の下で寝食を共にし、日常生活を共にしている例は見られない。

相撲社会は、明治維新・第二次大戦後の混乱等の社会変動にもかかわらず、伝統を守り続けてきた。その伝統とは、師匠である年寄（親方）と弟子の力士が寝食を共にし、一つ屋根の下で緊密な共同生活を営みながら、相撲の稽古をするという部屋制度である。この相撲社会の部屋制度は、江戸時代に成立し、日本に近代スポーツが紹介される以前から存在した、唯一のプロスポーツ選手の養成機関である。そして、明治以降の日本に紹介された多くの近代スポーツの集団も、選手を養成するために生活共同体を形成している。これは、相撲部屋の社会関係に見られる歴史的社会的文化的な特性が、他のスポーツ集団の社会関係に反映したものと理解できる。つまり、今日わが国のスポーツ集団にみられる緊密な生活共同は、この大相撲の部屋制度にその源を発していると考えられる。

相撲部屋が、江戸時代から生活共同体としてその形態を保ち続けているということは、相撲部屋の成員の行動・態度・観念等に関する規範的様式が、部屋において機能的に統合され、成員のさまざまな個人的・社会的欲求を充足しているからである。つまり、相撲部屋が相撲社会において、部屋制度として確立された「制度」だからである。一般に、集団内における相互行為が、時間的に長く且つ量的に多ければ、成員の行為はその集団に規制される度合いが強くなり、可視的な社会構造が出現する。殊に、職業的なプロスポーツ集団においては、相互行為が成員の生活の基礎に直接かかわっているため、成員に対する集団の規制力が強くなり、その社会構造の理解が一層容易になる。従って、成員間の相互行為が時間的に長く量的に多い相撲部屋の社会構造について述べることが、日本のスポーツ集団の特性を理解するための、有効な手段となる。

一般的に、生活共同体を形成するのは「家族」である。我が国には、家族ばかりでなく日本の社会構造を支えた社会制度である「家」制度がある。この家と家制度について森岡清美は、「家とは家制度によって規定された日本の伝統的な家族であり、家制度とは家族統率者たる家長のもとに、家族そのものに属する財産をもち、家職や家業を営み、家族が世代を超えて存続し繁栄することに重点をおく制度である[6]」と規定している。

「家」は、原理的に血縁関係・婚姻関係を持たない個人をも、包含しうる。従って、本来家族成員でない個人が、「家」の一員として生活し、行動することになり、全く血のつながりのない奉公人や番頭が、家長の家族同様の取り扱いを受ける場合がある。この「家」の性格は、「家」以外の集団にも、その原理を拡大適用しうる。具体的には、我が国の社会集団によく見られる親分子分・親方子方・本家分家などの社会関係であり、相撲部屋の師弟関係も、その例外ではない。

このことから、相撲部屋にも「家」の原理が適用されることが知られる。従って、前述の森岡の家制度の規定を、大相撲の部屋制度に当て嵌めて、家制度の家長を親方に、家族を相撲部屋に、家職や家業を相撲興行に置き換えるなら、「部屋制度とは、相撲部屋の統率者たる親方のもとに、相撲部屋そのものに属する財産をもち、相撲興行を営み、相撲部屋が世代を超えて存続し繁栄することに重点をおく制度である。」となる。

我が国の家制度は、家職や家業の消失によって、崩壊しつつある。しかし、相撲社会や我が国のスポーツ集団には、その師弟関係に今なお、家制度的性格が色濃く残っている。相撲を含めて我が国にスポーツは広く普及したが、人びとはとかくその勝敗にばかり目を奪われ、その社会関係は国民生活とは関係ないものとして無視されてきた。そしてまた、「スポーツ界は封建的である」と決めつけて、「封建的」の何たるかが深く追究されることは少なかった。中でも、相撲社会はきわめて特殊なものとみなされ、スポーツ社会学者の関心の外におかれた。しかし、前述のような歴史的背景をもつ相撲社会の部屋制度を一つの社会制度として、その歴史的文化的特性を「家」制度の視点から社会学的に追求することは、我が国のスポーツ集団を理解する上で基礎的な重要性をもつと考える。

従って、本研究は相撲社会を、我が国の基本的な社会制度であった「家」制度の視点から、分析していくことになる。家制度については、日本の社会学界における多くの研究成果から証明され一般化された理論を適用することは、研究方法からしても当然の手順であると考えられる。しかしながら、相撲部屋は必ずしも家と同じではないため、その相違点を究明することにも努力が払われなければならない。

研究方法としては、実態調査による現状分析を基礎としている。すなわち、高砂部屋を一つの事例として、部屋制度を構造—機能主義の立場から仔細に分析する。相撲社会は極めて閉鎖的な社会であるから、筆者が他の事例（部屋）の実態調査を自ら行なって、その妥当性を確かめることはできない。しかし、一つの事例から相撲社会全体を見ようとすることは、全体を見誤る危険があるので、他の事例に関しては他の研究者の調査や報告を用いる。また、家制度の基本的な社会関係は親子関係であり、部屋制度の基本的な社会関係は師弟関係である。つまり、家はその家産および家長権が親子間で相続され、相撲部屋（年寄名跡）は師弟間で継承されることに、その特性がある。従って、部屋制度の師弟関係の現状に至った歴史的推移や条件を、明らかにすることが必要である。筆者がここで問題とする師弟関係に関する資料は少ないが、その歴史的推移については、相撲史家の業績を用いる。

最後に、本研究の構成について触れておくと、第一章「相撲社会の人口とその居住形態」では、まず本研究の研究領域を鳥瞰するために、相撲社会の生態的側面について述べる。第二章「相撲部屋の社会構造」では、筆者の約二年間にわたる高砂部屋での参与観察(7)を基礎に、相撲部屋の社会構造を相撲部屋を構成する人々の地位と役割の視点から分析し、彼らの地位と役割に付随する報酬にも言及する。第三章「相撲部屋の一門関係」では、部屋制度を家の社会集団である「同族」の視点から分析するために、高砂部屋と伊勢ノ海部屋の系譜を歴史的に辿り、相撲社会の「一門」を明らかにする。そして、第四章「相撲社会の変動」では、森岡清美のイベント時点区分法を用い、幕内力士と年寄のライフコース（人生行路）の歴史比較、およびその師弟関係の歴史的推移から、我が国の社会変動とともに相撲社会がどのように変動したか、その過程を明らかにする。

〔註〕

（1）竹内誠『近世前期における江戸の勧進相撲』東京学芸大学紀要、第三部門、社会科学、第四十集、一九八八。

(2) A・グートマン『スポーツと現代アメリカ』TBSブリタニカ、一九八一。
(3) 大相撲とは、本場所の興行だけを意味するのではなく、相撲協会を含めてプロの相撲社会全体の総称である。語源は、江戸時代の本場所を「勧進大相撲興行」と呼んだことに始まり、現在も「大相撲挙行」という。現在の相撲協会の正式名称は「財団法人日本相撲協会」であり、協会の目的は「わが国固有の国技である相撲道を研究し、相撲の技術を錬磨し、その指導普及を図るとともに、これに必要な施設を経営し、もつて相撲道の維持発展と国民の心身の向上に寄与すること」(寄付行為第三条)である。
(4) L・トンプソン「スポーツ近代化論から見た相撲」『スポーツの社会学』世界思想社、一九九〇、九一頁。
(5) 作田啓一『恥の文化再考』筑摩書房、一九六七、二七五頁。
(6) 森岡清美「家族社会学」『社会学講座』三、東大出版会、一九七二、六頁。
(7) 筆者の二年間とは、昭和四十九年八月から昭和五十一年五月の約二年間である。筆者は当時、東京教育大学体育学部大学院体育学研究科修士課程(体育社会学専攻)に在学中であり、五代目高砂浦五郎(第四十六代横綱朝潮太郎)の長男の家庭教師として高砂部屋に寄宿し、高砂部屋から大学院に通学していた。参与観察調査はこの期間に行われた。

第一章　相撲社会の人口とその居住形態

相撲社会を空間的にとらえるなら、江戸時代から多くの相撲部屋が集まる東京都墨田区両国の相撲部屋密集地帯、通称「相撲村」と呼ばれている地域を指す。以下本章では、本研究の研究対象である相撲社会の生態的側面を把握するために、相撲社会の人口推移・相撲部屋の分布と居住形態について昭和期を中心に述べることにする。

第一節　相撲社会の人口推移

相撲社会の人口は力士数によって変動する。なぜならば、相撲社会は力士数の占める割合が最も多く、その他の構成員である年寄・行司・若者頭・世話人・呼出し・床山の人数にあまり変動はないからである。昭和二年一月、東京・大阪の両協会が合併した時の力士数は四百五名、以下平成三年までの力士数（各年一月場所の番付掲載力士数）の推移は表一、図一の通りである。

昭和初期は不況の時代で、相撲人気も下落傾向にあり力士志願者も少なく、力士数は減少傾向にあった。昭和三年（一九二八）には四百名を割って三百七十四名となり、昭和五年には力士数は三百十七名まで減った。昭和七年一月場所の番付では三百四十七名に増えたが、同場所前に春秋園事件（第四章第八節参照）が起こり、この事件で力士が六十九名減ったので二百七十九名となった。その後五年間の力士数

表１　昭和期における力士数・部屋数の推移

年月	力士数	部屋数	年月	力士数	部屋数
2-1	405	48	35-1	800	29
3-1	346	42	36-1	749	31
4-1	350	45	37-1	717	31
5-1	317	49	38-1	710	33
6-1	324	46	39-1	743	31
7-1	348	45	40-1	791	25
8-1	265	43	41-1	770	25
9-1	287	39	42-1	720	25
10-1	263	37	43-1	664	26
11-1	271	38	44-1	582	26
12-1	304	38	45-1	574	25
13-1	368	39	46-1	564	25
14-1	477	43	47-1	589	28
15-1	565	48	48-1	556	29
16-1	621	47	49-1	571	28
17-1	687	48	50-1	590	30
18-1	523	47	51-1	617	31
19-1	473	42	52-1	621	31
20-6	304	40	53-1	610	30
21-11	216	34	54-1	595	31
22-6	260	28	55-1	642	32
23-5	250	24	56-1	677	33
24-1	272	23	57-1	699	35
25-1	262	23	58-1	704	36
26-1	286	25	59-1	738	37
27-1	317	25	60-1	739	37
28-1	375	25	61-1	764	37
29-1	469	26	62-1	751	38
30-1	557	25	63-1	762	39
31-1	672	27	平成		
32-1	755	26	1-1	748	40
33-1	728	26	2-1	741	42
34-1	776	28	3-1	718	43

は二百名台が続いた。

昭和十一年（一九三六）双葉山が初優勝し、彼の六十九連勝が始まった。双葉山の登場とともに相撲人気が上昇し、戦時体制下〝国技〟相撲が奨励され、力士数は増加した。昭和十二年には三百名台、昭和十四年には四百名台、昭和十六年には六百名台と急増した。昭和十五年五月場所から入営・応召する力士は、番付の枠外に一括記載されるようになった。昭和十七年五月の番付から入営・応召力士は番付から外されることになり、この時百名以上の力士が番付から消えたが、それでも力士数は六百八十七名であった。

図1　力士数・部屋数の推移（表1による）

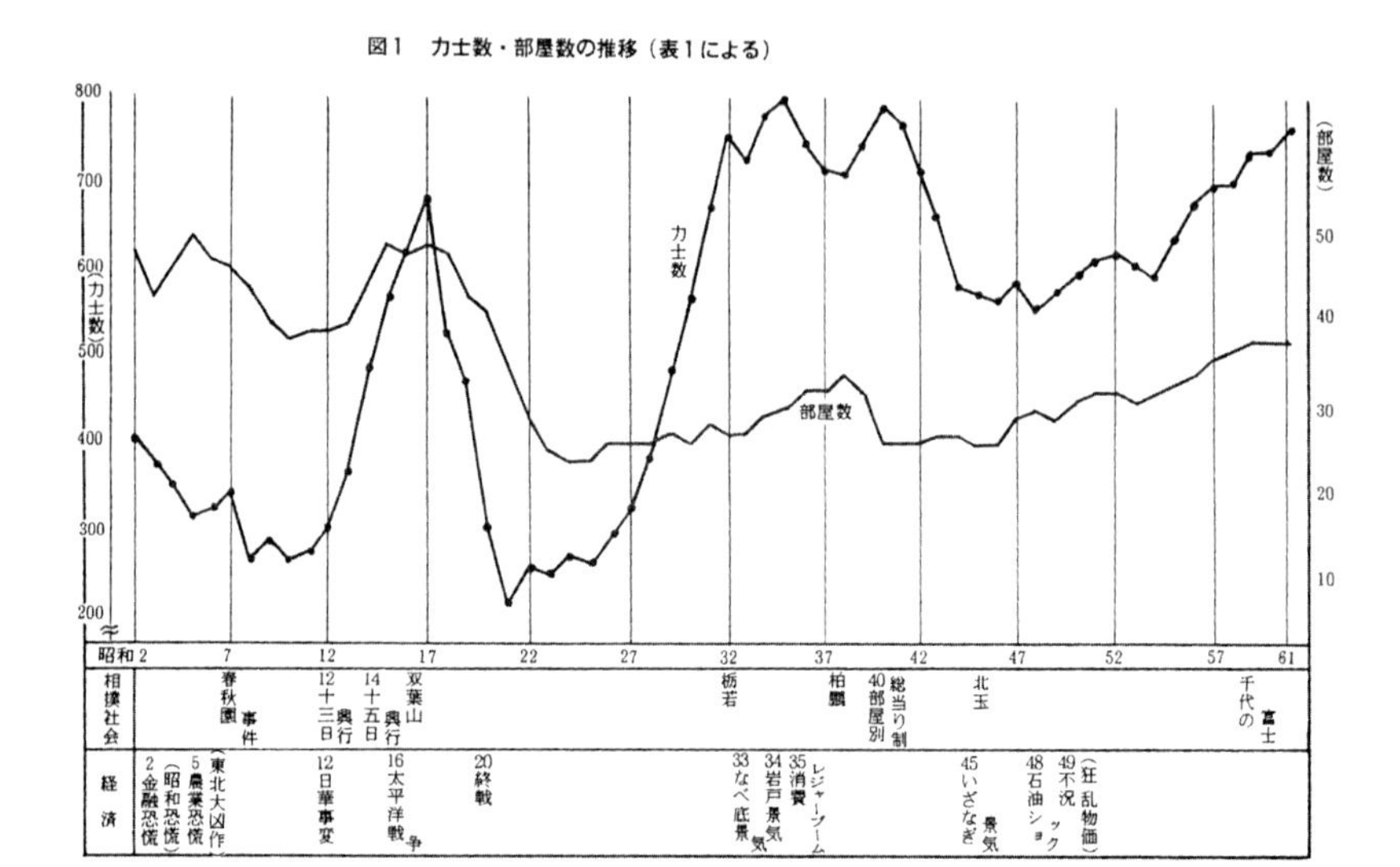

戦争が激化し応召力士が急増、昭和十八年には力士数も五百名台と減少し、終戦直後の昭和二十一年には二百十六名となった。戦後の日本は、相撲どころではなく力士数は二百名台が続き、昭和二十七年に三百名台に回復した。その後、日本の復興とともに力士数は増加し、昭和二十九年には四百名台、翌昭和三十年には五百名台、栃若時代となった昭和三十一年には六百名台、昭和三十二年には七百名台に達した。

昭和三十二年から昭和四十二年までの約十年間に、力士数は七百名台を越えるようになった。相撲協会は力士の適正人数を六百名と設定し、新弟子検査(1)の基準を厳しくしたり、初土俵から二十場所以内に幕下に昇進しない力士を廃業(2)させたりして、力士の増加を抑えた。そのため昭和四十三年には六百名台、昭和四十四年には五百名台まで力士数は減少した。また、昭和四十六年（一九七一）から新弟子が義務教育終了者に限られるようになったが、昭和五十年代になると力士数は再び増加し始め、昭和五十八年には再び七百名台となった。相撲部屋への力士の入門は、学校教育年度（三月卒業）の関係から三月場所と五月場所が多い。

昭和六十一年（一九八六）一月現在、相撲社会には年寄百三名、力士七百六十四名、番付外の力士十八名、若者頭七名、世話人四名、呼出し三十三名、行司四十三名、床山四十四名、計千十六名がいた。この千十六名が相撲社会の全人口であり、すべての者がそれぞれの相撲部屋に所属している（表二）。

表 2　相撲社会の人口（昭和61年 1 月）

部屋名	年寄	横綱	大関	関脇	小結	幕内	十両	幕下	三段目	序二段	序ノ口	番付外	行司	若者頭	世話人	呼出し	床山	計
朝日山	2						1	2	4	7	1	1	1				1	19
安治川	1							1	6	5						1	1	15
伊勢ヶ浜	6						1	11	6	11	1		4			2	1	43
伊勢ノ海	1					1		1	6	6	1		1				1	18
井筒	1					4	1	4	6	13	3		2			1	1	36
大島	1			1				7	7	8	2		1			1	1	29
大鳴門	1					1		3	3	6	2	2	1			1		20
大山	2								3	1							1	7
押尾川	1					2	1	7	7	15	2				1	2	2	40
鏡山	2					1	2	2	4	5	2							18
春日野	8					1	6	8	16	8	8	1	5	1		2	3	67
春日山	1							3	3	9	1							17
片男波	3					1		1	4	5	2	2					1	19
木瀬	2							3	3	4	1						1	14
北の湖	1								1	7	4							13
熊ヶ谷	1					1		1		8		1	1					13
九重	3	1		1			2	5	2	11	7		3			1	1	37
佐渡ヶ嶽	4					1	1	9	15	16	4	2				1	3	56
大鵬	2					1	4	4	5	9	2					1	1	31
高砂	9		1		1		1	8	7	13	5	2	1	1		2	3	54
高田川	1					1	1	3	4	5	4		1				1	21
立田川	4							2	2	1			2					11
立浪	7		1					4		6	2		4				2	26
出羽海	9				1	2		8	13	7	2	1	4	1		2	4	54
時津風	7					1	2	3	13	11	4		1			4	2	48
友綱	1					1		2	4	3	2			1	1	1	1	17
二所ノ関	2					2	1		4	5	1		3	1	1	5	1	26
放駒	4		1			2		8	18	8	8	1	3	1	1	3	1	59
藤島	1							3	7	14	3		1				1	30
二子山	4	1	1			3		1	6	7	1	1	1				1	27
間垣	1							1		10	5	4					1	22
陸奥	2							1		4				1				8
湊	1								1	7	4		1				1	15
三保ヶ関	4		1			1			7	12	1					2	2	30
宮城野	1						2	4	3	3	4		1			1	2	21
武蔵川	1								8	10	3		1				1	24
若松	1								2	8							1	12
計 37	103	2	5	2	2	27	26	120	200	288	92	18	43	7	4	33	44	1016

当時の相撲部屋の数は三十七部屋であったから、一部屋の平均所属人数は二十七・五名である。相撲部屋に所属する人数は、六十七名の春日野部屋から七名の大山部屋まで、大小様々である。

番付外の力士とは、新弟子検査に合格し相撲部屋に入門しているが、番付にはその名前が載っていない者のことである。また、相撲部屋には新弟子検査に合格していない者がいることがある。しかし、彼らの数は少なく、新弟子検査に合格するまでは相撲社会の正式な成員とはみなされない。彼らの中には相撲部屋に寄宿している者もいる。この外に相撲部屋には、親方が個人的にマネージャーを雇っている部屋がある。彼らも相撲社会の正規の成員ではないが、部屋に所属し部屋に寄宿している者もいる。

新弟子は義務教育を終了又は終了見込の男子に限られ、師匠を経て相撲協会に親権者の承諾書、戸籍謄本又は抄本を添えて力士検査届を提出し、協会が指定する医師の健康診断、ならびに入門検査に合格しなければならない。外国人の場合は二名の保証人が必要であり、外国人登録済証明書を協会に提出しなければならない。新弟子は検査に合格しても、すぐに番付に名前は載らない。番付の最下段の左隅に「此外中前相撲東西ニ御座候」とあるように、新弟子は前相撲・本中相撲で勝たなければならない。この前相撲・本中相撲が番付に載らない新弟子たちの相撲であり、一般的に前相撲に最初に出場すべき場所をその力士の「初土俵」と呼ぶ。休場してもその場所が初土俵となる。

前相撲・本中相撲は本場所の二日目から十三日目までに行なわれる。検査の合格した新弟子はまず前相撲に出場する。前相撲では新弟子が東西に分けられ、呼ばれた者が「仕切り」も「待った」もなく「飛び付き」で相撲を取り、勝った者が土俵に残り次の相手と相撲を取る。二連勝すると一つの星となり、この星が二つになると新弟子は本中相撲に進む。本中相撲でも二連勝を二回して星が二つになると、新弟子は化粧廻しを締めて「出世披露」して序ノ口に上がり（現在は三番勝てば序ノ口に出世し）、翌場所から番付に名前が載る。前相撲・本中相撲で所定の勝ち星をあげられなかった新弟子は、再び次の場所に前相撲・本中相撲で相撲を取らなければならないし、番付に名前が載らない「番付外」の力士ということになる。現在では一日でも出場すれば〇勝でも出世し、番付に名前が載る。昭和三十四年三月場所に初土俵を踏んだ高砂部屋の「朝嵐」は、番付外の前相撲・本中相撲で三場所相撲を取り、四場所目に序ノ口になり、前頭十四枚目まで出世した力士である。表三は、朝嵐の初土俵から現役引退までの地位である。彼の場合は現役を引退して年寄となり相撲社会に残った。力士が現役を引退して相撲社会を去る場合を「廃業」と呼ぶ。

表三　朝嵐の地位

	一月場所	三月場所	五月場所	七月場所	九月場所	十一月場所
昭和三十四年	前相撲	前相撲	本中	番付外	序ノ口	序二段
〃三十五〃	序ノ口	序二段	序二段	序二段	序二段	序二段
〃三十六〃	序二段	序二段	序二段	序二段	序二段	三段目
〃三十七〃	三段目	三段目	三段目	三段目	三段目	幕下
〃三十八〃	幕下	幕下	幕下	幕下	幕下	幕下
〃三十九〃	幕下	幕下	幕下	幕下	幕下	幕下
〃四十　〃	幕下	幕下	幕下	幕下	幕下	幕下
〃四十一〃	幕下	幕下	幕下	十両	十両	十両
〃四十二〃	十両	十両	幕下	幕下	十両	十両
〃四十三〃	幕下	十両	幕下	幕下	十両	十両
〃四十四〃	十両	十両	前頭	十両	十両	十両
〃四十五〃	十両	十両	十両	十両	十両	十両
〃四十六〃	十両	十両	幕下	幕下	幕下	十両
〃四十七〃	十両	十両	十両	十両	十両	十両

初土俵を踏んだ新弟子は、国技館内にある相撲教習所へ六カ月間通う。入所式・卒業式は年三回東京

本場所後に行なわれる。新弟子は、この六カ月間は巡業には参加しないが、本場所には出場する。本場所の相撲は実習とみなされる。教習所は日曜を除く毎日で、朝六時半頃から実技（大卒者は実技免除）、その後に教養の授業が一時間ある。新弟子は国技館内の食堂で昼食を食べて解散となる。教養は、相撲史（道義を含む）・運動生理・生理学・国語（書道、作文を含む）・社会学（一般）・詩吟である。

相撲社会の人口は、この新弟子力士が相撲部屋に入門し廃業していく人的交替によって推移している。力士の相撲社会における成員としての期間は、新弟子検査に合格して相撲部屋に入門してから廃業するまでである。尚、現役を引退して年寄、若者頭、世話人の地位について相撲社会に残った者は、その地位を廃業するまでである。この力士の入門から廃業までの過程を、昭和四十二年（一九六七）に入門した新弟子（百十八名）をコーホート（同時入門集団）とみなし、相撲社会の人的交替について以下に検討する。

昭和四十二年は第五十五代横綱北の湖が入門した年であり、この年の新弟子検査は六回行なわれた。通常、新弟子検査は本場所の行なわれるその地で計年六回、本場所前に行なわれる。昭和四十二年の新弟子検査は、一月十日（東京）二十五名が受検して十七名が合格、三月六日（大阪）四十名が受検して三十六名が合格、五月八日（東京）三十六名が受検して三十二名が合格、六月二十六日（名古屋）十六名が受検して八名が合格、九月四日（東京）十三名が受検して十一名が合格、十一月六日（福岡）十七名が受検して十四名が合格、計百四十七名が受検して計百十八名の合格者がいた。

彼らの入門した部屋、生年月日、廃業場所（年寄、若者頭、世話人として相撲社会に残った者は現役引退の場所）、および関取（十両以上）となった者の四股名、年寄となった者の年寄名は、「昭和四二年新弟子検査合格者名簿」（筆者所蔵）にある。

昭和四十二年当時は下記の二十六の相撲部屋があり新弟子が百十八名であったから、各部屋の平均新弟子数は四・五人である。この年の各部屋への新弟子の入門状況は表四の通りで、十一名の新弟子が入門した出羽海部屋・花籠部屋もあれば、入門者のいなかった谷川部屋・友綱部屋・若松部屋もある。

表四　昭和四十二年相撲部屋の新弟子数

部屋	人数	部屋	人数	部屋	人数
伊勢ノ海部屋	五名	伊勢ケ浜部屋	七名	井筒部屋	三名
大山部屋	二名	春日野部屋	九名	春日山部屋	一名
片男波部屋	十名	木瀬部屋	一名	九重部屋	八名
佐渡ケ嶽部屋	六名	高砂部屋	一名	高島部屋	一名
立浪部屋	六名	谷川部屋	○名	出羽海部屋	十一名
友綱部屋	○名	中川部屋	二名	二所ノ関部屋	十名
花籠部屋	十一名	二子山部屋	五名	間垣部屋	二名
宮城野部屋	三名	若松部屋	○名	朝日山部屋	二名
時津風部屋	八名	三保ケ関部屋	四名	計	百十八名

昭和四十二年の新弟子百十八名の新弟子検査時の平均年齢は十六・二歳である。この年の年齢別の新弟子数は、図二の通りであって、十五歳が最も多く四十三名、次が十七歳の二十一名、以下十六歳の十五名、一八歳の十一名、十四歳の十名の順となる。

図 2　昭和42年入門（初土俵）の年齢別新弟子数

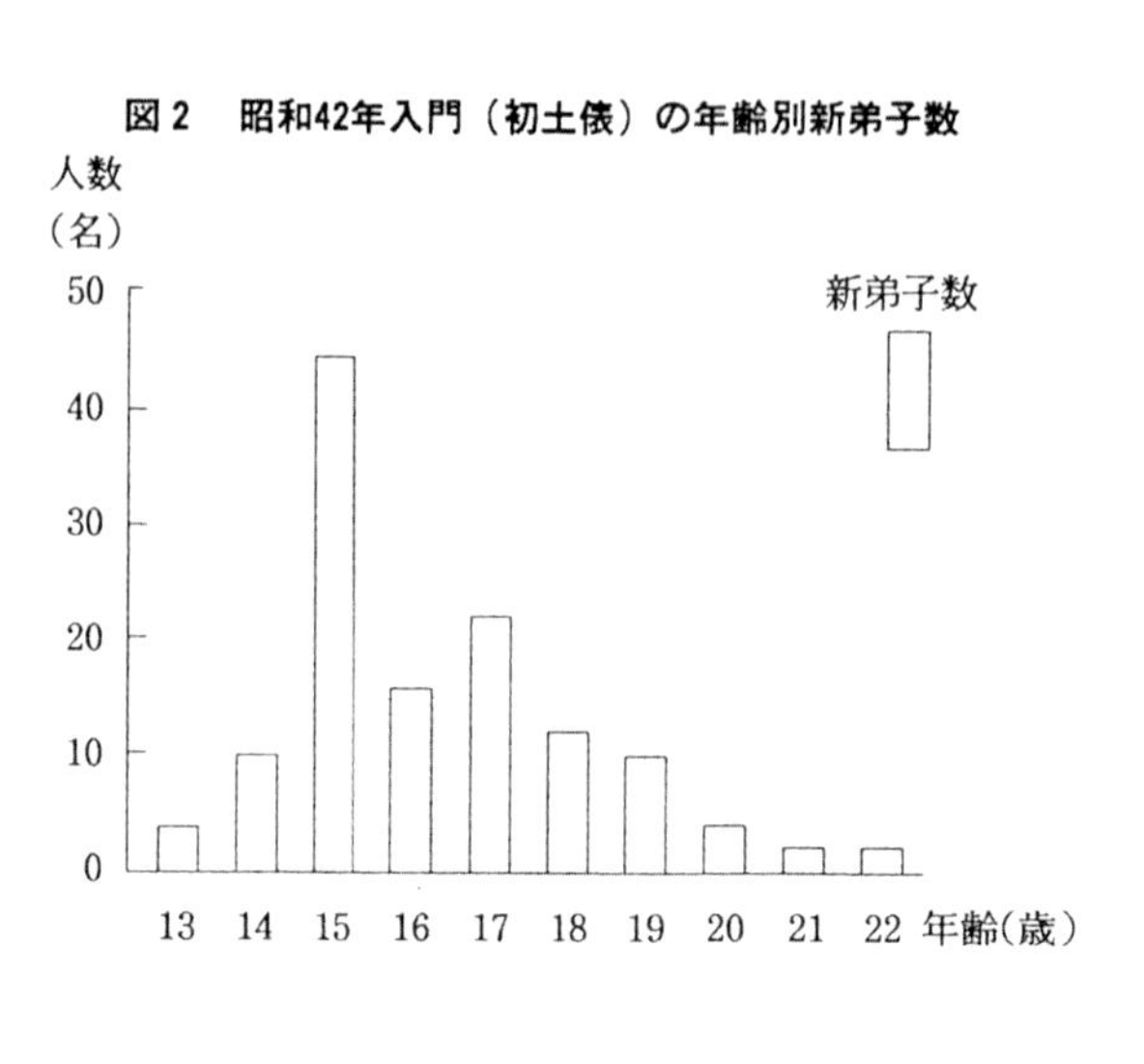

北の湖は、この年一月場所に中学一年の十三歳で三保ケ関部屋に入門し、表五のように、中学三年の十五歳で早くも幕下（昭和四十四年三月場所）にあがり、十七歳で最年少十両、十八歳で最年少入幕、十九歳で最年少三役の小結、二十一歳で最年少横綱となった。彼は優勝を二十四回して昭和六十年に新装なった両国国技館の一月場所中に現役を引退、相撲協会より一代年寄「北の湖」を贈られ、三保ケ関部屋から分家して北の湖部屋を興し弟子の養成を始めた。

表 5　北の湖の地位

	一月場所	三月場所	五月場所	七月場所	九月場所	十一月場所
昭和42年	前相撲(初土俵)	口13(5•2)	二95(4•3)	二49(2•5)	二82(4•3)	二55(4•3)
43	二36(7•0)	三20(0•7)	三64(6•1)	三31(2•5)	三55(4•3)	三39(6•1)
44	三5(6•1)	下38(2•5)	下56(4•3)	下51(5•2)	下30(3•4)	下37(4•3)
45	下29(5•2)	下16(4•3)	下13(4•3)	下10(5•2)	下3(2•5)	下10(5•2)
46	下5(6•1)	下1(5•2)	十10(9•6)	十4(6•9)	十8(9•6)	十2(9•6)
47	前12(5•10)	十3(10•5)	前11(9•6)	前7(9•6)	前3(6•9)	前6(10•5)
48	小結(4•11)	前5(9•6)	前1(6•9)	前4(8•7)	小結(8•7)	関脇(10•5)
49	関脇(14•1)優	大関(10•5)	大関(13•2)優	大関(13•2)	横綱(11•4)	(12•3)
50	(12•3)優	(13•2)	(13•2)優	(9•6)	(12•3)	(12•3)
51	(13•2)優	(10•5)	(13•2)優	(12•3)	(10•5)	(14•1)優
52	(12•3)	(15•0)優	(12•3)	(13•2)	(15•0)優	(13•2)
53	(15•0)優	(13•2)優	(14•1)優	(15•0)優	(14•1)優	(11•4)
54	(14•1)優	(15•0)優	(13•2)	(12•3)	(13•2)優	(10•5)
55	(12•3)	(13•2)優	(14•1)優	(15•0)優	(11•4)	(12•3)
56	(14•1)	(13•2)優	(14•1)優	(13•2)	(10•5)	(5•4•6)
57	(13•2)優	(11•4)	(9•4•2)	休	(10•5)	(9•3•3)
58	(5•4•6)	休	休	休	(4•1•10)	(11•4)
59	(8•7)	(10•5)	(15•0)優	(11•4)	(0•3•12)	(3•4•8)
60	(0•3•12)(現役引退)					

口=序ノ口・二=序二段・三=三段目・下=幕下・十=十両・前=前頭・優=優勝・休=休場・(勝•敗•休)

昭和四十二年の新弟子検査では、一月十日は中学三年生五名・二年生一名・一年生一名、三月六日は三年生十六名・一年生一名、五月八日は三年生六名・一年生一名、六月二十六日は三年生一名、九月四日は三年生一名・二年生一名、十一月十六日は三年生五名・二年生一名・一年生一名、中学生力士は計四十一名（中学三年生三十四名・中学二年生三名・中学一年生四名）であった。昭和四十六年より中学生力士は新弟子検査を受けられなくなったが、卒業直前の中学三年生の三月場所での入門は、現在でも認められている。従って、この中学三年生の三月場所に入門した十六名を除くと、当時は二十五名が部屋から中学に通っていたことになる。この中学生力士は本場所には出場していたが、本場所以外の日は義務教育を優先して中学校に通い、相撲教習所には中学を卒業してから入所していたようである。

昭和四十二年の新弟子百十八名の内、関取（十両以上）となった力士は、十両が若越・琴立山・栃偉山、前頭が琴乃富士・巌虎・琴ケ嶽、関脇が鷲羽山・麒麟児、大関が増位山、横綱が北の湖、計十名であった。この関取となった十名の中で、現役引退の時に（廃業とはならずに）年寄となれた力士は、年寄となった順に増位山・琴乃富士・琴ケ嶽・北の湖・鷲羽山・麒麟児の六名であった。しかし、番付最高位が前頭五枚目の琴乃富士は、尾車を襲名し年寄となったが、昭和六十年十一月に年寄を四年で廃業した。従って、現在（平成三年）では前頭筆頭（前頭一枚目）以上から三役（大関・関脇・小結）・横綱まで出世した力士の五名だけが、年寄として相撲社会に残っている。この年の新弟子で、若者頭・世話人となった者はいなかった。
片男波部屋の新弟子「玉ノ富士」は、後に片男波部屋に再入門し、関脇まで出世した。彼は、昭和四十二年五月場所に初土俵を踏み、出世して翌七月場所には序ノ口十八枚目に上がり、番付に名前が載った。この七月場所に六勝一敗の成績で、翌九月場所には序二段七十四枚目に上がったが出場せず休場、十一月場所も序二段百十九枚目で休場、昭和四十三年一月場所は序ノ口十六枚目に落ち休場、三月場所は前相撲に落ちて番付外で休場、五月場所も番付外で休場してこの場所に廃業した。最高位は序二段七十四枚目であった。彼の初土俵から廃業まで地位は表六の通りである。

表六　玉ノ富士の地位

	一月場所	三月場所	五月場所	七月場所	九月場所	十一月場所
昭和四十二年			前相撲（初土俵）	序ノ口十八（六勝一敗）	序二段七十四（全休）	序二段百十九（全休）
昭和四十三年	序ノ口十六（全休）	番付外（全休）	番付外（全休・廃業）			

廃業した玉ノ富士は、陸上自衛隊に入隊し二年間勤めて除隊し、再び片男波部屋に入門し昭和四十五年九月場所に再び初土俵を踏んだ。彼は昭和四十九年入幕し関脇まで上がって、昭和五十六年現役を引

退して湊川を襲名して年寄となり、昭和六十二年師匠片男波の死後に片男波部屋を継承した。

この玉ノ富士のような再入門力士は、三谷光司の調査[3]によれば、昭和二十五年一月場所から昭和五十四年三月場所までに六十三名いた。昭和二十五年以前の再入門力士は、前相撲の新弟子から再出場というようなことはなく、一段格下げか付出しであった。しかし、この年以降の再入門力士は一つの例外を除けば、全て前相撲の新弟子から再出場している。その例外とは、二所ノ関部屋の年寄片男波が、昭和三十七年五月場所に片男波部屋を興した時、片男波が二所ノ関部屋にいた彼の内弟子を、自分の興した片男波部屋に移籍させようとした。しかし、二所ノ関親方が、彼らを脱走力士として協会に廃業届を提出してしまった。従って、彼らは二所ノ関部屋の力士を一旦廃業し、片男波部屋に再入門ということになったが、十枚の格下げで再出場が認められた。

再入門力士六十三名の中で、最初に入門した部屋と再入門した部屋が異なる者はA・B・C・D・E・F・G・H・の七名である。Aは二所ノ関部屋に最初入門し、二所ノ関部屋に再入門、その後佐渡ケ嶽部屋に再々入門した。これは彼が二度目の廃業中、佐渡ケ嶽部屋が二所ノ関部屋から分家独立したためである。Bは立浪部屋に最初入門し中川部屋へ再入門、Cは二所ノ関部屋に最初入門し大鵬部屋に再入門した。BとCは廃業中に中川部屋が立浪部屋から、大鵬部屋が二所ノ関部屋から分家独立したためである。Dは最初が芝田山部屋で再入門が花籠部屋、Eは最初が荒磯部屋で再入門が伊勢ケ浜部屋である。

DとEは、廃業中の師匠の年寄名跡変更であり、部屋（師匠）は同じであった。Fは二所ノ関部屋に最初入門したが、時津風部屋への移籍を本人が希望したためである。Gは最初が宮城野部屋で再入門が大山部屋、Hは最初が時津風部屋で再入門が若松部屋である。

再入門力士六十三名の中で全く関係のない部屋に再入門したのは、F・G・Hの三名であった。その外の者は、同じ部屋（師匠）であるかあるいは関係のある一門の部屋に再入門している。相撲社会では現役力士の他の部屋への移籍は認められてないから、新弟子検査に合格して入門した力士とその部屋との関係（結びつき）は、半永久的である。従って、「廃業した力士あるいは脱走した力士が復帰する時は、必ず元の部屋に戻らなければならない（昭和五十年当時）。」というのが、相撲社会の常識となっている。しかし、現在は廃業力士の再入門は認められなくなった。

筆者の高砂部屋での調査においても、高砂親方と師弟関係のある力士が、他の部屋の親方と師弟の関係を結び、部屋を移籍するということはなかった。昭和四十九年から昭和五十一年の調査中に、部屋を「とんずら」（脱走）した力士が一名、廃業した力士が三名いた。脱走した力士は「おかみさん」のとりなしで、三カ月後に高砂部屋に帰って来た。また、廃業した力士三名は、約一年後に自分の現在の状況を報告に高砂親方のところへやって来た。通常、親方は脱走または廃業する力士の廃業届を、約一年間くらい協会に提出しない（表六参照）。この措置は、「相撲社会に復帰しようとする力士は部屋に必ず戻って来る」という前提のもとに行なわれている。また、これは力士の廃業届を協会に提出すると健康保険が切れてしまうので、彼らの次の職場が決まるまでの措置でもある。

二十山部屋の大関清水川は大正十二年入幕し、花形力士となりその人気に溺れ、私生活上の問題で昭和三年二十山親方から破門された。破門されて目覚めた彼は、相撲協会への復帰を願い出たが、許されなかった。この時に実父が「死をもってわびる」との遺書を残して自殺した。協会の中には「一旦師匠から破門された力士の帰参を認めることは前例となるから認めるべきではない」という意見も多かったが、「父親が死んで詫びるなどということがそうあるはずはない」との出羽海取締の意見が通り、彼の二十山部屋への復帰が認められた。また、立浪部屋の双羽黒（北尾）は、優勝経験もなく昭和六十一年に第六十代横綱となったが、師匠との仲が険悪となり破門され、昭和六十二年廃業した。双羽黒の立場を弁護する者は、相撲社会には誰もいなかった。この事件以降、廃業力士の再入門は認められなくなった。このように師匠による力士の「破門」は、その部屋からの破門を意味するばかりではなく、相撲社会からの「破門」（村八分）を意味する。

昭和四十二年の百十八名の新弟子を廃業（現役引退）順に並べると、入門したその場所だけで廃業した力士から、昭和六十三年まで現役を勤めた麒麟児までである。このコーホートの入門から現役引退までの過程は二十一年間に渡っており、彼らの年次別廃業力士数は図三の通りである。

図 3　昭和42年新弟子検査合格者の年次別廃業者数

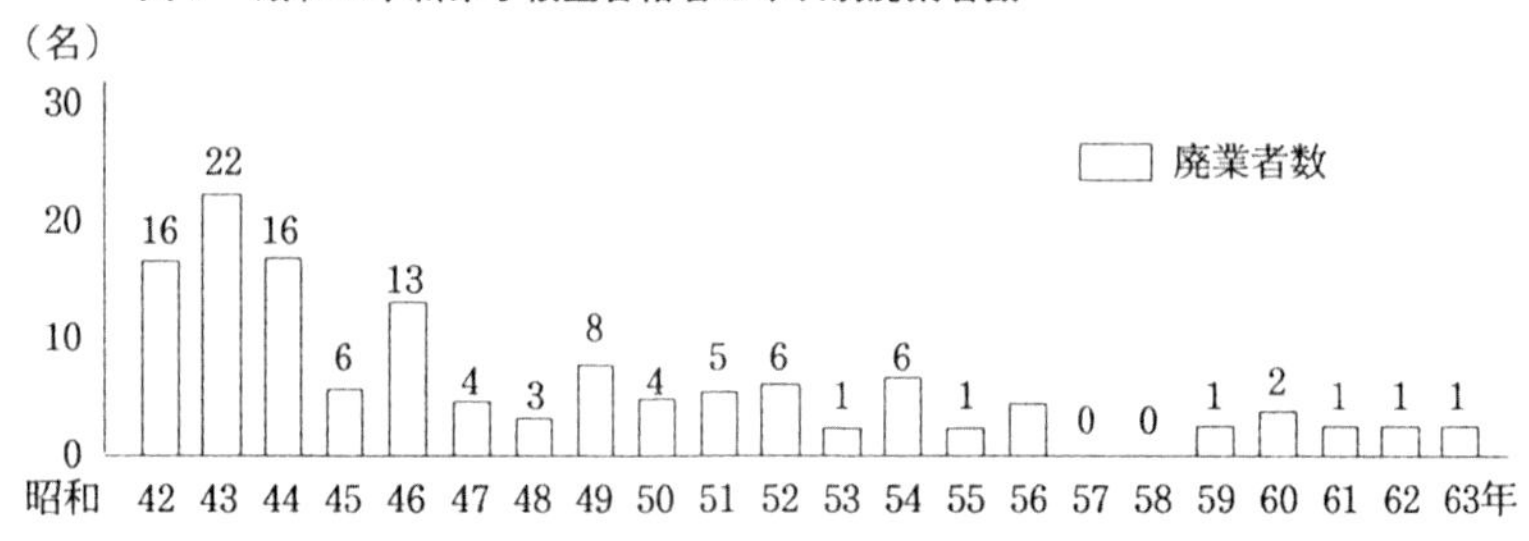

この年次別廃業力士数を年次順に累積したものが図四である。力士は入門の翌年には約三十二％、三年後には約五十一％、五年後には約六十五％、十年後には約八十七％の力士が廃業する。

　廃業力士の最高位は、入門した翌年（昭和四十三年）までの三十八名が三段目二名・序二段十七名・序ノ口十二名・番付外七名、二年目から五年目（昭和四十七年）までの三十九名が幕下一名・三段目十八名・序二段十九名・序ノ口一名、六年目から十年目（昭和五十二年）までの二十六名が十両一名・幕下二十二名・三段目三名、十年以上の十五名が横綱一名・大関一名・関脇二名・前頭三名・十両二名・幕下六名であった。入門してから五年目までに廃業する力士は、三段目までの者が多く、五―十年は幕下までの力士が多い。十年以上勤める力士には、十両以上の関取が多かった。

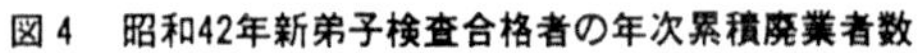

図４　昭和42年新弟子検査合格者の年次累積廃業者数

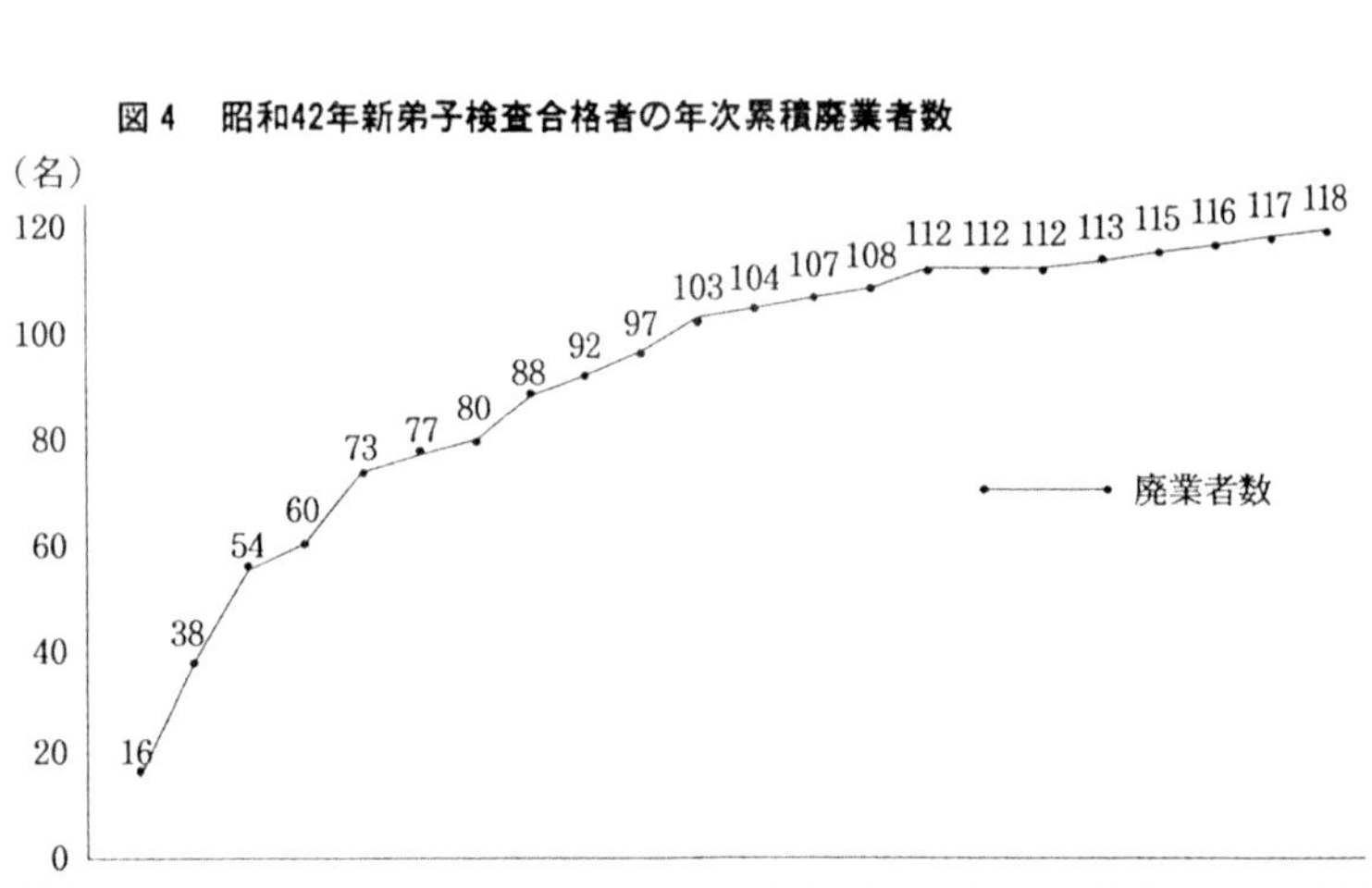

表７　番付構成人数の推移

	幕　内	十　両	幕　下	三段目	序二段	序ノ口	計
昭和42年１月場所	40	36	200	214	187	43	720
43	34	26	120	200	238	46	664
44	34	25	119	199	180	25	582
45	34	26	120	200	162	32	574
46	34	26	120	160	200	24	564
47	35	26	120	158	222	28	589
48	36	25	122	160	185	28	556
49	36	26	120	159	212	18	571
50	36	26	120	160	202	46	590
51	36	26	120	160	220	55	617
52	36	26	120	179	222	38	621
53	36	26	120	180	208	40	610
54	36	26	120	180	193	40	595
55	37	25	120	180	236	44	642
56	35	26	120	180	240	72	677
57	36	26	120	180	262	75	699
58	38	26	121	180	267	72	704
59	38	26	121	200	258	95	738
60	37	26	120	200	278	78	739
61	38	26	120	200	288	93	765

そして、番付最高位が前相撲・本中相撲の番付外で廃業した力士が七名、序ノ口で廃業した力士が十三名、序二段で廃業した力士が三十六名、三段目で廃業した力士が二十三名、幕下で廃業した力士が二十九名、関取で廃業（現役引退）した力士が十名であった。三段目までに廃業した力士が七十九名で、全体の六十七％を占める。三段目までの力士に廃業者が多いのは、表七の昭和四十二年から昭和六十一年の「番付構成人数の推移」からも理解できるように、昭和四十二年に協会が番付の枚数(4)（東西の二人で一枚）を幕内で三枚（六名）・十両で五枚（十名）・幕下で四十枚（八十名）削減したからでもある。その後、幕内力士の漸増はあるが、十両十三枚（二十六名）と幕下六十枚（百二十名）は一定しており、三段目・序二段・序ノ口の人数に増減がある。つまり、力士数の増減は、三段目までの力士の増減で調節されている。

このように相撲社会の力士は約三年で半数が入れ替わり、十年以上勤める者は約十三％であり、二十年以上となると年寄となった者を含めて約五％であった。相撲社会は力士の入門と廃業の激しい人的交替の過程に推移している。

第二節　相撲部屋の分布

相撲部屋が両国に集まり始めたのは、天保年間（一八三〇―一八四三）本所回向院が毎年春冬二回の小屋掛け晴天十日間興行の場所となった頃からである。これ以前の文化・文政年間（一八〇四―一八二九）の相撲興行は、年二回興行の一回が本所回向院で行われ、他の一回は神田明神・芝神明・茅場町薬師・蔵前八幡・深川八幡・浅草観音・芝西久保八幡・麹町心法寺・御蔵前大護院・湯島天神で行われた。まずここでは、天保年間の前（文政）と後（弘化）における相撲部屋の分布の状況を検討することから始める。

天保年間以前の文政五年（一八二二）に『角觝詳説活金剛傳(5)』上、下二冊が出版された。この書物の下巻には三十五名の年寄連名があり、彼等の住所および現役時代の四股名、師匠名は左記の通りである。

（一）　下谷上野町　古錣山門人浪除半五郎改　　錣山喜平次
（二）　神田旅篭町　古条川門人矢車留五郎改　＊(6)条川新右衛門
（三）　本小田原町壱丁目　古友綱倅　　友綱良助

(四) 本郷金助町　古浦風門人山桂与三郎改　荒礒與八
(五) 霊岸島南新堀　古清見潟門人立浪久次改　清見潟又蔵
(六) 深川海辺大工町　古東関門人日本橋丈助改　東關庄助
(七) 四ツ谷内藤新宿　古勝ノ浦門人鬼面山与一右衛門改　勝ノ浦与一右衛門
(八) 本郷金助町　雷電門人稲出川市五郎改　浦風林右衛門
(九) 両国薬研堀　古伊勢ノ海門人和歌ノ浦傳次郎改　＊秀ノ山傳次郎
(十) 芝金杉町　古佐渡ケ嶽門人桟初五郎改　＊佐渡ケ嶽澤右衛門
(十一) 芳町　古佐渡ケ嶽門人礎清五郎改　白玉由右衛門
(十二) 浅草黒舟町　古山分門人駒留石之助改　山分萬吉
(十三) 麻布藪下　古振分門人櫻野長兵衛改　振分忠蔵
(十四) 浅草中代地　古伊勢ノ海門人大綱七郎次改　＊春日山鹿右衛門
(十五) 芝神明前　古浦風門人住ノ井甚助改　＊武隈文蔵
(十六) 神田龍閑町　古小野川門人鯱和三郎改　常盤山小平次
(十七) 浅草三軒町　古佐渡ケ嶽門人網代木力蔵改　錦嶋三太夫
(十八) 和泉橋杉ノ森稲荷前　粂川門人鍬形粂蔵改　立田川清五郎
(十九) 音羽町一丁目　古雷門人曙野安右衛門改　＊松ケ根幸太夫
(二十) 根津門前　錣山門人浪除半五郎改　＊甲山半五郎
(二十一) 関口水道町　古雷峯右衛門門人浮嶋三五郎改　二子山三五郎

（二十二）深川佐賀町　古伊勢海門人諭摺木濱右衛門改　玉ノ井村右衛門
（二十三）深川常磐町　古千賀ノ浦門人横雲太吉改　＊千賀ノ浦太三郎
（二十四）小梅瓦町　古追手風門人和田原小太郎改　追手風喜太郎
（二十五）浅草寺境内　錣山門人大橋清五郎改　＊武蔵川初五郎
（二十六）西久保廣小路　古二十山門人木曽川傳吉改　二十山重五郎
（二十七）四ツ谷　諭鶴羽峯右衛門甥　桐山権平
（二十八）八町堀代地　古田子浦門人茨木音右衛門改　田子浦賀蔵
（二十九）浅草金竜山下尻町　柏戸□伊勢海門人若ノ森太吉　若藤恒右衛門
（三十）神田旅籠町　粂川門人鯱亀之助改　間垣伴七
（三十一）本所松井町　勝ノ浦門人甲豊五郎改　＊酒井川豊五郎
（三十二）湯島天神前　古花籠門人立石万太郎改　花籠與市
（三十三）麻布十番　古山響門人鳴潮嶋五郎改　山響勇五郎
（三十四）通塩町　山分門人隅田川十兵衛改　＊濱風今右衛門
（三十五）神田新橋　古入間川門人桐ケ崎団八改　入間川多右衛門

年寄連名にある三十五名の年寄の住所を、地図に示すと図五のようになる。

図5　相撲部屋の所在地（文政5年［1822］）

本所回向院の近くには（三）友綱・（六）東関・（九）秀ノ山・（十八）立田山・（二十三）千賀ノ浦・（三十一）酒井川・（三十四）浜風、芝神明・芝西久保の近くには（十）佐渡ケ嶽・（十三）振分・（十五）武隈・（三十三）山響・（三十五）入間川、神田明神・湯島天神の近くには（二）粂川・（四）荒磯・（八）浦風・（十六）常盤山・（三十）間垣・（三十二）花籠、浅草観音・蔵前八幡・御蔵前大護院の近くには（十二）山分・（十七）錦島・（二十五）武蔵川・（二十九）若藤、深川八幡の近くには（五）清見潟・（六）東関・（十一）白玉・（二十二）玉ノ井・（二十八）田子ノ浦、麹町心法寺の近くには（七）勝ノ浦・（二十七）桐山が住んでいた。（一）錣山と（二十）甲山、（十九）松ケ根と（二十一）二子山は、興行場所とは関係のない所に住んでいた。

天保年間以前の年寄は、相撲興行の行われる所の近くに住んでおり、相撲部屋もそこにあったものと考えられる。従って、当時の相撲部屋は両国に集中してはいなかった。

本所回向院で年二回相撲興行が行なわれるようになった天保年間（一八三〇―一八四三）後の弘化四年（一八四七）に『相撲改正金剛傳(7)』が出版された。この書物にある五十四名の年寄名、宿所稽古場（相撲部屋）の所在地および現役時代の四股名、師匠名は左記の通りである。

（一）　故雷権太夫甥鍬形事久米川改　　筆頭役　雷権太夫

宿所稽古場浅草三好町

（二）故勝ノ浦与一右衛門門人甲豊五郎改

宿所稽古場一ツ目弁天屋鋪　筆脇役　境川浪右衛門

（三）故追手風門人黒柳松次郎改

宿所同小梅瓦町　組頭役　追手風喜太郎

（四）故桐山権平門人荒馬大五郎改

宿所同八丁堀長沢町　組頭役　宮城野馬五郎

（五）故雷権太夫門人荒汐大次郎改

宿所同深川常盤町　組頭役　武蔵川虎之助

（六）同浅草堀田原　故山分門人隅田川重兵衛改　濱風今右衛門

（七）同深川一色町　清見潟門人小森野又市改　清見潟又市

（八）同松嶋町　故浦風門人御所嶋佐吉改　立田川清五郎

（九）同市谷八幡前　故出来山門人常盤戸改　出来山藤四郎

（十）同本所原庭町　朝ノ雪改玉垣倅　玉垣額之助

（十一）同下谷茅町　故雷門人武蔵潟改　待乳山楯ノ丞

（十二）同通二丁目新道　故富士嶋倅　富士嶋甚助

（十三）同深川佐賀町　故玉ノ井門人佐津又　玉ノ井村右衛門

（十四）同千住五丁目　故雷門人加奈頭改　楯山藤蔵

（十五）同松嶋町　故入間川門人茨木改　入間川徳蔵

（十六） 同本所荒井町 雷門人象ケ鼻改 音羽山峯右衛門
（十七） 同本所石原町 伊勢海門人志賀浦改 東関庄助
（十八） 同本所松坂町 勝ノ浦門人谷ノ音改 花籠平五郎
（十九） 同本所原庭町 同人門人松尾山改 熊ケ谷弥三郎
（二十） 同三拾間堀三丁目 阿武松門人湖東山改 武隈文右衛門
（二十一） 同本所元町 故伊勢海門人荒飛改 柏戸宗五郎
（二十二） 同浅草福井町 故武隈門人小柳改 阿武松緑之助
（二十三） 同下谷御成街道 故雷門人平石改 粂川新右衛門
（二十四） 同神田岩本町 故雷門人由良海改 湊川由三郎
（二十五） 同根津門前町 故甲山門人浪除改 甲山力蔵
（二十六） 同本所原庭町 故田子浦門人松ケ崎改 田子浦忠太夫
（二十七） 同下谷坂本町 故錣山門人七々瀧改 錣山喜平次
（二十八） 同深川仲町裏河岸 故伊勢海門人御所ノ浦改 関ノ戸億右衛門
（二十九） 同本所原庭町 故玉垣門人千田川改 友綱良助
（三十） 同本所横網町 故秀ノ山門人岩見潟改 秀ノ山雷五郎
（三十一） 同本所小梅町 追手風門人白山改 尾上唯右衛門
（三十二） 同浅草三好町 故雷門人陣鐘改 中川紋右衛門
（三十三） 同麻布竜土町 故玉垣門人鷲ケ濱改 常盤山小平治

(三十四) 同本所元町　故雷門人相生改　春日野松五郎
(三十五) 同浅草代地　故浦風門人麻ケ嶽改　稲川政右衛門
(三十六) 同本所竹町　故庄之助門人木村正八郎　高砂五郎次
(三十七) 同浅草山谷町　故二子山門人羅生門改　二子山為右衛門
(三十八) 同本所相生町　故秀ノ山門人大江山改　若松源次
(三十九) 同深川奥川町　故庄之助門人庄三郎　木村瀬平
(四十) 同本所尾上町　雷門人荒汐改　放駒弥三郎
(四十一) 同浪花町　帳元次右衛門伜　間垣繁次郎
(四十二) 同駒込土物店　故浦風門人越ケ濱改　井筒元右衛門
(四十三) 同本郷金助町　故玉垣伜　浦風林右衛門
(四十四) 同深川常盤町　武蔵川伜　武蔵川虎之助
(四十五) 同浅草三好町　雷門人楯ケ嶋改　立田山清太夫
(四十六) 同浅草山谷町　故千賀浦門人松ケ枝改　千賀浦庄吉
(四十七) 同浅草三好町　雷門人温海嶽改　片男浪峯右衛門
(四十八) 同本郷大根畑　故浦風門人大幸山改　九重武次右衛門
(四十九) 同四ツ谷新宿　故勝ノ浦伜岩ケ根　勝ノ浦与一右衛門
(五十) 同深川佐賀町　宮城野門人総ケ関改　佐野山丈助
(五十一) 同赤坂五丁目　故振分門人八光山改　振分忠蔵

（五十二）同本所相生町　　玉垣門人玉ケ橋改　　大竹門右衛門
（五十三）同松島町　　入間川倅　　入間川峯五郎
（五十四）同下谷柳稲荷前　　故錦島門人走り舟改　　錦島三太夫

この弘化四年（一八四七）の相撲部屋の所在地を地図に示すと、図六のようになる。弘化四年の相撲部屋は、前述の文政の頃より両国周辺に集中するようになった。これは、年二回の本場所が天保年間に本所回向院で、行われるようになったからである。

明治維新となり文明開化の風潮の下、相撲は野蛮なスポーツと非難され人気は衰退した。しかし、相撲会所は江戸相撲を東京相撲と改称し、年二回の本場所興行を回向院で開催し続けた。相撲社会は、明治維新の版籍奉還によって大名からの経済的援助がなくなり、相撲部屋は大名の抱えを解かれた力士を収容、その経営は苦しくなったが、形態は維持された。経済的自立を余儀なくされた相撲社会は、組織の内部改革に着手した。この改革によって制定された、明治二十九年（一八九六）の東京角觝協会申合規則に記載されている七十五名の年寄と彼らの住所は、次の通りである(8)。

（一）東京市本所区緑町三丁目二十七番地　　業名高砂浦五郎事　　山崎浦五郎
（二）〃　本所区松坂町一丁目三番地　　業名雷権太夫事　　小江藤太郎
（三）〃　本所区松井町一丁目十一番地　　業名田子浦嘉蔵事　　大坪嘉蔵
（四）〃　本所区小泉町八番地　　業名中川与兵衛事　　中川与兵衛

（五）〃　本所区相生町二丁目六番地　業名花籠平五郎事　後藤平五郎
（六）府下南葛飾郡大島村字大島町二十六番地　岩野銀次郎方寄留　業名伊勢ケ浜勘太夫事　岩野梶之助
（七）東京市本所区小泉町十三番地　業名二十山重五郎事　中条重五郎
（八）〃　深川区相川町九番地　業名立田山清太夫事　高橋清太夫

図6　相撲部屋の所在地（弘化4年［1847］）

(九)　〃本所区南二葉町十四番地　業名若松源治事　若松源治
(十)　〃本所区小泉町二十八番地　業名常盤山音右衛門事　常盤山音右衛門
(十一)　〃本所区北二葉町十一番地　業名尾車文五郎事　小松芳五郎
(十二)　〃本所区相生町四丁目二十四番地　業名佐野山幸吉事　佐野山幸吉
(十三)　〃本所区松井町三丁目十番地　業名荒汐甚太夫事　荒汐甚太夫
(十四)　〃本所区松井町一丁目十三番地　業名関ノ戸億右衛門事　吉原億右衛門
(十五)　〃浅草区北松山町二十八番地　業名錦島三太夫事　錦島三太夫
(十六)　〃深川区熊井町九番地　業名清見潟又市事　井上又市
(十七)　〃本所区横網町一丁目十六番地　業名入間川治太夫事　入間川治太夫
(十八)　〃本所区元町十一番地　業名粂川新右衛門事　粂川新右衛門
(十九)　〃本所区松坂町一丁目二番地　業名二所ノ関軍右衛門事　宮田勇吉
(二十)　〃本所区横網町一丁目一番地　業名立浪繁蔵事　佐藤繁蔵
(二十一)　〃本所区相生町三丁目八番地　業名九重武治右衛門　梅沢嘉太郎
(二十二)　〃本所区横網町一丁目五番地　業名山科長兵衛事　郷家直治
(二十三)　〃本所区三笠町十三番地　業名東関庄助事　山崎多蔵
(二十四)　〃深川区御舟蔵前町四番地　業名春日山万蔵事　永沢万蔵
(二十五)　〃本所区松坂町二丁目十五番地　業名白玉音吉事　松崎音吉
(二十六)　〃本所区林町一丁目十二番地　業名阿武松緑之助事　今関宗治郎

（二十七）〃本所区元町十七番地　業名伊勢海五太夫事　伊勢海五太夫
（二十八）〃本所区元町十八番地　業名八角灘右衛門事　大空芳蔵
（二十九）〃本所区松井町一丁目八番地　業名武隈清四郎事　大畑清四郎
（三十）〃本所区元町二十五番地　業名若藤永吉事　千徳永作
（三十一）〃本所区横川町二十六番地　業名二子山為右衛門事　金子為右衛門
（三十二）〃本所区松坂町二丁目八番地　業名春日野宗助事　中田栄助
（三十三）〃本所区相生町五丁目二十一番地　業名武蔵川谷右衛門事　吉原熊十郎
（三十四）〃麻布区飯倉町二丁目四十三番地　業名君ケ浜市五郎事　山下市五郎
（三十五）〃本所区番場町三十番地　業名片男浪藤三郎事　片男浪藤三郎
（三十六）〃本所区亀沢町一丁目三番地　業名錦戸辰五郎事　大野辰五郎
（三十七）〃日本橋区新柳町四番地　業名友綱貞太郎事　河野貞太郎
（三十八）〃本所区緑町一丁目四十二番地　業名振分忠蔵事　伊丹忠蔵
（三十九）〃本所区元町十七番地　業名山響団蔵事　小林団蔵
（四十）〃本所区松井町一丁目二番地　業名立川伊平事　柴田虎吉
（四十一）〃日本橋区村松町四十七番地　業名湊川四良兵衛事　伊藤定治
（四十二）〃本所区小泉町三十一番地　業名藤島甚助事　浜田卯之吉
（四十三）〃本所区松坂町二丁目十二番地　業名谷川円太夫事　早川吉五郎
（四十四）〃深川区富吉町二十九番地　業名中立庄太郎事　勇川政吉

（四十五）〃本所区亀沢町一丁目二十六番地　業名玉垣静之助事　藤井清治郎
（四十六）〃本所区亀沢町二丁目九番地　業名浜風今右衛門事　佐野菊治郎
（四十七）〃小石川区指ケ谷町十四番地　業名熊ケ谷弥三郎事　山西嘉吉
（四十八）〃本所区亀沢町四番地　業名山分万吉事　柳原末吉
（四十九）〃本所区相生町五丁目三十六番地　業名桐山権平事　野地藤平
（五十）〃本所区林町二丁目四十九番地　業名放駒茂吉事　稲川茂吉
（五十一）〃浅草区山谷町四番地　業名佐渡ケ嶽兵右衛門事　塚原春吉
（五十二）〃本所区元町十七番地　業名式守秀五郎事　大家重五郎
（五十三）〃本所区相生町五丁目二十八番地　業名陸奥村右衛門事　中川豊蔵
（五十四）〃麻布区飯倉町二丁目四十三番地　業名荒磯松五郎事　伊藤松五郎
（五十五）〃浅草区福富町十六番地　業名浅香山半左衛門事　斎賀関太郎
（五十六）〃本所区松坂町二丁目十二番地　業名根岸治右衛門事　根岸治右衛門
（五十七）〃深川区御舟蔵前町十五番地　業名出羽海運右衛門事　出羽海虎吉
（五十八）〃本所区元町一番地　業名立田川鶴之助事　丸藤久蔵
（五十九）〃本所区小泉町二十六番地　業名式守伊之助事　後藤与太夫
（六十）〃本所区松坂町二丁目十二番地　業名木村瀬平事　木村庄五郎
（六十一）〃本所区亀沢町一丁目十九番地　業名木村銀治郎事　鈴木銀治郎
（六十二）〃本所区緑町一丁目三十二番地　業名追手風喜太郎事　高木徳太郎

（六十三）〃本所区小泉町三十二番地　業名鳴戸沖右衛門事　大瀧藤蔵
（六十四）〃本所区小泉町三十二番地　業名鎹山伝治郎事　磯野伝治郎
（六十五）〃浅草区並木町十四番地　業名大山安蔵事　野正安蔵
（六十六）〃浅草区向柳原町二丁目三番地　業名富士ケ根弥吉事　富士ケ根弥吉
（六十七）〃本所区緑町四丁目四十九番地　業名浦風林右衛門事　藤井政治郎
（六十八）〃本所区松井町三丁目十九番地　業名千賀ノ浦羽左衛門事　諏訪弁治
（六十九）〃京橋区長沢町二十四番地　業名鳳凰馬五郎事　宮城野虎之助
（七十）〃本所区元町十六番地　業名木村庄之助事　深山庄三郎
（七十一）〃本所区緑町三丁目二十七番地　山崎浦五郎方寄留　業名井筒文蔵事　宮本文蔵
（七十二）〃本所区横網町一丁目五番地　業名天津風雲右衛門事　荒井栄助
（七十三）〃本所区元町十六番地　業名間垣光右衛門事　遠藤光右衛門
（七十四）〃本所区北二葉町十一番地　業名松ケ根幸太夫事　小山田近五郎
（七十五）〃本所区松井町三丁目十五番地　諏訪弁治方寄留　業名芝田山力蔵事　柴田力蔵

当時は、この中のどの年寄が相撲部屋の親方（師匠）であったかは不明である。しかし、彼らの住所は、回向院（両国）のある本所区が五十八名、本所区に隣接する深川区に五名、浅草区に五名、日本橋区に二名、南葛飾郡に一名、回向院から遠い所は麻布区に二名、小石川区に一名、京橋区に一名であった。明治時代の年寄は、七十五名の中の七十一名が回向院の近くに住むようになった。これは明治維新によって年寄達が従来の大名への依存的体質を改め、本場所興行を中心に経済的に自立した相撲社会を建設するために、回向院の近くに集まったものと考えられる。ここに両国の「相撲村」が誕生した。

明治四十二年（一九〇九）回向院境内に相撲常設館として「国技館」が建設され、天候に関係なく興行が行われるようになり、相撲部屋はますます両国に定着するようになった。大正十年（一九二一）稽古場を持っている相撲部屋は十一部屋であり、その当時の所在地名（現在の地名）は左記の通りである。

一、出羽海部屋　相生町　（墨田区両国二―四丁目）
二、井筒部屋　緑町一丁目　（墨田区緑一―四丁目）
三、入間川部屋　横網二丁目　（墨田区横網一―二丁目）
四、雷部屋　小泉町　（墨田区両国二―四丁目）
五、伊勢ノ海部屋　元町　（墨田区両国一―二丁目）
六、湊川部屋　緑町三丁目　（墨田区緑一―四丁目）
七、八角部屋　小泉町　（墨田区両国二―四丁目）
八、二十山部屋　緑町二丁目　（墨田区緑一―四丁目）
九、宮城野部屋　小泉町　（墨田区両国二―四丁目）
十、峰崎部屋　小泉町　（墨田区両国二―四丁目）
十一、高砂部屋　小泉町　（墨田区両国二―四丁目）

右記の十一部屋は、全て回向院の近くにあった。当時は四十七の相撲部屋があり、上記以外の三十六部屋には稽古場がなかった。稽古場のない相撲部屋は、年寄の家に力士が寄宿しているだけであるから、一般の民家と区別がつかなかったようである。

昭和期における相撲部屋の数の推移は、表一と図一の通りである。東京と大阪の両協会が合併した昭和二年一月には相撲部屋が四十八部屋あった。昭和七年の春秋園事件の後、部屋数は四十を割るようになったが、昭和十四年双葉山の人気で力士数が増え、部屋数は再び四十台となった。昭和十六年一月には四十二の相撲部屋（表八）のうち、二十二部屋が本所区の両国に、九部屋が本所区内に、五部屋が本所区に隣接する深川区・江戸川区・日本橋区にあり、計三十六部屋が両国の近くにあった。

戦後の昭和二十二年、力士数の急減によって相撲部屋は二十八部屋となり、昭和二十四年には二十三部屋までに減った。その後十年間は力士数の急増とともに、相撲部屋の数も少しずつ増え、昭和三十六年には部屋数が三十を超えるようになった。しかし、昭和四十年（一九六五）部屋を解散して本家に弟子を移籍させる部屋が多く出た。これは、同年に部屋別総当制が実施されたためであり、一門の力士同士の本場所での対戦を、避けるためであったと理解できる。そのため部屋数は一挙に二十五部屋となってしまった。昭和四十年代は力士数の増加に伴って、相撲部屋の数も増え、昭和五十年には部屋も三十を超えるようになった。

戦後は「国技館」が台東区の蔵前に移り本場所興行もそこで行なわれていた。昭和六十年に「国技館」

は再びＪＲ両国駅前の回向院の近くに移った。昭和六十一年一月（表八）には三十七の相撲部屋のうち、十五部屋が「国技館」のある墨田区に、十五部屋が墨田区に隣接する江戸川区・台東区・江東区に、五部屋が文京区・杉並区・中野区に、そして千葉県市川市と埼玉県川口市にそれぞれ一部屋あった。両国から遠く離れた所に建てられる相撲部屋が出現するようになった。

保田武宏の調査「昭和年間相撲部屋の動き」（相撲趣味の会例会資料、昭和六十一年）によれば、昭和二年から昭和六十一年七月まで切れ目なく継承されている部屋は、朝日山・春日野・高砂・立浪・出羽海・友綱の六部屋だけである。この間に、九十八の相撲部屋が創設され、百八の相撲部屋が解散し消滅した。消滅した部屋が十部屋多いのは、昭和二年に四十八部屋あった相撲部屋が昭和六十一年に三十八部屋となったからである。相撲部屋は、激しい盛衰の過程でその消長を繰り返している。

表8　相撲部屋の分布の推移（昭和16年・昭和61年）

部屋名	所在地（昭和16年1月）
出羽海	・本所区東両国1-1-3
二所ノ関	・本所区東両国4-44
高砂	・本所区東両国3-5
春日野	・本所区東両国1-10
立浪	・本所区東両国3-9
伊勢ケ浜	・本所区東両国2-2
粂川	・本所区東両国3-8
高島	本所区石原町1-22
井筒	本所区亀沢町1-10
朝日山	深川区高橋2-2
湊川	・本所区東両国2-10
小野川	・本所区東両国2-17
花籠	麹町区九段2-26
錦島	・本所区東両国2-17-2
立田山	江戸川区小岩町3-1869
中村	大阪市浪速区1-1
陸奥	本所区緑町2-6-5
山分	本所区堅川町1-8-1
若松	・本所区東両国2-1
富士ケ根	・本所区東両国2-2
振分	本所区亀沢町2-2
三保ケ関	・本所区東両国2-8
二十山	本所区緑町2-1-1
追手風	本所区千歳町3-4
宮城野	・本所区東両国2-7
武隈	・本所区東両国1-18
二子山	日本橋区呉服橋3-5-3
熊ケ谷	江戸川区小岩町3-1508
若藤	・本所区東両国1-6
友綱	麹町区九段3-1-3
芝田山	・本所区東両国2-8
鏡山	・本所区東両国1-14
甲山	本所区亀沢町1-8
荒汐	・本所区東両国3-10
春日山	・本所区東両国2-2
中川	・本所区東両国2-2
片男波	本所区亀沢町1-13
佐渡ケ嶽	川口市栄町3-67
松ケ根	杉並区馬橋4-549
枝川	・本所区東両国3-3

部屋名	所在地（昭和61年1月）
谷川	麹町区永田町2-1
音羽山	江戸川区興ノ宮4
朝日山	江戸川区北葛西4-14-21
春日野	・墨田区両国1-7-11
高砂	台東区柳橋1-22-5
友綱	江東区毛利1-20-7
立浪	・墨田区両国3-26-2
出羽海	・墨田区両国2-3-15
二所ノ関	・墨田区両国4-17-1
大山	江戸川区東小岩5-35-13
時津風	・墨田区両国3-15-3
陸奥	江戸川区平井3-13-14
伊勢ノ海	江戸川区春江町3-8-80
三保ケ関	墨田区千歳3-2-12
伊勢ケ浜	文京区白山5-7-15
若松	・墨田区両国2-10-8
春日山	江東区佐賀1-10-14
佐渡ケ嶽	墨田区太平4-18-13
宮城野	墨田区緑4-16-3
木瀬	文京区本郷2-35-13
片男波	墨田区石原1-33-9
二子山	杉並区成田東3-25-10
九重	墨田区亀沢1-16-1
鏡山	江戸川区北小岩8-16-1
立田川	・墨田区両国4-7-11
大鵬	江東区清澄2-8-3
井筒	・墨田区両国2-2-7
高田川	江戸川区一之江2-1-15
大鳴門	千葉県市川市　2-22-14
押尾川	江東区木場1-17-7
熊ケ谷	江戸川区南小岩1-6-28
安治川	江東区毛利1-7-4
大島	・墨田区両国3-5-3
放駒	杉並区阿佐ケ谷南3-12-8
武蔵川	江東区平野3-2-9
藤島	中野区本町3-10-6
湊	埼玉県川口市2-20-10
間垣	墨田区亀沢3-8-1
北の湖	江東区清澄2-10-11

・印が両国にあった部屋

第三節　相撲部屋の居住形態

力士の一年間のスケジュール（昭和六十年八月―昭和六十一年八月）は、表九の通りである。彼らは、大阪・名古屋・福岡の地方本場所で約三カ月間、そして地方巡業で約三カ月間、東京の相撲部屋を離れる。地方巡業には、十両以上の関取とその付人（幕下以下力士）が参加する。従って、関取とその付人は約半年間、その他の幕下以下の力士は約九カ月間を、東京あるいは東京近郊の相撲部屋で生活する。また、年寄・行司・若者頭・世話人・呼出し・床山も地方巡業に参加するので、東京の相撲部屋にいるのは約半年間である。

表9　力士の一年間のスケジュール（昭和60年８月〜昭和61年８月）

期　間	行事	居住場所
昭和60年８月25日－10月 5日	９月場所	東京
10月 6日－10月26日	秋巡業	北陸・四国
10月27日－11月24日	11月場所	福岡
12月 1日－12月16日	冬巡業	九州
12月17日－ 昭和61年 2月22日	１月場所	東京
2月23日－ 3月23日	３月場所	大阪
3月29日－ 4月17日	春巡業	大阪・東海
4月18日－ 6月21日	５月場所	東京
6月22日－ 7月20日	７月場所	名古屋
7月28日－ 8月24日	夏巡業	東北・北海道

昭和六十一年の東京の相撲部屋の中で、同一敷地内に親方が住んでいない部屋は、春日野部屋と二所ノ関部屋の二つだけであった。春日野親方は、道路を挟んで向かい側の先代春日野（親方の故義父つまり妻の親）の家に住んでいた。これは、春日野部屋改築のための一時的なものであり、この時以外は親方も部屋に住んでいた。二所ノ関部屋の親方は、先代二所ノ関親方の死後に、先代の娘と結婚し先代の養子となり当初部屋に住んでいたが、離婚してしまった。二所ノ関部屋には、先代二所ノ関親方の〝おかみさん〟が住み、娘婿であった二所ノ関親方は別の場所に住んでいた。しかし、親方は独身であるから、部屋によく泊まるようである。従って、残りの三十五の相撲部屋は、同一敷地内の同一建物に親方と親方の家族が生活をしていた。炊事場は、力士用と親方の家族用の二つある部屋がほとんどであった。

相撲部屋は昭和四十年代から高層ビル化し、昭和六十一年当時、木造の部屋は九部屋だけであった（表十）。

相撲部屋における力士の居住形態は、十両以上の関取には個室が与えられ、幕下以下の力士養成員には個室は与えられず大広間に一緒に住んでいる。この力士の居住形態は、どの相撲部屋もほぼ同じであり、大阪・名古屋・福岡の地方本場所の部屋もその居住形態は同じであった。

図七は、昭和六十一年名古屋場所における高砂部屋の居住形態である。

表10　相撲部屋の建築様式（昭和61年１月）

部屋名	建築様式
朝日山	鉄筋３階建てビル
春日野	鉄筋２階建て（稽古場だけ木造平屋）
高砂	鉄筋４階建てビル
友綱	鉄筋３階建てビル
立浪	木造２階建て（稽古場だけ木造平屋）
出羽海	鉄筋４階建てビル
二所ノ関	鉄筋４階建てビル
大山	鉄骨２階建て
時津風	鉄筋３階建てビル
陸奥	鉄骨３階建て
伊勢ノ海	木造２階建て（稽古場だけ木造平屋）
三保ケ関	鉄筋４階建てビル
伊勢ケ浜	鉄筋３階建てビル
若松	木造２階建て
春日山	鉄筋３階建てビル
佐渡ケ嶽	鉄骨３階建て
宮城野	鉄筋４階建てビル
木瀬	木造２階建て
片男波	木造２階建て
二子山	鉄筋３階建てビル
九重	鉄筋３階建てビル
鏡山	木造２階建て
立田川	木造２階建て
大鵬	鉄骨３階建て
井筒	鉄骨３階建て
高田川	鉄骨３階建て
大鳴戸	木造平屋建て
押尾川	鉄骨と木造の２階建て
熊ケ谷	鉄骨３階建て
安治川	鉄筋３階建てビル
大島	鉄筋４階建てビル
放駒	鉄骨３階建て
武蔵川	鉄骨２階建て
藤島	鉄筋４階建てビル
湊	鉄筋３階建てビル
間垣	鉄骨３階建て
北の湖	鉄筋４階建てビル

図７　名古屋場所における高砂部屋の居住形態（昭和61年７月天桂寺）

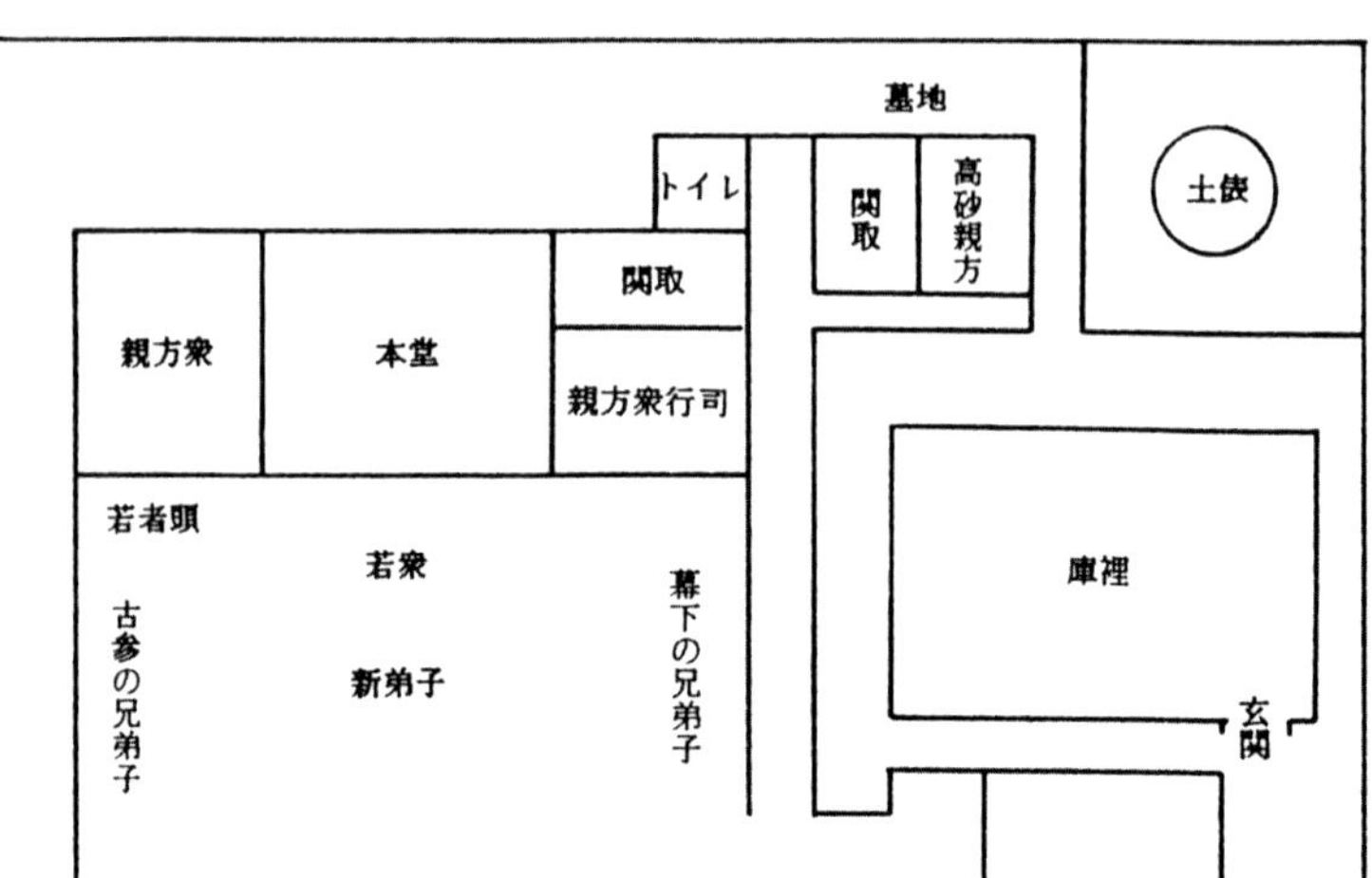

本堂の前の大広間に幕下以下の「若い衆」が寝る。大広間では右側に幕下の兄弟子が、左側には番付に関係なく古参の兄弟子が、そして中央には新弟子が寝ていた。若者頭は左側の一番上に寝ていた。また、養成期間中の行司（幕下以下格）と床山もこの大広間に寝ている。親方および関取には個室が与えられ、部屋の年寄衆・行司（幕内格）には原則として二人に一部屋が割り当てられていた。この年の名古屋場所における相撲部屋の住所は、表十一の通りである。寺や神社などの宗教関係の施設に宿泊する部屋が多いのは、稽古場用の広い庭が必要だからである。

表11　名古屋場所における相撲部屋の所在地（昭和61年7月）

部屋名	所在地
朝日山	名古屋市中村区名駅5-7-9 光明院
春日野	春日井市大和通り1-7-3 地蔵寺
高砂	西春日井郡春日村下之郷 天桂寺
友綱	名古屋市熱田区白鳥7-2 法正寺
立浪	名古屋市西区大野木2-138 福昌寺
出羽海	犬山市北白山平4-39 善光寺
二所ノ関	半田市宮本町4-28 成石神社社務所
時津風	犬山市北白山平5 成田山名古屋別院
陸奥	名古屋市西区名塚町2-104 平和荘内
伊勢ノ海	名古屋市西区中小田井1-377 善光寺別院
三保ケ関	春日井市林島3-2-1 浜砂四人様方
伊勢ケ浜	名古屋市瑞穂区豊岡通り1-1 天理教東愛大教会
若松	一宮市大和町氏永701 専福寺
春日山	小牧市小木3260-2 加地正明様方
佐渡ケ嶽	一宮市奥町字畑中74 水甚寮内
宮城野	名古屋市南区上浜134 小川靖様方
木瀬	名古屋市瑞穂区津賀田町3-4 津賀田神社
片男波	西加茂郡三好町大字黒笹 法春寺
二子山	名古屋市天白区天白町八事音山136 仏地院
九重	名古屋市千種区城山町1-47 相応寺
鏡山	西春日井郡西春町法成寺字八竜217 長福寺
立田川	西春日井郡勝町大字高田寺383 高田寺
大鵬	津島市神明町1 津島神社参集所
井筒	名古屋市熱田区神宮2-3-15 秋葉山円通寺
高田川	名古屋市港区南陽町西福田寺前 浄恩寺
大鳴戸	名古屋市緑町鳴海町字神ノ倉3-182 天理教愛知大教会
押尾川	瀬戸市屋敷町3 八王子神社
熊ケ谷	名古屋市西区東枇杷島町13 近藤貞治様方
安治川	名古屋市南区鳥棲町2-9 医王寺
大島	名古屋市西区大野木4-47 山浦真一様方
放駒	豊明市阿野町林ノ内21 西蓮寺
武蔵川	名古屋市中村区稲葉地町3-62 薬王山真聖寺
藤島	名古屋市東区猪高町大字猪子石字上八反田乙87 月心寺
湊	江南市小折1630 常観寺
間垣	名古屋市西区上小田井2-58 伊藤昭様方
北の湖	名古屋市瑞穂区中山町2-5 中山神明社
東関	稲沢市朝府町16-25 大同毛織天地クラブ
中村	愛知郡長久手町岩作平小28-1 青山嗣郎様方

今日の相撲部屋には、全ての部屋に稽古土俵がある。これは昭和四十年（一九六五）から本場所の取

り組みが部屋別総当制になり、稽古場維持費が各部屋に均等に支給されるようになったからで、昭和五十四年頃には全ての相撲部屋に土俵が設置された。これ以前の相撲部屋には土俵のない部屋が多かった。昭和五年一月に土俵のあった相撲部屋は九部屋であり、昭和十五年に土俵のあった相撲部屋は十部屋であった（表十二）。当時、土俵のある部屋は一般的に、一門（第三章参照）の本家筋にあたる部屋であり、土俵のない部屋の力士は本家の部屋で稽古し、そこで風呂もチャンコ（昼食）も済ませた。従って、系譜的に結びつく一門の相撲部屋の力士は、本場所の土俵では対戦しなかった。

表12　昭和 5年・昭和15年に土俵のあった相撲部屋

昭和５年	昭和15年
朝日山	朝日山
荒汐	荒汐
・伊勢ノ海	・井筒
・井筒	・春日野
岩友	・粂川
尾車	・高砂
押尾川	高島
小野川	・立浪
・春日野	谷川
片男波	・出羽海
粂川	友綱
陣幕	中村
・高砂	・錦島
高島	・二十山
高田川	二子山
・立浪	振分
谷川	陸奥
出来山	三保ヶ関
・出羽海	宮城野
時津風	山分
友綱	若藤
中村	春日山
・錦島	若松
二所ノ関	花籠
・二十山	佐渡ヶ嶽
八角	・湊川
二子山	伊勢ヶ浜
振分	富士ヶ根
陸奥	芝田山
三保ヶ関	鏡山
宮城野	・二所ノ関
山科	浦風
山分	甲山
若藤	武隈
春日山	熊ヶ谷
武隈	中川
花籠	追手風
浅香山	尾車
佐渡ヶ嶽	時津風
・湊川	松ヶ根
伊勢ヶ浜	音羽山
	小野川
	片男波
	枝川

・印が土俵のあった相撲部屋

(註)

（1）新弟子の入門検査の規定は、明治四十五年には兵隊検査前が五尺一寸（一五四・五三cm）・十六貫（六十kg）以上、兵隊検査後が五尺四寸（一六三・六二cm）・十八貫（六七・五kg）以上であった。昭和十一年には二十歳未満が五尺五寸（一六六・六五cm）・十九貫（七一・二五kg）以上、二十歳以上が五尺六寸（一六八・六八cm）・二十一貫（七八・七五kg）以上であった。その後、戦争中この規定は緩和されたが、戦後の昭和三十二年には二十歳未満が五尺七寸（一七二・七一cm）・十九貫（七一・二五kg）以上、二十歳以上が五尺八寸（一七五・七四cm）・十九貫（七五kg）以上と厳しくなり、昭和四十四年には十八歳未満が一七〇cm・七〇kg以上、十八歳以上が一七三cm・七五kg以上となった。昭和五十七年からは年齢に関係なく一七三cm・七五kg以上となった。このように入門規定は、その時の力士数および国民の標準体位によって変化してきた。

（2）相撲協会は、昭和三十二年に力士の急増を抑えるために、初土俵から二十場所以内に幕下に昇進しない力士を、強制的に廃業させた。しかし、翌昭和三十三年には、この規定が三十場所以内となり、昭和四十二年にはこの規定が廃止された。

（3）三谷光司「再入門力士あれやこれや」『大相撲』読売新聞社、一九八三、三月号、一五八―一六〇頁。

（4）番付の枚数は、前頭・十両・幕下・三段目・序二段・序ノ口の各段にあり、各段の上位から一枚目・二枚目・三枚目・・・と呼ぶ。一枚には、力士が東西に二人いる。

（5）松壽樓永年『角觝詳説活金剛傳』紅林堂、文政五年（一八二二）、（相撲博物館所蔵）。

（6）年寄名の前に＊印のある十一名の項には「相撲若者頭勤来ル」とある。彼等は部屋の若者頭（第二章第二節二、参照）から年寄となった者である。当時の年寄は、年寄となる前に若者頭を経験する者がかなりいた。

（7）立川焉馬『相撲改正金剛傳』東都書林、弘化四年（一八四七）、（相撲博物館所蔵）。

（8）『東京角觝協会申合規則』、明治二十九年二月二十九日、（相撲博物館所蔵）。

第二章　相撲部屋の社会構造

はじめに

江戸時代の中期に勧進相撲は、寺社への寄進を勧めるという勧進本来の目的から離れて、営利を目的とする興行に変質し、江戸・京都・大阪の三カ所にプロの相撲興行を行なう組織である「相撲会所」を成立させた。この相撲会所を運営していたのが、年寄（京都・大阪では頭取）であった。その年寄が力士を養成するために、必要に応じて作った稽古場兼宿舎が「相撲部屋」である。つまり、相撲部屋は、江戸時代の勧進相撲がプロ化する過程に形成された。相撲部屋とは、師匠である年寄（親方〔1〕）とその弟子の生活共同体であり、そこでは師匠と弟子が寝食を共にしながら弟子である力士への相撲教育（稽古）が行われる。

本章では相撲部屋の社会構造を理解するために、事例として昭和五十年（一九七五）東京都台東区柳橋にあった高砂部屋を取り上げ、高砂部屋を構成する人々の地位と役割の社会関係、および彼らに対する報酬について述べる。何故ならば、集団における地位および役割への報酬配分は均等ではなく、それにより地位間には権力の序列ができるからである。

第一節　高砂部屋を構成する人々

一、部屋の建物構造

昭和五十年（一九七五）当時、高砂部屋は東京都台東区柳橋一―二二―五にあり、建坪約五十坪ぐらいの鉄筋四階建てのビルで、最上階の四階だけは住空間が約三十坪と小さくなっており、テラスがあった（図八）。四階の上の屋上は洗濯物干場となっていた。一階は、稽古場とチャンコ場そして風呂場及びトイレがあり、稽古場とチャンコ場は、アコーデオンカーテンで仕切られるようになっていた。

図８　高砂部屋の建物構造（昭和50年）

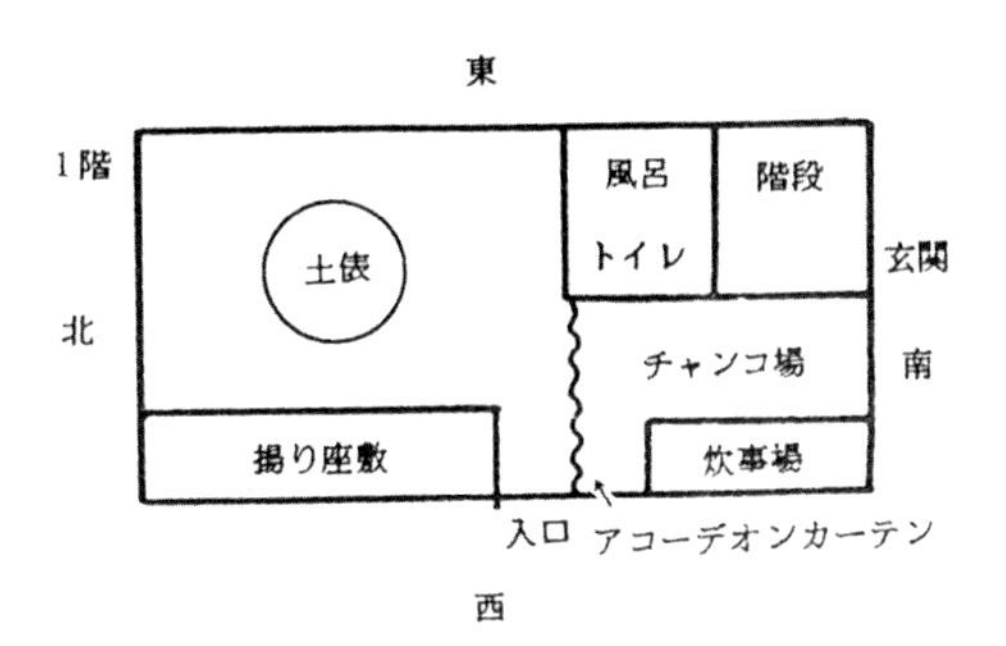

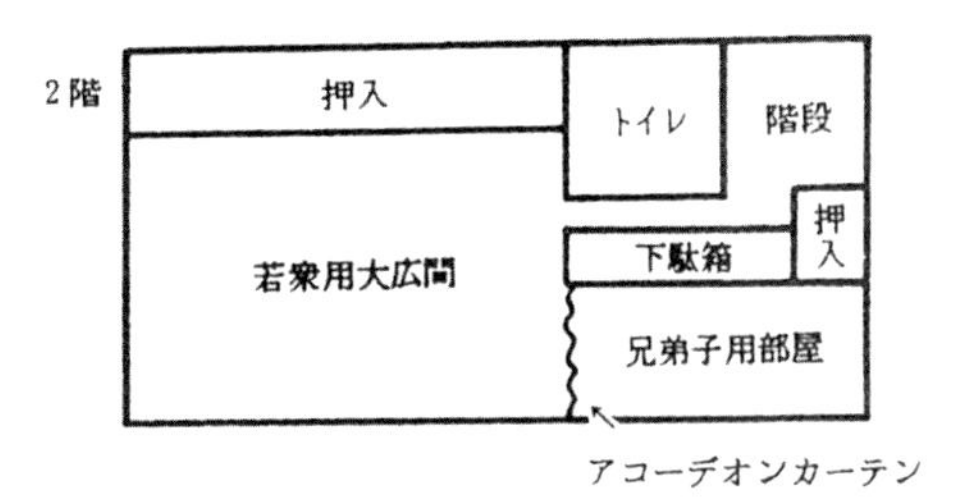

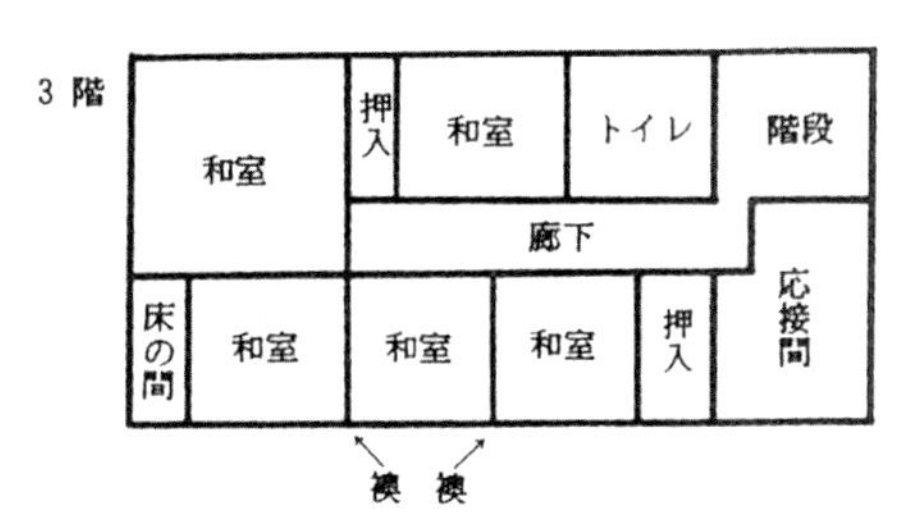

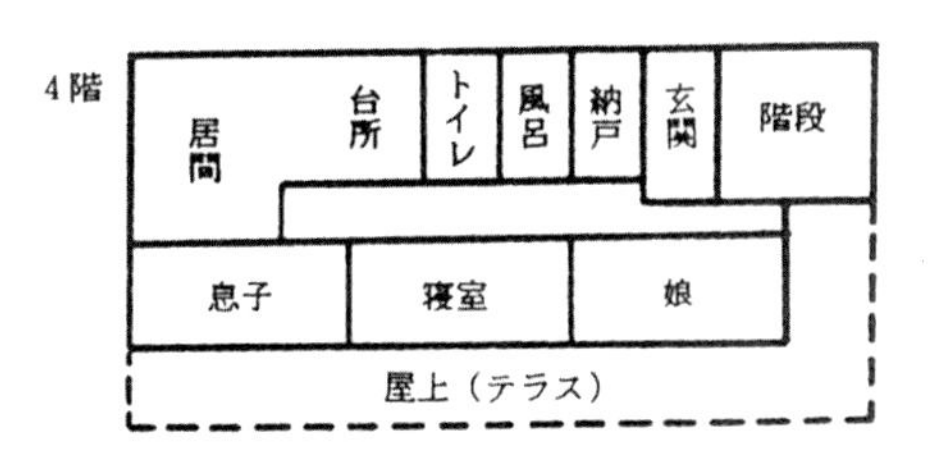

稽古場には土俵が一つあり、東と北の壁は板張りであった。高砂部屋の土俵には、国技館や他の部屋の土俵のように俵がなく、俵のあるべき場所から土が僅かに高くなっていて、その内側（土俵）が五cmくらいさがっていた。高砂部屋ではかつて二回土俵に俵を入れたが、一回は昭和七年（一九三二）俵を入れた直後に春秋園事件が起こり、もう一回は終戦直後で前田山が病気となった。そのために、「高砂部

屋の土俵に俵は禁物」というジンクスが生まれ、今日に及んでいる。（口絵の伊勢ノ海・高砂部屋の錦絵からもわかるように、江戸時代から明治時代の相撲部屋の稽古場には土俵はなかったようである。）

チャンコ場は調理場兼食堂であり、板の間となっている。チャンコ番（食事当番）は三段目力士が主任格となり、序二段力士三〜四名を一グループに、六班編成であった。従って、三段目・序二段力士は六日に一回の割合でチャンコ番が回ってくる。

高砂部屋の二階には、幕下以下の力士の宿泊する約五十畳の大広間があり、その部屋の南側には一部アコーデオンカーテンで仕切られる部屋があった（図八）。その部屋には当時、大和龍・神の山・西尾山・大岳山が寄宿していた。彼らは最古参の力士であり、幕下以下の力士からは〝兄弟子〟と呼ばれている力士であった。彼等以外の幕下以下の力士達は、大広間に一緒に寝ていた。寝床の順番は、入口に近いところに新弟子、以下入門順に入口から遠くなる。新弟子が入口に近いのは、電話番や雑用をするためである。

高砂部屋の三階は、絨毯張りの洋間（応接間）が一つと、約十畳の和室が四つあり、東側のトイレの横の六畳の和室は当時布団部屋になっていた。洋間は、もともと客の接待のための応接間であるが、そこには麻雀卓等も置いてあり、親方衆や部屋の者達が稽古の終わった午後に、麻雀を楽しむこともできるようになっていた。四つの和室は、十両以上の関取が使う部屋であり、関取には個室が与えられる。

昭和五十年当時の高砂部屋には、高見山・富士櫻・白田山の三名の関取がいて、彼らはそれぞれ稽古後にその和室（個室）を使用していた。当時三名の関取は、結婚していたので夜は自宅に帰った(2)。一般的に、結婚前の関取はこの和室（個室）に寄宿する。

高砂部屋の四階は高砂親方の家族、すなわち親方・おかみさん・長男・長女の四名の住居であり、親方の家族用の風呂と台所が力士用とは別にあった。

二、部屋の力士たち

力士の日常生活の階級について、綾川五郎次は著書『一味清風』で、「力士の生活はこれをわかりやすく言えば、極めて世話にくだけた軍隊式である。横綱を元帥とすれば大関は大将、関脇は中将、小結は少将という順で以下幕内は佐官、十両力士は尉官、幕下が准士官格で、三段目が下士、序二段以下は卒、前相撲といわれる褌かつぎは新兵に当たる。而して之等の兵卒は総じて士官の従卒として仕え、殆ど絶対的に上官の命に唯惟従わなければならない(3)。」と述べている。この書物は、大正四年（一九一五）に出版されたものである。相撲社会での階級は、現在も上述のように番付の階級によって構成されているが、相撲部屋での階級はこれとは異なる構造であった。昭和五十年当時の高砂部屋の力士の身分階級は、十両（十枚目）以上の関取と幕下以下の力士養成員の、二つに分けられる。

十両の力士とは、江戸時代には、序ノ口から取り上げて給金を十両以上取るようになった、幕内力士と同格の力士のことであった。現在の十両の協会での正式名称は、「十枚目」である。この十枚目は、明治二十一年（一八八八）に幕下の上位十枚（二十名）を関取格として、番付に位置付けられたのが始まりである。以下ここでは、十枚目を俗称にしたがって「十両」と呼び、その上の前頭・小結・関脇・大関と横綱を含めて「幕内」と呼び、この十両と幕内の力士を総称して「関取」と呼ぶ。

十両以上の力士は、部屋では「関取」と呼ばれ、高砂部屋において関取は個室が与えられていた。また、高砂親方の承諾があれば、関取は結婚ができ、部屋を離れて家庭を持つことができる。関取は、幕下以下の力士を付人（つけびと）として使い、明荷(4)が持て、髪も普通のチョンマゲ(5)から大銀杏(6)になり、化粧回しを付けて土俵入りをする。回しも木綿のものから繻子の締込み(7)となる。本場所の土俵では力水・力紙(8)を使い、仕切時間は幕内四分・十両三分となり、十五日間土俵を務める。また、紋付・羽織袴の着用が許される。このように関取になるということは、相撲部屋ばかりではなく相撲社会において一人前となることを意味し、十両となって初めて協会から月給が貰える。

昭和五十年九月高砂部屋には、富士櫻・高見山・白田山の三名の関取がいた。彼らの経歴は表十三の通りであり、これを図示すると図九のようになる。

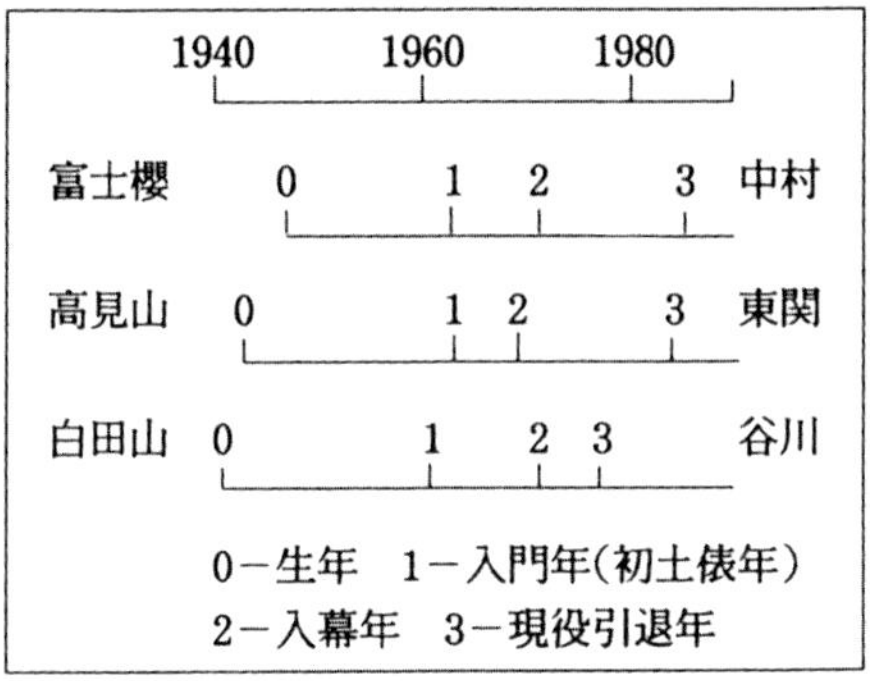

表十三　高砂部屋関取の番付地位と経歴（昭和五十年九月場所）

番付地位	四股名	生年月日	初土俵年月（年齢）	入幕年月	最終場所（最高位）	年寄名
小結	富士櫻	昭和二十三年二月九日	昭和三十八年三月（十五）	昭和四十六年九月	昭和六十年三月（関脇）	中村
前頭四枚目	高見山	十九・六・十六	三十九・三（十九）	四十三・一	五十九・五（関脇）	東関
十両六枚目	白田山	十八・十二・十五	三十四・七（十五）	四十六・三	五十二・五（前頭四）	谷川

図9　高砂部屋関取の経歴

1940　1960　1980

富士櫻　0　1　2　3　中村

高見山　0　1　2　3　東関

白田山　0　1　2　3　谷川

0－生年　1－入門年(初土俵年)
2－入幕年　3－現役引退年

富士櫻（表十四）は、昭和二十三年二月九日山梨県甲府市上石田町に生まれ、昭和三十八年三月場所に十五歳で高砂部屋に入門し、初土俵を踏んだ。昭和四十五年に二十一歳で十両に昇進、翌昭和四十六年に二十三歳で入幕した。番付最高位は関脇で、昭和六十年に三十七歳で現役を引退し中村を襲名、高砂部屋から分家して中村部屋を興した。

表14　富士櫻の地位

	一月場所	三月場所	五月場所	七月場所	九月場所	十一月場所
昭和38年		前相撲(初土俵)	序ノ口	序二段	序二段	序二段
39	序二段	序二段	序二段	序二段	序二段	三段目
40	三段目	三段目	三段目	序二段	三段目	序二段
41	三段目	三段目	三段目	三段目	幕下	幕下
42	幕下	幕下	三段目	幕下	三段目	三段目
43	三段目	幕下	幕下	幕下	幕下	幕下
44	幕下	幕下	幕下	幕下	幕下	幕下
45	十両(新十両)	十両	十両	十両	十両	十両
46	十両	十両	十両	十両	前頭(新入幕)	前頭
47	前頭	前頭	前頭	前頭	小結	前頭
48	前頭	前頭	前頭	前頭	前頭	前頭
49	小結	関脇	前頭	前頭	前頭	前頭
50	前頭	前頭	前頭	前頭	小結	前頭
51	小結	前頭	前頭	前頭	前頭	小結
52	前頭	前頭	前頭	小結	前頭	前頭
53	前頭	前頭	前頭	前頭	関脇	前頭
54	前頭	小結	前頭	前頭	十両	前頭(再入幕)
55	前頭	前頭	前頭	前頭	十両	前頭(再入幕)
56	前頭	小結	前頭	前頭	前頭	前頭
57	前頭	前頭	前頭	前頭	前頭	前頭
58	前頭	前頭	前頭	前頭	前頭	前頭
59	前頭	十両	十両	十両	十両	十両
60	十両	十両(現役引退・中村襲名)				

高見山（表十五）は、昭和十九年六月十六日アメリカ合衆国ハワイ州マウイ島に生まれ、昭和三十九年三月場所に十九歳で高砂部屋に入門し、初土俵を踏んだ。昭和四十二年に二十二歳で十両に昇進、翌年に二十三歳で入幕した。番付最高位は関脇で、昭和四十七年七月場所には幕内優勝を果たした。昭和五十九年に三十九歳で現役を引退し東関を襲名、高砂部屋から分家して東関部屋を興した。

表15　高見山の地位

	一月場所	三月場所	五月場所	七月場所	九月場所	十一月場所
昭和39年		前相撲(初土俵)	序ノ口	序二段	三段目	幕下
40	幕下	幕下	幕下	幕下	幕下	幕下
41	幕下	幕下	幕下	幕下	幕下	幕下
42	幕下	十両(新十両)	十両	十両	十両	十両
43	前頭(新入幕)	前頭	前頭	前頭	前頭	前頭
44	前頭	前頭	前頭	前頭	前頭	小結
45	小結	小結	前頭	小結	前頭	前頭
46	小結	前頭	前頭	小結	小結	小結
47	小結	前頭	前頭	前頭(優勝)	関脇	前頭
48	関脇	関脇	前頭	小結	前頭	前頭
49	前頭	前頭	関脇	関脇	関脇	前頭
50	前頭	前頭	前頭	小結	前頭	小結
51	小結	関脇	小結	小結	前頭	前頭
52	小結	前頭	前頭	前頭	小結	関脇
53	前頭	前頭	前頭	前頭	前頭	前頭
54	小結	前頭	前頭	前頭	前頭	前頭
55	前頭	前頭	前頭	前頭	前頭	前頭
56	前頭	前頭	前頭	前頭	前頭	前頭
57	前頭	前頭	前頭	前頭	小結	前頭
58	前頭	前頭	前頭	前頭	前頭	前頭
59	前頭	十両	十両(現役引退・東関襲名)			

白田山（表十六）は、昭和十八年十二月十五日熊本県八代郡鏡町に生まれ、昭和三十四年七月場所に十五歳で高砂部屋に入門し、初土俵を踏んだ。昭和四十三年に二十四歳で十両に昇進、昭和四十六年に二十七歳で入幕した。番付最高位は前頭四枚目で、昭和五十二年に三十四歳で現役を引退し谷川を襲名した。一般的に、高砂部屋出身の力士が年寄を襲名して、新しく分家して部屋を興さない場合は、高砂部屋所属の年寄となる。しかし、彼は高砂部屋から破門され、九重部屋の所属年寄となった（第三章第二節二参照）。

表16　白田山の地位

	一月場所	三月場所	五月場所	七月場所	九月場所	十一月場所
昭和34年				前相撲(初土俵)	序ノ口	序二段
35	序二段	序二段	序二段	序二段	序二段	序二段
36	三段目	三段目	三段目	序二段	序二段	序二段
37	三段目	三段目	三段目	三段目	三段目	三段目
38	三段目	三段目	三段目	幕下	幕下	幕下
39	幕下	幕下	幕下	幕下	幕下	幕下
40	幕下	幕下	幕下	幕下	幕下	幕下
41	幕下	幕下	幕下	幕下	幕下	幕下
42	幕下	幕下	幕下	幕下	幕下	幕下
43	十両(新十両)	十両	十両	十両	十両	十両
44	十両	十両	十両	十両	十両	十両
45	十両	十両	十両	十両	十両	十両
46	十両	前頭(新入幕)	前頭	前頭	前頭	前頭
47	前頭	前頭	十両	前頭(再入幕)	十両	十両
48	十両	十両	十両	十両	十両	十両
49	十両	十両	十両	前頭(再入幕)	前頭	前頭
50	前頭	前頭	十両	前頭(再入幕)	十両	十両
51	十両	十両	十両	十両	十両	十両
52	十両	十両	十両(現役引退・谷川襲名)			

当時、彼らは結婚して家庭を持っており、自宅から高砂部屋へ通って来た。昭和五十年九月場所の番付では、富士櫻が小結で最高位、以下前頭四枚目に高見山、十両六枚目に白田山がいた。しかし、高砂部屋での身分序列は、番付によって構成されてはいなかった。年齢は上から昭和十八年生まれの白田山、昭和十九年生まれの高見山、昭和二十三年生まれの富士櫻の順である。高砂部屋への入門順（初土俵）は、白田山が最も早く昭和三十四年七月十五歳で入門、富士櫻が昭和三十八年三月十五歳で入門、高見山が昭和三十九年三月十八歳で入門の順であった。関取（新十両）となった順は、高見山が昭和四十二年、白田山が昭和四十三年、富士櫻が昭和四十五年の順である。入幕した順は、高見山が昭和四十三年で最も早く、昭和四十六年に白田山・富士櫻が入幕した。

部屋における身分序列とは、稽古場での指導・風呂・食事・床山の順番のことである。風呂・食事・床山の順番は通常、番付上位の力士が優先される。しかし、ここでの指導とは稽古場での指導権であり、相撲部屋では必ずしも番付上位の力士がこの指導権をもつとは限らない。相撲部屋ではこの指導権をもつ力士を「部屋頭」と呼び、一般的に番付上位の力士が部屋頭となる。部屋頭を選ぶのは部屋の親方であり、部屋頭を誰にするかはそれぞれの部屋の状況によって異なる。高砂部屋の場合、高砂親方が所用で部屋での稽古に立ち合えない場合、親方に代わって稽古の指導をする関取は、白田山・富士櫻・高見山の順であった。このように、高砂部屋における関取の序列は、表面的には番付順のように見えるが、稽古場での指導や日常生活での序列は、兄弟子が優先される入門順で構成されていた(9)。これは横綱・大関を除く関脇・小結・前頭・十両の地位が、場所毎に上下するためである。つまり、番付の地位は場所毎に変化する。その番付序列の基礎にすると、部屋内の社会秩序が安定しないからである。

当時の高砂部屋には横綱・大関がいなかったが、横綱はその地位から降下することはなく、大関は二場所連続して負け越さなければ降下しない。横綱・大関は、その番付地位が他の関取より安定している。従って、部屋での序列は入門順から外れて、横綱・大関の地位にある関取が部屋頭となり、風呂・食事・床山の順番も優先される。

幕下以下の力士の番付地位は、上から幕下・三段目・序二段・序ノ口とある。序ノ口の下には、前にも述べたように番付外の新弟子たちがいる。幕下以下の力士の協会での正式名称は、「力士養成員」である。彼等は高砂部屋では「若い衆」と呼ばれている。高砂部屋の若い衆は、大広間に全員が一緒に住み、結婚はできない。彼等は、本場所十五日間のうち大体一日おきに七日間相撲をとり、仕切時間は二分以内と決められている。廻し(10)は木綿のサガリ（相撲用語集参照）を使用し、色は黒か紫紺に染めなければならない。彼等に月給はなく、本場所中に電車賃および手当と奨励金が支給されるだけである。

相撲社会では、力士養成員の時に結婚する力士は少ない。井筒部屋の星甲昌男は、幕下時代に結婚して関取になった数少ない力士の一人である（表十七）。彼は井筒部屋に入門したが、体が小さくてなかなか新弟子検査に合格せず、昭和十七年五月場所に検査に合格し、十七歳で初土俵を踏んだ。昭和二十五年の幕下時代に結婚（二十五歳）して家庭を持ったため、生活費を稼ぐために、頭に手拭を巻いてチョンマゲを隠し、アサリやシジミ等を売りながら土俵を勤めた。その後、昭和二十七年十両に昇進し関取となり、昭和三十年入幕し昭和三十九年（三十九歳）まで現役を勤めた。現役引退後は、君ケ浜・陸奥・井筒・陸奥と年寄を襲名し、井筒部屋から分家して陸奥部屋を興した。

表17　星甲の地位

	一月場所	三月場所	五月場所	七月場所	九月場所	十一月場所
昭和17年			前相撲(初土俵)			
18	序ノ口		序二段			
19	序二段		序二段			三段目
20			幕下			三段目
21						幕下
22			三段目			幕下
23			幕下			幕下
24	幕下		幕下			幕下
25	幕下		幕下		幕下	
26	幕下		幕下		幕下	
27	幕下		幕下		十両(新十両)	
28	十両	十両	十両		十両	
29	十両	十両	十両		十両	
30	十両	十両	前頭(新入幕)		前頭	
31	前頭	前頭	前頭		前頭	
32	前頭	前頭	前頭		前頭	前頭
33	前頭	前頭	前頭	前頭	前頭	前頭
34	前頭	前頭	十両	十両	十両	前頭
35	十両	十両	前頭(再入幕)	十両	十両	十両
36	十両	十両	十両	十両	十両	十両
37	十両	十両	十両	前頭(再入幕)	前頭	十両
38	前頭(再入幕)	前頭	十両	十両	十両	十両
39	十両	十両	十両(現役引退・年寄襲名)			

力士養成員は、部屋では各人が関取または親方の付人として、割り当てられる。誰の付人になるかは、部屋の親方が決める。一般的に相撲社会では、第四十八代横綱大鵬が部屋の二所ノ関親方の付人であったように、有望力士は稽古が十分できるように時間的に余裕のある親方の付人になる。ここで付人の役割について、昭和六十二年十一月当時、大島部屋の大関旭富士の付人であった、柚木崎（ゆきざき）（当時二十三歳）の一日を以下に紹介する（11）。

当時の柚木崎の番付は、三段目東五十六枚目、毎朝五時半に起き廻しを締める。彼は昭和五十六年に入門し、同期に初土俵を踏んだ大関旭富士の付人である。この柚木崎の他に、幕下の旭桜と北斗旭、序ノ口の旭増と鶴龍旭の四人が旭富士の付人であった。この中でも柚木崎は、旭富士が十両入りした昭和五十七年から、五年間も旭富士に付いている最古参の付人であった。付人は通常二―三年で交替するが、彼の場合は入門して五年目で三段目、交替なしに旭富士の付人を勤めている。柚木崎は、「同期生でイヤじゃないか、という人もいますけど、大関は自分よりも四つ年上で近大の相撲部中退。入門したときからまるっきり競争になりませんでしたから、全然抵抗はありません。それどころか、大関が勝ってくれると、自分のこと以上にうれしいですよ。成績がいいと大関のきげんもよくて、付いている者もいろいろやりやすいですから。」と述べている。旭富士が起きてくるのは大体午前八時過ぎ。稽古まわしは既に前の夜、キチンと大関の布団のそばに用意して置くのだそうで、この旭富士が稽古に現れるまでの二時間半が彼の稽古時間となる。旭富士が土俵に上がると、柚木崎は真っ先に水をつけ、汗ふき用タオルを持って土俵のそばに立つ。他の部屋では「関取のアンマ（体を軽くほぐすための稽古相手）をするのも付人の役のひとつ」となっているところも多いが、大島部屋には元気な幕下が八名もいて（関取の稽古相手は通常関取直前の幕下力士がする）、彼はお呼びでないのだ。

この稽古が終わる直前、柚木崎はひと足先に稽古場を抜け出して、旭富士の部屋の掃除と風呂の準備にとりかかる。そして、稽古を終えた旭富士が風呂にやってくると、その背中を流し、ついでに自分もサッと体をふくと、次はチャンコ（食事）の給仕である。彼は「ウチの大関は、酒をほとんど飲みませんからネ。ぜひ、と、勧められてもビールをコップで一杯か二杯。おかげで給仕はとっても楽です。よその部屋の力士の話だと、酒を飲む関取や親方に付くとチャンコの時間が長くてたいへんらしいですね。なにしろ給仕している間は、食事はお預けですから」という。このチャンコのあと、旭富士は自室に引き上げ、昼寝をする。これで午前の部の付人の仕事は一段落だ。といっても完全にフリーな自分の時間ではない。大島部屋には「部屋番制」というのがあり、幕下の二人と柚木崎の三人が交代で旭富士の部屋に詰め、何か急用ができた場合に備えなければならない。昼寝も旭富士の部屋の隅でするし、旭富士が外出したときは留守番だ。この部屋番に当たった日は、まったくプライベート（個人的な時間）はないといっていい。旭富士の下着の洗濯は、序ノ口の二人の付人の仕事だ。汚れがしっかり落ちているか、ボタンがとれていないか、などというチェックは兄弟子の役目である。夜のチャンコが終わると、旭富士はバーベルなどを使い、約一時間のウェート・トレーニングをする。この準備や手だすけも付人五人の大事な仕事のひとつである。

これが終わると、旭富士は自室でテレビを見たり、のんびりとダベッたりする。勿論付人も一緒だ。そして、大体午後十時ごろ、旭富士の「オイ、もう寝ろよ」という声がかかって、初めて付人たちは一日の付人生活から解放される。

毎日、これの繰り返しである。こんな付人たちの一番の息抜き、楽しみは何か。柚木崎は、「場所が終わったあと、いつも勝ち越した者だけで大関を囲み、ひと晩ドンチャン騒ぎをするんです。ボクらはお金を持っていないので、勘定はすべて大関持ちです。ウチの大関は気前がよくて、いつも〝オレと外出するときは、お前ら自分の財布を持ってくるな〟といってくれますからね。この晩だけは、まさに底抜け。そりゃあ、楽しいですよ。ただし、負け越した者は留守番。この世界は勝たなきゃあだめ。という思いを身にしみて思い知らすという趣向です。つらいですよ。このガランとした部屋でモンモンとして過ごす留守番は。」と述べている。

昭和五十年九月高砂部屋には二十一名の力士養成員（若い衆）がいて、彼等の昭和五十年九月場所番付上の地位と経歴は表十八に示す通りである。彼等の経歴を図示すると図十のようになる。

図10　高砂部屋力士養成員の経歴

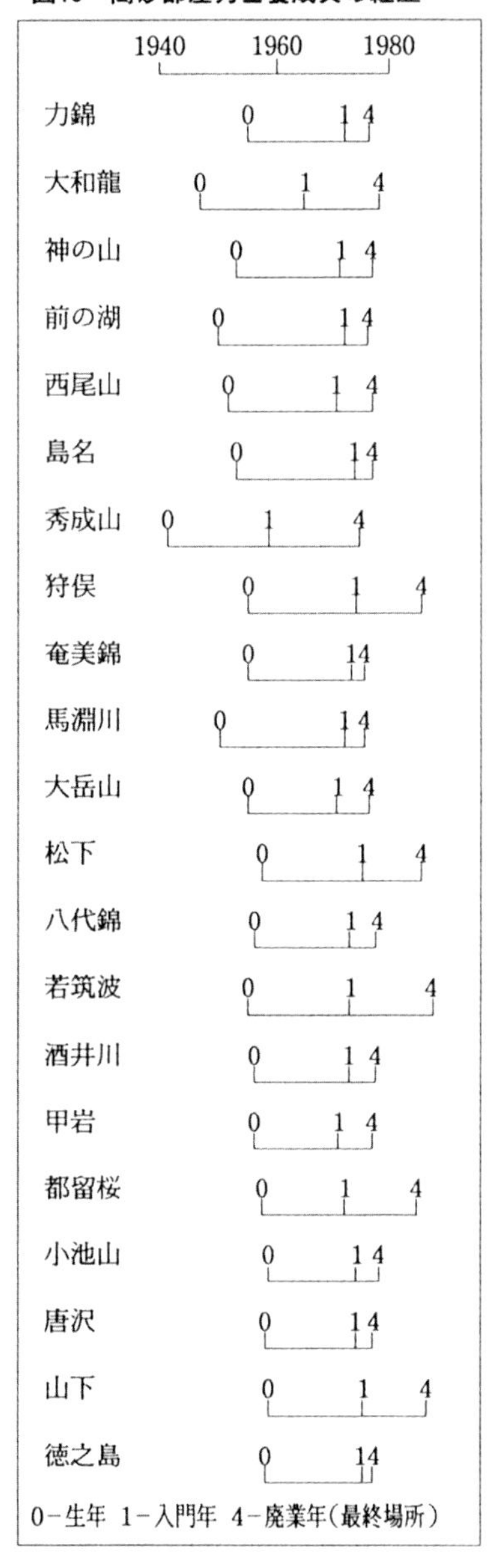

表十八　高砂部屋力士養成員の番付地位と経歴（昭和五十年九月場所）

番付地位	四股名	生年月日	入門年月（年齢）	最終（廃業）場所	最高位
幕下三十七枚目	力錦	昭和三十年四月二日	昭和四十五年五月（十五）	昭和五十位置年五月	幕下三十七
四十五	大和龍	二十三・六・十五	三十九・五（十五）	五十四・十一	幕下十五
三段目十一	神の山	二十九・八・二十一	四十四・五（十四）	五十二・九	幕下三十二
二十	前の湖	二十六・十二・二十五	四十五・九（十八）	五十一・一	幕下四十七
四十九	西尾山	二十八・九・十五	四十四・五（十五）	五十二・一	幕下五十七
六十三	島名	二十九・三・三	四十七・一（十七）	五十二・一	三段目三十四
六十四	秀成山	十八・五・二十五	三十四・七（十六）	五十・十一	幕下二十
六十五	狩俣	三十・一・二十	四十八・七（十八）	六十・三	幕下五十三
六十八	奄美錦	三十・十二・十	四十七・九（十六）	五十一・五	幕下五十八
七十	馬淵川	二十七・一・二十一	四十六・五（十九）	五十一・三	三段目十七
序二段五	大岳山	三十・八・十二	四十四・五（十三）	五二・一	三段目七十三
十六	松下	三十二・四・十九	四十九・三（十六）	六十・九	幕下五
二十二	八代錦	三十一・九・二十二	四十七・七（十五）	五十三・九	三段目三十三
四十一	若筑波	三十・十・十三	四十七・七（十六）	六十二・一	十両
四十七	酒井川	三十一・六・三	四十七・九（十六）	五十三・五	序二段十三
四十七	甲岩	三十一・六・二十六	四十五・九（十四）	五十二・九	三段目七十六
四十八	都留桜	三十二・十二・二	四十六・三（十三）	五十九・九	三段目十八
八十五	小池山	三十四・三・三十一	四十九・三（十四）	五十三・一	三段目五十五
八十九	唐沢	三十三・八・二十七	四十九・三（十五）	五十二・七	序二段七十六
百	山下	三十四・十二・十二	五十・三（十五）	六十一・九	幕下三十五
百十六	徳之島	三十三・十一・十	五十・三（十六）	五十二・七	三段目六十二

彼らの中で中学生で入門し初土俵を踏んでいるのは、神の山（中学二年の五月）・大岳山（中学二年の五月）・甲岩（中学二年の九月）・都留桜（中学二年の三月）の四名であった。前のも述べたように中学生力士は、昭和四十六年から認められなくなったので、高砂部屋にも昭和四十六年三月場所に中学二年生で入門した都留桜を最後に、中学生で入門した力士はいない。

彼らの廃業までの番付最高位は、幕下が十名で最も多く、以下三段目八名、序二段二名、そして十両に上がったのは若筑波だけであった。前記二十一名は、昭和六十二年までに全員が廃業し、相撲社会に残っている者はいない。狩俣（かりまた）は昭和六十年に廃業し、彼が長く付人をしていた高見山が、高砂部屋から分家して興した東関部屋のマネージャーとなった。しかし、マネージャーは親方が個人的に雇う人物であるから、部屋の所属員ではあるが、相撲社会の正規の成員ではない。

また、昭和五十年当時の高砂親方（第四十六代横綱朝潮太郎）は、昭和四十六年八月に先代高砂親方（第三十九代横綱前田山英五郎）が亡くなって、同年九月に高砂部屋を継承した。従って、力錦・大和龍・前の湖・西尾山・秀成山・馬淵川・大岳山、そして前述の関取三名と中学生力士四名を含めて十四名は、先代高砂から引き継いだ弟子ということになる。相撲部屋においては、先代の師匠の弟子が自動的にその継承者に受け継がれる。

高砂部屋の力士養成員の身分序列の最高位は、番付最高位の力錦ではなく、最古参の兄弟子である三段目の秀成山と幕下の大和龍であった。彼等の部屋での身分序列は、番付地位ではなく入門順であった。従って、高砂部屋の大広間での力士養成員の寝床の順は、入口に近い所に新弟子、以下入門順に入り口から遠くなる。

相撲部屋において力士は、入門後の年数とともに番付の地位が上がることが期待されている。そのために、年数とともに番付の上がらない力士は、廃業するか他の役割（チャンコ番等の責任者）を担うようになる。つまり、力士養成員の部屋での序列は、一見番付によってその地位が決まるように見えるが、実は「部屋への入門順」に基づいている。従って、高砂部屋では昭和三十四年入門の秀成山、昭和三十九年五月入門の大和龍と昭和四十四年五月入門の神の山・西尾山・大岳山等の古参力士が、大広間の南側のアコーデオンカーテンで仕切られる部屋にいて、「若い衆」を統率していた。

高砂部屋の大広間には、次のような「若者会会則」「高砂部屋三訓」「注意事項」が「秀成山・大和龍より」と書かれて貼り出されていた。

〔若者会会則〕

一、見舞金　一カ月以上入院の場合　金　一〇、〇〇〇円
　　　　　　一カ月以内入院の場合　金　五、〇〇〇円

二、餞別　三年で　　　金　五、〇〇〇円
　　　　　一年ごとに　金　三、〇〇〇円加算

［高砂部屋三訓］
一、明るくほがらかな力士に成るように努めること。
二、責任感つよく、礼儀正しい力士に成るように努める事。
三、先輩の注意をすなおに聞ける力士になるように努める事。

［注意事項］
一、一週間に三回以上十一時過ぎ帰宅した場合一カ月の外出禁止処分をあたえる。
二、掃除の際は全員参加する事。
チャンコ番は風呂場・稽古場の座敷を特にきれいにする事。

「秀成山・大和龍より」

秀成山は、表十八のように昭和三十四年七月場所に十六歳で入門して初土俵を踏んだことになっているが、これは弟の生年月日による年齢で、彼の本当の生年月日は昭和十四年であるから、入門当時はすでに二十歳であった。しかし、彼は「あまりにも歳が過ぎている」ので恥ずかしく思い、弟の生年月日で申請したようである。ここでは彼の意思を尊重して、弟の生年月日をそのまま使用した。また、彼は協会の「(初土俵から）三十場所以内に幕下にあがらない力士は廃業」の規定により、昭和三十九年五月（表十九網かけ）に高砂部屋の自費養成力士となった。自費養成力士には養成費・稽古場経費・部屋維持費が協会から支給されないため、彼の経費は親方の自己負担となる。しかし、彼は同年十一月場所五勝二敗して、翌場所には幕下に上がったので自費養成力士ではなくなった。

表19　秀成山の番付地位

	一月場所	三月場所	五月場所	七月場所	九月場所	十一月場所
昭和34年			前相撲(初土俵)	口30(4•4)	二150(6•2)	
35	二113(3•5)	二114(2•6)	二128(4•4)	二103(5•2)	二58(4•3)	二19(2•5)
36	二37(2•5)	二64(3•4)	二77(4•3)	二32(3•4)	二41(4•3)	二1(1•6)
37	二33(4•3)	二24(2•5)	二42(2•5)	二61(5•2)	二12(6•1)	三66(2•5)
38	三89(4•3)	三61(5•2)	三22(2•5)	三41(4•3)	三20(2•5)	三37(6•1)
39	下95(2•5)	三14(0•7)	三48(5•2)	三14(4•3)	三1(3•4)	三8(5•2)
40	下79(2•5)	三1(4•3)	三93(3•4)	三1(3•4)	三15(2•5)	三37(5•2)
41	三9(2•5)	三27(4•3)	三20(5•2)	下87(3•4)	下98(4•3)	下79(3•4)
42	下87(6•1)	下54(4•3)	下54(4•3)	下40(4•3)	下34(4•3)	下25(4•3)
43	下20(2•5)	下38(3•4)	下44(3•4)	下48(4•3)	下38(1•6)	三3(5•2)
44	下42(4•3)	下32(4•3)	下26(2•5)	下42(4•3)	下38(2•5)	下48(2•5)
45	三6(6•1)	下36(3•4)	下44(4•3)	下37(3•4)	下44(4•3)	下37(4•3)
46	下30(2•5)	下49(5•2)	下31(2•5)	下48(2•5)	下11(4•3)	下59(4•3)
47	下59(2•5)	三7(4•3)	三59(4•3)	三50(0•7)	三21(3•4)	三31(4•3)
48	三19(4•3)	三6(1•6)	三33(2•5)	三52(2•5)	三75(5•2)	三45(5•2)
49	三15(2•5)	三31(1•6)	三64(3•4)	三76(5•2)	三38(4•3)	三29(2•5)
50	三49(2•5)	三67(5•2)	三36(3•4)	三49(3•4)	三64(6•1)	三24(0•5•2)

口＝序ノ口・二＝序二段・三＝三段目・下＝幕下・(勝•敗•休)

高砂部屋の幕下以下力士は、その番付階級によって着用する物に差がある。序二段までが下駄、三段目からは草履、三段目までは黒い縮帯、幕下になると博多帯が締められる。しかし実際には、三段目の力士が序二段に落ちたからといって、草履を下駄に履きかえるというようなことはなかった。

昭和四十九・五十・五十一年の三年間に、高砂部屋には表二十の二十二名の新弟子が入門し、彼らの経歴は図十一の通りである。

表二十　昭和四十九・五十・五十一年高砂部屋新弟子の経歴

新弟子検査年月	生年月日	入門年齢	最終（廃業）場所	番付最高位
昭和四十九年－一月－一	昭和三十二年十一月十六日	十六歳	昭和五十一年九月	序二段三十八
四十九－一－二	三十一・二・二十四	十七	五十七・五	幕下四十六
四十九－三－一	三十四・三・三一	十四	五十三・一	三段目五十五
四十九－三－二	三十三・九・十九	十五	五十・十一	序二段八十
四十九－三－三	三十三・八・二十七	十五	五十二・七	序二段七十六
四十九－三－四	三十三・九・二十二	十五	五十二・七	三段目七十七
四十九－三－五	三十二・一・一	十七	五十・一	序ノ口二十二
四十九－三－六	三十二・四・十六	十六	六十・九	幕下五
四十九－五－一	二十六・二・二十一	二十三	五十・一	序二段五十一
五十－三－一	三十二・一・十八	十八	五十・九	序二段百四
五十－三－二	三十三・十一・十	十六	五十二・七	三段目六十二
五十－三－三	三十四・十二・十二	十五	六十一・九	幕下三十五
五十－十一－一	三十二・四・二十二	十八	五十二・七	序二段五
五十－十一－二	三十四・九・二十五	十六	五十四・十一	序二段九
五十一－一－一	三十二・八・三十	十八	五十三・一	序二段一
五十一－三－一	三十四・一・十七	十五	五十二・一	序二段百二十九
五十一－三－二（若者頭）	三十六・三・二十	十四	六十三・一	十両（伊予桜）
五十一－三－三	三十五・六・二十	十五	五十四・一	序二段十九
五十一－三－四	三十六・一・十八	十五	五十三・九	序二段百一
五十一－三－五	三十四・十・二十	十六	六十三・九	幕下四
五十一－七－一	三十四・十一・七	十六	五十二・一	番付外
五十一－十一－一	三十二・八・四	十八	五十二・七	序ノ口十七

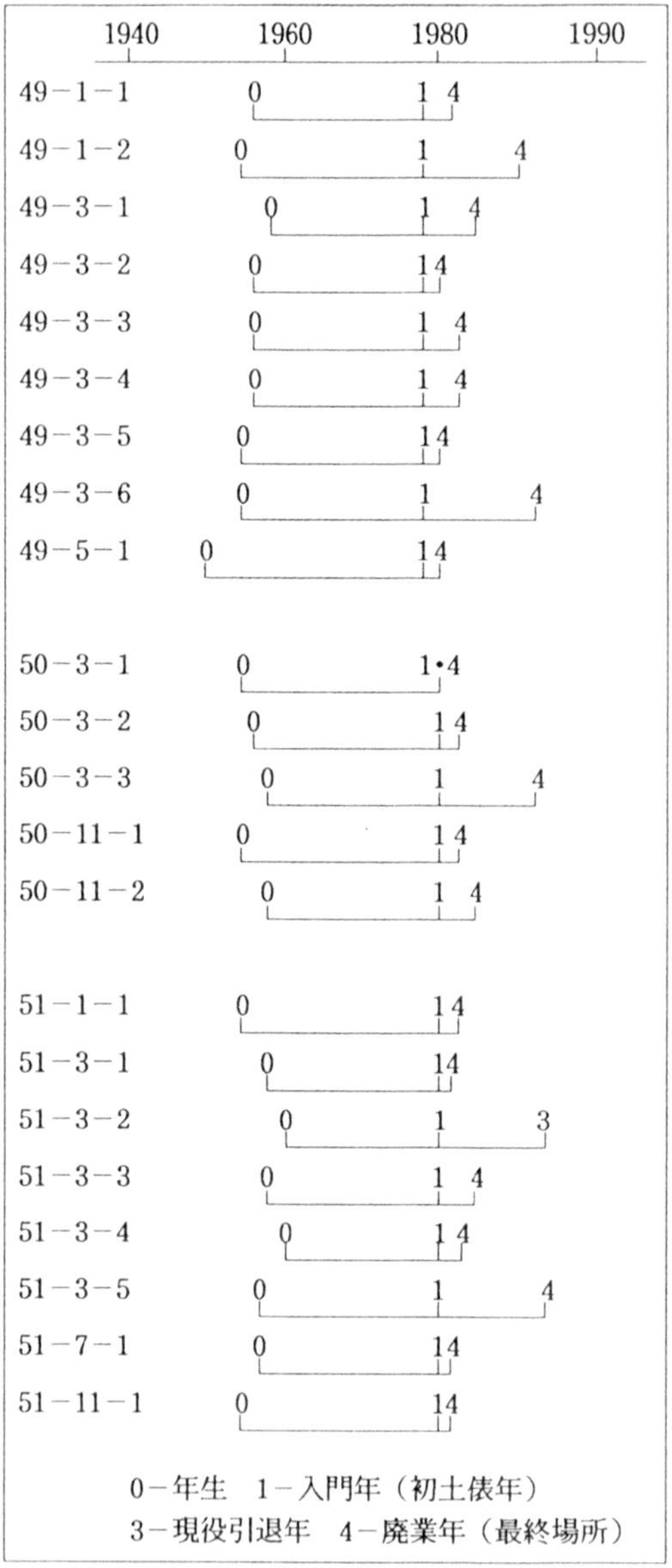

この間に高砂部屋へ入門した新弟子の年齢別新弟子数は、図十二の通りである。彼らの初土俵年齢は、二十二名中の二十一名が十四歳から十八歳までであるが、四十九―五―一秋山貢だけは二十三歳で高砂部屋に入門した。秋山は、昭和四十九年五月場所に社会人から高砂部屋に入門したが、翌年一月場所に廃業した。

図 11　昭和49・50・51年高砂部屋新弟子の経歴

1940　1960　1980　1990

49－1－1　0　1 4
49－1－2　0　1　4
49－3－1　0　1　4
49－3－2　0　14
49－3－3　0　1　4
49－3－4　0　1　4
49－3－5　0　14
49－3－6　0　1　4
49－5－1　0　14

50－3－1　0　1•4
50－3－2　0　1 4
50－3－3　0　1　4
50－11－1　0　1 4
50－11－2　0　1　4

51－1－1　0　14
51－3－1　0　14
51－3－2　0　1　3
51－3－3　0　1　4
51－3－4　0　1 4
51－3－5　0　1　4
51－7－1　0　14
51－11－1　0　14

0－年生　1－入門年（初土俵年）
3－現役引退年　4－廃業年（最終場所）

昭和四十九・五十・五十一年高砂部屋新弟子の年次別廃業者数は図十三の通りであり、彼らの年次別累積廃業者数は図十四の通りである。高砂部屋の新弟子（二十二名）も、入門して一・二年で廃業する力士が最も多く、二年後には約半数の十二名が廃業し、四年後には七十七％の十七名が廃業し、十二年後には伊予桜以外全員が廃業し、相撲社会を去っている。彼らの廃業までの番付最高位は、序二段が十一名で最も多く、幕下四名、三段目三名、序ノ口二名、番付外一名であり、十両まで上がったのは伊予桜だけである。伊予桜は、現役を引退して若者頭となり高砂部屋に残った。

昭和四十九年の一月場所と三月場所に高砂部屋に入門した、四十九―一―一工藤・四十九―一―二江元・四十九―三―二大掘・四十九―三―四濱田・四十九―三―五山田の五名は、同年五月に高田川部屋に移籍している。彼らは、高砂部屋の現役大関「前の山太郎」の内弟子であって、前の山が昭和四十九年三月場所で現役を引退し、同年五月に高砂部屋から分家して興した高田川部屋に移籍した力士である。相撲社会における部屋の分家は、分家しようとする力士あるいは年寄が分家独立する前に、自分の弟子を「内弟子」として本家の部屋に預けるのが一般的である。

このように高砂部屋における力士たちの階級は、十両以上の関取と幕下以下の力士に分かれ、それぞれの階級内部の日常生活での序列は入門順で構成されていた。しかし、いくら部屋での序列が入門順であっても、二つの階級間の格差は歴然としており、幕下以下の力士は十両以上の関取に絶対服従しなければならない。相撲部屋の力士たちの人間関係を、家族関係に当て嵌めると「関取は一人前となった兄貴であり、親(親方)の許しがあれば、結婚して家庭をもつことができる。しかし、幕下以下の力士は、まだ一人前にならない子供達であり、親と一緒でなければ生計を建てられない。」となる。

図12　昭和49・50・51年高砂部屋入門の年齢別新弟子数

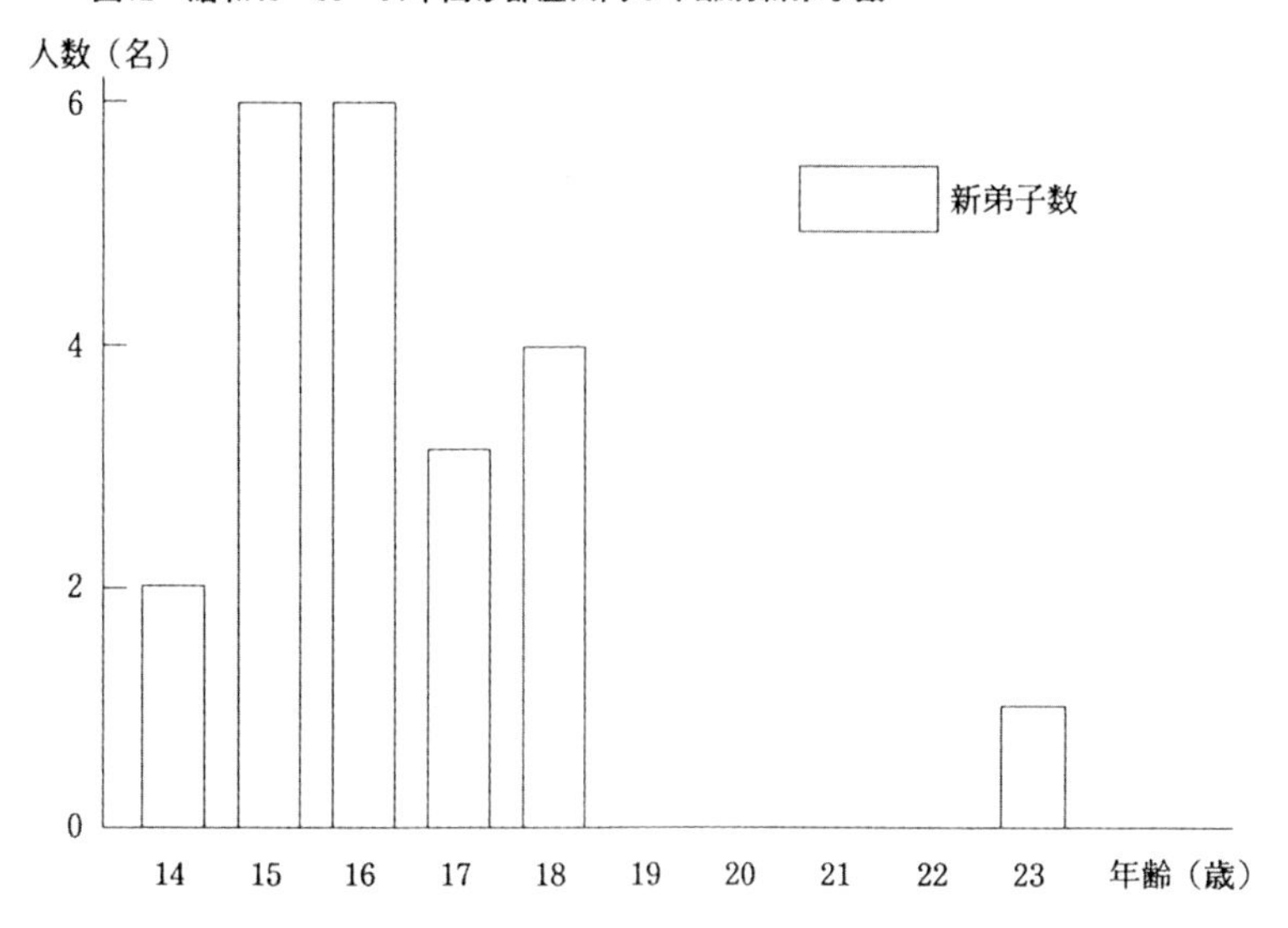

図13　昭和49・50・51年高砂部屋新弟子の年次別廃業者数

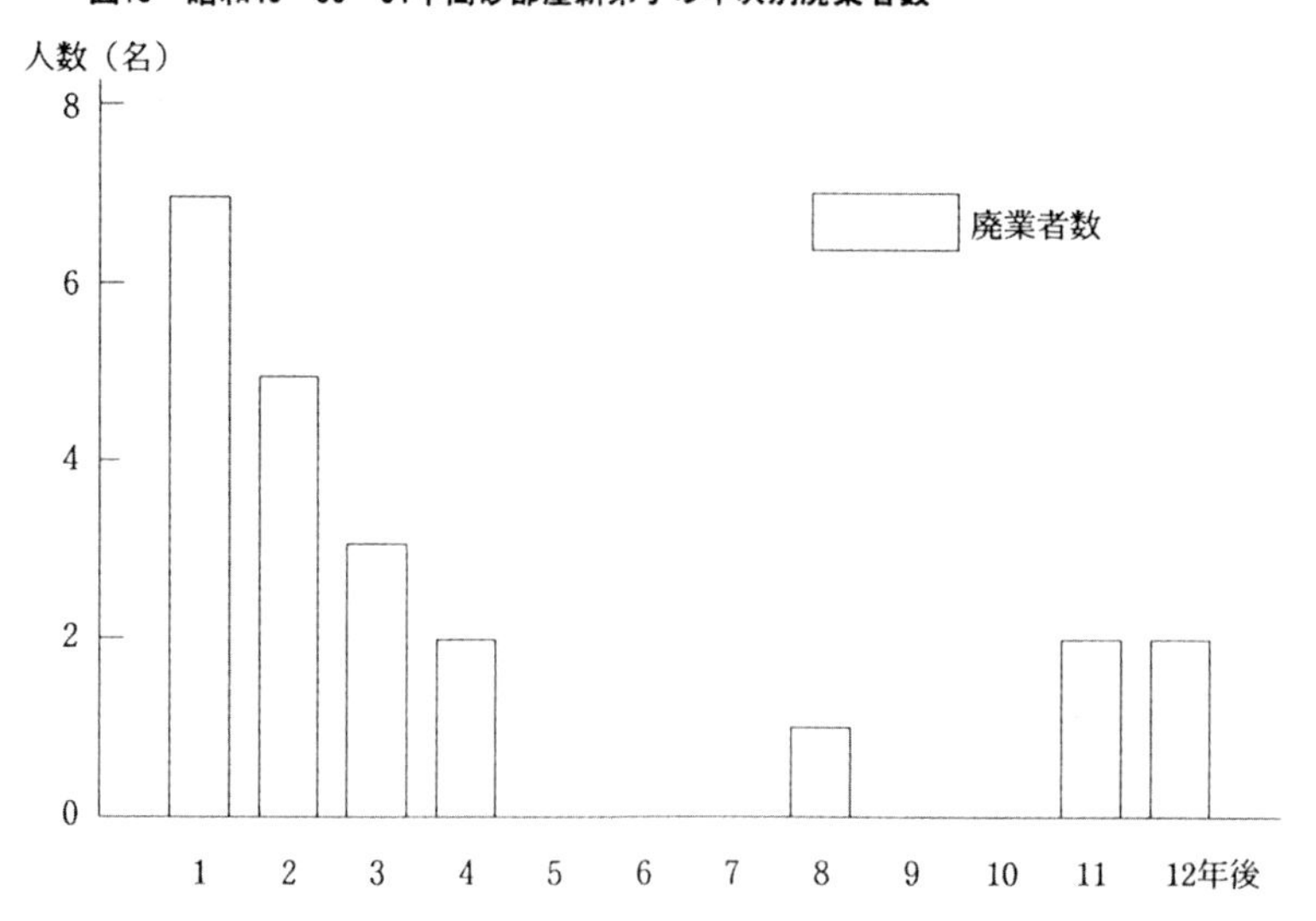

図14　昭和49・50・51年高砂部屋新弟子の年次累積廃業者数

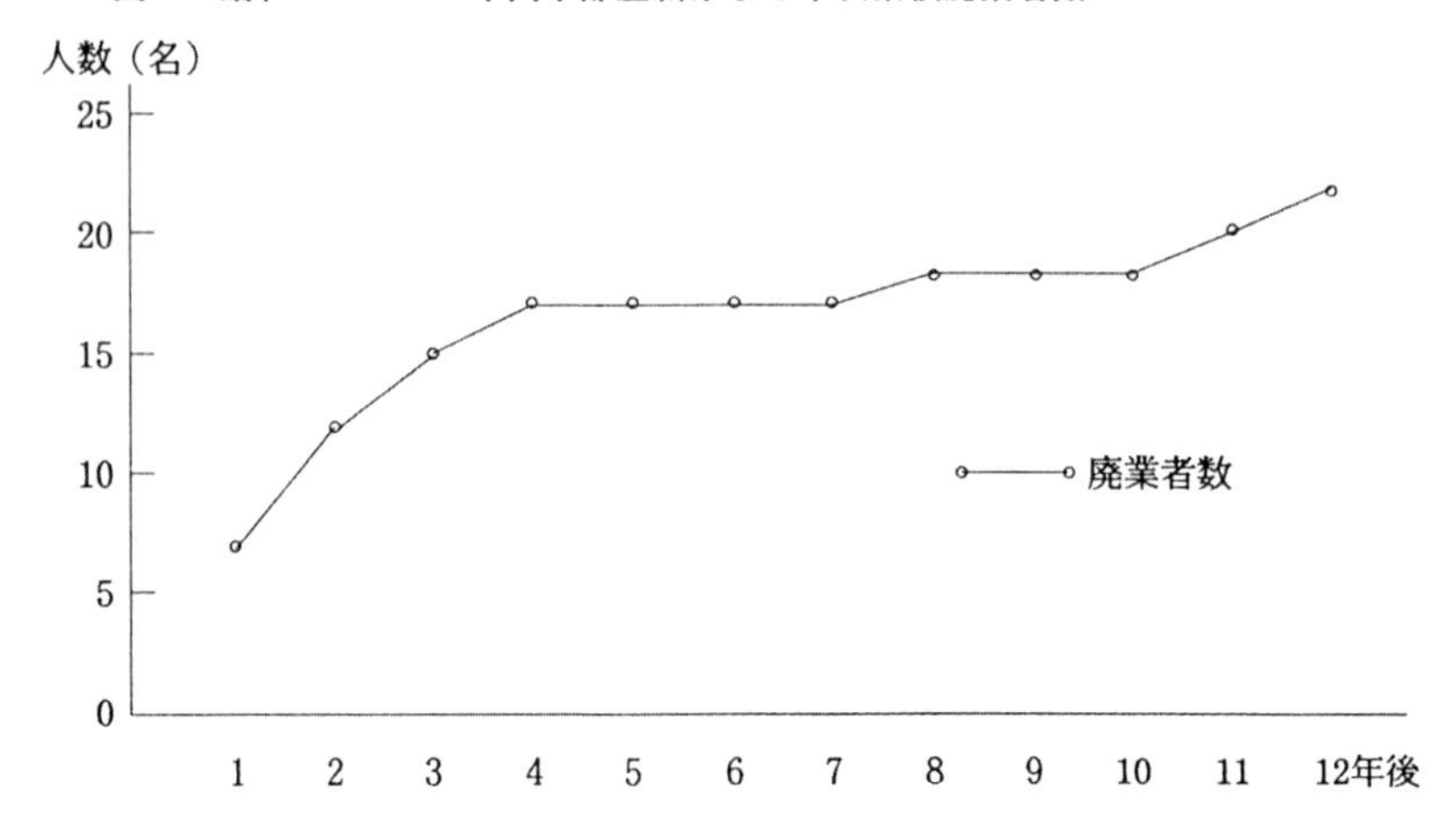

三、部屋の師弟関係

昭和十四年（一九三九）高砂部屋に十五歳（大正一三年五月生まれ）で入門した錦戸親方（元前頭大田山一朗）は、高砂親方（元大関朝潮太郎）と出会った入門当時のことを、次のように語っている。

「父は電気の技師で、おじの店を手伝っていました。私は音楽学校へ行きたかったんですが、職人の子が何をいうかと一喝されましてね。そんな時に、私の体が大きいことを高砂親方に知らせた人がいて、昭和十四年の夏場所後に一遍相撲を見にこないかと声がかかりました。それで父に連れられて花相撲（本場所以外の引退相撲や慈善相撲）を見に行き、帰りに高砂部屋へ寄ったんです。そうしたら、息子さんはワシが預かったから、お父さんはお帰り下さいというわけで、即入門です。それからすぐ入門式です。鯛を買ってこさせて、前に置いて、コップ酒に親方が口をつけて、私にも飲めという。飲めませんというと、形だけでいいから口をつけろっていう。終わると、さあ、これでワシとお前は親子だというわけです。その後、こんな話は聞いたこともないから、私で最後だったんですかねえ(12)。」

高砂部屋へ入門した大田山の番付地位は表二十一の通りである。二十七歳で十両に昇進し三十三歳で入幕、出世は遅かった。彼の番付最高位は前頭二十枚目であり、昭和三十五年五月場所に現役を引退し年寄となった。彼は年寄「錦戸」となってからも高砂部屋に所属し、分家して部屋を興さなかった。

表21　大田山の番付地位

	一月場所	三月場所	五月場所	七月場所	九月場所	十一月場所
昭和15年	番付外(初土俵)		番付外			
16	序ノ口		序二段			
17	序二段		序二段			
18	序二段		三段目			
19	三段目		三段目			(兵役)
20			(兵役)			番付外(三段目別格)
21						三段目
22			幕下			幕下
23			幕下			三段目
24	三段目		三段目			幕下
25	幕下		幕下		幕下	
26	幕下		幕下		十両(新十両)	
27	十両		十両		十両	
28	十両	十両	十両		十両	
29	十両	十両	十両		十両	
30	十両	十両	十両		十両	
31	十両	十両	十両		十両	
32	十両	十両	十両		前頭(新入幕)	前頭
33	十両	十両	十両	十両	十両	十両
34	十両	十両	十両(現役引退・年寄襲名)			

大田山の入門当時の最初の師匠である高砂親方（元大関朝潮太郎）は昭和十六年に年寄を廃業、彼の次の師匠は現役大関の前田山英五郎（昭和二十二年第三十九代横綱となる）であった。前田山は昭和十七年から二枚鑑札（現役力士でありながら部屋の親方となる）で高砂部屋を継承し、昭和二十四年現役を引退して高砂を襲名した。この前田山が昭和四十六年に亡くなったため、高砂部屋は第四十六代横綱朝潮太郎によって継承された。現役を引退して高砂部屋の所属年寄となった大田山（錦戸）の三番目の師匠は、この高砂（第四十六代朝潮太郎）であった。高砂は昭和六十三年に亡くなったあと、元小結の富士錦が高砂部屋を継承し、錦戸の四番目の師匠となった。翌平成元年に錦戸は定年となった。従って、錦戸（大田山）は高砂部屋に入門してから、四名の師匠（高砂）に仕えたことになる。

相撲部屋における師弟関係とは、師匠である年寄（親方）と弟子の力士との関係である。力士は部屋に所属することによって、つまり親方によって協会の人別帳に登録されて初めて、相撲がとれ、力士としての生活が保証されるのである。親方が弟子の廃業届を協会に出せば、その弟子は番付から外され、相撲をとることができなくなる。親方は弟子の承諾がなくても、その弟子の廃業届を協会に提出できる。また、弟子が年寄名跡（めいせき）[13]を襲名する場合も、親方の承認がなければならない。これは相撲部屋の親方が弟子に関する全責任を担っているからである。例えば、弟子が「故意による無気力相撲懲罰規定」（八百長など）で処罰を受けた場合は、その親方も連帯責任を問われ、懲戒される。

現在相撲部屋の師弟関係については、寄付行為施行細則第六十一条に「力士の養成・教育・給与等にして、特にこの細則に定めないものは師匠である年寄において処理するものとする。」とだけ規定されている。

大正十四年（一九二五）の財団法人・大日本相撲協会寄付行為施行細則には、次のように定められていた。

［第十六条］元日本大相撲協会ヨリ転属シタル年寄、力士及行司其ノ付属員ハ旧慣ニ依リ師弟間ノ礼儀服従ヲ守ルハ勿論非営利公益法人タル本協会ノ目的精神ニ鑑ミ一層斯道ノ研究練磨ニ努メ人格ニ注意シ真ニ力士タルノ名ヲ辱シメサル如ク努ムルヲ要ス。

［第三十一条］年寄ハ所属ノ力士及行司ヲ監護シ将来力士及行司タラムトスル者ノ養成ニ従事スベシ。

［第三十二条］力士及行司ハ師匠タル年寄ニ従属シ其ノ指揮ヲ受ケテ相撲道ノ興隆後進ノ誘導ニ従事スルモノトスル。

第十六条の「旧慣ニ依リ師弟間ノ礼儀服従ヲ守ル」師弟関係とは、明治二十二年（一八八九）の東京大角力協会申合規約にある次のようなものであった。

〔第四十二条〕角力取及行司は上下を論ぜず銘々師匠の指揮に随ふべし役員に於いて不注意の所為ある時は、自ら協会へ申出を為さず各師匠より取締へ申出るものとする。

〔第五十八条〕角力取及行司を問わず組合門弟の者私意恣にして他の年寄へ便る者あるとも其年寄に於いて師弟の約をなす事を得ず若し之を違背したる時は本組合を除名す。

〔第六十七条〕弟子にして師匠の命に背き破門せられたる者に対し組合員仲裁の労を採り聞き入れざる時は預かり弟子又は譲り受くる等の処為は一切相成らざるものとする。

この規定からも明らかなように、明治時代から師弟の掟を破った力士は相撲社会から除名（村八分）された。現在の相撲社会にはこのような明文化された規定はないが、廃業力士の再入門が認められないので、明治時代の規定は現在も生きている。相撲社会では一旦親方と師弟関係を結んだ力士は、いかなる理由があろうとも他の親方と師弟関係を結ぶことは、原則としてできないのである。

さらに、寄付行為施行細則第六十条に「師匠である年寄が死亡または引退し、その名跡を襲名継承するものがあった場合、その所属力士は当然襲名継承者に随従するものとする。」とあるように、先代の師匠である年寄の地位を継承したものが現在の師匠である年寄であって、先代の師匠である年寄との間の師弟関係は、当然現在の師匠である年寄との間に継承されるものとみなされる。この規定から、相撲部屋の師弟関係は、弟子が相撲部屋の家産であるとすれば、家制度の「家産は家督とともに世襲される」

原理の適用として理解できる。

現在、関取の「褒賞金」「月給」は協会から本人へ直接支払われるが、力士養成員の「場所手当」「奨励金」は協会が部屋の親方に支払い、彼等は親方からその金を受け取る仕組みになっている。これを「師弟間の給与」という。高砂部屋では、親方が彼等の借金を差し引いてから若者頭にその金を渡し、若者頭が力士養成員に配っていた。

「師弟間の給与」について、現在の寄付行為施行細則第六十一条（前出）には、「師匠である年寄において処理するもの」と定められている。東西の両協会が合併したときの大正十四年（一九二五）の寄付行為細則第二十四条にも、「師弟間の給与」は次のように定められていた。

［第二十四条］力士ノ養成・教育・給与等ニシテ特ニ本細則ニ定メサルモノハ当分従前ノ慣例ニ依リ師匠タル部屋持年寄ニ於テ処理スルモノトス

この条文中の「従前ノ慣例」とは、明治二十二年（一八八九）の東京大角力協会申合規約第四十六条にある師弟間の給与であり、その規約には次のように定められていた。

［第四十六条］師弟間の給与の配当を定むる左の如し。幕の内幕下関取並に行司にして家族を持ち別居したるものは給金高の八分を渡すべし。幕の内幕下三段目角力取及行司にして師匠の部屋に住居するもの幕の内は六分幕下以下は五分を渡すべし。幕下三段目角力取及行司にして特に師匠の許を得て家族を挙げ別居したる者は七分を渡すべし。三円以下の給金取は給金の配当を為さず別に師匠より旅行小遣を渡すべし。但し二期大角力興行の給与は妥皆師匠の所得と雖ども師弟の間特約を結び苦情なきものは此限にあらず。

この規約の「師弟間の給与」を整理すると、師匠が弟子に渡す給金の割合は次表のようになる。

	家族持ちの者（別居者）	部屋住みの者
関取	八分	六分
幕下以下	七分	五分

「師弟間の給与」に関して昭和三十二年（一九五七）月給制が確立されるまでは、師匠が力士の給料から何割かを差し引いて力士に渡すのが慣例であったようである。そして、三円以下の力士に給金は配当されなかった。しかし、当時の力士は、幕下・三段目でも長く勤めて給金が三円以上となり、師匠の許しがあれば、結婚して家庭を持つことができたようである。

高砂部屋の力士は高砂親方を「おやじ」と呼び、力士は親方に絶対服従するのが建前であった。相撲社会の師弟関係は、わが国の伝統的な家族制度である「家」の家長とその成員の関係に近い関係であることが理解される。この師弟関係の思想的背景は、わが国の武家社会（封建社会）の道徳であった「忠」と伝統的な家族道徳である「孝」をそのモデルとしていると考えられる。

四、部屋の「おかみさん」

高砂親方の妻である米川啓子さんは、高砂部屋の力士から「おかみさん」と呼ばれていた。昭和六十三年（一九八八）十月二十三日高砂親方が亡くなった後、米川啓子さんは次のように語っている。

「親方にとっては再婚でしたが、私が嫁いできてから二十二年、色々なことがありましたね。しかし、つらいことや、いやなことはすっかり忘れてしまい、楽しい思い出ばかりです。一番うれしかったのは、五代目高砂を襲名したとき、そのお話があった日〝一日待っていただきたい〟といって帰ってきたんです。そして〝ママやってくれるかい〟といわれたときです。部屋の経営には〝ママの協力がなくてはできないから〟と言われたことです。ママ、やってくれるかい、といわれても、いきなり大勢のお弟子さんを預かるのですから、とても自信などありませんでした。そこで私なりに考えたのが、何々になり切るのはやめることでした。おかみさんになり切ろうとしても、とても先代には及ばないし、背のびしてもすぐメッキがはがれるから、普段着のままのおかみさんになることにしたんです。お弟子さんの生活は距離をおいて見つめながら、監督その他は古手の幕下、兄弟子に任せ、悪いことは目をつぶり、いいことはほめてやることにしました。とくに高砂部屋は、外人力士が多かったものですから、差別せず同じに扱うことが大切でした[14]。」

先代（四代目）高砂親方の妻である萩森好美さんは、「一に弟子、二に後援会、三におふくろ、オレは四、五でもいいからな[15]」と、先代親方がよく言っていた言葉を思い出すそうである。

相撲部屋の経営にとって「おかみさん」は重要であり、部屋の力士にとって「おかみさん」は母親と同じである。つまり相撲部屋の力士にとって親方は怖い存在であるが、「おかみさん」はやさしく、話のわかる存在なのである。たとえば、若い衆が自分の出世を諦め廃業したいと思っても、彼等は親方には直接いえない。そのような時には「おかみさん」の親方への取り成しが必要となる。また、借金にくる若い衆は、必ず「おかみさん」のところにくる。

高砂部屋の元大関前の山は、力士養成員の時に四回も部屋を脱走した。高砂部屋の親方衆は「しめしがつかないからクビにしろ」と、彼の廃業を高砂親方に迫った。しかし、「おかみさん」は彼が絶対に帰ってくるという確信があり、彼の廃業届を出させなかった。そして、彼は「おかみさん」のとりなしで高砂部屋への帰参が許され、その後は大関まで昇進し現役を引退して高田川部屋を興した。
現在は義務教育を終了しなければ部屋に入門できないが、昭和四十六年（一九七一）以前は中学生も部屋に入門できたので、力士は部屋から中学へ通った。このような中学生力士に、「おかみさん」は弁当を作る等、母親の役割を果たす。千代の富士のように、高校まで行かせてもらう力士もいた。昭和四十五年（一九七〇）九重部屋に入門した千代の富士について、先代九重親方（元横綱千代の山）の妻である杉村光恵さんは、次のように語っている。

「千代の富士さんは、親方が部屋を創設したあとの子飼い（16）のお弟子さんですから、とくに印象が強いですね。入門当時のいきさつは、みなさんご存じのように、東京見物をさせてやる、飛行機に乗せてやるといって北海道から連れてきて、そのまま部屋に置いてしまったんです。強引なスカウトだったんですが、それだけ親方が素質を見抜いていたのではないでしょうか。中学三年の八月ですから、部屋から中学に通い、高校に進みたいというので、台東区福井中に転校させ、明大中野高校に入学させたんです。新弟子時代から負けん気が強く、鋭い目つきをしていました。ホームシックで逃げ出す子もいたんですが、あの子はふくれっ面をして必死に耐えていましたね。それでいてふだんは、素直で明るくて、手がかかりませんでしたね。本当にあの体でよくやりますね。決断力もあるし、やる気もあるから強くなったんでしょう。せっかく進学した明大中野高校も、一年の一学期を終えてやめてしまったんですが、夏の巡業で故郷の福島町に帰ったとき〝こんどくるときは、博多帯を締めて、セッタを履いてくるよ〟と、相撲一本でやることを両親に誓ったそうです(17)。」

「おかみさん」は高砂部屋に新弟子が入門すると、新弟子一人につき浴衣二枚、ウール着物一枚、下着三組、帯一本、下駄一足、足袋一足、布団一組、枕一個、毛布一枚、シーツ一枚、布団カバー一枚を用意する。そして高砂部屋の全力士には、「仕着せ」(主人から奉公人に季節に応じて与える着物)として、夏は浴衣一枚、冬はウール着物一枚を配るのも、「おかみさん」の仕事である。昭和五十年(一九七五)の冬から高砂部屋の冬の仕着せは、ウール着物からジャージのトレーニングウエア上下となった。

五、部屋の年寄衆

昭和五十年高砂部屋には、高砂親方の外に佐ノ山・陣幕・尾上・芝田山・錦戸・振分・湊の七名の年寄がいた。彼等は高砂部屋の元力士であり、部屋では「年寄衆」あるいは「親方衆」と呼ばれている。彼等は現役を引退して年寄名跡を襲名したが、分家し相撲部屋を興さなかった年寄である。年寄は弟子を養成する義務がある。しかし、高砂部屋は本家であり一門意識が強く、年寄の分家独立をあまりさせない。また、一門の本家に所属している年寄は、協会での役職に就き易い。昭和五十年当時高砂部屋所属の年寄で平年寄は、病気療養中の湊親方だけであった。高砂部屋年寄衆の相撲協会での地位と経歴は表二十二の通りであり、彼らの経歴を図示すると図十五のようになる。

表二十二　高砂部屋年寄衆の相撲協会での地位と経歴（昭和五十年九月場所）

年寄名	協会地位	四股名（最高位）	生年月日	入門場所（年齢）	入幕場所（幕内在位）	最終場所	没年
高砂	理事	朝潮（横綱）	昭和四・十一・十三	昭和二十三・十（十八）	二十六・一（四十八）	三十七・一	昭和六十三年
佐ノ山	委員	国登（小結）	大正十四・四・十八	十五・五（十五）	二十三・十（四十四）	三十六・五	
陣幕	委員	島錦（前頭一）	昭和三・九・二十六	十八・五（十四）	二十七・九（三十一）	三十五・三	
尾上	委員	富士錦（小結）	昭和十二・三・十八	二十八・三（十五）	三十四・一（五十九）	四十三・十一	
芝田山	委員	宮錦（小結）	昭和二・五・三十	十七・五（十四）	二十七・一（二十八）	三十四・十一	
錦戸	主任	大田山（前頭二十）	大正十三・五・三	十五・一（十五）	三十二・九（二）	三十四・五	
振分	主任	朝嵐（前頭十二）	昭和十八・七・八	三十四・三（十五）	四十四・五（一）	四十八・三	
湊		大達（十両八）	大正十・五・五	十四・一（十七）	（〇）	二十八・五	昭和五十六年

図15　高砂部屋年寄衆の経歴

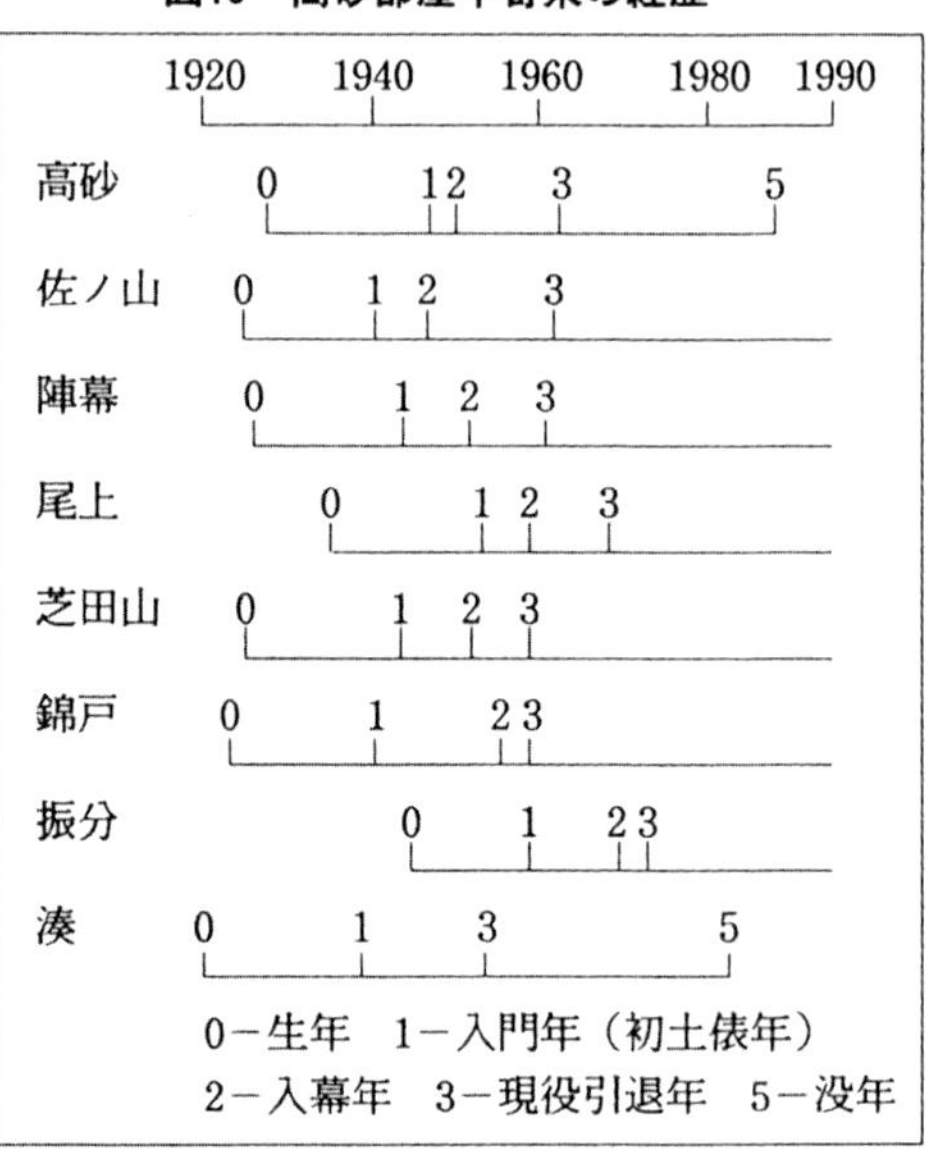

高砂部屋の年寄衆の現役時代の実力（最高位）は、高砂が横綱で最も高く、以下小結が三名、前頭が三名、十両が一名であった。昭和六十三年高砂の死後、小結であった尾上が高砂を襲名し高砂部屋を継いだ。高砂部屋年寄衆は元高砂部屋の力士であるが、高砂部屋に入門した力士は高砂・佐ノ山・尾上・錦戸・振分・湊の六名であり、陣幕と芝田山の二名は芝田山部屋に入門した力士であった。彼らは昭和

十八年芝田山（元横綱宮城山）が亡くなって部屋が消滅したために、芝田山部屋から高砂部屋に移籍してきた力士である。

高砂部屋年寄衆の中で年寄名を変更していないのは、佐ノ山と芝田山の二名だけである。高砂は現役引退（昭和三十七・二）後に振分を襲名、昭和四十六年高砂に襲名変更した。陣幕は現役引退（昭和三十五・三）後に陣幕を襲名したが、平成三年（一九九一）横綱千代の富士の所有していた八角と交換[18]して、八角に襲名変更した。尾上は現役引退（昭和四十三・十一）後に西岩を襲名、昭和四十六年尾上に襲名変更し、前にも述べたように昭和六十三年高砂を襲名した。錦戸は現役引退（昭和三十四・五）後に陣幕を襲名し、翌昭和三十五年には錦戸に襲名変更した。振分は現役引退（昭和四十八年）後に高田川を襲名し、翌年振分に襲名変更した。湊は現役引退（昭和二十八・五）後に芝田山を襲名、昭和三十五年陣幕に襲名変更し、同年湊に襲名変更した。

年寄名跡に格はないが、戦前までは、昭和二年の東西合併によって大阪頭取から年寄となった名跡に、国技館の地上権や興行権がなかったため（第四章第七節参照）、その格が低かったようである。現在では一般的に、部屋つまり弟子のいる年寄の名跡は、弟子のいない名跡より格が高い。従って、しばしば襲名変更される名跡や、後に述べる「借り株」となる名跡は、弟子のいない年寄名跡であることが多い。

尾上の西岩、錦戸の陣幕、振分の高田川、湊の芝田山・陣幕は襲名期間と現役時代の実力から考えて、

「借り株」であったと思われる。一般的に現役時代の実力とは番付の地位のことであるが、ここでの実力とは前述の「高砂部屋年寄衆の経歴」の幕内在位の場所数である。尾上が幕内在位五十九場所、錦戸が二場所、振分が一場所、湊は番付最高位が十両であるから幕内在位は〇場所である。

力士会(19)の内規では、関取を三十場所以上勤めた力士だけが引退相撲を開催することができる。引退相撲とは、現役を引退する力士が「国技館」を一日貸し切って、彼の後援者(御贔屓)や関係者を集めて行なう相撲興行である。この引退相撲には十両以上の関取全員とその付人が無報酬で参加し、本場所と同じような取り組みが行なわれ、現役引退力士の断髪式と年寄襲名披露が行なわれる。一般的には、この引退相撲興行の収益が引退力士の年寄株取得のための資金の一部となる。力士が相撲社会の報酬(次節参照)で年寄株を取得するためには、幕内を少なくとも三十場所以上勤めた報酬と養老金(退職金)が必要であり、実際にはこれでも足りないくらいである。従って、幕内在位場所数の少ない力士や十両の力士が、年寄株を取得するためには、相撲社会で得た報酬以外に、その資金を求めなければならない。

年寄を襲名する資格は、幕内を最低一場所か十両を連続二十場所あるいは通算二十五場所以上勤めた力士であるから、年寄名跡の襲名者は年寄株を取得した所有者である必要はない。年寄名跡には、襲名者と継承者があり、継承者とは年寄名跡の所有者のことである。通常は襲名者と所有者は同一人物であるが、襲名者と継承者が異なることがある。そこに、年寄名跡を襲名する資格があっても年寄株を取得する資金のない力士、資格と資金があっても取得する年寄名跡のない力士が、年寄株の所有者からその年寄名跡を借りて襲名する「借り株」の制度が生まれる。従って、幕内在位五十九場所の尾上の場合は、後者の例であると理解できる。「借り株」とは、ある年寄（力士）が複数の年寄名跡を所有し、その年寄名跡を有資格の人物に、貸した株のことである。

高砂部屋の年寄衆の中で高砂と佐ノ山は、以前高砂部屋から分家して新しく相撲部屋を興したことがあった（第三章参照）。高砂は現役引退後、昭和三十七年一月に振分を襲名し、同年九月に高砂部屋から分家して振分部屋を新しく興したが、昭和三十九年三月で振分部屋を解散して弟子を高砂部屋に移し、高砂部屋所属の年寄となった。そして昭和四十六年八月先代高砂の死後、同年九月に高砂を襲名して高砂部屋を継いだ。佐ノ山も現役引退後、昭和三十六年五月に佐ノ山を襲名し、同年七月に高砂部屋から分家して佐ノ山部屋を新しく興した。しかし、振分部屋と同じように昭和三十九年三月に佐ノ山部屋を解散して弟子を高砂部屋に移し、高砂部屋所属の年寄となり現在に至っている。振分・佐ノ山部屋の解散は、昭和四十年から始まった部屋別総当制によるものである。部屋別総当制となれば、振分・佐ノ山部屋の力士は、本家の高砂部屋の力士と対戦しなければならなくなるからである。

高砂部屋は一門の本家であるから、部屋の運営を高砂親方だけでするのは困難である。従って、高砂部屋所属の年寄衆は、高砂親方を中心に役割を分担して部屋運営に当たっている。新弟子の発掘は年寄衆全員で行うが、新弟子は高砂親方とだけ師弟関係を結ぶ。高砂部屋の三段目力士である大岳山は、陣幕親方にスカウトされ高砂部屋に入門したが、高砂親方の弟子である。陣幕親方は大岳山をかわいがって、よく彼を連れ出す。その時は、高砂親方か「おかみさん」の了承をもらわなければならない。

高砂部屋の年寄衆の一人である尾上親方（元小結富士錦）の妻一宮君子さんは、尾上親方の「夢」について、次のように述べている。

「現役を引退して親方になってからは、新弟子のスカウトに熱心でした。どこかに体格のいい子がいると聞くとすぐに出かけていったものです。部屋を創設しなかった代わりに、いい新弟子を捜し出し、関取に育てることを自分の夢としているようです。」

高砂部屋では、年寄衆も個人個人は〝親方〟と呼ばれる。しかし、部屋での地位は高砂親方がトップであり、次に年寄衆がきて、その次に関取衆がくる。従って、食事・風呂・整髪は高砂親方が必ず最初であった。

第二節　高砂部屋のその他の所属員

一、行司

昭和五十年当時、高砂部屋には木村源之助・木村友一の二名の行司がいた。相撲社会における行司の定員は四十五名である。寄付行為施行細則第六十五条には「幕下以下の行司は、行司養成員とし、師匠である年寄（立行司を含む）が養成に当たるものとする。」とあり、行司も相撲部屋に入門し、力士と同じように部屋で養成される。

木村朝之助（友一）は昭和十七年三月二十八日に生まれ、昭和三十年五月場所十三歳で高砂部屋に入門し、行司として初土俵を踏んだ。昭和五十二年十一月場所三十五歳で十両格行司となり、平成二年一月場所四十八歳で幕内格の行司となった。

行司の階級は、上から立行司、三役行司、幕内行司、十枚目行司、幕下以下行司というように、番付によって力士の階級と同じようになっている。そして、行司の階級は本場所での装束によって区分される。横綱・大関を裁く立行司は短刀・足袋・草履を着用し、三役の行司は足袋・草履を着用、幕内・十両の行司は足袋だけを着用する。幕下以下を裁く行司は素足である。

行司の部屋での地位は、十両以上の関取の取組を裁く立行司、三役行司、幕内行司、十枚目行司、幕下以下の取り組みを裁く幕下以下行司に分かれ、番付の地位によって部屋の力士とほぼ同じような扱いであった。しかし、行司は部屋への入門当初から協会より月給が支給され、行司の定年は年寄と同じで六十五歳である。

相撲社会には、行司にも入門順という先輩・後輩の社会関係がある。この行司の入門順とは、相撲部屋への入門順ではなく、行司となった順のことである。昔はこの入門順によって行司の階級が決まり定年制もなかったので、先輩が死ぬと赤飯を炊いて祝ったということである。しかし、現在は「差し違え」等の勤務成績を考慮されるので、必ずしも入門順とはならなくなった。行司には、力士として相撲部屋に入門したが、新弟子検査の身長・体重制限に合格せず、行司に転向した者もいる。

行司の協会での仕事は、相撲の審判と番付を書くことである。高砂部屋における行司の役割は、部屋の書記的な仕事、地方巡業や地方場所のときの列車やバスの手配も、行司の仕事である。その他には、高砂部屋関係者の結婚式での司会などもする。

二、若者頭

高砂部屋には昭和五十年当時、初汐さんという若者頭がいて、部屋では「かしら」と呼ばれていた。彼の部屋での仕事は、若い衆の監督、相撲の指導から身の上相談、チャンコの指導等で、若い衆の兄貴分であった。

初汐さんは高砂部屋の元力士であり、昭和十六年夏場所に高砂部屋に入門し、昭和三十二年春場所で現役を引退した。現役時代の最高位は幕下四十二枚目で関取にはなれなかった。昭和三十二年九月高砂親方に事務能力を買われて、若者頭となり協会から月給が支給されるようになった。

昭和六十三年初汐さんが定年（若者頭と世話人の定年は五十五歳）となったため、高砂部屋の伊予桜（五一―三―二）が若者頭となった。彼の地位は表二十三の通りであって、昭和五十一年三月に高砂部屋に入門し十三年間力士を勤め、十両を一場所勤めた。若者頭には、幕下上位で引退した者が多かったが、最近では幕内までいった若者頭もいる。

表23　伊予桜の地位

	一月場所	三月場所	五月場所	七月場所	九月場所	十一月場所
昭和51年		前相撲(初土俵)	序ノ口	序二段	序二段	序二段
52	序二段	序二段	序二段	序二段	序二段	三段目
53	序二段	三段目	三段目	序二段	三段目	三段目
54	三段目	三段目	三段目	三段目	三段目	幕下
55	三段目	幕下	三段目	三段目	幕下	幕下
56	幕下	三段目	三段目	三段目	幕下	幕下
57	幕下	幕下	幕下	幕下	幕下	幕下
58	幕下	幕下	幕下	幕下	幕下	幕下
59	幕下	幕下	幕下	幕下	幕下	十両(新十両)
60	幕下	幕下	幕下	幕下	幕下	幕下
61	幕下	幕下	幕下	幕下	幕下	幕下
62	幕下	幕下	幕下	幕下	幕下	幕下
63	幕下	幕下(現役引退・若者頭)				

若者頭の定員は十二名であるからすべての部屋にいるわけではなく、一門に一人か二人である。若者頭の部屋や協会での地位は年寄の下である。江戸時代・明治時代の若者頭は準年寄待遇であり、平年寄より権威があったそうである。若者頭の協会での仕事は、初日・千秋楽のセレモニーにおける土俵上の行司の介添、前相撲の進行など本場所相撲興行全般に携わる。また、地方巡業の進行も若者頭の仕事である。

三、世話人

高砂部屋には楠登（くすのぼり）という世話人がいた。しかし昭和五十年時点で、彼は十数年前に廃業したということであった。彼が廃業してから高砂部屋に世話人はいなくなった。楠登は昭和二十六年九月高砂部屋に入門し、昭和三十四年七月現役を引退した。現役時代の最高位は幕下二十九枚目であり、昭和三十四年九月に世話人となり、協会から月給が支給されていた。世話人の相撲部屋および協会での地位は若者頭の下に位置する。

昭和六十一年大山部屋の総登（ふさのぼり）が高砂部屋の世話人となった。彼は表二十四のように、昭和四十六年三月場所に大山部屋に入門して初土俵を踏み、十六年間力士を勤めて幕下まで上がったが、昭和六十一年現役を引退し大山部屋の世話人となった。しかし、同年大山親方が亡くなり、大山部屋が本家の高砂部屋に吸収合併されたために、総登も移籍して高砂部屋の世話人となった。

表24　総登の地位

	一月場所	三月場所	五月場所	七月場所	九月場所	十一月場所
昭和46年		前相撲(初土俵)	序ノ口	序二段	序二段	序二段
47	序二段	序二段	序二段	三段目	三段目	三段目
48	序二段	三段目	三段目	三段目	三段目	三段目
49	三段目	三段目	三段目	三段目	幕下	三段目
50	三段目	三段目	幕下	幕下	三段目	三段目
51	三段目	幕下	幕下	三段目	三段目	幕下
52	幕下	三段目	幕下	幕下	幕下	幕下
53	幕下	幕下	幕下	幕下	幕下	幕下
54	幕下	幕下	幕下	幕下	幕下	幕下
55	幕下	幕下	幕下	幕下	幕下	幕下
56	幕下	幕下	幕下	幕下	幕下	幕下
57	幕下	幕下	幕下	幕下	幕下	幕下
58	幕下	幕下	幕下	幕下	幕下	幕下
59	幕下	幕下	幕下	三段目	三段目	三段目
60	三段目	三段目	三段目	三段目	三段目	三段目
61	三段目(現役引退・世話人)					

世話人は、部屋の雑用やチャンコの買い出しなどもやる重宝な存在である。しかし、最近はあまり世話人を補充しておらず、世話人の定員は十二名であるが、昭和五十年当時の相撲協会には五名の世話人がいるだけだった。世話人は、本場所中の木戸番や駐車場の整理、役員室の当番などの仕事をし、地方巡業では用具の運搬や保管の仕事をする。

四、呼出し

高砂部屋には昭和五十年当時、一夫・三平の二名の呼出しがいた。先代高砂の時代には呼出しも部屋に住んでいたそうだが、昭和五十年当時は住んではいなかった。高砂部屋での呼出しの仕事は土俵造り、地方巡業では力士の荷物の運搬などをする。呼出しには、行司と同じように力士として相撲部屋に入門したが、新弟子検査に合格せず、力士になれなかった者や、力士を途中で廃業した者が多い。呼出しの部屋および協会での地位は、世話人の下に位置する。

昭和五十年協会には二十二名（定員は三十八名）の呼出しがいた。呼出しの階級は呼出しとなった順であり、横綱を呼出すのは最長老の寛吉である。そして呼出し組合長も寛吉であり、彼が呼出しに関する全権を握っていた。

呼出しの協会での仕事は、土俵で力士の四股名を呼び上げるのは表看板であって、むしろその他の仕事のほうが重要である。それは、本場所土俵の構築、ふれ太鼓・櫓太鼓の練習、役員の身の回りの世話、木戸口の雑用、幟の設置など、相撲場内外の一切の雑務を引き受けている。そして地方巡業ともなると、巡業の場所へ先乗りして（先にいって）土俵を造り、興行が終わるとその後始末をする。

昔呼出しは年寄の根岸が養成して、各部屋に配属していた。戦後、根岸家が廃家となったため、各相撲部屋で呼出しを養成するようになった。呼出しには、協会から月給が支給され、定年は五十五歳である。

五、床山

力士のマゲを結う人を「床山」という。高砂部屋には昭和五十年当時、床藤・床隆の二名の床山がいた。当時、相撲協会には三十三名（定員は三十五名）の床山がいたが、床山のいない部屋がかなりあり、一門から床山をまわしてもらって凌いでいる。力士のマゲは、明治時代に断髪令が出された時でも特別に許された力士のシンボルであり、関取の「大銀杏」と幕下以下の「チョンマゲ」の二種類がある。

床山も部屋で養成され、床山の階級は経験年数によって一等―十八年以上、二等―十年以上、三等―

五年以上、四・六等―五年未満となっている。大銀杏を完全に結えるのは二等以上の床山で、三等はまずまずなんとか大銀杏が結える程度である。どんな頭でも結えるようになるのには、最低でも十年はかかるそうである。床山には、力士になりたくて相撲部屋に入門したが、身体が小さくて新弟子検査に合格せず、力士になれなかった人もいる。床山には協会から月給が支給され、定年は五十五歳である。

行司・若者頭・世話人・呼出し・床山も、相撲部屋の所属員である。若者頭と世話人は相撲部屋に入門した元力士であるから、部屋の親方と師弟関係にある。行司・呼出し・床山も部屋で養成される。しかし、彼等にはその地位に就いた時点から月給が協会より支給される。そして、彼等は力士のように関取になるまで部屋に住む義務もないし、関取になるまで結婚が許されないということもない。従って、高砂親方と彼等の関係は、相撲部屋の親方と力士の師弟関係とは異なる師弟関係である。このように相撲部屋のその他の所属員も部屋で養成され、師弟関係で結ばれている。相撲社会の構成員は、相撲協会の事務職員および従業員を除けば、全て相撲部屋で養成されているのである。

第三節　相撲社会の報酬

現在の相撲社会（相撲協会）は、年六回の本場所興行と地方巡業の収益で賄われている。以下本節では、筆者の調査期間であった昭和五十年（一九七五）当時に焦点を絞り、相撲社会を構成する人々の報酬および養老金（退職金）について述べる。

一、年寄

年寄の報酬は、相撲部屋の親方である年寄の場合と、相撲部屋に所属する弟子のいない年寄の場合によって異なる。相撲部屋の親方には、協会から部屋維持費・稽古場経費と力士養成費等が支給される。従って、ここではまず相撲部屋の親方の報酬について述べ、次に年寄の報酬について述べることにする。

相撲部屋の親方には、次の日本相撲協会寄付行為施行細則第五十一条と第五十二条にあるように、相撲部屋維持費と稽古場経費が支給される。

〔第五十一条〕相撲部屋維持のため、相撲部屋維持費を支出することができる。支出の時期および支出額は、理事会の議決により定める。

相撲部屋維持費は場所毎に協会から部屋の親方に支給され、昭和五十年当時は幕下以下の力士養成員一人につき三〇、〇〇〇円であった。

［第五十二条］稽古場設備、風呂代その他稽古経費に充当するために、稽古場経費を支出することができる。支出の時期、支出額は、理事長が決定する。

稽古場経費も場所毎に部屋の親方に支給され、昭和五十年当時は関取一人につき二八、五〇〇円、力士養成員一人につき一五、五〇〇円であった。

昭和五十年（一九七五）の高砂部屋の相撲部屋維持費は年間三、〇一五、〇〇〇円、稽古場経費は年間四、二六〇、〇〇〇円であり、計七、二七五、〇〇〇円が協会から高砂親方に支給された。この相撲部屋維持費と稽古場経費には、東京の相撲部屋の費用ばかりでなく地方本場所のための部屋の費用も含まれている。地方本場所は三月が大阪、七月が名古屋、十一月が福岡で開催され、それぞれ相撲部屋としての使用期間は年に約一カ月だけである。しかし、部屋の親方はこの三カ所に稽古場付きの相撲部屋を用意しておかなければならないために、この費用が必要となる。

力士養成費は次の寄付行為施行細則第五十六条にあるように、幕下以下の力士養成員一人につき一カ月三〇、〇〇〇円が部屋の親方に支給される。

［第五十六条］幕下以下の力士は、力士養成員とし、師匠である年寄が養成にあたるものとする。力士養成員には、当分次の通り養成費を支給する。

力士養成員一人につき一カ月三〇、〇〇〇円

昭和五十年高砂部屋には二十一名の幕下以下の力士養成員がいたので、三〇、〇〇〇×二一＝六三〇、〇〇〇円の力士養成費が毎月協会から高砂親方に支払われる。

そして十両（十枚目）以上の力士を養成した相撲部屋の親方には、次の寄付行為施行細則第八九条のような養成奨励金が協会から支給される。

［第八十九条］十枚目以上の力士を養成した年寄には養成奨励金を支給することができる。養成奨励金の金額は、当分次の通り定める。

横綱	一人本場所	二〇〇、〇〇〇円
大関	同	一二〇、〇〇〇円
関脇	同	六〇、〇〇〇円

小結　同　六〇、〇〇〇円
幕内　同　三〇、〇〇〇円
十枚目　同　一五、〇〇〇円

高砂部屋には小結の富士櫻、幕内（前頭）の高見山、十両の白田山がいたので、六〇、〇〇〇＋三〇、〇〇〇＋一五、〇〇〇＝一〇五、〇〇〇円が養成奨励金として本場所毎の二カ月に一回、協会から高砂親方に支払われる。このように相撲部屋の親方は、強い力士（関取）を育てると、収入が増加する仕組みになっている。

年寄の報酬は、昭和三十二年（一九五七）から協会が月給制を採用したため、「基本給」と「手当」となった。昭和五十年の年寄の給与は寄付行為施行細則第七十三条・第七十四条・第七十五条に、次のように定められていた。

〔第七十三条〕役員および役員以外の常勤年寄（参与を含む）に支給する給与は、基本給・手当および非常勤手当とする。

一・役員に支給する基本給は当分次の通り定める。

月・一〇〇、〇〇〇円

二・役員以外の常勤年寄（参与を含む）に支給する基本給は、当分次の通り定める。

月・　六〇、〇〇〇円

三・手当は、理事長、理事、監事、委員、主任、常勤年寄に支給する手当とし、当分次の通り定める。

理事	月・二七四、三〇〇円
監事	月・一九二、〇〇〇円
委員	月・一八一、二〇〇円
主任	月・一三〇、四〇〇円
参与	月・一三〇、四〇〇円
常勤年寄	月・一〇六、二〇〇円

四・役員および役員以外の常勤年寄（参与を含む）に対し勤続手当を支給する。勤続手当は、当分次の通り定める。

勤続年数満	六年以上	三、〇〇〇円
〃	十一年　〃	六、〇〇〇円
〃	十六年　〃	九、〇〇〇円
〃	二十一年　〃	一二、〇〇〇円
〃	二十六年　〃	一五、〇〇〇円
〃	三十一年　〃	一八、〇〇〇円

但し、勤続年数は、満三十歳以上の勤続年数により計算する。
五・非常勤手当は、上記第一項および第二項以外の年寄、（非常勤）年寄（20）に支給する給与とし、当分次の通り定める。
　非常勤年寄　東京本場所一場所につき　三〇、〇〇〇円
［第七十四条］協会在勤の役員および年寄には、在勤手当を支給することができる。
在勤手当は、当分次の通り定める。
　理事長　　　　月・五〇、〇〇〇円
　理事および監事　月・四〇、〇〇〇円
　常勤年寄　　　月・一五、〇〇〇円
［第七十五条］病気等により、年寄が欠勤する場合の給与の支給は次の通り定める。
一・病気等により欠勤した月の翌月より二年間は、給与の全額を支給する。
二・三年目より、給与の支給を停止する。但し、見舞金を支給することができる。見舞金の額および支給時は理事長が決定する。
三・非常勤年寄の場合の欠勤期日の計算は、欠勤した本場所を含めて、二年目、三年目を計算する。
四・監事は、年寄の出欠勤、常勤、非常勤の別および見舞金支給の要否等を調査し、必要ある都度理事長に報告しなければならない。

理事である高砂の場合の月給は、役員（理事および監事）であるから基本給が一〇〇、〇〇〇円、理

事の手当が二七四、三〇〇円、勤続手当が六、〇〇〇円、理事の在勤手当が四〇、〇〇〇円、計四二〇、三〇〇円である。委員である佐ノ山の月給は、基本給が六〇、〇〇〇円、委員の手当が一八一、二〇〇円、勤続手当が六、〇〇〇円、委員（常勤年寄）の在勤手当が一五、〇〇〇円、計二六二、二〇〇円である。主任である錦戸の月給は、基本給が六〇、〇〇〇円、主任の手当が一三〇、四〇〇円、勤続手当が六、〇〇〇円、主任（常勤年寄）の在勤手当が一五、〇〇〇円、計二一一、四〇〇円である。協会での役のない湊は、基本給が六〇、〇〇〇円、常勤年寄の手当が一〇六、二〇〇円、勤続手当が一二、〇〇〇円、常勤年寄の在勤手当が一五、〇〇〇円、計一九三、二〇〇円である。年寄の報酬は、協会での役職によって異なる。

相撲社会にボーナスはないが、年寄には次の寄付行為施行細則第四十八条の十にあるように、年寄名跡金が年末に一〇〇、〇〇〇円支給される。

［第四十八条十］年寄には、年寄名跡金を支出することができる。年寄名跡金の金額は、当分年壱拾万円とし、会計年度末に支給する。

年寄の定年は、次の停年退職規定第一条にあるように、六十五歳である。

〔第一条〕年寄は満六十五歳にて停年とし、停年後は当協会の役職に就くことはできない。

年寄の停年は一般的な定年とは異なり、年寄名跡の襲名継承者のない場合は、次の停年退職規定第二条・第四条にあるように、停年後三年間はその年寄名跡を保持することができる。この間の給与は支給されないが、年寄名跡金と弟子（関取）のいる年寄には養成奨励金が支給される。

〔第二条〕停年に達した年寄は、その年寄名跡を他に襲名、継承させなければならない。但し、適当な襲名継承者のない場合は、理事会の承認を経て、三年間は当協会の寄付行為の規定に抵触しない限り、年寄名跡を持続することができる。

〔第四条〕停年に達した年寄には、その停年時より給料手当、旅費等は支給しない。但し、理事会の承認を経て年寄名跡を持続する場合は、持続期間中に限り、年寄名跡金および養成奨励金は支給する。

年寄の退職金には退職金と職務加算退職金があり、次のように定められている。

〔年寄退職金および職務加算退職金支給規定〕

〔第三条〕年寄に対する退職金は、次の通り定める。

勤務年数	満　五年以上	退職金	五〇〇、〇〇〇円
〃	〃　六年以上	〃	六〇〇、〇〇〇円
〃	〃　七年以上	〃	七〇〇、〇〇〇円
〃	〃　八年以上	〃	八〇〇、〇〇〇円
〃	〃　九年以上	〃	九〇〇、〇〇〇円
〃	〃　十年以上	〃	一〇〇〇、〇〇〇円

満十年以上は　一年につき二〇〇、〇〇〇円を加算する。

〔第四条〕年寄にして勤務年数が五年未満で死亡した場合は、満五年以上の退職金を支給する。

〔第六条〕年寄にして、理事長、理事、監事、委員、主任の各役職についた者および参与に対しては、職務加算退職金を左の通り加算支給する。

一・(省略)

二・昭和四十三年三月一日以降は次により計算する。

主任	一期（二年）につき	五五、〇〇〇円
勝負検査役	一期（二年）につき	一二〇、〇〇〇円
理事、監事	一期（二年）につき	三五〇、〇〇〇円
常務理事	一期（二年）につき	四五〇、〇〇〇円
理事長	一期（二年）につき	七五〇、〇〇〇円

三・参与に対しては、職務加算退職金を左の通り加算支給する。

昭和五十年一月一日以降の年数に対し次により計算する。

参与　　一年につき　　五五、〇〇〇円

年寄の報酬および退職金は、一般のサラリーマン（俸給生活者）のそれとほぼ同じシステムである。相撲社会の年寄は、相撲部屋を持って弟子（関取）を養成しなければ、その報酬は増加しないシステムになっている。

二、関取

関取の報酬は、昭和三十二年（一九五七）から協会が月給制を採用したため、「月給」と「褒賞金（ほうしょうきん）」の二本立てとなった。ここではまず関取の月給について述べ、次に力士の退職金である「養老金」について述べる。

昭和五十年関取の給与および手当は、寄付行為施行細則第七十六条・第七十七条に次のように定められていた。

〔第七十六条〕力士の給与は月給制とし、当分次の通り定める。

横綱	月　四一〇、三〇〇円	月手当　五〇、〇〇〇円
大関	月　三二四、三〇〇円	月手当　四五、〇〇〇円
三役	月　二三〇、三〇〇円	月手当　四〇、〇〇〇円
幕内	月　一五一、三〇〇円	月手当　三五、〇〇〇円
十枚目	月　一二五、九〇〇円	月手当　三〇、〇〇〇円

〔第七十七条〕三役以上の力士に対し、本場所特別手当を次の通り支給する。

三役	一場所	五〇、〇〇〇円
大関	〃	一五〇、〇〇〇円
横綱	〃	二〇〇、〇〇〇円

支給は、十一日間以上勤務のものには全額、六日間以上勤務のものには三分の二、五日間以内のものには三分の一とし、全休の場合は支給しない。

その他、寄付行為施行細則第五十七条・第五十八条・第八十八条（左記）のように、十両以上の関取には力士補助費、横綱には綱代、横綱・大関には名誉賞が支給される。

［第五十七条］十枚目以上の力士は、力士養成員の指導にあたるとともに、自己の人格の陶冶、技量の練磨に努める。十枚目以上の力士には、稽古まわし、締め込み、化粧まわし結髪等の費用に充当するため、当分次の通り力士補助費を支給する。

東京本場所　一場所につき　二五、〇〇〇円

［第五十八条］横綱には綱代その他経費に充当するため、綱代として当分次の通り支給する。

一場所　一〇〇、〇〇〇円

［第八十八条］横綱および大関に昇進したものには、名誉賞を授与する。名誉賞は、当分次の通り定める。

横綱　二〇〇、〇〇〇円
大関　一〇〇、〇〇〇円

昭和五十年九月場所当時、高砂部屋の小結であった富士櫻の場合は、月給が三役の二三〇、三〇〇円、月手当が四〇、〇〇〇円で計二六〇、三〇〇円、この他二カ月に一回本場所毎に本場所特別手当が五〇、〇〇〇円、四カ月に一回東京本場所毎に力士補助費が二五、〇〇〇円である。前頭四枚目であった高見山は、幕内の月給が一五一、三〇〇円、月手当が三五、〇〇〇円で計一八六、三〇〇円、この他四カ月に一回東京本場所毎に力士補助費が二五、〇〇〇円である。十両であった白田山は、十枚目の月給が一二五、九〇〇円、月手当が三〇、〇〇〇円で計一五五、九〇〇円、この他四カ月に一回東京本場所毎に力

士補助費が二五、〇〇〇円である。

昭和四十九年七月場所に横綱に昇進した北の湖の場合は、昇進した時にまず名誉賞として二〇〇、〇〇〇〇円支給がされ、横綱の月給が四一〇、三〇〇円、月手当が五〇、〇〇〇円で計四六〇、〇〇〇円、この他二カ月に一回本場所毎に綱代が二〇〇、〇〇〇円、本場所特別手当が二〇〇、〇〇〇円、力士補助費が二五、〇〇〇円である。

関取の報酬には、前述の給与の他に褒賞金がある。昭和三十二年以前この「褒賞金」は「持ち給金」と呼ばれ、相撲社会の伝統的な給金システムであり、関取の報酬に月給はなくこれだけであった。この給金システムは、一般的なわが国のサラリーマンの年功序列型月給システムに似ており、それにプロの世界における能力給を加味した、極めて合理的な給料の計算方法である。現在この褒賞金は、本場所毎の二カ月に一回支給される。

「褒賞金」は、次の［第九十一条］ような「基本給」（支給標準額）によって計算される。具体的に、ある力士の褒賞金の基本給を計算すると表二十五のようになる。

［第九十一条］力士褒賞金の支給標準額は、本場所相撲の成績により増加する。その方法は次による。

一、本場所相撲の成績に基づき、勝越星一番につき金五十銭を増加する。(昭和三十五年九月場所改正)
二、幕内力士(大関三役を除く)にして、横綱より勝星をえたときは、特別に金十円を増加する。
三、幕内以上の力士にして優勝した場合は、次の通り特別に増加する。
全勝優勝　五十円
優勝　　　三十円

表25　ある力士の褒賞金基本給

場所 昭和	番付地位	成績 勝・敗	増額 円・銭	基本給 累計額 円・銭	場所 昭和	番付地位	成績 勝・敗	増額 円・銭	基本給 累計額 円・銭
39・5	番付外（初土俵）			3・00		（再入幕）		5・00	60・00
7	序ノ口14	6・1	2・50	5・50	3	前頭8	9・6	1・50	61・50
9	序二段80	6・1	2・50	8・00	5	前頭5	8・7	0・50	62・00
11	序二段10	4・3	0・50	8・50	7	前頭3	11・4	3・50	65・50
40・1	序二段5	5・2	1・50	10・00	9	小結	9・6	1・50	67・00
3	三段目70	5・2	1・50	11・50	11	関脇	5・10	——	
5	三段目38	4・3	0・50	12・00	45・1	前頭3	8・7	0・50	67・50
7	三段目21	6・1	2・50	14・50	3	前頭1	8・7	0・50	68・00
9	幕下78	5・2	1・50	16・00	5	小結	9・6	1・50	69・50
11	幕下53	3・4	——		7	関脇	14・1	6・50	76・00
41・1	幕下60	6・1	2・50	18・50		（優勝）		30・00	106・00
3	幕下34	5・2	1・50	20・00	9	関脇	7・8	——	
5	幕下25	5・2	1・50	21・50	11	小結	7・8	——	
7	幕下15	6・1	2・50	24・00	46・1	前頭1	7・8	——	
9	幕下6	4・3	0・50	24・50		（金星1）		10・00	116・00
11	幕下4	4・3	0・50	25・00	3	前頭2	10・5	2・50	118・50
42・1	幕下2	3・4	——			（金星2）		20・00	138・50
3	幕下3	5・2	1・50	26・50	5	小結	11・4	3・50	142・00
5	幕下1	5・2	1・50	28・00	7	関脇	11・4	3・50	145・50
	（十両昇進）		12・00	40・00	9	関脇	12・3	4・50	150・00
7	十両10	8・7	0・50	40・50		（大関昇進）			
9	十両8	9・6	1・50	42・00	11	大関	10・5	2・50	152・50
11	十両4	6・9	——		47・1	大関	11・4	3・50	156・00
43・1	十両7	10・5	2・50	44・50	3	大関	14・1	6・50	162・50
3	十両3	12・3	4・50	49・00		（優勝）		30・00	192・50
	（入幕）		11・00	60・00	5	大関	15・0	7・50	200・00
5	前頭10	8・7	0・50	60・50		（全勝優勝）		50・00	250・00
7	前頭9	7・8	——		7	横綱	11・4	3・50	253・50
9	前頭10	5・10	——		9	横綱	14・1	6・50	260・00
	（十両降下）		−11・00	49・50		（優勝）		30・00	290・00
11	十両1	（休場）	——		11	横綱	15・0	7・50	297・50
44・1	十両2	13・2	5・50	55・00		（全勝優勝）		50・00	347・50
	（十両優勝）				48・1	横綱	11・4	3・50	351・00

（別冊相撲夏季号『国技相撲のすべて』ベースボールマガジン社、1974年7月、57頁、一部修正）

基本給（支給標準額）は、力士が初土俵を踏む時に所定の金額が定められ、その上にその力士の本場所の勝ち越星の数によって、どんどん加算される仕組みになっている。規則として、ある力士がある場所で、勝ち越星一つにつき基本給に五十銭が加算される。例えば、九勝六敗であった場合一円五十銭加算される。十五勝全勝であれば七円五十銭加算される。負け越しても、その力士の基本給は減ることはない。従って、関取の場合は八勝目、幕下以下の場合には四勝目の相撲を、「給金相撲（給金直し）」と言う。

さらに、平幕が横綱を倒すと「金星」といって十円、幕内優勝が三十円、幕内の全勝優勝が五十円、それぞれ基本給に加算される。この基本給をその時の収益状況に応じて一律に何倍かにして支給する。昭和五十年の時点では、一律に基本給の全額に一〇〇〇を掛けた額を支給していた。この褒賞金の掛け率は昭和五十三年に一五〇〇倍となり、昭和六十一年から二五〇〇倍となった。平成三年（一九九一）現役を引退した千代の富士の場合、現役引退時の基本給が一、四四七円五十銭であったから、彼の褒賞金は一、四四七円五十銭×二五〇〇＝三、六一八、七五〇円である。因みに、北の湖の基本給は一、二〇七円、大鵬は一、四八九円五十銭、柏戸は四二六円であった。同じ横綱でも褒賞金にはこんなに差がつく。

相撲社会では、次のように十両以上の関取だけが「褒賞金」を受ける資格がある。

〔第九十条〕十枚目以上の力士には力士褒賞金を支給する。

力士褒賞金の最低支給標準額を次の通り定める。但し、地位降下の場合は、昇進当時の増加額に相当する金額を減ずる。

横綱　百五十円

大関　百円

幕内　六十円

十枚目　四十円

幕下以下　三円

附出し力士に対する支給標準額は、最低支給標準額とする。

力士褒賞金の支給時期および支給割合は、理事会の議決により定める。

幕下以下の力士養成員に対しては当分力士褒賞金は支給しない。

十両から幕下へ降下した力士への褒賞金の支給は、降下した時点で停止される。基本給（支給基準額）は初土俵を踏んだ時から加算されるため、また十両に復帰すればこれまで稼いだ基本給は「褒賞金」に生かされる。この「褒賞金」の基本給には、ランク制（横綱百五十円、大関百円、幕内六十円、十両四十円）がある。このランク制は、昇進した時点で基本給がそのランクの金額に満たない場合、そのランクの金額まで基本給に加算する制度である。しかし、ランクを降下した場合は、基本給から昇進した時に増加された額を引かれる（表二十五参照）。例えば千代の富士の場合、十両になる直前の基本給は二十五円、十両に昇進して基本給は十五円加算されて四十円となった。しかし、彼は一度十両から幕下に下がったので十五円を基本給から引かれ、再び十両に昇進した時の基本給が三十二円であったから、今度は八円加算された。このランク制は、出世の早い力士や大卒力士の基本給におけるハンディを減少させた。例えば、大卒の力士の場合は初土俵が二十二歳、通常は「幕下附け出し」（幕下最下位）の番付地位から始まるので、基本給は三円から始まる。基本給は初土俵の時から加算され始めるため、大卒の力士は中卒・高卒の力士に比べて、基本給においてハンディを負っている。

この他に関取の報酬には、優勝賞金・三賞賞金・懸賞金がある。優勝賞金（昭和五十年）は、幕内優勝一、〇〇〇、〇〇〇円、十両優勝三〇〇、〇〇〇円が優勝者に協会から贈られる。三賞は、横綱・大関を除く幕内力士に与えられる賞で殊勲賞・敢闘賞・技能賞がある。各賞の受賞者には、賞金（昭和五十年）二〇〇、〇〇〇円が協会から贈られる。懸賞金は、一般の人が幕内以上の力士の取り組みに懸ける賞金で、懸ける人は一場所に五本以上出さなければならない。この賞金は勝った力士に与えられる。懸賞金の額（昭和五十年）は一本が二五、〇〇〇円であるが、勝ち力士には二〇、〇〇〇円が土俵上で行司から軍配に乗せて渡される。残りの五、〇〇〇円は協会が預かり力士名義で貯金し、その力士の税金の支払いに充てられる。取り組みが不戦勝や引き分けの場合の懸け金は、懸けた人に払い戻される。昭和五十年三月場所に優勝した貴ノ花（大関）には、この場所だけで八十三本の懸賞が懸かり、貴ノ花は七十一本×二〇、〇〇〇＝一、四二〇、〇〇〇円を獲得した。

力士に定年はないが、力士が現役を引退する時の退職金を「養老金」と呼ぶ。養老金は若くして現役を引退しなければならない力士のための、相撲社会に独特の退職金制度である。この養老金は明治四十二年（一九〇九）に、次のような要領で始まった。

［大角力協会申合規約追加］

一、横綱大関の退隠する場合には協会より金壱千円を下らざる養老金を贈ること。

一、関脇小結の退隠する場合には協会役員並に最高位置の関取と協議の上金額を定め養老金を贈る事。以上養老金の支出は大角力協会と地方巡業組合とに於いて分担する事。

この規約から、当時の養老金は協会と、協会の下部集団である一門を基盤とする地方巡業組合から、支給されたことが理解できる。このことから当時の相撲社会の報酬が、二つの経済的基盤によって配分されていたことが知られる。

昭和五十年この養老金は、「力士養老金及勤続加算金支給規定」に次のように定められていた。

〔力士養老金及勤続加算金支給規定〕

一、横綱　養老金　　　　　　　　金六、五〇〇、〇〇〇円也

　　勤続加算金(21)（壱場所）金四〇〇、〇〇〇円也（昭和四十二年五月場所以降）

一、大関　養老金　　　　　　　　金五、〇〇〇、〇〇〇円也

　　勤続加算金(22)（壱場所）金三〇〇、〇〇〇円也（昭和四十二年五月場所以降）

横綱、大関は、昇進したその場所を壱場所全勤したものに対し、次の場所より勤続加算金を支給する。但し、全休した場所および公傷により休場した場所は、勤続場所数より除く。

横綱、大関に限り、理事会の決議に依り特別功労金を支給する。

一、三役　養老金　　　　　　　金三、五〇〇、〇〇〇円也

　　勤続加算金(23)（壱場所）金二〇〇、〇〇〇円也（昭和四十二年五月場所以降）

三役は、昇進したその場所を壱場所全勤に依り、幕内連続出場勤務者の資格を得ると同時に次場所より勤続加算金を支給し、再昇進の場合はその都度付加する。但し、全休した場所および公傷により休場した場合は、勤続場所数より除く。

一、幕内　養老金　　　　　　金三、五〇〇、〇〇〇円也

　　幕内　勤続加算金(24)（壱場所）金一五〇、〇〇〇円也（昭和四十二年五月場所以降）

幕内は、連続勤務弐拾場所、通算勤務弐拾五場所にて有資格者とする。資格を得た次場所より勤続加算金を支給する。但し、資格を得た後全休した場所および公傷により休場した場合は、勤続場所より除く。

一、幕内連続勤務弐拾場所および通算勤務弐拾五場所資格者以外の場合

壱場所　　二、五〇〇、〇〇〇円也
弐場所　　二、五四〇、〇〇〇円也
参場所　　二、五八〇、〇〇〇円也
四場所　　二、六二〇、〇〇〇円也
五場所　　二、六六〇、〇〇〇円也
六場所　　二、七〇〇、〇〇〇円也
七場所　　二、七四〇、〇〇〇円也
八場所　　二、七八〇、〇〇〇円也
九場所　　二、八二〇、〇〇〇円也
拾場所　　二、八六〇、〇〇〇円也
拾壱場所　二、九〇〇、〇〇〇円也
拾弐場所　二、九四〇、〇〇〇円也
拾参場所　二、九八〇、〇〇〇円也
拾四場所　三、〇二〇、〇〇〇円也
拾五場所　三、〇六〇、〇〇〇円也
拾六場所　三、一〇〇、〇〇〇円也
拾七場所　三、一四〇、〇〇〇円也

拾八場所　三、一八〇、〇〇〇円也
拾九場所　三、二二〇、〇〇〇円也
弐拾場所　三、二六〇、〇〇〇円也
弐拾壱場所　三、三〇〇、〇〇〇円也
弐拾弐場所　三、三四〇、〇〇〇円也
弐拾参場所　三、三八〇、〇〇〇円也
弐拾四場所　三、四二〇、〇〇〇円也

但し、全休した場所および公傷により休場した場所は、勤務場所より除く。

一、幕内以上の力士には、幕内昇進の次場所より幕内養老金受給資格者となるまでの勤務場所に一〇〇、〇〇〇円を乗じた（掛けた）金額を特別に加算支給する。但し、勤務場所数の計算は、昭和四十二年五月場所よりとし、全休した場所および公傷により休場した場所は、場所数より除く。

一、十枚目　養老金　金二、五〇〇、〇〇〇円也

勤務加算金（25）（壱場所）金一〇〇、〇〇〇円也（昭和四十二年五月場所以降）

十枚目は、連続勤務弐拾場所、通算勤務弐拾五場所にて有資格者とする。資格を得た次場所より勤続加算金を支給する。但し、資格を得た後全休した場所および公傷により休場した場合は、勤続場所より除く。

一、十枚目連続勤務弐拾場所および通算勤務弐拾五場所資格者以外の場合

壱場所　一、〇〇〇、〇〇〇円也
弐場所　一、〇六〇、〇〇〇円也

参場所　一、一二〇、〇〇〇円也
四場所　一、一八〇、〇〇〇円也
五場所　一、二四〇、〇〇〇円也
六場所　一、三〇〇、〇〇〇円也
七場所　一、三六〇、〇〇〇円也
八場所　一、四二〇、〇〇〇円也
九場所　一、四八〇、〇〇〇円也
拾場所　一、五四〇、〇〇〇円也
拾壱場所　一、六〇〇、〇〇〇円也
拾弐場所　一、六六〇、〇〇〇円也
拾参場所　一、七二〇、〇〇〇円也
拾四場所　一、七八〇、〇〇〇円也
拾五場所　一、八四〇、〇〇〇円也
拾六場所　一、九〇〇、〇〇〇円也
拾七場所　一、九六〇、〇〇〇円也
拾八場所　二、〇二〇、〇〇〇円也
拾九場所　二、〇八〇、〇〇〇円也
弐拾場所　二、一四〇、〇〇〇円也

弐拾壱場所　二、二〇〇、〇〇〇円也
弐拾弐場所　二、二六〇、〇〇〇円也
弐拾参場所　二、三二〇、〇〇〇円也
弐拾四場所　二、三八〇、〇〇〇円也

但し、全休した場所および公傷により休場した場所は、勤務場所より除く。

一、幕内は、昇進したその場所を壱場所全勤により、十枚目連続勤務者の資格を得る。次の場所より十枚目に降下した場合でも、十枚目の勤続加算金を支給し、その資格は失わない。幕内、十枚目を昇降し、後日幕内の勤務加算金受領資格者となった場合でも、十枚目として勤務した場所の勤務加算金は、加算支給する。

一、寄付行為施行細則第九十四条および故意による無気力相撲懲罰規定による除名処分を受けた者には退職金を支給しない。

表26　北の富士の地位

	一月場所	三月場所	五月場所	七月場所	九月場所	十一月場所
昭和32年		前相撲(初土俵)	序二段		序二段	序二段
33	序二段	序二段	序二段	序二段	序二段	序二段
34	序二段	序二段	三段目	三段目	三段目	三段目
35	三段目	三段目	三段目	三段目	三段目(全休)	三段目
36	三段目	三段目	三段目	幕下	幕下	幕下
37	幕下	幕下	幕下	幕下	幕下	幕下
38	十両(新十両)	十両	十両	十両	十両	十両
39	前頭	小結	前頭	関脇	関脇	前頭
40	関脇	関脇	前頭	前頭	小結	関脇
41	関脇	関脇	関脇	関脇	大関	大関
42	大関	大関	大関	大関	大関	大関
43	大関	大関	大関	大関	大関	大関
44	大関	大関	大関	大関	大関	大関
45	大関	横綱	横綱	横綱	横綱	横綱
46	横綱	横綱	横綱	横綱	横綱	横綱
47	横綱	横綱	横綱	横綱(全休)	横綱	横綱
48	横綱	横綱	横綱	横綱	横綱	横綱
49	横綱	横綱(全休)	横綱(全休)	横綱(現役引退・年寄襲名)		

ここで例えば、昭和四十九年七月場所で現役を引退した第五十二代横綱北の富士（表二十六）の養老金を計算すると、横綱の養老金が六、五〇〇、〇〇〇円、横綱の勤続加算金が四〇〇、〇〇〇円×二十三場所＝九、二〇〇、〇〇〇円、大関の勤続加算金が三〇〇、〇〇〇円×十七場所＝五、一〇〇、〇〇〇円と八〇、〇〇〇円×四場所＝三二〇、〇〇〇円、三役の勤続加算金が五五、〇〇〇円×八場所＝四四〇、〇〇〇円と四〇、〇〇〇円×三場所＝一二〇、〇〇〇円、幕内の勤続加算金が四〇、〇〇〇円×二場所＝八〇、〇〇〇円と三〇、〇〇〇円×二場所＝六〇、〇〇〇円と二〇、〇〇〇円×一場所＝二〇、〇〇〇円、十両の勤続加算金が一〇、〇〇〇円×五場所＝五〇、〇〇〇円、計二一、八九〇、〇〇〇円となる。

この他に横綱・大関の場合は特別功労金が理事会の決議によって支給される。

特別功労金は北の富士が二〇、〇〇〇、〇〇〇円であり、平成元年三月場所に引退した大関朝潮が一八、〇〇〇、〇〇〇円、平成三年五月場所に引退した横綱千代の富士が一〇〇、〇〇〇、〇〇〇円、平成四年一月場所に引退した旭富士が二〇、〇〇〇、〇〇〇円であった。千代の富士の一億円は特別で、協会からの一代年寄の贈呈を彼が固辞したからである。一代年寄となった大鵬は三五、〇〇〇、〇〇〇円、北の湖は五〇、〇〇〇、〇〇〇円であった。

昭和五十二年五月場所に現役を引退した高砂部屋の白田山（表十六）の養老金は、最高位が前頭四枚目で幕内在位が十四場所であるから幕内の養老金が三、〇二〇、〇〇〇円、十両の勤続加算金が一〇〇、〇〇〇円×二十四場所＝二、四〇〇、〇〇〇円、幕内以上力士の特別加算金が一〇〇、〇〇〇円×十四場所＝一、四〇〇、〇〇〇円、計六、八二〇、〇〇〇円となる。

昭和四十八年十二月場所に現役を引退した高砂部屋の朝嵐（表三）の養老金は、最高位が前頭十四枚目で幕内は一場所だけであるが、この場所だけで十枚目の連続勤務者の資格となったので、十両の養老金が二、五〇〇、〇〇〇円、十両の勤続加算金が一〇〇、〇〇〇円×十九場所＝一、九〇〇、〇〇〇円、幕内以上力士の特別加算金が一〇〇、〇〇〇円×一場所＝一〇〇、〇〇〇円、計四、四一〇、〇〇〇円となる。

また、十両を一場所だけ勤めて若者頭となった高砂部屋の伊予桜（表二十三）が、昭和五十年前後に現役を引退したとすれば、彼の養老金は一、〇〇〇、〇〇〇円だけである。

このように力士の養老金は、十両に昇進すると一、〇〇〇、〇〇〇円、幕内に昇進すると二、五〇〇、〇〇〇円、三役になると三、五〇〇、〇〇〇円、大関になると五、〇〇〇、〇〇〇円、横綱になると六、五〇〇、〇〇〇円が最低保証され、後は勤続場所数によって加算される。関取は強くなればなるほど、番付地位が上がれば上がるほど、そしてまた長期間にわたって本場所を勤めれば勤めるほど、養老金が増加するシステムになっている。

三、力士養成員

幕下以下の力士養成員には、修業中の身であるから「褒賞金」も「月給」も支給されない。力士養成員は部屋に寄宿し、衣食住の経費は部屋の親方によって賄われているので、ほとんど小遣いを必要としない。相撲社会では出世して関取にならなければ、報酬は分配されない。力士養成員の報酬には、「場所手当」と「奨励金」があり、階級別に本場所毎（二カ月に一回）に協会から部屋の親方に支払われる。力士養成員は、それを部屋で親方から貰う。

場所手当と奨励金（昭和五十年）は、次のように定められている。

〔第八十三条〕力士養成員には、本場所中電車賃および手当を支給する。電車賃は、実際支給する必要あると認めた者に対し、乗車券を支給する。力士養成員に対する手当は、当分次の通り定める。

幕　下	一場所	五〇、〇〇〇円
三段目	〃	四〇、〇〇〇円
序二段	〃	三四、〇〇〇円
序ノ口	〃	三二、〇〇〇円

附出し力士に対しては、序ノ口以下の場所手当を支給する。行司養成員には、本場所中電車賃を支給する。電車賃は、実際支給する必要あると認めた者に対し、乗車券を支給する。

〔第九十二条〕力士養成員には本場所相撲の成績により、幕下以下奨励金を支給することができる。幕下以下奨励金の金額は、当分次表による。

幕下以下奨励金支給表

力士養成員の場合、例えば三段目の力士の成績が五勝二敗であったとすれば、勝星が五であるから六〇〇×五＝三、〇〇〇円、勝越星が三であるから二、〇〇〇×三＝六、〇〇〇円、この三段目力士の奨励金は計九、〇〇〇円となる。これに場所手当の四〇、〇〇〇円があるから、この力士の収入は四九、〇〇〇円となる。力士養成員の奨励金と場所手当は本場所毎であるから、二カ月に一回である。

この他に力士養成員の報酬としては、各段に優勝賞金がある。賞金の金額（昭和五十年）は、幕下が一〇〇、〇〇〇円、三段目が五〇、〇〇〇円、序二段も五〇、〇〇〇円、そして序ノ口が三〇、〇〇〇円である。

力士養成員に定年はないが、廃業する力士養成員には次のような要領で餞別（昭和五十年）が支給される。

［力士養成員の廃業に対する餞別支給要領］

力士養成員が死亡または正当な事由により本協会を退職したときは、その勤務年数を考査し、左記金額を標準として、餞別（香典）を本人または師匠に支給する。但し、三段目以下のものは、十五場所勤務以上のものに限り支給する。

餞別（香典）の増減は、理事長の決裁による。

幕下　金　五万円以上

三段目　金　参万円以上

序二段　金　弐万円以上

この力士養成員の餞別は、関取の養老金と比べるとあまりにも少額である。また、餞別の支給を受けるには十五場所勤務以上であるから、少なくとも二年半以上力士を勤めなければならない。三年で約半数が廃業する相撲社会ではこの餞別さえ支給されない力士が多い。前述の高砂部屋の若者会会則（第二章一節二参照）にある餞別も三年で五、〇〇〇円が贈られ、以後一年毎に三、〇〇〇円が加算される。

四、行司

行司の報酬は、月給制で次のような支給規定があり、初任給が六〇、〇〇〇円（昭和五十年）となっている。

〔第七十八条〕行司の給与は、月給制とし、初任給は当分次の通り定める。
　月　六〇、〇〇〇円
昇給は年一回とし、勤務年数、勤務成績を考慮し、理事長が決定する。
〔第七十九条〕病気等により、行司が欠勤する場合の給与の支給は、次の通り定める。
一、病気等により欠勤した月の翌月より一年間は、給与の全額を支給する。
二、二年目より、給与の半額を支給する。
三、三年目より、給与の支給を停止する。但し、見舞金を支給することができる。見舞金の額および支給時は、理事長が決定する。
四、監事は、行司の出欠勤および見舞金支給の要否等を調査し、必要ある都度理事長に報告しなければならない。

行司の装束は高価であるので、協会は場所毎（二カ月に一回）に装束補助費を次のように支給している。

〔第六十六条〕行司には、当分次の通り装束補助費を支給する。

立行司	一場所につき	三〇、〇〇〇円
三役行司	同	二五、〇〇〇円
幕内行司	同	二二、〇〇〇円
十枚目行司	同	二〇、〇〇〇円
幕下以下行司	同	一〇、〇〇〇円

行司の停年は年寄と同じ満六十五歳である。行司の退職金は力士と同じように「養老金」と呼ばれ、次のように定められている（昭和五十年）。

〔行司養老金支給規定〕

一、立行司　　養老金　　四、〇〇〇、〇〇〇円

立行司は、昇進したその場所を壱場所全勤したものを資格者とする。

一、三役行司　　養老金　　三、〇〇〇、〇〇〇円

三役行司は、昇進したその場所より通算勤務弐拾五場所にて資格者とする。但し、全休した場所は、勤務場所数より除く。

一、幕内行司　　養老金　　二、五〇〇、〇〇〇円

幕内行司は、昇進したその場所より通算勤務弐拾五場所にて資格者とする。但し、全休した場所は、勤務場所数より除く。

一、十枚目行司　養老金　二、〇〇〇、〇〇〇円

十枚目行司は、昇進したその場所を壱場所全勤したものを資格者とする。

一、弐拾五場所未満のものは次により計算支給する。

一　三役行司

二、五〇〇、〇〇〇円と勤務場所数に二〇、〇〇〇円を乗じた金額を支給する。

二　幕内行司

二、〇〇〇、〇〇〇円と勤務場所数に二〇、〇〇〇円を乗じた金額を支給する。

一、幕下以下行司

幕下以下行司の退職金は退職時の給与（但し手当を除く）と勤務年数（五年間は養成期間として除く）とにより従業員退職金支給規定の退職金支給率を適用し計算した額とする。但し、採用後五年間に「業務上の病傷により死亡した時」および「業務上の病傷により勤務に堪えないで退職したとき」は養成期間としないで退職金を計算し支給する。

行司は最初の五年間が養成期間であり、相撲部屋での扱いも力士養成員と同じような待遇である。行司の報酬は養老金も含めて、力士と同じように関取格に出世しなければ増えないシステムになっている。

五、若者頭・世話人・呼出および床山

若者頭・世話人・呼出および床山の報酬は月給制であって、初任給は次のようになっており、支給規定は前述の行司（第七十九条）と同じであった。

〔第八十条〕若者頭、世話人、呼出および床山に支給する給与は、月給制とし、初任給は当分次の通り定める。

若者頭　　　　月　三五、〇〇〇円
世話人　　　　月　三五、〇〇〇円
呼出および床山　月　六〇、〇〇〇円

昇給は年一回とし、勤務年数、勤務成績を考慮し、理事長が決定する。

若者頭・世話人・呼出および床山の定年は満五十五歳である。呼出と床山は本人が希望すれば六十歳まで勤めることができるが、退職金は五十五歳で支給される。彼らの退職金規定は次の通りである。

［若者頭、世話人、呼出し、床山退職金支給規定］

若者頭、世話人、呼出し、床山にして死亡又は正当な理由により本協会を退職したときは、次により計算した金額の合計額を退職金として本人又は遺族に支給する。

一　昭和三十二年五月以前の勤務年数にかかる退職金は、左記金額を標準として計算する。

若者頭	十年以上勤務者	金	一〇〇、〇〇〇円以上
世話人	〃	金	七〇、〇〇〇円以上
呼出し	〃	金	七〇、〇〇〇円以上
床山	〃	金	七〇、〇〇〇円以上

退職金の増減は、理事長の決裁による。

二　昭和三十二年五月以降の勤務年数にかかる退職金は、次により計算する。

退職時の給与（但し手当を除く）と勤務年数（但し呼出し、床山は五年間は養成期間として除く）とにより、従業員退職金支給規定の退職金支給率を適用し計算した額とする。但し、採用後五年間に「業務上の病傷により勤務に堪えないで退職したとき」は、養成期間としないで退職金を計算し支給する。

若者頭と世話人は元々力士養成員の経験があるから養成期間はないが、呼出しと床山は行司の場合と同じで、最初の五年間が養成期間であり、この期間の彼らの部屋での扱いは力士養成員と同じ待遇である。若者頭・世話人・呼出および床山の報酬は退職金も含めて、協会職員とほぼ同じである。

以上、相撲社会を構成する人々の報酬および退職金（養老金）について述べたが、相撲社会にボーナスはなく、また相撲部屋の親方の妻である「おかみさん」に報酬はない。相撲社会の報酬は、相撲部屋の親方と力士および行司だけが、その業績に応じて報酬が増加するようになっている。現在の相撲社会の給与（月給）体系は、昭和三十二年（一九五七）に始まったものである。それ以前の相撲社会の報酬については、次の「旧時の報酬配分方法」で述べることにする。

六、旧時の報酬配分方法

江戸時代の相撲社会の報酬配分について、藤島秀光は「近代力士生活物語[26]」で次のように述べている。

「一合桝は先輩からの言い伝えによると、昔年寄と力士が巡業から帰京して大勘定の場合、年寄と力士各々その格によって〟お前は桝で三杯〟〟お前は一杯〟と言う風に分配されたもので、その一合桝の中には小粒金[27]もあれば、小粒銀[28]もある。桝の中には小粒金ばかり入っていた者はさぞ大得意であったろう。これで不平もなかったのだから、当時の相撲社会が如何に鷹揚で、しかも清廉であったかがうかがわれて甚だ奥床しい。」

この記述は、江戸時代の地方巡業に関する相撲社会の報酬配分の方法であろう。江戸時代の力士には、大名の抱えとなる者がかなりいた。大名の抱えとなった力士は帯刀し、藩主（大名）が出府・帰国の際には江戸の品川なり赤羽、板橋辺りまで出迎え、見送りをして御目通りをし、場合によっては本国まで供をすることもあった(29)。また抱え力士は、番付の頭書に生国を記さず藩名が書かれた。抱え力士には、藩から大名の家臣として給与が与えられた。

抱え力士の給与は、寛政十一年（一七九九）因州鳥取の池田藩が浜ケ関関五郎を二人扶持八石で抱えている。池田藩の抱え力士は通常二人扶持十四俵で、別に部屋頭には銀十枚が与えられていた。抱え力士に部屋頭がいるということは、当時の池田藩にはかなりの数の力士がいたものと思われる。また池田藩の抱え力士には、抱えの最初に大小一腰と化粧廻しが与えられた。同じ寛政年間に雲州松平藩では、雷電為右衛門に御切米(30)八石三人扶持、遠近政五郎には三人扶持月々二歩が与えられ、これに江戸詰中は加扶持として一人扶持が加えられた。天保十三年（一八四二）長州毛利藩では、布滝音五郎に四人扶持七両二歩、仕着代三両、他国へ旅する場合は合羽代として二両が与えられた。

江戸時代の抱え力士の報酬は、時代により、藩により、また力士の階級によって差があったが、江戸時代中期以降は大体四人扶持から二人扶持くらいであったようである(31)。また、抱え力士は大名の家臣であるから藩邸に詰めるわけであるが、抱えの前段階として扶持だけを与えられる力士もいた。このほか藩によっては、将来抱えにしようと思う有望な力士に月二歩あるいは化粧廻しだけを与えることもあった。

現在の相撲社会の報酬配分の方法は、前節でも述べたように月給と褒賞金である。この方法は昭和三十二年（一九五七）から始まった制度である。これ以前の相撲社会には、現在の月給にあたる「歩方金（ぶかた）」と現在の褒賞金にあたる「持ち給金」があった。歩方金とは、本場所の純益の一定割合をそれぞれの地位によって分配する給金のことである。

相撲社会の経済的基盤は本場所興行と地方巡業であり、報酬はその収益から配分される。相撲社会の報酬配分方法は、現在の地方巡業の報酬配分方法に、その一端を見ることができる。現在の地方巡業は協会全体で行なわれ、巡業が終わると「大勘定」があり、相撲部屋の親方衆が集まる。この大勘定では、巡業の総収入から必要経費を差し引いた純益が相撲部屋の親方衆に分配される。

昭和三十二年以前の相撲社会では地方巡業が一門（組合）別に行なわれていたので、巡業が終わると一門の親方衆が本家の部屋に集まって大勘定が行なわれた。当時は、一門の親方衆が集まって一門全体の報酬配分を行なうことを「大勘定」と呼び、この大勘定で配分された金を親方が各部屋に持ち帰り、部屋で配分することを「勘定」と呼んだということである。

明治十九年六月に発表された本場所興行の力士の給金（32）は次の通りであり、番付地位は同年五月場所のものである。

本場所の力士の給金について、明治二十二年の規約には次のように定められ、現在の褒賞金の基本給の算定方法とほぼ同じ方法である。当時の本場所興行は晴天十日間であり、千秋楽に幕内力士は出場しなかったから、全勝は九勝であった。

〔第二十三条〕角力の給金増額は勝越星を以て左の通り定むべし。
一番勝越金　二十五銭増　　二番勝越金　五十銭増
三番勝越金　一円増　　四番勝越金　一円五十銭増
五番勝越金　二円増　　六番勝越金　二円五十銭増
七番勝越金　三円増　　八番勝越金　三円五十銭増
九番勝越金　四円増

〔第二十七条〕幕の内角力取にして九日間全勤したる者は勝負に拘らず一場所毎に金五十銭を増給し十枚目迄の全勤者は同金二十五銭を増給し其番附も取締検査役の目鏡を以て適宜取計ふ事あるべし。

力士の給金は負越しても減額されることはないので、明治二十二年の規約第二十六条に「関取の給金は金六十五円迄を限りとす」とあり、上限が定められていた。力士の給金が減額されるのは番付の階級が降下した時であり、明治二十九年の規約第三十四条に「幕の内幕下三段目序二段の者は段下げ毎に各給金の一割を減ずるものとする。但し他日旧席に復したる時は給金も亦従前の通り給与すべし」となっており、階級が下がると一割減給された。

年寄の給金は、次の明治二十二年の規約にもあるように、一等・二等・三等と差があった。

〔第二十条〕二期大角力興行年寄の給金一等金十円二等金八円三等七円とす。但し二期大角力興行毎に支給すべし歩持外の者は取締検査役協議の上応分の包金を贈与するものとす。

〔第二十一条〕取締には大場所毎に金十五円検査役には金十円を支給するものとす。

この他に、勧進元である願人と差添人（第三章第三節一註10参照）となった年寄には、本場所興行の収益金の一割が配分された（第四章第五節二参照）。

行司の給金は、次の明治二十二年の規約にもあるように上限が十五円と定められ、脱走した行司は減給された。

〔第三十五条〕行司の給金は金十五円迄を限とす。

〔第四十一条〕行司の内心得違有て逃亡したる者其後改心して再勤を乞う時は其給金二割を減じ且つ逃亡の

日限一場所を超過する毎に席順五枚宛を降下し三ケ年以上を経過したる者は給金を半額とす。

昭和十四年に力士の給金は、次の細則第五十八条・第五十九条のように、基本給が勝星一つにつき二十五銭の増加するようになり、最低標準額が定められた。そして、行司の給金の上限が三十五円となった。

［第五十八条］力士の手当金は最低標準額を左の如く定む。但位置降下の場合は昇給当時の増加額に相当する金額を減ず。

番付面幕下十両格以下	金	弐円
同　十両格	金	弐拾円
同　幕内	金	四拾円
同　大関	金	六拾円
見習	金	壱円五拾銭

附出力士は其成績を審査し位置及手当額を定む。但勝負相半する者は幕下とし、其給額を四円一番負越は三段目末席、二番以上の負越は序二段末席とし、全敗は序ノ口中位とす。

行司の手当は参拾五円を制限として別に之を定む。

［第五十九条］毎期本場所相撲の成績に依り力士の手当金を増加す。其方法左の如し。但勝星の状態に依り

ては更に増加し、又中途より欠勤したる力士は勝星を有するも役員の見込を以て増給せざることあるべし。

一、本場所の成績に基き、勝星一番に付金弐拾五銭の割合を以て増加す。

二、前項の増給は次の番付発表の時より之を実施す。

昭和三十二年相撲社会には前節で述べたような月給制が導入され、力士の給金は月給と褒賞金の二本立てとなり、褒賞金の基本給が再び勝越星によって増加するようになった。

本項の最初に引用した「近代力士生活物語」の江戸時代の相撲社会の報酬配分の記述は、大勘定の場面を表現したものであろう。江戸時代の相撲社会の報酬配分方法についての資料はないが、現在の十枚目を「十両」と呼ぶのは、江戸時代末期から明治初年にかけて、幕下上位の給金が十両であったことにその語源がある。従って、江戸時代の相撲社会にも「持ち給金」があったと考えられる。そして、相撲部屋の親方（師匠）は「師弟間の給与」（本章第一節三参照）でも述べたように、部屋に寄宿する者からはその給金から四―五割、家族をもって別居した者からは二―三割を差し引いて渡すのが慣例であった。

まとめ

一般的に集団の社会構造とは、その集団の成員の地位の体系である。集団内でそれぞれの地位を占める成員は、集団の均衡を維持するために、その地位に付随する行為を行なう。これらの行為の総体が「役割」であり、地位には役割が結び付いている。役割とは地位の内容であり、集団の機能的な側面である。地位間には序列ができるから、地位および役割への報酬は均等ではない。以上のことから、集団の社会構造は地位と役割、そしてこれに付随する権力と報酬の配分を決定するメカニズムを分析することによって理解できる。

図16　相撲部屋の社会構造

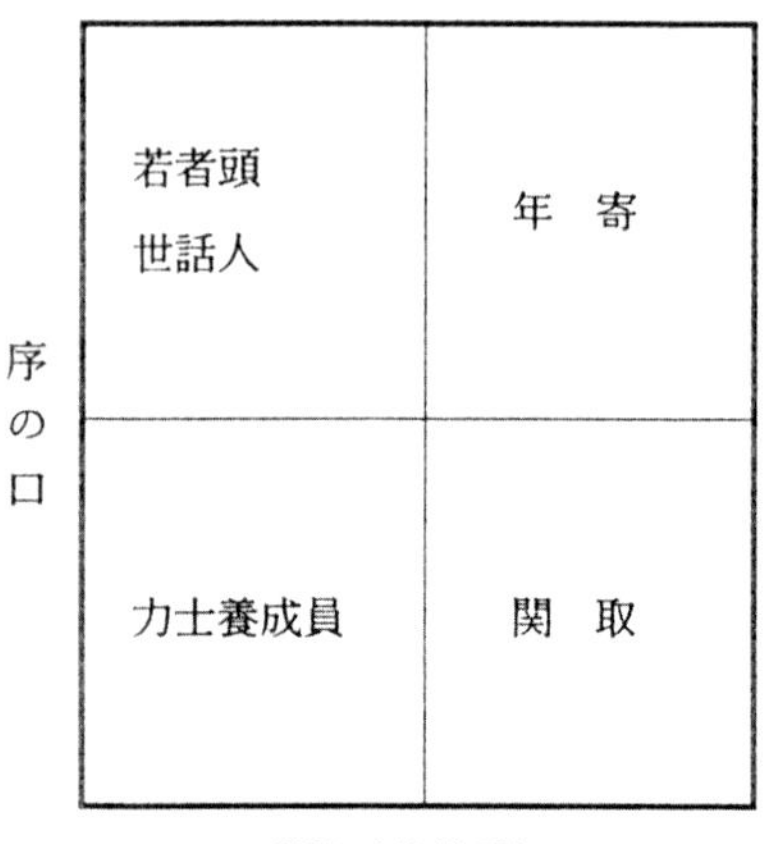

相撲部屋の社会構造は、「年寄」「若者頭と世話人」「関取」「力士養成員」の四つの地位によって構成されている。この四つの地位は図十六のようになり、番付地位によって「横綱から序ノ口まで」という技術の軸と、「現役と現役引退者」という世代の軸にそって位置付けられる。これを技術の軸にそって整理すると、現役時代に番付地位の高かった「年寄」と現在番付地位の高い「関取」、現役時代に番付地位の低かった「若者頭・世話人」と現在番付地位の低い「力士養成員」となる。そして、この四つの地位を

役割の視点（機能的側面）から整理すると、地位は低いが相撲部屋を下から支える役割（集団維持機能）の「若者頭・世話人」と「力士養成員」、本場所興行や地方巡業を開催して国技「相撲」を普及し発展させるという相撲社会の目標に貢献する役割（目標達成機能）の「年寄」と「関取」となる。

この他に相撲部屋を構成する成員には、行司・呼出し・床山そして「おかみさん」がおり、それぞれ部屋での役割を担っている。しかし、行司・呼出し・床山は行司会・呼出し組合等の集団の成員であり、彼らの地位はその所属集団内での役割によって決まる。そのために、彼らの相撲部屋での地位および役割は二次的なものとなるが、彼らを役割の視点から相撲部屋の社会構造に位置付けるとすれば「若者頭・世話人」の地位であり、養成期間中にある行司・呼出し・床山は「力士養成員」の地位に位置付けられる。「おかみさん」の地位は相撲部屋の親方の妻であり、彼女の地位および役割は親方に付随している。彼女を役割の視点から相撲部屋の社会構造に位置付けるとすれば、やはり「若者頭・世話人」の地位に位置付けられる。

相撲社会における地位および役割への報酬の配分は、本章で述べた通り均等ではない。関取の褒賞金は本場所の勝越数によって増加し、養老金は勤続場所数によって増加する。また、部屋の親方は強い力士（関取）を多く育てれば育てるほどその報酬が増え、力士においては強くなればなるほどその報酬が増える。相撲社会においては力士（関取）数が多く、そして彼らがより長期間本場所を勤めることが、相撲部屋の成員により多くの報酬をもたらす。また、相撲部屋においては師匠の権力が最も大きく、以下関取、力士養成員の順であり、その上下の関係は絶対服従である。このような相撲部屋の社会（権力）構造を、生活共同体を形成する師弟関係だけに焦点を絞って整理し直すと、その権力・報酬の構造は上から親方・関取・力士養成員のピラミッド型の階層構造となる（結章参照）。

（註）

（1）師匠である年寄とは、相撲部屋を経営している弟子のいる年寄の協会での正式名称である。通常は〝親方〟あるいは〝師匠〟と呼ばれる。
（2）筆者は、この富士櫻の部屋に寄宿していた。従って、筆者の高砂部屋での地位は準関取格の待遇であった。
（3）綾川五郎次『一味清風』学生相撲道設立事務所、一九一五、二六六―二六七頁。
（4）明荷（あけに）は開荷とも書き、力士が自分の化粧廻しや締め込み等を入れておく行李、蓋には四股名が書かれてある。十両以上の関取になって初めて持てる。
（5）チョンマゲは幕下以下の力士が結っているマゲのことであり、関取も普段はこのチョンマゲである。
（6）大銀杏とは十両以上の関取が結うマゲで、毛先が銀杏の葉のようになっている。
（7）締込みとは関取が本場所で使用する廻しのこと。幕下以下の力士の木綿の回しは「締込み」とはいわない。
（8）力水・力紙は、十両以上の力士がうがいをしたり身を清めたりする水と紙である。東西の赤房と白房の土俵下に水桶があり、この桶の上に半紙が垂れている。

（9）例えば、風呂に兄弟子である白田山が先に入っても富士櫻は何もいわないが、富士櫻が先に入る時は「お先に、ごっつあんです」と白田山に挨拶しなければならない。横綱・大関は必ず先に入るが、兄弟子に挨拶をしなければならない。
（10）廻しは、稽古用の褌の総称である。
（11）大見信昭「これが附け人だ」『大相撲』読売新聞社、一九八八、一月号、八一―八三頁。
（12）錦戸一朗「わしの駆け出し時代」『大相撲』、一九八八年六月号、読売新聞社、一四〇頁。
（13）年寄名跡とは代々受け継がれる年寄名の意である。この年寄名跡の協会での正式名称は、明治二十九年から昭和十四年までは「年寄の名義」、昭和十四年からは「年寄の名籍」となっている。
（14）阿良川角雄『親方夫人たちの昭和大相撲史』読売新聞社、一九九〇、二五七―二五八頁。
（15）同、一四頁。
（16）子飼いとは、新弟子の時から指導した力士のこと。
（17）前掲、『親方夫人たちの昭和大相撲史』、一〇八―一〇九頁。
（18）千代の富士は、先代「八角」が旧大阪系の朝日山部屋所属年寄であり、他の一門（立浪・伊勢ケ浜組合）の年寄名跡であることから、この年寄名跡を嫌った。そして高砂一門の年寄名跡である「陣幕」を襲名した。
（19）十両以上の関取が結成している会。本場所前に定期的に開催される。
（20）非常勤年寄は現在の協会には存在しないが、病気等のために長期に年寄としての任務が果たせない年寄のことであったと考えられる。
（21）勤続加算金（壱場所）金一一〇、〇〇〇円（昭和四十年一月場所以降）

(22) 勤続加算金（壱場所）
金八〇、〇〇〇円（昭和三十九年十一月場所まで）
金八〇、〇〇〇円（昭和四十年一月場所以降）
(23) 勤続加算金（壱場所）
金六〇、〇〇〇円（昭和三十九年十一月場所まで）
金五五、〇〇〇円（昭和四十年一月場所以降）
(24) 幕下上位（五枚目以上）
金四〇、〇〇〇円（昭和三十九年十一月場所まで）
金四〇、〇〇〇円（昭和四十年一月場所以降）
幕下下位（六枚目以下）
金三〇、〇〇〇円（昭和四十年一月場所以降）
幕下上位（六枚目以上）
金三〇、〇〇〇円（昭和三十九年十一月場所まで）
幕下下位（七枚目以下）
金二〇、〇〇〇円（昭和三十九年十一月場所まで）
(25) 勤続加算金（壱場所）
金一五、〇〇〇円（昭和四十年一月場所以降）
金一〇、〇〇〇円（昭和三十九年　月場所まで）
(26) 藤島秀光「近代力士生活物語」『大相撲鑑識大系』国民体力協会、一九三九、二五二頁。
(27) 小粒金、一分金の俗称。江戸時代の長方形の金貨幣で一両の四分の一。
(28) 小粒銀、一分銀の俗称。江戸時代末期の長方形の銀貨幣で一両の四分の一。
(29) 酒井忠正『日本相撲史』上、ベースボールマガジン社、一九五六、九四頁。
(30) 江戸時代、春・夏・冬の三回に期限を切って旗本・御家人に支給された扶持米。特に、冬（十月）に支給さ
れたものをいう場合もある。
(31) 前掲『日本相撲史』上、九四頁。

（32）酒井忠正『日本相撲史』中、ベースボールマガジン社、一九六四、八五頁。

第三章　相撲部屋の一門関係

第一節　相撲部屋と一門

江戸勧進相撲の興行が、プロとして定期的に行われるようになるのは、宝暦年間（一七五一―一七六三）の頃からである。この頃すでに江戸には、春日山鹿右衛門・玉垣額之助・伊勢ノ海五太夫・桐山権平・武蔵川初右衛門・大橋三太左衛門・捻鉄能登右衛門・塩風濱右衛門・鳴戸仲右衛門らの師匠がいた（第四章第一節参照）。師匠には当然弟子がいるわけであるが、宝暦の頃には師匠と弟子の生活共同体としての相撲部屋は、まだ形成されてはいなかった。文政十年（一八二七）に出版された『相撲金剛伝（1）』の年寄住所の頭書に、初めて宿所・稽古場という言葉が出て来る（第四章第三節二参照）。従って、文政の頃に稽古場に宿泊施設のある生活共同体としての相撲部屋が、その形態を確立したものと考えられる。

江戸時代から昭和初期まで、本場所の対戦方法は幕内では東西制であった。東西制とは、力士を東西に分けて取り組ませる方法であり、東方の力士同士あるいは西方の力士同士が、対戦することはなかった。現在の対戦方法は部屋別総当り制であるから、師匠を同じくする同部屋の力士の対戦はないが、文政六年（一八二三）の番付と星取表を見ると、師匠を同じくする力士が東西に分かれて本場所で対戦している。その対戦を見ると、必ず一方が大名の抱え力士同士の対戦であった。また、同じ大名の抱え力士が東西に分かれることはなく、従って、同じ大名の抱え力士同士の対戦はなかった。つまり、これは当時の抱え力士が、大名の家臣として藩邸などに住み、生活共同体を形成していたからであり、生活を同じくする者同士の対戦を避けるためであったと理解される。一方、師匠（年寄）を同じくする力士でも、生活共同体の異なる力士の対戦は行なわれた。生活を同じくする力士同士の対戦は、生活共同体との矛盾を孕み易いからである。

相撲社会では血縁関係にある力士の本場所での対戦が避けられる。昭和三十七年十一月場所十三日目幕下の取り組みで、佐渡ケ嶽部屋の長谷川と宮城野部屋の相内の対戦が予定されたが、この取り組みは中止となった。これは、長谷川が相内の姉の子（甥）にあたるからであり、宮城野親方が申し出て中止となった。相撲社会には血縁関係の力士の対戦に関する規定はないが、避けられる。何故ならば、この対戦も血縁（親族）共同体との矛盾を孕み易いからである。

幕末の嘉永三年（一八五〇）の頃になると、師匠を同じくする力士が東西に分かれているが、本場所での対戦は行われなくなった。当時は部屋制度がほぼ確立され、大名も抱え力士を相撲部屋に預けて、相撲部屋で生活させるようになったから、同じ相撲部屋の力士は本場所で対戦しなくなったものと考えられる。

江戸時代から明治にかけての本場所に優勝制度はなく、人々は力士の取り組み（対戦）自体を楽しんだと思われる。明治四十二年（一九〇九）東西優勝制度が始まる。これは東と西の力士が、その勝ち点を競う東西対抗の団体戦であり、幕内東西両軍の勝星の多い方に優勝旗が授与された。その優勝旗の旗手は、最も勝星の多い幕内力士（勝星が同じ場合は番付上位の力士）が勤めた。そして、翌場所は勝った方が東方にまわった。力士の戦績を数量的に競う個人優勝制度はまだなかった。個人優勝制度が始まったのは大正十五年（一九二六）からである。

東西制は、昭和六年（一九三一）まで続き、翌年春秋園事件で多くの力士が抜けたので、一門系統別の対戦方法となった。一門系統別の一門とは、力士が年寄を襲名し分家して部屋を興すことにより、師匠と弟子の本末関係によって形成される相撲部屋の社会集団である。系統とは、師弟あるいは本家分家の関係にない相撲部屋で、何らかの事情があってその一門に所属するものである。一門系統別の対戦方法とは、一門や系統の部屋の力士が東西に分かれるが、本場所での対戦はさせないというものである。同じ一門や系統の力士でなければ、東方あるいは西方の力士同士の対戦もあった。

江戸時代の東西制では同じ師匠の力士が東西に分かれている。この分けられた力士は、相撲部屋では生活をしていない大名の抱え力士であることが多かった。しかし、明治十三年（一八八〇）の番付を見ると、同じ部屋の力士同士が東西に分かれることがなくなり、従って本場所での対戦も行われなくなった。これは明治維新となり、大名の版籍奉還によって抱え力士が存在しなくなったために、全ての力士が相撲部屋に所属し生活共同体を形成するようになったからである。従って、明治以降の東西制では、原則として部屋ばかりでなく一門の力士をも、東西に分けなくなった。また、一門は、明治維新の版籍奉還によって相撲社会が従来の大名への依存的体質を改め、経済的な自立を図るために形成した集団であった。つまり、抱え力士を受け入れた相撲部屋は、年二回の本場所興行の収益だけでは経済的に自立できないため、地方巡業に出るようになった。この地方巡業を成立させるために集まった相撲部屋が、一門であった。

昭和七年（一九三二）春秋園事件で多くの幕内力士が脱走し、実力のある力士を多く必要とする東西制を維持することができなくなったので、協会は対戦方法を東西制から一門系統別制に変更した。何故ならば、東西制では、東の横綱一人に対して、西に興行日数分の横綱に対戦できる力士を揃えなければならず、多くの実力ある幕内力士が必要となるからである。一方、一門系統別では、東の力士同士でも一門あるいは系統の力士でなければ対戦できるから、幕内力士の数が少なくても興行ができる利点があった。

その後、脱走力士の帰参と双葉山の人気で力士が増え、昭和十五年一月場所には再び東西制が復活した。この場所の東は立浪部屋を中心にした連合軍であり、西は出羽海一門であった。高砂一門（佐渡ケ嶽、若松、富士ケ根部屋）は、東西に分かれたが、高砂一門の力士同士の本場所での対戦は行われなかった。

昭和十五年（一九四〇）当時四十八の相撲部屋があったが、部屋に稽古土俵のある部屋は、井筒、春日野、粂川、高砂、立浪、出羽海、錦島、二十山、湊川、二所ノ関の十部屋である（表十二）。高砂一門において部屋に稽古土俵のあるのは高砂部屋だけであった。稽古土俵のある部屋は、当時ほぼ一門の一つか二つの部屋にすぎなかった。

一般的に一門では、本家だけに稽古場を作り、一門の力士達はこの本家の相撲部屋に集まって稽古をし、風呂やチャンコも本家で一緒にしたようである。このように一門の力士達は、地方巡業も含めて生活を共にする機会が多く緊密な関係にあったので、本場所での対戦は避けられた。従って、相撲社会の一門は江戸時代にも存在したと考えられるが、集団として明確な機能を果たすようになったのは、大名の経済的援助がなくなった明治以降であろうと理解できる。

昭和二十二年（一九四七）第二次大戦後の混乱で力士が減少したため、本場所の対戦は再び一門系統別となった。この頃の相撲社会は本場所が年二回と少なかったので、地方巡業に出ることが多かった。

当時の地方巡業は、組合別に高砂組合・出羽海組合・時津風組合・立浪組合・二所ノ関組合で行っていた。この「組合」が「一門」と「系統」によって結ばれた相撲部屋集団である。この頃の本場所の取り組みは一門系統別であるから、一門の系統力士は本場所では取り組むことがなく、一門系統の相撲部屋はその連帯意識も強かった。

しかし、昭和三十三年から年六場所の興行となり、地方巡業が協会全体で行われ、一門の地方巡業は行われなくなった。また、昭和四十年（一九六五）から本場所の取り組みが、一門系統別から部屋別総当制となった。部屋別総当制とは同じ部屋の力士を対戦させない方法で、一門の力士は同じ部屋の力士でなければ対戦するようになった。この頃から各相撲部屋に稽古土俵の設置が義務付けられ、一門の力士達が一緒に稽古をする機会が少なくなった。従って、一門の結束は弱まったが、相撲部屋の一門関係は現在も存在し機能している。

昭和六十一年一月現在の三十七の相撲部屋の一門は次のように、高砂一門、出羽海一門、立浪・伊勢ケ浜組合、二所ノ関一門、時津風一門の五つに分かれている。立浪・伊勢ケ浜組合は、立浪一門や伊勢ケ浜一門等の小さな一門が集まっているので、ここだけは「組合」と称している。

出羽海一門の初代は、明治三十六年に第十九代横綱となった常陸山谷右衛門である。二所ノ関一門の初代は、昭和七年に第三十二代横綱となった玉錦三右衛門である。時津風一門の初代は、昭和十二年に第三十四代横綱となった双葉山定次である。立浪（緑島）は、双葉山や第三十六代横綱羽黒山を育てた大正時代から昭和前期の立浪が、現在の一門の初代である。伊勢ケ浜一門の初代は、昭和十七年に第三十七代横綱となった照國萬蔵を育てた元関脇の清瀬川である。そして、高砂一門の初代は、幕末から明治初期にかけて活躍した高砂浦五郎が、現在の高砂一門の初代である。従って、現在の一門の中で最も歴史の古いのは、高砂一門ということになる。

昭和五十年当時、高砂部屋の一門は、若松部屋・大山部屋・高田川部屋・九重部屋・井筒部屋の六部屋で形成されていた。この中で、高砂部屋直系の分家は若松部屋・大山部屋・高田川部屋であり、義理の分家は九重部屋・井筒部屋である。高砂部屋直系の分家とは、元高砂部屋の力士が高砂親方の許しを受けて、分家独立した部屋のことである。義理の分家とは、元々高砂部屋の力士ではなかった者が、何らかの理由で高砂部屋と本家・分家の関係を結んだ部屋のことである。相撲社会では、この義理の分家を一門の「系統」と呼び、区別している。

高砂一門の直系の分家の親方は、正月元旦に本家である高砂部屋へ、部屋に関取がいればその関取を連れて、年始の挨拶にきた。しかし、義理の分家（系統）は親方も関取も来なかった。そして、毎年正月二日の先代高砂親方（四代目）の菩提寺である鶴見の総持寺での供養には、高砂親方以下直系の部屋の親方だけが参加し、系統の部屋の親方は参加しなかった。本家—分家関係を基礎とした相撲部屋の一門は、部屋形成の来歴のほか、相撲部屋の運営、土俵造りには欠かせない行司・呼出し・床山・若者頭・世話人の貸借関係で結びついている。さらに一門は、相撲協会の理事選挙においては派閥を形成し、一門間の勢力争いに発展している。

表28　相撲協会の一門別構成人数（昭和61年１月）

一門・組合名	年寄	横綱	大関	関脇	小結	幕内	十両	幕下	三段目	序二段	序ノ口	番付外	行司	若者頭	世話人	呼出し	床山	計
高砂	16	1	1	1	1	1	4	16	18	38	16	2	5	1	0	3	7	131
出羽海	23	0	1	0	1	4	6	16	45	44	18	2	10	2	0	6	10	188
立浪伊勢ケ浜	24	0	1	1	0	3	4	41	39	70	16	4	13	1	1	7	10	235
二所ノ関	22	1	2	0	0	12	7	34	66	89	28	10	8	1	0	12	12	308
時津風	18	0	0	0	0	7	5	13	32	47	14	0	7	2	3	5	12	154
計	103	2	5	2	2	27	26	120	200	288	92	18	43	7	4	33	44	1016

相撲協会の一門別構成人数は表二十八の通りであり、高砂一門は当時の一門の中で最も人数が少なかった。協会の理事は定数が十名であり、高砂一門からの理事は高砂一名だけであった。出羽海一門からは出羽海・春日野の二名、立浪・伊勢ケ浜組合からは立浪・伊勢ケ浜・春日山の三名、二所ノ関一門からは二子山・大鵬の二名、時津風一門からは時津風・鏡山の二名の理事が出ていた。協会の理事の選挙(2)は、年寄が当時百三名で理事の定数が十名であるから、年寄の票が十票集まれば理事を一名出せるわけである。従って、高砂一門の年寄は十六名であるから、理事は一名だけということになる。

高砂一門とは、高砂部屋(本家)と本家高砂の援助によって創設された分家、基本的にはこの本家―分家の系譜関係によって結びつく集団をいう。しかし、高砂部屋とこの系譜関係にない部屋が一門に加わることもあるし、逆に、高砂一門の部屋が他の一門に移ってしまうこともある。昭和二年から昭和六十二年までの高砂一門の系譜は図十七のとおりであり、昭和二年以降の高砂一門について以下に簡単に述べる。(詳しくは本章第二節二、「高砂部屋の系譜」参照)。

東京と大阪の両協会が合併した昭和二年、高砂一門の相撲部屋は岩友・尾上・振分の三部屋だけであった。これは、大正八年（一九一九）の二代目高砂から三代目への継承問題で、高砂一門が二派に分かれ、一方の綾川派が出羽海部屋（一門）に移ってしまったからである。岩友部屋は、昭和二年の東西協会合併時に大阪から移ってきた部屋で、高砂との師弟関係はなく、昭和五年に消滅した。尾上部屋は、高砂

図17　高砂一門の系譜

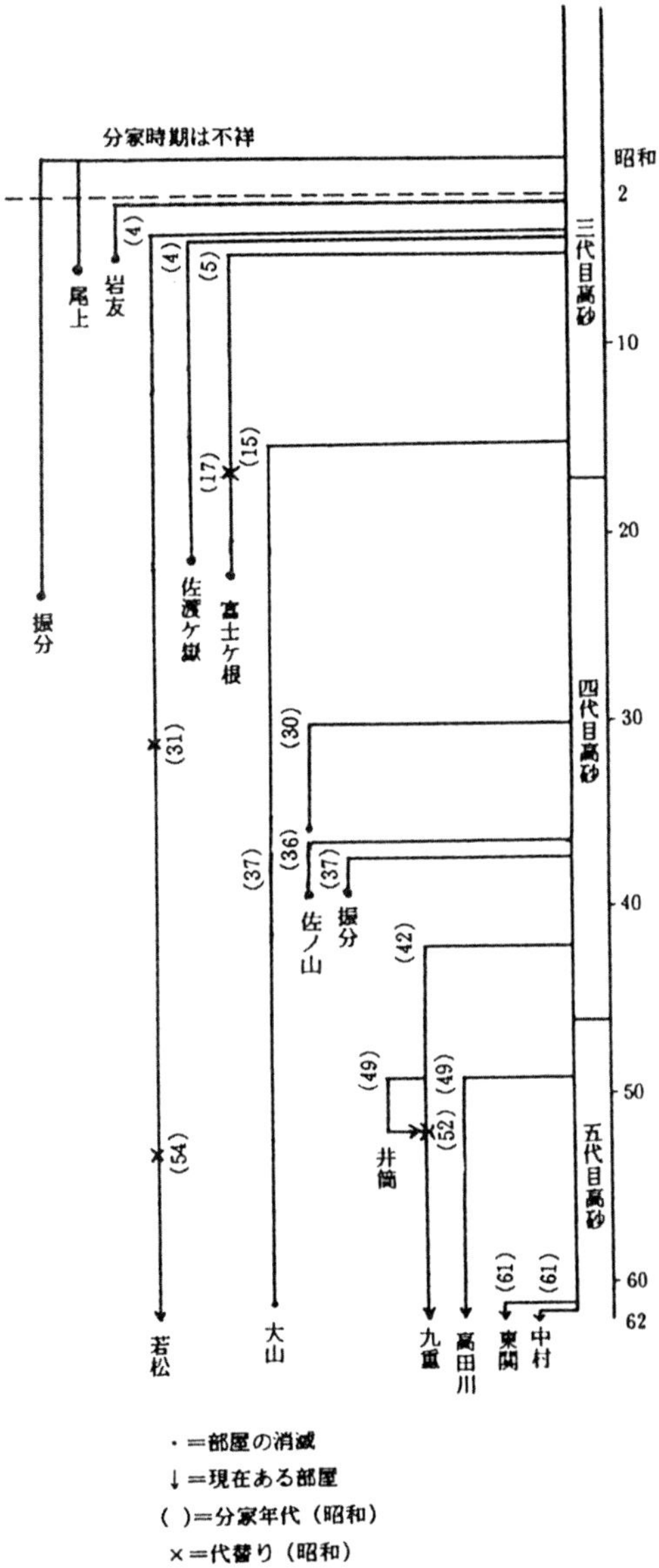
分家時期は不祥
昭和
2
10
20
30
40
50
60
62
三代目高砂
四代目高砂
五代目高砂
尾上
岩友
振分
佐渡ケ嶽
富士ケ根
佐ノ山
振分
井筒
若松
大山
九重
高田川
東関
中村
(4)
(4)
(5)
(15)
(17)
(31)
(30)
(36)
(37)
(37)
(42)
(49)
(49)
(52)
(54)
(61)
(61)
・＝部屋の消滅
↓＝現在ある部屋
（ ）＝分家年代（昭和）
×＝代替り（昭和）

部屋の元十両力士野州山が大正九年に分家した部屋であったが、昭和六年に消滅した。振分部屋も、高砂部屋の元力士浪ノ音が大正四年に分家した部屋であったが、前述の三代目高砂継承問題で出羽海一門に所属するようになった（本章次節二参照）。振分部屋は、戦後の昭和二十三年に消滅するまで出羽海一門であったが、振分親方自身は昭和三十年頃に高砂部屋所属の年寄に復帰した。従って、昭和二年当時の高砂一門の相撲部屋は、岩友部屋と尾上部屋だけであった。

三代目高砂の時代には、昭和四年に若松部屋と佐渡ケ嶽部屋が、昭和五年に富士ケ根部屋が、昭和十五年に大山部屋が分家した。若松部屋は、高砂部屋の元力士射水川が分家した部屋である。昭和三十一年に二代目を初代若松の弟子である鯱ノ里が継ぎ、昭和五十四年に三代目も弟子の房錦が継承している。若松部屋の場合は、二代目・三代目とも先代の婿養子となり、部屋を継承している。佐渡ケ嶽部屋は、高砂部屋の元力士阿久津川が分家した部屋で、昭和二十一年に部屋は消滅した。富士ケ根部屋は、高砂部屋の元力士若湊が分家した部屋で、昭和十七年に二代目を弟子の若港が継いだが、昭和二十二年に消滅した。大山部屋は、高砂部屋の元力士高登が分家した部屋で、昭和三十七年に二代目を弟子の松登が継いだが、昭和六十一年二代目大山の死去に伴い部屋は消滅し、大山部屋の全所属員は本家である高砂部屋に移籍した。

この他に三代目の高砂一門には花籠部屋と芝田山部屋があった(3)。芝田山部屋は昭和十八年、花籠部屋は昭和二十二年に部屋が消滅する時に、両部屋の弟子達は高砂部屋に移籍した。従って、花籠部屋と芝田山部屋は高砂一門の系統であったと考えられる。しかし、昭和十五年当時の両部屋は、高砂一門ではなかったようなので、図十七の高砂一門の系譜には入れないことにした。

四代目高砂の時代には、昭和三十年に佐ノ山部屋、昭和三十七年に振分部屋が分家した。昭和四十二年の九重部屋は、出羽海部屋の九重（元横綱千代の山）が出羽海一門から破門されたため、高砂一門に加わった系統の部屋である。佐ノ山部屋は、高砂部屋の元力士朝響が昭和三十年に分家した部屋であるが、昭和三十五年に消滅した。翌昭和三十六年に弟子の国登が佐ノ山部屋を興したが、昭和三十九年に消滅した。振分部屋は、高砂部屋の元力士朝潮（五代目高砂）が分家した部屋であるが、これも昭和三十九年消滅した。昭和三十九年の佐ノ山・振分部屋の消滅は、前にも述べたように翌昭和四十年から部屋別総当制が実施されるのに対応するためであった。つまり、当時のこの両部屋には稽古土俵がなく、力士達は常に高砂部屋で稽古をしていたので、高砂一門の力士が本場所で対戦することを避けるためであった。従って、昭和三十九年にこの両部屋の力士達は、本家である高砂部屋に移籍した。

五代目高砂の時代には、昭和四十九年高田川部屋、昭和六十一年には東関部屋と中村部屋が分家した。高田川部屋は高砂部屋の元力士前の山、東関部屋は高砂部屋の元力士高見山、中村部屋は高砂部屋の元力士富士櫻が、分家して創設した部屋である。また、高砂一門の九重部屋の北の富士は、昭和四十九年に九重部屋から分家して井筒部屋を興したが、昭和五十二年師匠九重の死後に九重部屋を継ぎ、高砂一門の系統に所属している。

高砂部屋は昭和二年から六十二年までの六十年間に、一門あるいは系統として十二部屋の分家があった。この分家の中で、二代以上続いた部屋は若松・富士ケ根・大山・九重の四部屋だけであり、高田川・東関・中村の三部屋が分家初代として現在の高砂一門を形成し、残りの五部屋は分家初代で消滅している。相撲部屋の分家は、初代で消滅する割合が高い。

第二節　相撲部屋の系譜

一、相撲部屋の継承

生活共同体としての相撲部屋が江戸時代から存続してきたのは、相撲部屋がその年寄名跡とともに継承されてきたからである。年寄名跡（相撲部屋）は、どのように継承されてきたのであろうか。

文政五年（一八二二）当時は三十五名の年寄がいた（第四章第三節二参照）。この内、経歴の判明している年寄は三十三名である。この三十三名の年寄の内二十八名が力士経験者であり、元行司が二名、力士でなかった者が二名、不明が一名であった。力士経験者二十八名の現役時代の番付最高位は、大関であった者が三名、小結が二名、平幕が三名、幕下が六名、三段目が十一名、序二段が三名である。この二十八名の中で、師匠の年寄名跡を継いでいるのは十四名であった。当時の年寄には、幕下・三段目の力士が多い。これは当時の強い力士が大名の抱え力士となり、現役を引退しても、年寄にはならなかったからである。力士の経験がなく年寄になった二名は、友綱と桐山である。友綱は先代の弟が、桐山は先代の甥が年寄となっている。両者共血縁の者が年寄名跡を継承している。この他に血縁の者が年寄名跡を継いでいるのは、行司の藤島で先代の伜が継いでいる。

昭和四十五年一月場所には百一名の年寄がいて全てが力士経験者であった（第四章第八節二参照）。これは明治二十二年（一八八九）から、年寄名跡の数が八十八名に制限され、年寄は幕下以上の力士経験が必要となったためである。彼等の現役時代の地位は横綱であった者が十二名、大関が十一名、関脇が十九名、小結が十三名、前頭が三十九名、十両が七名である。この中で師匠の年寄名跡を継承したのは二十五名である。春日野・出羽海・若藤・若松部屋は、弟子が師匠の養子となって部屋を継ぎ、友綱部屋は養子ではないが師匠の娘と結婚して部屋を継いでいる。師匠の年寄名跡ではないが先代の養子となって年寄名跡を継承しているのは、中川と山響の二名である。

江戸時代の文政の頃の年寄と較べると、師弟関係による年寄名跡の継承の割合が減少(4)している。先代との養子関係において継承される例が増え、血縁関係による継承はなくなった。

しかし、次の東京大角力協会申合規約（明治二十二年）の条文（網かけ）からも明らかなように、明治時代から師弟関係における年寄名跡の継承は優遇されてきた。

〔第四十九条〕角力（スモウ）年寄の名義は幕下以上の力士にして取締検査役及部長の承諾を得るに非ざれば之を相続せしめ若くは譲与する事を得ず且つ回向院大角力を連続せしものに非れば年寄となる事を許さず。但し弟子にして師匠の名義を相続するものは此限にあらず。

〔第五十二条〕大場所及出稼を問わず角觝（すもう）勤務中は年寄となる事を許さず。但し弟子にして師匠の名義を相続するものは此限にあらず。

年寄の中でも、願人および差添人（勧進元）となれる「歩持の年寄」（第四章第五節二参照）となるためには、次の明治二十二年の条文にあるように加入金百五十円を協会に出さなければならなかった。

〔第五十四条〕歩持に加入せんとする者は加入金百五十円を協会に差出すべし。但し年寄名義を相続するものに非れば加入する事を許さず且つ一人に付一株を限りとする。

〔第五十五条〕歩持加入者死去する時は香典として金五十円遺族扶助料として金五十円を贈るべし又中途に

して歩持を罷めんとする者には金百円を還付す。但し歩持株券は売買を禁止するものとす。

この歩持加入については、明治二十九年の条文では次のように加入金が百円に減額され、さらに師弟関係における年寄名跡の相続の項が追加され、師弟関係における年寄名跡の継承の場合（網かけ）は、この加入金が七十五円に割り引かれるようになった。

〔第五十八条〕歩持に加入せんとするものは加入金百円を協会に差出すべし。但し年寄名義を相続するものに非れば加入する事を許さず且つ一人に付一株を限りとする。

〔第五十九条〕歩持に加入したる者死去する時は香典として金二十五円を贈るべし又中途にして歩持を罷めんとする者も亦同じ且つ角觝取にして師匠存命中其名義を相続し歩持に加入せんとするものは加入金七十五円を協会に差出すべし。但し歩持株券は売買を禁止するものとす。

現在の年寄名跡の継承については、昭和三十二年の寄付行為施行細則に次のように定められている。

〔第四十二条三〕幕内一場所全勤の力士および十枚目力士にして、連続二十場所、通算二十五場所以上出場のものでなければ、年寄になることはできない。

但し、師匠の名跡を継承しようとする十枚目力士にして、現役より師匠の名跡を襲名、継承しようとするものは、または現役のまま名跡を継承しようとするものは、理事会の承認を経たときは、本文の制限によらなくてもよい。

このように、相撲部屋における年寄名跡継承は、弟子が十両を最低一場所勤めれば師匠の年寄名跡を継承でき（網かけ）、現在も年寄名跡継承には師弟関係が優遇されている。

年寄名跡の襲名者は必ずしも前襲名者の弟子である必要はない。しかし、弟子のいる相撲部屋の年寄名跡は、一般的にはその弟子が襲名継承する。多くの弟子の育った相撲部屋では、その弟子達が年寄名跡を襲名する。そして、分家して相撲部屋を新しく興す年寄もいれば、部屋を興さない年寄もいる。部屋を興さない年寄は「一門の年寄衆」と呼ばれ、通常は自分の入門した部屋に所属する。相撲社会において年寄は、弟子を養成する義務があり、相撲部屋を新しく興す権利を持っている。分家の力士（年寄）が新しく相撲部屋を興せば、一門の孫分家ということになる。多くの孫分家を持った分家は、本家（一門）から分かれて新しい一門を形成することもある。相撲部屋には、多くの分家を出し一門を形成する部屋もあれば、弟子が育たず部屋の年寄名跡を他の部屋の力士が襲名し、その部屋およびその一門が消滅してしまうこともある。

以下本節では、江戸時代からの名門として相撲社会に君臨してきたが、昭和初期に部屋およびその一門が消滅してしまった伊勢ノ海部屋、そして明治時代初期に形成され、現在の一門の中で最も歴史のある高砂部屋の系譜を辿る。ここではまず、本研究の調査対象である高砂部屋の系譜とその一門関係について述べる。

二、高砂部屋の系譜

高砂部屋は、阿武松（おおのまつ）部屋の力士であった高見山大五郎が、明治二年（一八六九）に入幕し高砂浦五郎と改名、明治十一年四股名のまま年寄となって興した部屋である。この初代から現在の六代目まで、高砂部屋は途切れることなく続いている。のみならず、多くの弟子が年寄名跡を襲名して分家し、一門を形成した。ここでは、明治以来約百年の歴史を有する高砂部屋の系譜について、幕内力士となった弟子と年寄名跡を襲名した弟子を各代毎に辿る(5)（表二十九）（図十八）（図十九）。

表29　高砂部屋歴代の年寄襲名者

歴代高砂	年寄襲名者　(　)の数は代数を示す。
初代高砂	阿武松(5)　追手風(6)　井筒(5•6)　湊川(8)　錣山(9)　尾上(8)　大山(7)
二代高砂	佐ノ山(8)　大山(8)　千賀ノ浦(8)　若松(7)　九重(7)　阿武松(6)　二十山(8)
三代高砂	佐渡ケ嶽(10)　若松(9)　東関(8)　鳴戸(6)　佐ノ山(10)　木瀬(8)　浦風(11)　大山(9•10)　常盤山(13)　湊(2)　振分(11)　富士ケ根(7)　千賀ノ浦(9)
四代高砂	芝田山(5•7•8)　佐ノ山(11)　高田川(5)　振分(12)　陣幕(3•4•5)　尾上(10•11)　西岩(1•4)　錦戸(5•6)　湊(6)
五代高砂	振分(13)　高田川(6•7)　東関(12)　谷川(11)　中村(7)

図18　高砂部屋の系譜

西暦 1850　1900　1950　1990年

初代高砂　0　1 2　3　5

二代 〃　0　1 2　3 阿武松　5

三代 〃　0　1 2　3　4　5

四代 〃　0　1　2　3　5

五代 〃　0　1 2　3 振分　5

六代 〃　0　1　2　3

西岩　尾上

高砂部屋の所在地　本所区緑町　墨田区両国　台東区柳橋

台東区橋場

0-生年　1-初土俵年　2-入幕年　3-現役引退年　4-廃業年　5-没年

図19　高砂部屋（一門）の年寄名跡の系譜

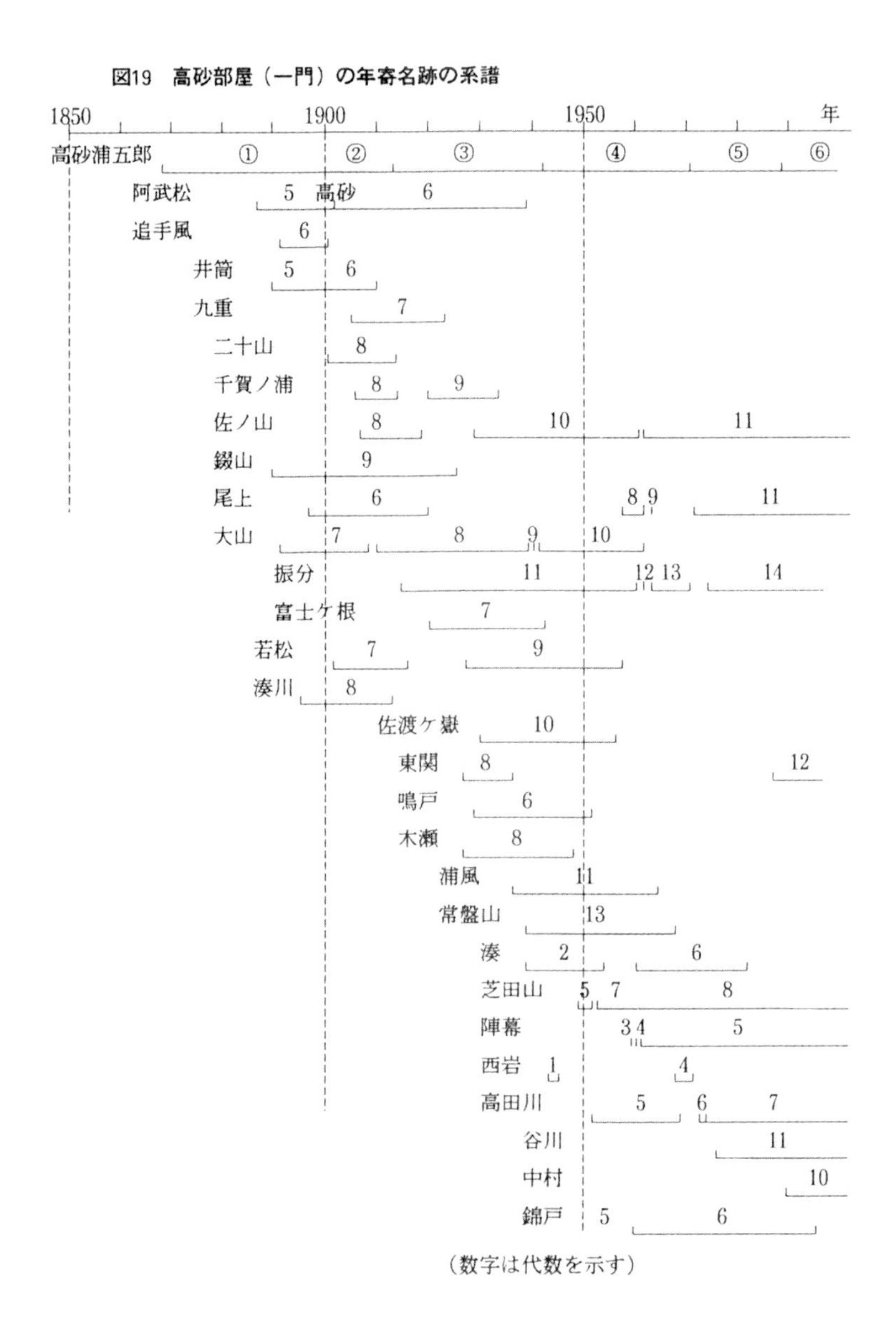

（数字は代数を示す）

（一）初代　高砂浦五郎（元前頭、高砂浦五郎）

初代高砂浦五郎は、天保九年（一八三九）十一月二十日千葉県東金市大豆谷（まめざく）に生まれ、本名は山崎伊之助である。安政六年（一八六〇）二十一歳で阿武松部屋に入門し、四股名は東海大之助であった。文久三年（一八六三）に序ノ口、慶応二年三段目に進み、姫路藩の抱え力士となり、藩主から高見山大五郎の四股名を賜った。明治元年幕下六枚目（十両）に昇進、翌明治二年（一八六七）二十八歳で入幕、明治四年には姫路藩主の酒井侯から、高砂浦五郎の四股名を贈られた。明治六年（一八七三）高砂は、相撲会所改革の運動を起こし、東京相撲会所を脱退し「改正相撲組」を組織し、約四年間にわたって東京相撲と張り合った。明治十一年（一八七八）高砂の改正相撲組は、東京相撲会所と合併し東京角觝組合となった。この合併の時に高砂（三十九歳）は、現役を引退して四股名のまま年寄となった(6)。（口絵高砂稽古場之図は明治初期の高砂部屋である。）

年寄となった高砂は会所の改革を行い、明治二十二年（一八八九）規則を制定し、東京角觝組合を東京大角力協会と改名した。高砂は、明治三十一年（一八九八）一番弟子であった響矢に、高砂部屋の後を託して病床に伏し、明治三十三年（一九〇〇）六十二歳の生涯を閉じ、深川浄心寺内の円隆院に葬られた。高砂部屋はこの初代高砂の時の明治十七年（一八八四）、旧津軽藩下屋敷跡の本所区緑町三丁目に建てられた。

初代の弟子のうち響矢宗五郎（千葉県(7)）・若ノ川留吉（茨城県）・一ノ矢藤太郎（青森県）・綾浪徳太郎（青森県）・大達羽左衛門（山形県）・西ノ海嘉治郎（鹿児島県）・鉞り鉄五郎（千葉県）・黒岩万吉（鳥取県）・響升市太郎（石川県）・増田川牛之助（茨城県）・緑川兼吉（青森県）・小錦八十吉（千葉県）・高見山兼三郎（東京都）・千年川政吉（青森県）・外ノ海伝助（青森県）・大見崎八之助（千葉県）・北海大太郎（青森県）・源氏山頼五郎（青森県）・大泉保吉（山形県）・岩木野亀吉（青森県）・朝汐太郎（愛媛県）が幕内力士となった。

初代の時代（一八七八―一九〇〇）に高砂部屋の力士で年寄となったのは、響矢が五代目阿武松、綾浪が六代目追手風、元幕下中田川文蔵が五代目井筒、西ノ海が六代目井筒、元幕下小金山伝次郎が九代目錣山、元十両野洲山徳之丞が八代目尾上、元幕下宝川安之介が七代目大山、元幕下鷲の森常吉が八代目湊川を襲名した（表二十九）（図十九）。

明治二十九年（一八九六）当時、阿武松は本所区林町一丁目十二番地、追手風は本所区緑町一丁目三十二番地、井筒は本所区緑町三丁目二十七番地の高砂部屋、錣山は本所区小泉町二十六番地、大山は浅草区並木町十四番地、湊川は日本橋区村松町四十七番地に住所があった。初代高砂の弟子で年寄を襲名した者の中で、井筒は当時高砂部屋に寄宿しており、尾上は明治二十九年一月に現役を引退したばかりであるから、井筒と尾上は高砂部屋所属の年寄衆であった。その外の阿武松・追手風・錣山・大山・湊川の年寄は、分家して相撲部屋を持っており、高砂一門を形成していたと考えられる(8)。阿武松部屋は、初代高砂の育った部屋であり高砂の本家筋に当たる部屋であったが、初代高砂の弟子である響矢が阿武松を襲名したことによって、高砂一門の分家となった。

(二)二代　高砂浦五郎(元関脇、高見山宗五郎)

二代目高砂浦五郎は、嘉永四年(一八五一)二月十日千葉県山武郡九十九里町、初代高砂の郷里に近い村に生まれ、本名は今関宗次郎である。明治九年(一八七六)二十五歳で初代高砂の相撲改正組に弟子入りし、四股名は響矢宗五郎であった。初代高砂が東京相撲会所と合併した明治十一年(一八七八)二十七歳で幕内格となり、明治十五年小結に昇進し、師匠の四股名であった高見山に改名した。明治十八年関脇に上がり、明治二十一年(一八八八)初代高砂の師匠の年寄名であった阿武松を襲名し、二枚鑑札(第四章第五節二参照)で土俵を勤めた。翌明治二十二年(一八八九)三十八歳で現役を引退し、高砂部屋から分家して阿武松部屋を創り弟子を養成した。明治三十三年(一九〇〇)初代高砂の死後、阿武松は四十九歳で高砂に襲名変更して、二代目高砂浦五郎となった。二代目高砂は、本所区緑町の初代の高砂部屋を相続し協会の取締に昇格、高砂一門の隆盛に貢献した。大正三年(一九一四)二代目高砂は六十三歳で死去、初代高砂と同じ深川浄心寺内の円隆院に葬られた。

二代目の弟子のうち小柳芦太郎(富山県)・浪ノ音健蔵(青森県)・朝汐太郎(愛媛県)・高見山酉之助

（千葉県）・大緑仁吉（福井県）・神崎重太郎（兵庫県）・立汐祐治郎（青森県）・若湊義正（栃木県）・綾川五郎次（青森県）が幕内力士となった。

二代目の時代（一九〇〇―一九一四）に高砂部屋の力士および行司で年寄となったのは、大緑が八代目大山、綾川が八代目千賀ノ浦、増田川が七代目九重、大見崎が六代目阿武松、小錦が八代目二十山、朝汐が八代目佐ノ山、元行司木村一学が七代目若松を襲名した（表二十九）（図十九）。

明治三十五年（一九〇二）五月当時高砂部屋の分家の相撲部屋は、井筒・二十山・尾上・大山・湊川の五部屋であった。当時、高砂部屋の稽古場に集まってきた力士は、二十山・大山・尾上・湊川・稲川部屋の力士であった。二十山・大山・尾上・湊川部屋は高砂部屋からの分家である。高砂部屋の稽古場に来ない井筒部屋は、初代高砂の弟子であった元横綱の西ノ海の部屋であり、稽古場をもち高砂一門から分かれ、新しく一門を形成しつつあった。高砂の分家ではない稲川部屋は、当時浦風の弟子であった関脇の玉風貞四郎が、現役で五代目稲川を襲名していた。五代目稲川の弟子である射水川健太郎が、師匠の死後に高砂部屋に移籍し、後に九代目若松を襲名し高砂部屋から分家している。従って、当時の稲川部屋は何らかの事情があって、高砂一門の系統に所属していたと考えられる。錣山と若松には弟子がいなかったので、高砂部屋所属の年寄衆であったと考えられる。その後、大正三年（一九一四）二代目高砂が亡くなるまでに高砂一門には、さらに阿武松、千賀ノ浦、佐ノ山、錣山、若松の五部屋が加わった。

（三）三代　高砂浦五郎（元大関、朝潮太郎）

三代目高砂浦五郎は、明治十二年（一八七九）四月十九日愛媛県西条市に生まれ、本名は坪井長吉である。明治三十四年（一九〇一）高砂部屋の大関朝汐太郎（佐ノ山）の内弟子として高砂部屋に二十二歳で入門、朝嵐の四股名で初土俵を踏んだ。明治四十年（一九〇七）二十八歳で入幕し、明治四十三年関脇に昇進して朝潮太郎と改名した。大正三年（一九一四）大関に昇進、二代目高砂の死後に現役（三十五歳）で三代目高砂を襲名、二枚鑑札で土俵を勤めた。

この三代目高砂浦五郎の襲名は、彼が佐ノ山の内弟子であり、高砂部屋にとっては「預かり弟子」であったことから問題が起こった。つまり、二代目高砂浦五郎の直弟子である綾川五郎次等の青森県出身力士や年寄が中心となり、〃おれたちは朝潮の弟子ではない〃として、三代目高砂浦五郎の弟子となることを拒んだ。そして、彼等は出羽海部屋に移籍してしまった。三代目の継承問題で高砂部屋は一気に衰退、大正八年（一九一九）三代目高砂は四十歳で現役を引退した。同年彼は、元横綱太刀山の東関(9)が現役時代から養成していた弟子とその部屋を全部譲り受け、その東関部屋のあった墨田区両国へ高砂部屋を移した。昭和十二年に彼は協会の取締となり、昭和十七年（一九四二）六十三歳で高砂部屋を弟子の前田山（四代目高砂）に譲り廃業した。廃業後の高砂は鎌倉に住み、終戦後の住宅難の時に一時、高砂部屋の力士を鎌倉に収容したこともあった。昭和三十六年（一九六一）心臓病のため八十二歳で亡くなった。

昭和十四年（一九三九）当時の高砂部屋の建物構造は、図二十の通りである。一階の土俵の上には部屋はなかった。当時は高砂部屋に風呂はなく、力士ばかりでなく親方も銭湯へ行っていた。

図20　高砂部屋の建物構造（昭和14年）

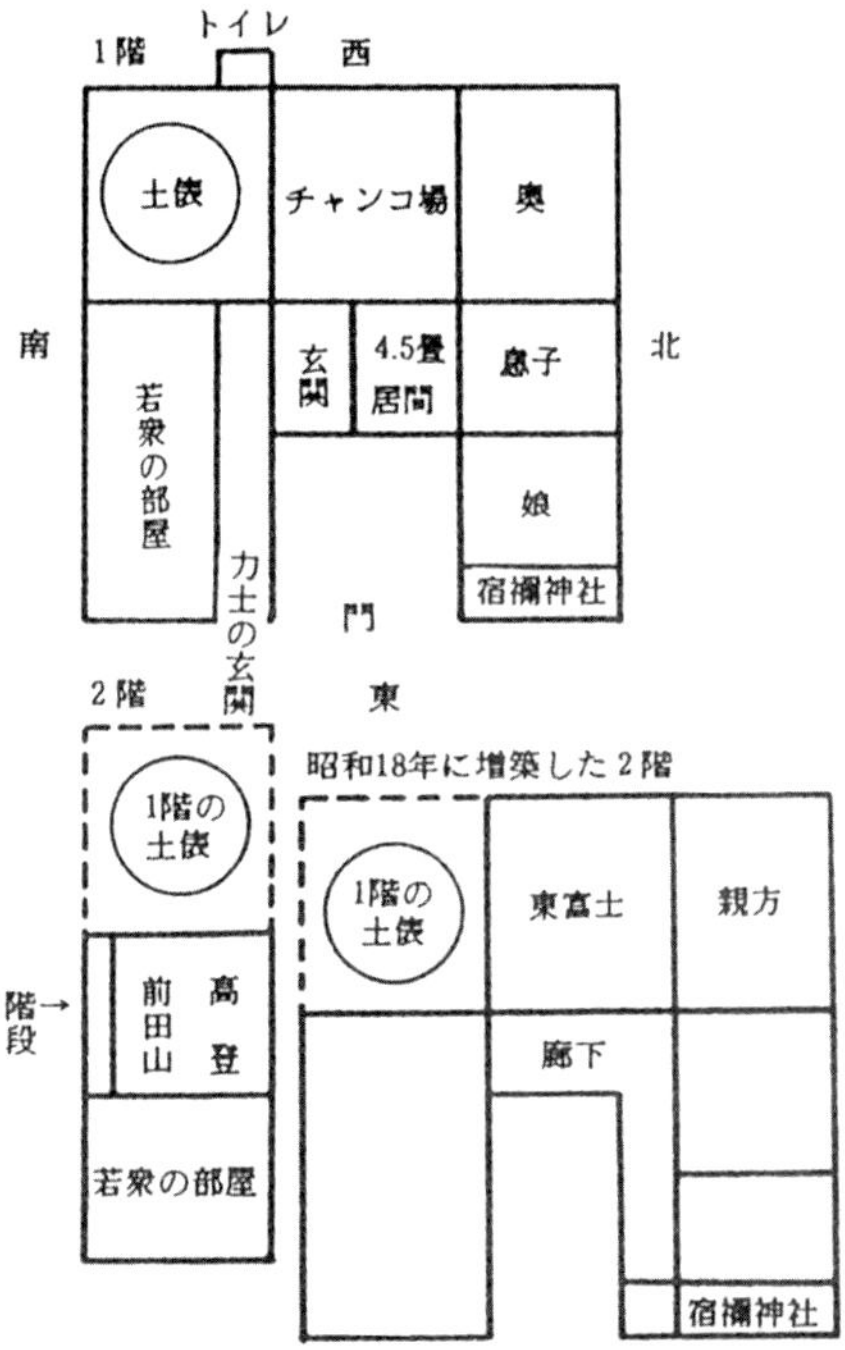

三代目の弟子のうち阿久津川高一郎（栃木県）・射水川健太郎（富山県）・鞍ケ嶽楯右衛門（熊本県）・

太刀光電右衛門（北海道）・朝響信親（愛媛県）・太刀ノ海浪右衛門（島根県）・若太刀芳之助（富山県）・太郎山勇吉（長野県）・潮ケ濱義夫（青森県）・高登弘光（長野県）・射水川成吉（愛媛県）・太刀若峰五郎（三重県）・前田山英五郎（愛媛県）が幕内力士となった。

三代目の時代（一九一四―一九四二）に高砂部屋の力士および行司で年寄となったのは、浪ノ音が十一代目振分、若湊が七代目富士ケ根、大泉が九代目千賀ノ浦、阿久津川が十代目佐渡ケ嶽、射水川が九代目若松、鞍ケ嶽が八代目東関、太刀光が六代目鳴戸、朝響が十代目佐ノ山、太刀ノ海が八代目木瀬、太郎山が十一代目浦風、高登が九代目大山、射水川が十代目大山、太刀若が十三代目常盤山、元幕内格行司木村光之助が二代目湊、そして前田山が四代目高砂を襲名した（表二十九）（図十九）。

前にも述べたように大正八年（一九一九）青森県を中心とする綾川五郎次派の力士と年寄が、出羽海部屋への移籍したことによって高砂一門は一気に衰退した。この時に出羽海一門へ移った年寄は、湊川、振分、阿武松、佐ノ山であり、千賀ノ浦の年寄名跡も大正十年綾川自身が襲名して出羽海の一門へ移った。そして九重が井筒部屋へ、錣山が二十山部屋へ移った。しかし、昭和三十年頃に振分だけは再び高砂部屋に所属するようになった。

大正十年（一九二一）高砂一門の部屋は、間垣・尾上・錣山部屋の三部屋だけとなり、高砂部屋所属の年寄は大山だけとなった。錣山と大山は高砂部屋出身の力士であった。尾上は、先代尾上の元十両野州山徳之丞の弟子であり高砂部屋の力士ではなかったが、先代が高砂部屋からの分家であったことから高砂一門に所属していた。間垣は元横綱西ノ海の井筒の弟子であった元小結尼ケ崎清吉である。尼ケ崎は、横綱西ノ海の内弟子として高砂部屋に入門し、西ノ海の井筒部屋に移籍した。師匠井筒の死後の明治四十五年（一九一二）、彼は振分を襲名し振分部屋を興し、大正四年間垣に襲名変更し部屋名も振分から間垣と変更し、高砂一門に所属していた。この振分の年寄名跡は襲名期間が四年と短いことから、二代目高砂からの借株であったと思われる。

昭和十五年当時高砂一門には、富士ケ根・若松・佐渡ケ嶽の三部屋があった。そして、高砂部屋の年寄衆は、佐ノ山・大山・湊・鳴戸・木瀬・常盤山の六名となった。富士ケ根・若松・佐渡ケ嶽・佐ノ山・大山・湊は、高砂部屋の元力士であった。しかし、鳴戸は元大関太刀光電右衛門、木瀬は元前頭太刀ノ海浪右衛門、常盤山は元前頭太刀若峰五郎であり、彼等は東関（元横綱太刀山）の弟子であり友綱部屋から東関部屋に移り、さらに高砂部屋の所属となった力士であった。つまり、鳴戸・木瀬・常盤山は友綱一門の年寄名跡であったものである。

（四）四代　高砂浦五郎（元横綱、前田山英五郎）

四代目高砂は、大正三年（一九一四）五月四日三代目高砂の郷里に近い愛媛県西宇和郡保内町に生まれ、本名は萩森金松である。昭和三年（一九二八）十四歳で高砂部屋に入門、四股名は喜木山（よしきやま）であった。

昭和十年三段目のときに前田山と改名、昭和十二年（一九三七）二十二歳で入幕、翌年大関となった。昭和二十二年第三十九代横綱に昇進、昭和二十四年（一九四九）三十五歳で現役を引退した。昭和十七年（一九四二）の大関時代に二十八歳で高砂浦五郎を襲名継承し、現役引退まで二枚鑑札で土俵を勤めた。年寄となってからは協会の取締・理事を歴任し、高砂部屋の隆盛に貢献した。昭和四十六年（一九七一）肝硬変のために五十七歳でなくなり、鶴見の総持寺に葬られた。

図20　高砂部屋の建物構造（昭和14年）

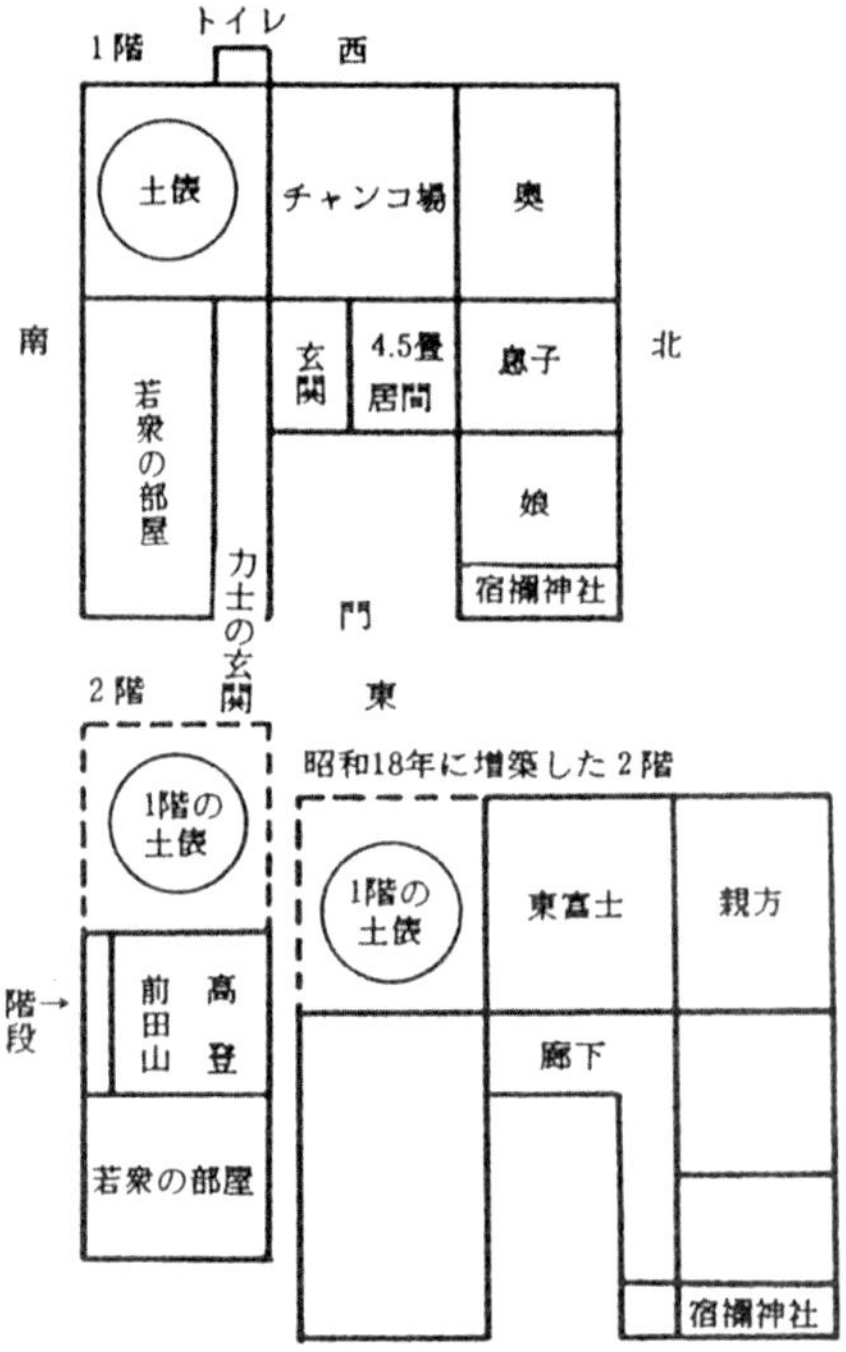

図21　高砂部屋の建物構造（昭和22年）

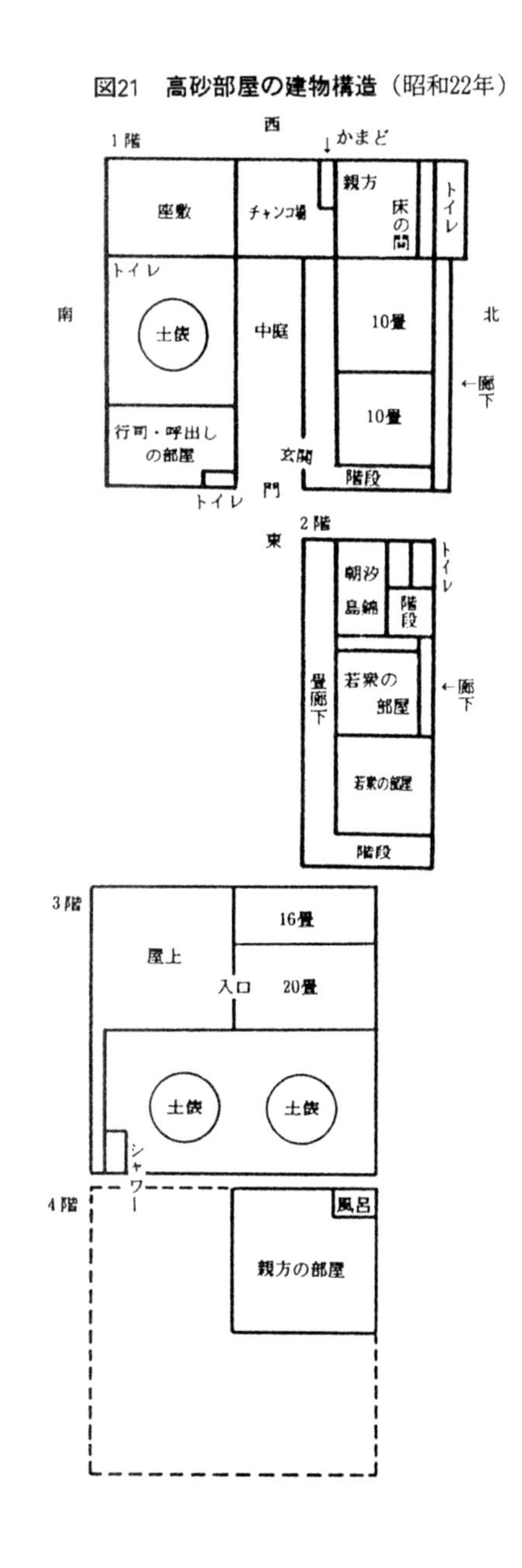

図22　高砂部屋の建物構造（昭和35年）

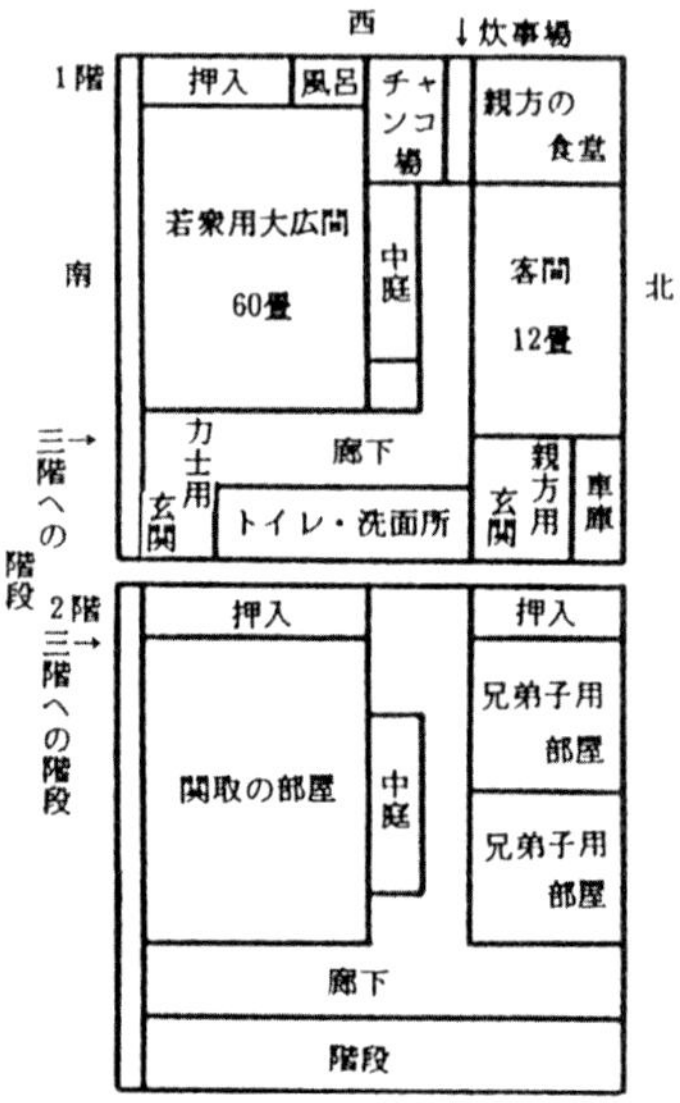

図二十の右下図は、昭和十八年四代目が高砂浦五郎を襲名した直後に、建増した二階部分の図である。

しかし、この高砂部屋は昭和二十年三月の大空襲で焼失、一時高砂部屋は三代目高砂の住んでいた鎌倉へ移転した。図二十一は昭和二十二年新しくなった高砂部屋の建物構造である。当時もまだ高砂部屋に風呂はなかった。図二十二は、昭和三十五年に新築された高砂部屋の建物構造であり、土俵は三階に二つあった。この時に初めて高砂部屋に風呂が付いた。

土俵を三階に造ったのは、土俵の上（上の階）に力士達が寝るのは勝負の負けを意味し、ゲン（験、縁起）がよくないからである。昭和四十年頃までの相撲部屋では土俵の上に二階を作らなかった。土俵の上に二階が作られるようになったのは、昭和四十年に部屋別総当制が導入され各相撲部屋に稽古土俵が義務付けられ、部屋が高層ビル化するようになってからである。

四代目の弟子のうち東富士謹一（東京都）・信州山由金（長野県）・前ノ山政三（秋田県）・藤田山忠義（福岡県）・三濱洋俊明（三重県）・柏農山勝栄（青森県）・国登国生（東京都）・朝若佐太郎（愛媛県）・朝潮太郎（鹿児島県）・宮錦浩（岩手県）・島錦博（大阪府）・若前田英二郎（愛知県）・前ノ山政三（愛媛県）・高錦昭応（熊本県）・愛宕山武司（愛媛県）・及川太郎（岩手県）・大田山一朗（岩手県）・前ケ潮春夫（岐阜県）・富士錦章（山梨県）・前田川克郎（岩手県）・朝ノ海正清（鹿児島県）・東錦栄三郎（東京都）・朝岡勲（兵庫県）・前の山和一（大阪府）・高見山大五郎（ハワイ）・朝嵐勇次（大阪府）・白田山秀政（熊本県）・富士櫻栄守（山梨県）が幕内力士となった。

四代目の時代（一九四二―一九七一）に高砂部屋の力士で年寄となったのは、柏農山が五代目芝田山、元十両大達信太郎が七代目芝田山、宮錦が八代目芝田山、国登が十一代目佐ノ山、朝若が五代目高田川、朝潮が十二代目振分、太田山が三代目陣幕、元十両大達信太郎が四代目陣幕、島錦が五代目陣幕、元十両森ノ里信義が十代目尾上、若前田が十一代目尾上、射水川が一代目西岩、富士錦が四代目西岩、東富士が五代目錦戸、太田山が六代目錦戸、元十両大達信太郎が六代目湊を襲名した（表二十九）（図十九）。

昭和二十二年高砂一門の部屋は富士ケ根部屋、大山部屋、若松部屋、昭和四十五年は若松部屋、大山

部屋であり、一門の系統に九重部屋が加わった。九重は、前にも述べたように出羽海部屋の力士であった元横綱千代の山雅信であり、昭和三十四年現役を引退し九重を襲名し、出羽海部屋に所属していた。出羽海一門には当時「分家を許さず」の鉄則があった。昭和四十二年九重はその鉄則を破って九重部屋を興し、出羽海一門から破門された。この破門は、相撲社会からの「村八分」ではなかったので、九重部屋は四代目高砂との個人的な関係によって、高砂一門の系統に所属するようになった。相撲社会において新しく相撲部屋を興すには、一門の後ろ楯が絶対に必要である（結章参照）。しかし、戦後に現役を引退した横綱の中で、現役引退後すぐ相撲社会を廃業した東富士を除けば、協会の理事になれなかった横綱は九重だけである。

（五）五代　高砂浦五郎（元横綱、朝潮太郎）

五代目高砂浦五郎は、昭和四年（一九二九）十一月十三日鹿児島県大島郡徳之島町に生まれ、本名は米川文敏である。昭和二十三年（一九四八）十九歳で高砂部屋に入門し、四股名は米川であった。昭和二十六年（一九五一）二十二歳で入幕、翌年朝潮と改名し、昭和三十二年大関、昭和三十四年第四十六代横綱に昇進、昭和三十七年（一九六二）三十三歳で現役を引退した。現役引退と同時に、振分を襲名し、高砂部屋から分家して振分部屋を創り弟子を養成した。昭和四十六年（一九七一）四代目高砂の急死に伴い、四十二歳で五代目高砂浦五郎を襲名し高砂部屋を継いだ。四代目高砂には子供がなかったので、当初四代目と五代目の養子縁組して、高砂部屋を相続するという話があったが成立しなかった。高砂部屋は、元振分部屋のあった台東区柳橋に移転した。五代目高砂は、高砂一門の本家として協会の理事を勤め昭和六十三年（一九八八）五十九歳で亡くなった。

昭和五十年当時の高砂部屋の建物構造は図八の通りである。この五代目の高砂部屋から土俵の上に二階が作られるようになった。

五代目の弟子のうち朝潮太郎（高知県）・小錦八十吉（ハワイ）・水戸泉政人（茨城県）・南海竜（西サモア）が幕内力士となった。

五代目の時代（一九七一―一九八八）に高砂部屋の力士で年寄となったのは朝嵐が六代目高田川、前の山が七代高田川、朝嵐が十三代振分、高見山が十二代東関、白田山が十一代谷川、富士櫻が七代中村を襲名した（表二十九）（図十九）。

昭和六十一年（一九八六）一月現在、高砂一門の相撲部屋とその部屋に所属する年寄衆は次の通りであった。

［高砂部屋］錦戸　尾上　陣幕　芝田山　振分　佐ノ山　東関　中村
［九重部屋］谷川　君ケ浜

［大山部屋］山響
［若松部屋］
［高田川部屋］

一般的に、部屋に所属する年寄はそれぞれの所属する部屋の元力士であるが、九重部屋の谷川は高砂部屋の力士であった元前頭白田山秀敏である。彼は、昭和五十二年現役を引退し谷川を襲名した時、師匠高砂と谷川部屋独立の件で対立し、高砂一門から破門となった。相撲社会において相撲部屋を持たない年寄は、いずれかの部屋（一門）に所属しなければ生きてはいけない。彼の場合は、高砂部屋だけからの破門であったので、彼の個人的な関係から高砂一門の系統である九重部屋に預けられた。相撲社会の破門には、双羽黒（北尾）のような相撲社会からの破門（村八分）、前述の九重（元横綱千代の山）のように一門系続からの破門と部屋だけからの破門がある。谷川の場合は、高砂親方と対立したが新しく部屋は興さなかったので、高砂部屋だけからの破門に留まったのである。

（六）六代　高砂浦五郎（元小結、富士錦章）

六代目高砂浦五郎は、昭和十二年（一九三七）山梨県甲府市穴切町に生まれ、本名は一宮章である。昭和二十八年（一九五三）十六歳で高砂部屋に入門し、昭和三十四年（一九五九）二十二歳で入幕した。

小結まで上がり昭和四十三年（一九六八）三十一歳で現役を引退し西岩の年寄名跡を襲名、昭和四十六年尾上に襲名変更し高砂部屋所属の年寄となった。昭和六十三年（一九八八）五代目の急死に伴い、五十一歳で六代目高砂浦五郎を襲名し高砂部屋を継いだ。六代目の高砂部屋は、当初五代目の部屋を借りていたが、翌平成元年に台東区橋場一―十六―五に移転した。

三、伊勢ノ海部屋の系譜

伊勢ノ海部屋は、宝暦五年（一七五五）に初代が年寄となってから、現在の十一代目まで師弟関係によって継承され、江戸時代から昭和初期までは伊勢ノ海一門の本家として君臨してきた。しかし、伊勢ノ海部屋は昭和初期に衰退し、一時は部屋が消滅した時期もあり、現在は時津風一門の系統に所属している。ここでは宝暦以来の歴史を誇る伊勢ノ海部屋の系譜について、幕内力士となった弟子と年寄名跡を襲名した弟子を各代毎に辿る(5)（表三十）（図二十三）（図二十四）。

表30　伊勢ノ海部屋歴代の年寄襲名者

歴代伊勢ノ海	年寄襲名者　(　)の数は代数を示す。
初代伊勢ノ海	関ノ戸(1)
二代伊勢ノ海	
三代伊勢ノ海	宮城野(1)　関ノ戸(2)　高砂(1)　若藤(1)
四代伊勢ノ海	二所ノ関(1)　秀ノ山(1)　春日山(4)　玉ノ井(4)　若藤(2)
五代伊勢ノ海	東関(3)　若松(3)　若藤(3)
六代伊勢ノ海	関ノ戸(5)　東関(4)　玉ノ井(6)　二所ノ関(2)　春日山(6•7)
七代伊勢ノ海	関ノ戸(6•7) 春日山(9•11) 伊勢ケ浜(2) 玉ノ井(6) 若藤(5•6•7)
八代伊勢ノ海	玉ノ井(7•8)　千賀ノ浦(7)　佐ノ山(7)　式秀(4)　陸奥(2)
九代伊勢ノ海	式秀(5)　山科(6)　春日山(13)　花籠(9)　陸奥(3)　玉ノ井(4)
十代伊勢ノ海	鏡山(5•6)　立川(9)

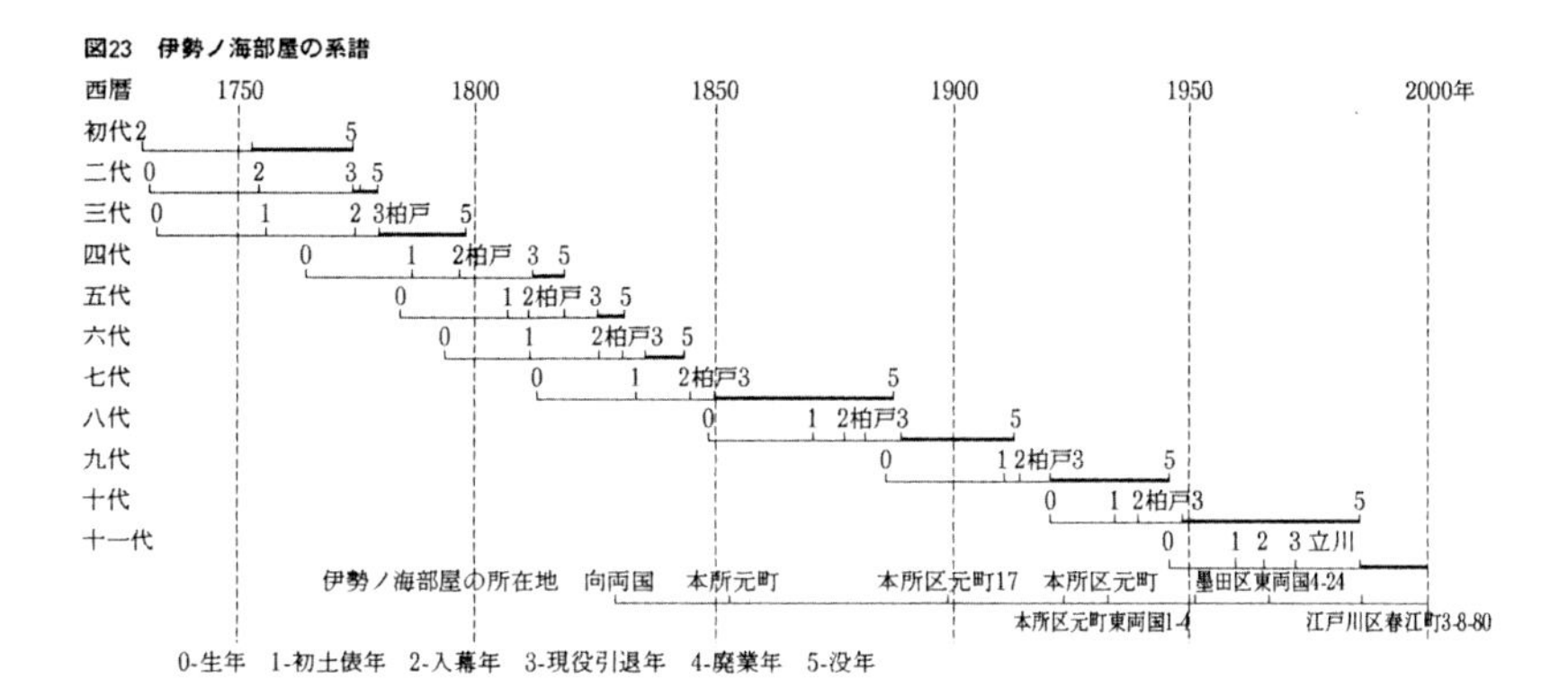

図23　伊勢ノ海部屋の系譜

図24　伊勢ノ海部屋（一門）の年寄名跡の系譜

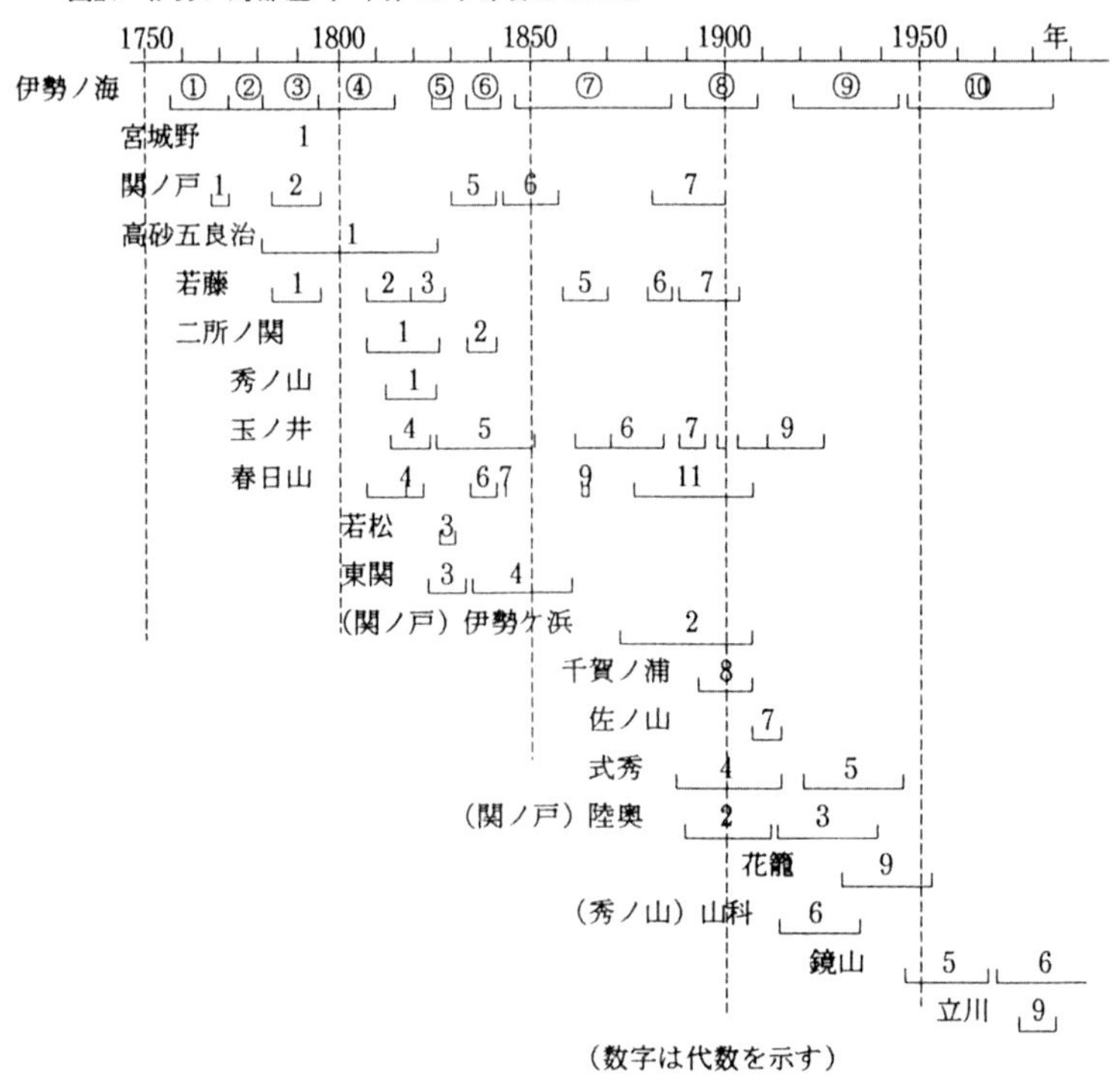

（数字は代数を示す）

（一）初代　伊勢ノ海五太夫（元前頭、伊勢ノ海五太夫）

初代伊勢ノ海は春日山鹿右衛門の弟子であった。伊勢ノ海は四股名であって、番付の頭書（あたまがき）は「仙台」であった。寛保三年（一七三四）幕内東十一枚目にあり、宝暦四年（一七五四）西十四枚目にあった。翌五年より四股名のまま年寄となり差添（10）を勤め、以後安永三年（一七七四）没するまでに差添、勧進元（11）を幾度も勤めた。特に明和の中ごろから亡くなるまでは、毎年差添と勧進元のいずれかを歴任した。当時は相撲会所創設期であり、初代伊勢ノ海は興行の手腕に長けた年寄であったと考えられる。

初代の弟子のうち関ノ戸億右衛門（仙台）・白川志賀右衛門（江戸）・七ツ池龍蔵（江戸）・谷風梶之助（宮城）が幕内力士となった。

初代の時代（一七五五―一七七四）に伊勢ノ海部屋から年寄となったのは、関ノ戸が四股名のまま初代関ノ戸となった（表三十）（図二十四）。この関ノ戸が初代伊勢ノ海の死後、二代目を継いだ。

（二）二代　伊勢ノ海億右衛門（元関脇、関ノ戸億右衛門）

二代目伊勢ノ海は、元文元年（一七三六）岩手県西磐井郡花泉町に生まれ、本名は熊谷重蔵である。宝暦七年（一七五七）冬二十二歳で前頭筆頭に入幕した。明和四年冬関脇に昇進し、永く役力士として活躍し、安永三年（一七七四）初代の死後、二代目伊勢ノ海を三十八歳で継ぎ、年寄名のまま土俵を勤めた。安永六年（一七七七）四十一歳で現役を引退し、天明二年（一七八二）四十六歳で没した。

二代目の弟子のうち柏戸村右衛門（江戸）・宮城野錦之助（仙台）が幕内力士となった。

二代目の時代（一七七四―一七八二）は八年と短く、伊勢ノ海部屋から年寄となったものはいなかった（表三十）（図二十四）。二代目の死後、柏戸村右衛門が三代目伊勢ノ海を継いだ。

（三）三代　伊勢ノ海村右衛門（元前頭、柏戸村右衛門）

三代目伊勢ノ海は、元文三年（一七三八）武州埼玉郡柏戸村（埼玉県北埼玉郡北川辺町柏戸）に生まれ、本名は出井清次郎である。宝暦九年（一七五九）初代の伊勢ノ海部屋に二十一歳で入門、二代目伊勢ノ海の弟弟子であった。安永五年（一七七六）三十八歳で入幕し、天明元年（一七八一）四十三歳で現役を引退した。天明元年には現役のまま勧進元を勤めた。翌天明二年（一七八二）先代の死後に伊勢ノ海を継ぎ、寛政八年（一七九六）五十八歳で没した。寛政三年（一七九一）には三十二名、寛政六年（一七九四）には四十六名の弟子がいた。

三代目の弟子のうち沖津風磯右衛門（仙台）・柏戸勘太夫（仙台）・関ノ戸八郎治（南部）・越ノ戸浜右衛門（南部）・錦木塚右衛門（南部）・達ケ関森右衛門（宮城）・荒熊峯右衛門（仙台）・柏戸宗五郎（武州）・秀ノ山伝治郎（本所）が幕内力士となった。

三代目の時代（一七八二―一七九六）に伊勢ノ海部屋から年寄となったのは、宮城野錦之助が初代宮城野、関ノ戸八郎治が二代目関ノ戸、元三段目高砂五良七が初代高砂、元三段目若藤庄八が初代若藤である（表三十）（図二十四）。三代目伊勢ノ海の死後、四代目伊勢ノ海は柏戸宗五郎が継いだ。

三代目の時には、宮城野、関ノ戸、高砂、若藤の四名の年寄が出た。この四名の内、寛政三年（一七九一）から寛政六年の間に弟子のいた年寄は、若藤と宮城野である。関ノ戸と高砂には、弟子がいないので伊勢ノ海部屋所属の年寄であったと思われる。この他に寛政三年から寛政六年の間、弟子のいる年寄で伊勢ノ海と関係のあるのは、初代伊勢ノ海の本家である春日山部屋である。そして佐ノ山の弟子であった宮城野錦之助が、伊勢ノ海に預けられているので、佐ノ山部屋も伊勢ノ海一門であったと思われる。つまり、当時の伊勢ノ海部屋は若藤・宮城野・春日山・佐ノ山などの部屋が、一門を形成していたと思われる。

（四）四代　伊勢ノ海宗五郎（元大関、柏戸宗五郎）

四代目伊勢ノ海は、明和四年（一七六七）三代目の郷里に近い武州足立郡篠羽村（埼玉県草加市弁天町）に生まれ、本名は大久保清五郎である。天明六年（一七八六）に三代目の伊勢ノ海部屋に十九歳で入門し、寛政七年（一七九五）二十八歳で入幕した。翌寛政八年（一七九六）彼は三代目伊勢ノ海が亡くなり四代目伊勢ノ海を、二十九歳で継ぐことになった。この時に、二代目伊勢ノ海の未亡人である加野が、二代目伊勢ノ海の弟子であった荒熊峰右衛門に、四代目伊勢ノ海を継がせようとして問題が起こった。

荒熊は、宝暦四年（一七五四）二代目伊勢ノ海と同じ仙台伊達藩（宮城県桃生郡矢本町）に生まれ、安永三年（一七七四）継承したばかりの二代目の伊勢ノ海部屋に二十歳で入門した。彼は仙台伊達藩の抱え力士となり、三代目伊勢ノ海の時代の寛政四年（一七九二）に三十八歳でやっと入幕したが、一場所だけで陥落してしまった。寛政八年（一七九六）三代目伊勢ノ海が亡くなり、彼の弟弟子で入幕したばかりの柏戸が、伊勢ノ海部屋を継承しようとした。彼は、加野の後ろ盾で四代目伊勢ノ海を襲名すべく、翌寛政九年（一七九七）四十三歳で現役を引退した。

この伊勢ノ海の跡目相続の争いには、伊勢ノ海部屋に伝来の触れ太鼓の所有権争いが絡んでいた。この触れ太鼓は、伊勢ノ海が代々所有しており、毎年二回の勧進相撲興行には相撲会所が、これを伊勢ノ海から賃借していた。しかし、会所は伊勢ノ海で跡目争いが起こったので、触れ太鼓を新調して伊勢ノ海からの賃借を止めた。会所のこの措置を旧慣に戻そうと、寛政十年（一七九八）加野は、夫に先立たれ「株式」（年寄株）がないため生活が苦しいと、奉行御番所へ「私方株式に相離れ必死の難儀に相成り是非なく御訴訟申候」（伊勢ノ海家訴訟文書、三木邦太郎所蔵）と訴え出た。この「株式」が、年寄名跡を「株」と称した最初であろう。

柏戸宗五郎は、寛政十年（一七九八）春場所中五日目より伊勢の海を襲名したが、調停がなかなか成立しないので、同年冬伊勢ノ海の襲名を辞退し、触れ太鼓を会所に預け「柏戸宗五郎」の四股名に戻った。この事件で、伊勢ノ海の弟子たちは二派に分かれたが、柏戸は年寄の資格を与えられ弟子を養成した。

その後、会所は触れ太鼓の賃借料として晴天札（本場所の入場券）二十五枚を、加野に場所毎に贈ることで示談となった。文化九年（一八一二）柏戸宗五郎は、四十五歳で現役を引退し四代目伊勢ノ海を襲名した。触れ太鼓は、加野の死後に伊勢ノ海部屋に戻り、明治初年まで会所がそれを借用する慣例であった。四代目伊勢ノ海は文化十五年（一八一八）五十一歳で没した。

四代目の弟子のうち大綱七郎治（出羽庄内）・関ノ戸音右衛門（仙台）・四ツ車大八（羽州）・滝ノ音磯右衛門（越後）・柏戸利助（津軽）が幕内力士となった。

四代目の時代（一七九六―一八一八）に伊勢ノ海部屋から年寄となったのは、大綱が四代目春日山、錦木が初代二所ノ関、秀ノ山が初代秀ノ山、元幕下諭摺木（ゆずるぎ）が四代目玉ノ井、元三段目藤ノ戸が二代目若藤である（表三十）（図二十四）。四代目伊勢ノ海の死後、五代目伊勢ノ海は柏戸利助が継いだ。

春日山部屋は伊勢ノ海の本家であったが、四代目春日山を伊勢ノ海部屋の力士である元小結大綱が襲名した。従って、この四代目から春日山部屋は、伊勢ノ海一門の分家となった。

（五）五代　伊勢ノ海利助（元大関、柏戸利助）

五代目伊勢ノ海は、天明三年（一七八三）奥州津軽（青森県五所川原市鶴ケ岡）に生まれ、本名は川浪である。文化三年（一八〇六）柏戸の部屋（四代目伊勢ノ海）に二十三歳で入門し、文化八年（一八一一）頂利助の名で入幕（二十八歳）した。文化十年春前頭筆頭の時に柏戸と改名、同十二年春大関に昇進した。文化十五年（一八一八）現役で伊勢ノ海部屋を継ぎ（三十五歳）、大関にあること十一年、入幕以来十五年間に出場しなかったのは文政七年春の一場所だけであった。文政八年（一八二五）四十二歳で現役を引退し五代目伊勢ノ海を襲名、文政十三年（一八三〇）四十七歳で亡くなった。文政十年（一八二七）伊勢ノ海部屋は向両国にあった。

五代目の弟子のうち四ツ車勝五郎（下野）・千年川音松[12]（南部）・砥並山岩之助（下野）・璞（あらたま）安平（津軽）・鳥井崎与助（津軽）・柏戸宗五郎（下野）・武蔵川大治郎（江戸）・頂仙之助（出羽）・黒岩森之助（上州）・関ノ戸億右衛門（仙台）が幕内力士となった。

五代目の時代（一八一八―一八三〇）に伊勢ノ海部屋から年寄となったのは、元三段目若ノ森太吉が三代目若藤、元幕下志賀ノ浦が三代目東関、元幕下松島が三代目若松である（表三十）（図二十四）。五代目の死後、柏戸宗五郎が六代目伊勢ノ海となった。

文政五年（一八二二）から翌文政六年にかけて伊勢ノ海部屋出身の年寄は、三代目若藤・初代二所ノ関・初代秀ノ山・四代目玉ノ井・四代目春日山の五名がいた。この内文政六年弟子のいた年寄は、若藤・秀ノ山・玉ノ井であり、当時はこの三部屋が伊勢ノ海部屋の一門であったと思われる。

（六）六代　伊勢ノ海宗五郎（元前頭、柏戸宗五郎）

六代目伊勢ノ海は、寛政三年（一七九一）下野（栃木県小山市鏡）に生まれ、本名は木村である。文化八年（一八一一）柏戸の部屋（四代目伊勢ノ海）に二十歳で入門した。文政八年（一八二五）外ケ浜浪五郎の名で入幕（三十四歳）、文政十三年（一八三〇）春に柏戸宗五郎と改名、伊勢ノ海部屋を三十九歳で継いだが、三役には上がれなかった。幕内を十年間勤め天保六年（一八三五）四十四歳で現役を引退し、六代目伊勢ノ海を襲名した。天保十三年（一八四二）五十一歳で亡くなった。

六代目の弟子のうち御所浦平太夫（宮城）・三ツ鱗塚五郎（盛岡）・柏戸宗五郎（越後）が幕内力士となった。

六代目の時代（一八三〇―一八四二）に伊勢ノ海部屋から年寄となったのは、元幕下荒海が六代目春日山、黒岩森之助が七代目春日山、関ノ戸が五代目関ノ戸、元幕下越ノ川が五代目玉ノ井、元幕下沢風甚八が二代目二所ノ関である（表三十）（図二十四）。六代目の死後、七代目伊勢ノ海は柏戸宗五郎が継いだ。

（七）七代　伊勢ノ海五太夫（元前頭、柏戸宗五郎）

七代目伊勢ノ海は、文化七年（一八一〇）越後（新潟県刈羽郡小国町）に生まれ、本名は渡辺寅治である。天保二年（一八三一）伊勢ノ海部屋に二十一歳で入門した。天保十二年（一八四一）春入幕の時（三十一歳）に、荒飛から狭布ノ里に改名した。天保十三年（一八四二）先代の死後に伊勢ノ海部屋を継ぎ、翌天保十四年春に柏戸と改名した。彼は盛岡藩のお抱え力士であった。弘化四年（一八四七）三十七歳で現役を引退し伊勢ノ海を襲名し、会所の筆頭となり明治維新期の相撲社会に貢献し、幕末から明治初期にかけて伊勢ノ海一門を統率し繁栄させた。明治十三年（一八九〇）高砂浦五郎らの会所改革派の勢力に屈して隠居、明治十九年（一八八六）七十七歳で亡くなった。嘉永五年（一八五二）伊勢ノ海部屋は本所元町にあった。（口絵　伊勢ノ海稽古場繁栄之図は明治初年の伊勢ノ海部屋である。）

七代目の弟子のうち猪王山森右衛門（仙台）・外ケ浜浪五郎（越後）・両国梶之助(13)（越後）・桑ノ弓鬼太郎（肥後）・鯱ノ海梅吉（茨城）・玉ノ井敬兵衛（薩摩）・柏戸宗五郎（新潟）・大達羽左衛門(14)（羽州）が幕内力士となった。

七代目の時代（一八四二―一八八六）に伊勢ノ海部屋から年寄となったのは、御所浦が六代目関ノ戸、鯱ノ海が七代目関ノ戸、外ケ浜が九代目春日山、元十両朝日森が十一代目春日山、両国梶之助が二代目伊勢ケ浜、元幕下岩木野が六代目玉ノ井、元幕下荒飛が五代目若藤、元小結荒虎が六代目若藤、元前頭上ケ汐永吉が七代目若藤である（表三十）（図二十四）。七代目の死後、八代目伊勢ノ海は柏戸宗五郎が継いだ。

嘉永三年（一八五〇）当時、伊勢ノ海部屋出身の年寄は関ノ戸・玉ノ井・東関の三名がいた。そして明治十三年（一八八〇）当時、伊勢ノ海部屋出身の年寄は若藤・玉ノ井・春日山・伊勢ケ浜の四名がいたが、彼らが部屋を持ち伊勢ノ海の一門を形成していたかどうかは不明である。

（八）八代　伊勢ノ海五太夫（元前頭、柏戸宗五郎）

八代目伊勢ノ海は、嘉永元年（一八四八）新潟県柏崎市善根に生まれ、本名は北村である。明治二年（一八六九）伊勢ノ海部屋に二十一歳で入門した。初め藤ノ川と名乗り明治十年（一八七七）入幕（二十九歳）、明治十三年（一八九〇）先代が隠居したので、伊勢ノ海部屋を継ぐために翌明治十四年三十三歳で柏戸宗五郎と改名した。幕内を十二年勤めたが、三役には上がらなかった。明治十九年（一八八六）先代が死去したため現役で伊勢ノ海部屋を継ぎ（三十八歳）、明治二十二年（一八八九）四十一歳で現役を引退し、八代目伊勢ノ海を襲名した。明治二十八年に検査役となり、明治後半期の高砂一門全盛期に伊勢ノ海部屋とその一門を辛うじて維持し、明治四十一年（一九〇八）六十歳で没した。明治二十九年（一八九六）伊勢ノ海部屋は本所区元町十七番地にあった。

八代目の弟子のうち大碇紋太郎[15]（愛知県）・高波福司[16]（栃木県）・狭布里錦太夫（茨城県）・有明吾郎（長崎県）・柏山吾郎（山形県）が幕内力士となった。九代目伊勢ノ海となる柏戸宗五郎（八国山）は、まだ入幕していなかった。

八代目の時代（一八八六―一九〇八）に伊勢ノ海部屋から年寄となったのは、玉ノ井が七代目玉ノ井、大達が七代目千賀ノ浦、高波が八代目玉ノ井、元十両嶽ノ越が七代目佐ノ山、元三段目北ノ海が四代目式秀、元幕下器械舟が二代目陸奥である（表三十）（図二十四）。

七代目の築いた一門を引き継いだ八代目の伊勢ノ海一門には、明治三十五年（一九〇二）次のような十五部屋があった。

伊勢ノ海部屋・秀ノ山部屋・山科部屋・玉ノ井部屋・春日山部屋・伊勢ケ浜部屋・宮城野部屋・錦島部屋・桐山部屋・二子山部屋・白玉部屋・出来山部屋・間垣部屋・谷川部屋・伊之助部屋

しかし、八代目伊勢ノ海の死後の明治四十二年（一九〇九）、伊勢ノ海部屋出身の年寄は玉ノ井ただ一人となった（図二十四）。そして幕内力士の弟子である大碇（明治三十一年脱走）・高波（明治三十三年現役没）・狭布里（明治三十八年廃業）は既に部屋にはおらず、残るは有明吾郎と柏山吾郎の二人だけとなった。有明は、伊勢ノ海部屋所属の年寄であった式秀の養子となり、年寄となった。柏山は、伊勢ノ海一門の年寄であった山科を襲名して分家した。彼らの年寄襲名は、彼らの弟弟子である八国山が、明治四十一年（一九〇八）先代の養子となって、現役の〝幕下〟で伊勢ノ海部屋を継いだからで、有明と柏山が八国山の弟子となることを嫌った結果であった。つまり、八代目から九代目への養子関係による伊勢ノ海部屋の継承には、不合理な点が多く、伊勢ノ海部屋の衰退に拍車がかかった。

（九）九代　伊勢ノ海五太夫（元前頭、柏戸宗五郎）

九代目伊勢ノ海は、明治十四年（一八八一）新潟県東頸城郡大島村に生まれ、本名は江口である。日露戦争に砲兵として従軍し、明治三十九年（一九〇六）伊勢ノ海部屋に二十五歳で入門した。初めは八国山冨太郎と名乗り明治四十一年（一九〇八）伊勢ノ海部屋を二十七歳の現役（幕下）で継ぎ、明治四十三年（一九一〇）二十九歳で入幕して柏戸宗五郎に改名した。小結まで昇進し大正七年（一九一八）三十七歳で現役を引退し、九代目伊勢ノ海を襲名した。昭和五年伊勢ノ海部屋には所属力士が七名いた。しかし、九代目は温厚な人柄で野心もなく、昭和八年（一九三三）五十二歳で隠居し、弟子を一門の錦島部屋に預け、伝統のある伊勢ノ海部屋を解散した。昭和十七年伊勢ノ海部屋を再興したが、昭和二十年に部屋を再び解散、昭和二十一年（一九四六）郷里の新潟で死去した（六十五歳）。

九代目の弟子のうち藤ノ川雷五郎（新潟県）・三杉礒善七（北海道）・小牛田山金太郎（宮城県）・真砂岩三郎（宮城県[17]）が幕内力士となった。三杉礒・小牛田山・真砂岩は尾車部屋からの預かり弟子であり、藤ノ川は八代目から譲り受けた弟子であった。従って、九代目の子飼い弟子に幕内力士はいなかった。九代目は弟子に恵まれなかったが、後に柏戸利助（雷山）だけが幕内力士となった。彼は、大正十二年九代目の伊勢ノ海部屋に入門し、昭和八年前述の伊勢ノ海部屋の解散で錦島部屋に預けられた。同年雷山の四股名で入幕したが、翌場所十両に下がって柏戸利助と改名した。彼に柏戸と改名させたのは、伊勢ノ海部屋を継がせるためであったが、幕内一場所（二勝九敗）では伊勢ノ海の後継者としてはあまりにも実力が伴わなかった。彼は昭和十年現役を引退し、玉ノ井を襲名して年寄となった。

九代目の時代（一九〇八―一九四六）に伊勢ノ海部屋から年寄となったのは、藤ノ川が十三代目春日山、三杉礒が九代目花籠、有明吾郎が五代目式秀、柏山吾郎が六代目山科、元十両礒千鳥が九代目玉ノ井、元十両西郷市之助が三代目陸奥である（表三十）（図二十四）。

藤ノ川は、大正六年三十歳で入幕し関脇まで昇進し、大正十四年現役を引退した。現役引退後は春日山を襲名、昭和四年伊勢ノ海部屋から分家して春日山部屋を興した。昭和十一年に春日山部屋に入門した新弟子（十代目伊勢ノ海）に、彼の現役時代の四股名である「藤ノ川」を与えた。その藤ノ川が昭和十六年二十三歳で入幕したので、翌昭和十七年伊勢ノ海を継がせるべく彼の四股名を「柏戸大五郎」と改名させた。春日山部屋は伊勢ノ海一門の部屋であるが、柏戸が春日山部屋の力士であったので、柏戸の伊勢ノ海部屋への移籍に際し、改めて両部屋の縁組披露を行なった。これが昭和十七年の伊勢ノ海部屋再興である。

大正十年に伊勢ノ海部屋は本所区元町にあり、伊勢ノ海一門の部屋は山科部屋と二所ノ関部屋だけとなった。山科部屋は、秀ノ山部屋の力士であった五代目山科が明治四十二年に亡くなり、大正二年（一九一三）伊勢ノ海部屋の元前頭柏山吾郎が六代目山科となって、興した部屋であった。二所ノ関部屋は大正十年友綱部屋の元関脇海山太郎が、明治四十二年二所ノ関を襲名して興した部屋である。この二所ノ関は師匠である友綱と折り合が悪く、伊勢ノ海一門の系統に所属していた。

昭和十五年（一九四〇）伊勢ノ海部屋出身の年寄は、春日山、式秀、花籠の三名であった。春日山と花籠には弟子がいて部屋があった。式秀は伊勢ノ海部屋所属の年寄であり、昭和八年伝統ある伊勢ノ海部屋の解散後、伊勢ノ海部屋の力士と共に錦島部屋に移った。その後、昭和十五年式秀部屋を興したが昭和十八年に亡くなった。

（十）十代　伊勢ノ海裕丈（元前頭、柏戸秀剛）

十代伊勢ノ海は、大正七年（一九一八）五月三日岩手県九戸郡種市町に生まれ、本名は佐々木秀剛である。前述のように昭和十一年（一九三六）春日山部屋に十八歳で入門し、初め藤ノ川を名乗ったが、昭和十六年（一九四一）二十三歳で入幕して柏戸に改名し、翌年伊勢ノ海部屋に移った。昭和二十年二十七歳で師匠伊勢ノ海が亡くなり春日山部屋も同年解散したので、錦島部屋に所属しながら内弟子を集め始めた。錦島部屋は、かつて伊勢ノ海一門の部屋であったが、当時は時津風一門に所属する部屋であった。昭和二十四年（一九四九）三十一歳で現役を引退し、十代目伊勢ノ海を襲名して伊勢ノ海部屋を興した。この時から伊勢ノ海部屋は、時津風一門の系統に所属するようになった。昭和二十七年伊勢ノ海部屋は墨田区東両国四―二十四にあり弟子が十二名いた。彼はＮＨＫの放送解説者を長く勤め、時津風一門の年寄として協会の理事や監事として活躍し、昭和五十七年（一九八二）六十四歳で亡くなった。

十代目の弟子のうち豊山鬼吉（秋田県）・柏戸剛（山形県）・藤ノ川豪人（北海道）が幕内力士となった。

十代目の時代（一九四六―一九八二）に伊勢ノ海部屋から年寄となったのは、行司の式守勘太夫が五代目鏡山、柏戸が六代目鏡山、藤ノ川が九代目立川である。十代目の死後十一代目伊勢ノ海は、この藤ノ川が継いだ（表三十）（図二十四）。

昭和四十五年（一九七〇）伊勢ノ海部屋から柏戸が分家し、鏡山部屋を興した。この鏡山部屋も時津風一門に所属している。

（十一）十一代　伊勢ノ海裕巳茂（元関脇、藤ノ川豪人）

十一代伊勢ノ海は、昭和二十一年（一九四六）九月二十六日北海道河東郡音更町に生まれ、本名は森田武雄である。昭和三十六年（一九六一）十五歳で伊勢ノ海部屋に入門し、昭和四十一年（一九六六）二十歳で入幕し関脇まで上がった。しかし、足の故障で昭和四十七年（一九七二）二十六歳で現役を引退し、立川を襲名した。昭和五十七年（一九八二）十代伊勢ノ海の死後、三十六歳で伊勢ノ海部屋を継いだ。この時に伊勢ノ海部屋は、江戸川区春江町三―八―八十に移った。

以上の両部屋の系譜から、伊勢ノ海部屋は約二百三十年間に十代、高砂部屋が約百十年間に五代であった。両相撲部屋の一代を平均すると、伊勢ノ海部屋が約二十三年、高砂部屋が約二十二年であった。

四、系譜と一門関係

江戸時代から名門を誇っていた伊勢ノ海部屋は、九代目の昭和初期に崩壊し、十代目が一門の春日山部屋と錦島部屋によって育てられた。伊勢ノ海部屋の系譜は辛うじて保たれたが、伊勢ノ海一門は崩壊した。この伊勢ノ海一門を支えてきた年寄名跡は、関ノ戸と玉ノ井が高砂、秀ノ山が出羽海、若藤と二所ノ関が友綱、春日山が立浪へと移っていった。この高砂・出羽海・友綱・立浪は、明治・大正・昭和初期にかけて新しく台頭してきた部屋（一門）である。そして伊勢ノ海部屋は、第二次大戦後に台頭する双葉山の興した時津風一門に所属するようになった。

また、初代高砂浦五郎から分家した第十六代横綱西ノ海嘉治郎の井筒部屋と、二代目高砂浦五郎から分家した第十七代横綱小錦八十吉の二十山部屋は、多くの弟子を育て彼等に年寄を襲名させ、井筒一門と二十山一門を形成した。この高砂一門の井筒部屋と二十山部屋のように、分家が多くの孫分家を出すようになると、本家の高砂一門から分かれて新しい一門を形成するようになる。しかし、井筒と二十山の一門は二代後の八代目井筒（元前頭星甲実美）と十代目二十山（元前頭金湊仁三郎）の時代に衰退し、第二次大戦後には伊勢ノ海部屋と同じように双葉山の興した新興の時津風一門に吸収された。このように一門の消長は、相撲部屋の盛衰と関係している。

先ずここでは、前節で述べた高砂部屋と伊勢ノ海部屋の事例から、相撲部屋の継承（相続）について検討する。

相撲部屋において年寄名跡は、師弟関係によって継承される例が多いが、相撲部屋の固定資産（土地および建物）は師弟関係において必ずしも相続されない。従って、相撲部屋の所在地は、相撲社会において一定しているわけではなく、移転する。例えば、高砂部屋の所在地（図十八）は初代と二代目が同じ本所区緑町、三代目と四代目が同じ墨田区両国、五代目が台東区柳橋、六代目が台東区橋場へと移転した。伊勢ノ海部屋の所在地は、五代目の文政十年（一八二七）から判明している。五代目の伊勢ノ海部屋は向両国、七代目・八代目・九代目は本所元町、十代目が墨田区東両国、十一代目が江戸川区春江町である（図二十三）。昭和三十三年（一九五八）に出版された書物である『物語相撲部屋[18]』には、「東両国四の二十四番地に伊勢ノ海部屋があり」とあり、その二頁後に「伊勢ノ海部屋は、江戸時代からずーっと回向院の正面前、つまり本所元町にあり、俗に〝回向院前〟と呼ばれていた」とある。従って、九代目までの伊勢ノ海部屋は、「回向院前」（本所元町）にあり移転しなかったと考えられる。そして、十代目の伊勢ノ海部屋になって部屋が東両国へ移り、さらに十一代目の部屋は江戸川区春江町に移転した。

高砂部屋の初代と二代目、三代目と四代目は移転していない。歴代高砂の出身地を見てみると、初代と二代目が千葉県、三代目と四代目が愛媛県の同郷であり、五代目が鹿児島県、六代目が山梨県である。しかも、初代と二代目は同じ寺に葬られている。一方、伊勢ノ海部屋は九代目まで移転せず、しかも初代から九代目までの墓は、全て江東区永代の瑠璃光山萬徳院にある。歴代伊勢ノ海の出身地は、初代・二代目が同じ仙台藩、三代目・四代目・五代目が同じ青森県、六代目が栃木県、七代目・八代目・九代目が同じ新潟県、十代目が岩手県、十一代目が北海道である。彼らは、全て関東以北の出身者であった。相撲部屋は弟子によって継承される。従って、相撲部屋の継承者の出身地に偏在があるということは、その部屋の弟子の出身地に偏りがあるからである。伊勢ノ海部屋の幕内力士は、ほとんどが関東以北の出身者であった。一方、高砂部屋の幕内力士は伊勢ノ海部屋とは異なり、全国各地から集まっていた。

一般的に相撲社会において相撲部屋の継承時に、その所在地が移転しない場合は、養子関係で部屋を相続する例が多い。伊勢ノ海部屋では七代目・八代目・九代目の本名が、七代目は渡辺寅治から伊勢ノ海五太夫、八代目は北村から伊勢ノ海忠之助、九代目は江口から伊勢ノ海富太郎に変わっている。従って、伊勢ノ海一門の衰退する最後の三代は、代々養子関係にあったと考えられる。一方、高砂部屋の場合は、伊勢ノ海部屋とは異なり、初代から六代目まで養子関係による部屋の継承はなかった。にもかかわらず、高砂部屋の初代と二代目、三代目と四代目、そして伊勢ノ海部屋は九代目まで移転しなかった。これは、そこに家制度の養子関係に準ずる関係が存在したからであろう。その関係とは、同じ寺に埋葬されるという宗教的関係や同郷という地縁的関係に象徴される。

次に、高砂部屋と伊勢ノ海部屋の年寄襲名者（表二十九、表三十）とその年寄名跡の系譜（図十九、図二十四）を検討し、その一門関係について述べる。

高砂部屋の力士および行司が襲名した年寄名跡とその系譜は、表二十九、図十九の通りである。その中で高砂一門を支えた年寄は、初代の時の大山、二代目の時の佐ノ山、若松、尾上、三代目の時の振分、四代目の時の芝田山、陣幕、高田川などであった。そして、高砂一門の系統に加わった九重である。上記八名以外の年寄名跡は、高砂一門にいるのが一代かせいぜい二代であり、その後は他の一門に移っている。

大山は、七代目・八代目・九代目・十代目大山が高砂部屋出身の力士であり、十一代目大山は十代目大山の弟子であった。佐ノ山は八代目・十代目・十一代目佐ノ山が高砂部屋出身の力士であった。九代目佐ノ山は出羽海部屋元力士であった元前頭碇潟卯三郎が襲名している。これは八代目佐ノ山が、大正八年に出羽海部屋に移籍したためである。しかし、九代目佐ノ山の襲名期間は六年間と短かった。若松は七代目と九代目が高砂部屋出身の力士であり、八代目、十代目、十一代目若松はそれぞれ若松部屋出身の力士である。この三名の若松は、それぞれ先代若松の養子となって部屋を継承していた。尾上は六代目・八代目・九代目・十一代目が高砂部屋出身の力士であり、七代目は六代目の弟子であった。十代目は高砂一門の九重部屋の力士であった元前頭松前山武士が襲名している。振分は十一代目・十三代目・十四代目振分が高砂部屋出身の力士である。十一代目振分は大正八年に高砂一門から出羽海一門へ移籍したが、前にも述べたように昭和三十年頃に高砂部屋所属に復帰した。十二代目振分は、高砂一門の大山部屋出身の元大関松登晟郎であり、十三代目振分の元横綱朝潮太郎からの借り株であった。芝田山は五代目・七代目・八代目が高砂部屋出身の力士であった。六代目芝田山は二所ノ関部屋の力士であった元前頭大ノ海久光であった。これも襲名期間が一年と短いので高砂からの借り株であったと思われる。陣幕は三代目・四代目・五代目陣幕が高砂部屋出身であった。高田川は五代目・六代目・七代目高田川が高砂部屋出身の力士であった。

伊勢ノ海部屋の力士および行司が襲名した年寄名跡は、表三十、図二十四の通りである。この中で伊勢ノ海一門を支えた年寄は、表三十からも明らかなように関ノ戸、若藤、玉ノ井、春日山であった。

関ノ戸は、伊勢ノ海の弟子であった初代が年寄となってから、二代目・五代目・六代目・七代目と伊勢ノ海部屋の力士が襲名している。三代目・四代目・五代目関ノ戸の出身部屋は不明であるが、系譜から伊勢ノ海部屋の力士であったと推測される。六代目関ノ戸の死後、安政六年（一八五九）に関ノ戸の弟子であった元小結荒熊五良治が、初代伊勢ケ浜となり関ノ戸から分家した。初代伊勢ケ浜の死後、明治五年（一八七二）七代目伊勢ノ海の弟子である元関脇両国梶之助が、二代目伊勢ケ浜を継いだ。そして明治四年（一八七一）には、やはり関ノ戸の弟子であった元幕下深川次良吉が初代陸奥となり、やはり関ノ戸から分家した。初代陸奥の死後、明治二十七年（一八九四）八代目伊勢ノ海の弟子である元幕下器械舟源吾が二代目陸奥を継ぎ、三代目陸奥にも八代目伊勢ノ海の弟子である元十両西郷市之助がなった。伊勢ノ海部屋から分家した関ノ戸の分家、つまり伊勢ノ海部屋の孫分家である伊勢ケ浜と陸奥の二代目を、本家の伊勢ノ海部屋の力士が襲名している。つまり、初代伊勢ケ浜と初代陸奥には二代目を継ぐ弟子がいなかったので、一門の本家である伊勢ノ海部屋の力士が、二代目伊勢ケ浜と二代目陸奥を襲名したものと考えられる。若藤は、三代目伊勢ノ海の弟子であった元三段目若藤庄八が初代若藤となってから、二代目・三代目・五代目・六代目・七代目を伊勢ノ海部屋の力士が襲名した。四代目若藤だけが三代目の弟子であり、その他は代々伊勢ノ海部屋の力士が若藤を襲名していた。玉ノ井は、四代目伊勢ノ海の弟子であった元幕下諭摺木浜右衛門が四代目玉ノ井を襲名してから、五代目・六代目・七代目・

八代目・九代目を伊勢ノ海部屋の力士が襲名した。また、伊勢ノ海の本家筋にあたる春日山の名跡は、前にも述べたように四代目春日山を伊勢ノ海部屋の力士であった元小結大綱七郎治が襲名してから、六代目・七代目・九代目・十一代目を伊勢ノ海部屋の力士が襲名した。五代目春日山は四代目春日山の弟子であった。このように伊勢ノ海一門の相撲部屋は、年寄名跡を継ぐ弟子がいなくなった場合、お互いに助け合って来た。

このように相撲部屋の一門関係は、その関係が数代に及ぶ場合もあれば、本末が逆転する場合もある。相撲社会の一門は、多くの弟子に年寄名跡を襲名させることに始まり、それが相撲部屋とその一門の盛衰に深く係わっている。従って、一門では、少なくとも一門の年寄名跡を襲名継承できる力士を育て、年寄名跡の流失を防ぐことが、その一門を維持するためには必要となる。また、一門を更に発展させるためには、他の一門の年寄名跡を獲得しなければならない。しかし、相撲社会では、力士が他の一門の年寄名跡を獲得し襲名するためには、経済的な負担ばかりでなく様々な障害を伴う。

例えば、千代の富士は他の一門の年寄名跡であった「八角」を、現役時代に取得していた。他の一門の年寄株は、所属する一門の株より一―二割高いのが、相撲社会の相場となっている。しかし、彼は現役を引退して年寄を襲名する時に、所属する高砂一門の年寄名跡である「陣幕」を、八角と交換して襲名した（第二章註（18）参照）。他の一門の年寄名跡を襲名すると、所属する一門の儀式の外に、先代との関係から他の一門に纏わる儀式に参加しなければならないし、先代およびその家族さらには先々代の冠婚葬祭にも、出席しなければならない。一方所属する一門の年寄名跡を襲名すれば、前述のような義理は発生しない。従って、有名な力士（例えば横綱など）は、他の一門の年寄名跡を襲名することを嫌う。なぜならば、他の一門にその関係を利用されるからである。

以上述べたように、江戸時代の一門の力士は本場所で対戦したが、明治維新以降はその対戦がなくなった。これは、相撲社会が経済的な自立を図るために、一門で地方巡業に出掛けるようになったからである。地方巡業は江戸時代にも行なわれ、地方巡業には抱え力士を中心に藩毎にまとまって行う巡業と一門単位で行う巡業があり、当時は前者が多かったようである。従って、一門が明確な機能をもつようになり、その結束が固くなったのは、明治維新以降のことであると考えられる。しかし、昭和三十三年以降は一門による地方巡業がなくなり、昭和四十年から部屋別の対戦となり、再び一門の力士が対戦するようになった。従って、一門の機能は不明確となり、その結束も弱まったが、相撲社会の一門関係はその関係を変容させつつ、現在も維持され機能している。この相撲部屋の一門は、「家」の社会集団である「同族」に近い構造と機能がある（結章第二節参照）。

（註）

（1）『相撲金剛伝』二編巻之上、文政十年（一八二七）、（相撲博物館所蔵）。

（2）理事の選挙には、年寄の他に行司二名（木村庄之助・式守伊之助）と力士会から四名（通常は横綱二名・大関二名）が加わる。

（3）花籠部屋は伊勢ノ海部屋の元関脇三杉磯が、昭和四年現役を引退して興した部屋である。昭和初期の伊勢ノ海部屋の崩壊によって高砂一門の系統に入ったと思われる。芝田山部屋は高田川部屋（大阪相撲）の元横綱宮城山が、昭和六年現役を引退して興した部屋である。この宮城山は岩手県の出身で明治四十三年出羽海部屋に入門したが、明治四十五年廃業し大阪相撲の高田川部屋に入門した。彼は昭和二年東西合併した最初の場所に優勝して、大阪相撲の面目を保った。芝田山は三代目高砂との個人的な関係から高砂一門に所属したのであろう。両部屋とも、昭和十五年の時点では高砂の一門ではなかった。

（4）文政五年は約半数の年寄名跡が師弟関係で継承されていたが、昭和四十五年になるとそれが約1/4に減った。これは年寄の数が三倍に増え、弟子を持たずに部屋に所属する年寄が増えたことに起因している。

（5）幕内力士となった弟子の現役期間と年寄の襲名期間は、師匠の数代に渡ることがある。従って、幕内力士については入幕した時点での師匠の代に入れ、年寄については名跡を襲名した時点での師匠の代に入れる。また、入幕時点と襲名時点が代と代の空白期間となった場合は、後の代に入れることにした。何故ならば、相撲社会においての師弟関係は自動的に継承されるからである。尚、本項の年齢は図を用いて算定したため、実際の年齢と異なることがある。年齢の算定方法については、第四章の「はじめに」を参照。

（6）明治十一年初代高砂が現役時代の四股名のまま年寄となったため、東京相撲会所には「高砂浦五郎」と「高砂五良治」の二人の〝高砂〟が存在するようになった。高砂五良治の名跡は代々会所の秘書役が継承しており、他の年寄名跡のように師匠から弟子にその名跡を継がせるというようなものではなかった。明治二十二年高砂五良治が死去して空席となったので、彼の名跡が「高島五良治」となり「高砂浦五郎」はそのまま年寄名跡となった。

(7)( )内は力士の出身県あるいは番付の頭書である。

(8)明治二十九年当時、阿武松と追手風には弟子がいるので部屋があった。しかし錣山、大山、湊川には弟子がいたかどうか不明であるので、彼等の部屋があったかどうかも不明である。

(9)太刀山は友綱部屋の横綱であった。大正七年に現役を引退し東関を襲名したが、翌年勝負検査役の選挙に落選し廃業した。その後の消息は不明である。

(10)差添(さしぞい)、勧進元を補佐する人物。

(11)勧進元、勧進相撲の興行主。

(12)千年川音松は師匠が二所ノ関から秀ノ山となり、最後は伊勢ノ海の弟子となった。まず、彼は文政元年(一八一八)二所ノ関の弟子となったが、文政六年二月に二所ノ関が亡くなったので、同じ伊勢ノ海一門である秀ノ山の弟子となった。同年七月秀ノ山も亡くなったので、本家である伊勢ノ海の弟子となった。

(13)両国梶之助は、白玉の弟子から伊勢ノ海の弟子となっている。当時の白玉部屋は、伊勢ノ海の一門であったと思われる。

(14)大達羽左衛門は明治十年立田川部屋に入門したが脱走、翌明治十一年高砂の相撲改正組に入門した。しかし、大関昇進問題で師匠高砂を殴って破門され、伊勢ノ海部屋に移った。

（15）大碇紋太郎は山分部屋に入門し、後に伊勢ノ海部屋に移った。当時の山分部屋は伊勢ノ海の一門であった。その後、東京相撲を脱走、京都相撲の横綱となり、明治四十三年日英博覧会でロンドンに渡って各地を巡業したが、南米で亡くなった。

（16）高浪福司は伊勢ノ海一門の玉ノ井部屋に入門したが、明治二十六年師匠が亡くなったので、本家の伊勢ノ海部屋に移った。

（17）三杉磯・小牛田山・真砂岩は尾車部屋の力士であったが、大正五年師匠の死後、尾車部屋の相続問題から峰崎部屋に移り、大正十一年峰崎の死後、片男波部屋から伊勢ノ海部屋に移った。

（18）小島貞二『物語相撲部屋』ベースボールマガジン社、一九五八、三九—四一頁。

第四章　相撲社会の変動過程

はじめに

本章の分析は、ライフコース研究の方法に学んで、「イベント時点[1]」に注目する。すなわち、宝暦七年（一七五七）から昭和四十五年（一九七〇）の約二百十年間を約三十年間隔に年次を設定し、当該年次の関取（幕内力士）集団と年寄集団のイベント時点年齢（経歴）に着目して、彼らのライフコース（人生行路）上の平均値を算出する。幕内力士と年寄のライフコースにおけるイベント時点（経歴）とは、（〇）出生年、（一）初土俵年[2]、（二）入幕年[3]、（三）現役引退年[4]、（四）廃業年[5]、（五）没年である。イベント時点の前に記した番号（〇）―（五）は、図二十六から図四十二の中で用いられ、図中の（T）は年寄襲名年を意味する。尚、現在の関取は十両以上横綱までの力士であるが、江戸時代の関取は幕内力士だけを指し十両は含まれなかった。従って、本章での「関取」は、研究対象を統一するために、幕内力士だけを意味することにする。

この幕内力士と年寄のイベント時点から、個々人のライフコース上の年齢（年数）である「初土俵年齢」、初土俵から現役引退までの「現役年数」、現役引退から没年までの「現役引退後年数」、そして「死亡年齢」を計算する。年齢（年数）の計算方法は、図を用いて一㎜を一年として計算したため、例えば死亡年齢は、生まれた年を一年として数えるが、死亡した年は数えないことにした。初土俵年齢、現役年数と現役引退後年数も、死亡年齢と同じ計算方法で行なう。従って、年齢（年数）は実際より一年短い場合がある。尚、幕内力士と年寄のイベント時点の資料は、昭和六十三年（一九八八）までのものであり、この後の平成二年（一九九〇）までの二年間の資料は確認されたものだけを図示した。また、図中に示されていないイベント時点は、不明なものである。

現役力士の年寄名跡の襲名は、明治二十二年（一八八九）より特別の場合を除いてできなくなった。従って、図二十六（宝暦七年）―図三十六（明治十九年）の図中に（T）年寄襲名年を明記したが、図三十七（明治四十二年）―図四十二（明治四十五年）の図中には特別の場合だけ（T）を記入した。何故ならば、現役力士の年寄襲名ができなくなったので、多くの者の（三）現役引退年と（T）年寄襲名年が同じになるからである。また年寄名跡を襲名しなかった者は、（四）廃業年となる。

相撲社会における現役力士の年寄襲名は現在ではなくなったが、歴史的にはかなりあり、特に江戸時代から明治初期までに多かった。現役力士が年寄名跡を襲名すると、同一人物が同一年次の年寄集団と関取集団に登場することになる。従って、年寄集団と関取集団のライフコースの平均値の算定では、現役力士の年寄襲名者は年寄集団で算定することにする。また、ある年次の関取が次の年次の年寄に登場する場合は、次の年次の年寄集団に入れ、当該年次の関取集団からは除外することにする（図中の年寄名、力士名の後に（　）書きのある者）。長命な年寄は、三十年後の次の年次に再び登場する場合がある。このような年寄は、最初に登場した年次の年寄集団から除外し、次の年次の年寄集団のライフコースの平均値の算定に入れることにした。また、行司の年寄名跡襲名は、現在禁じられているが、歴史的にはかなりあった。行司からなった年寄や力士経験のない年寄は、力士とイベント時点（経歴）が異なるため、年寄集団のライフコースの平均値の算定からは除くことにする。平均値の算定は、小数点第二位以下を四捨五入した。

本章の目的は、このイベント時点（経歴）の歴史比較から「相撲社会の変動過程」を明らかにすることである。しかし、江戸時代からの相撲社会の変動を明らかにするためには、年寄と関取のライフコースを分析するだけでは不十分である。相撲社会は、第一章第一節「相撲社会の人口推移」で論じたように、その人口（力士数）が日本の社会変動とともに推移している。従って、相撲社会全体の変動過程を分析するために、まず相撲社会の人口（力士数）の推移に注目し、当該年次の力士数に至る過程を、その間に起こった相撲社会の史実から明らかにする。

相撲社会の力士数は番付を見れば一目瞭然であり、この相撲番付は本場所興行の度毎に出される。宝暦七年（一七五七）から昭和六十一年（一九八六）まで、各年の最初の場所に出された番付の力士数および幕内と十枚目（十両）の関取数の推移は、図二十五の通りである。

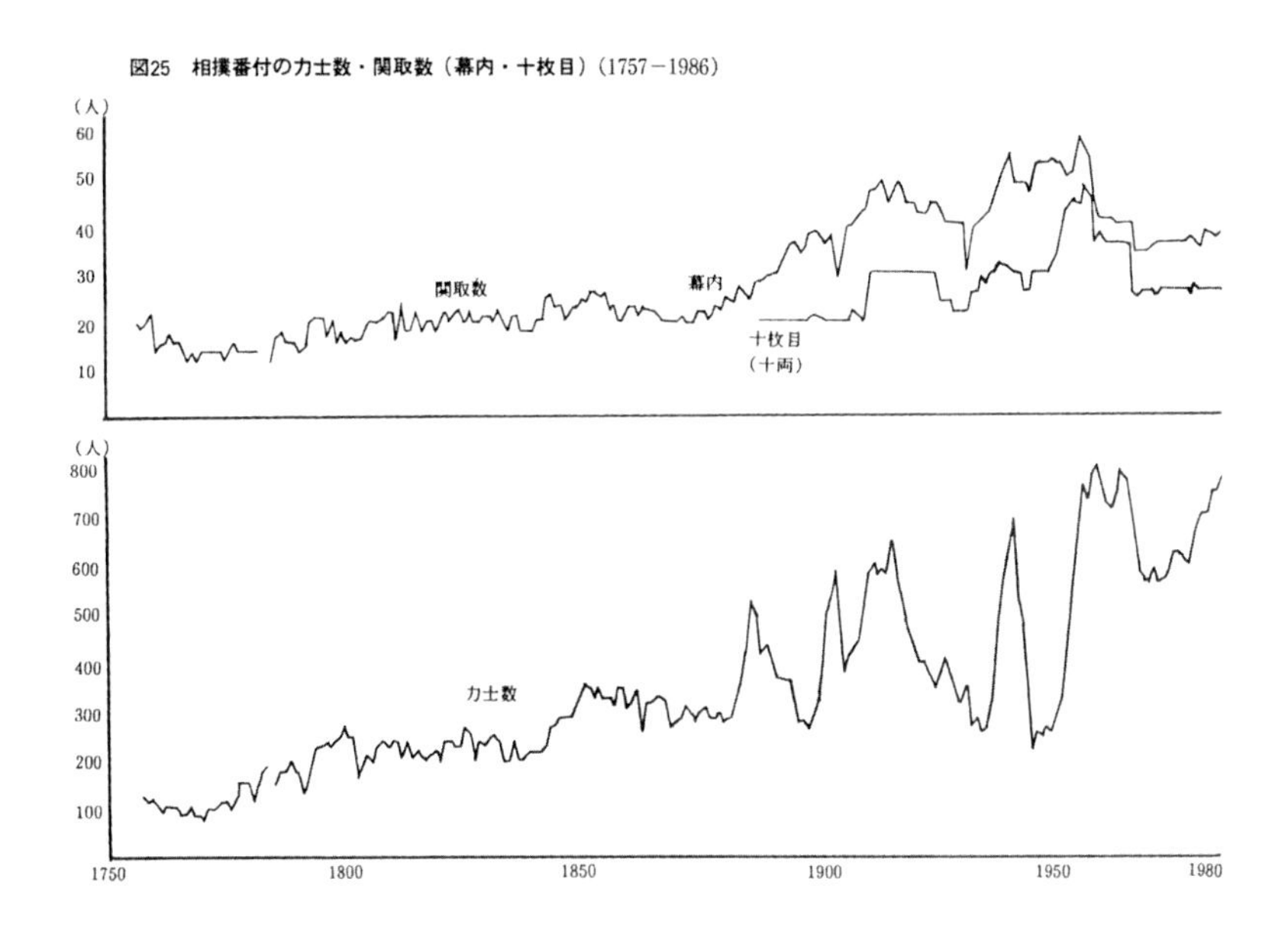

図25　相撲番付の力士数・関取数（幕内・十枚目）（1757－1986）

また、序章でも述べたように本研究の目的は、相撲社会を「家」制度の視点から分析することにある。家制度の基本的な社会関係は親子であり、相撲社会の部屋制度のそれは師弟関係である。家制度は、家産および家長権の相続（継承）方法にその特性がある。従って、相撲社会の師弟関係と部屋制度における相撲部屋と年寄名跡の継承（相続）方法を、各年次（各節）で分析することは、本研究の目的からして必要な作業手順である。その師弟関係と継承方法の変容が、「相撲社会の変動過程」と関係していることは言うまでもないことである。

本章においては、年次を三十年間隔とした。一つには資料の関係と、もう一つには、一般に一世代は三十年といわれているので、三十年間隔とした。また第三章第二節三、の最後で述べたように、伊勢ノ海部屋は約二百三十年間に十代、高砂部屋は約百十年間に五代であって、相撲部屋の一世代の平均は、伊勢ノ海部屋が約二十三年、高砂部屋が約二十二年であった。従って、宝暦七年（一七五七）、寛政三年（一七九一）、文政六年（一八二三）、嘉永三年（一八五〇）、明治十三年（一八八〇）、明治四十二年（一九〇九）、昭和十五年（一九四〇）、昭和四十五年（一九七〇）をとった。当該年次の番付に掲載された幕内以上の関取集団、年寄については当該年次に年寄であった集団を意味するが、文政六年と明治十三年は、資料の関係から関取集団と年寄集団の年次が異なる。

第一節　宝暦七年（一七五七）と宝暦十三年（一七六三）

一、宝暦七年（一七五七）

宝暦七年（一七五七）十月場所は、十月五日より浅草御蔵前神社境内で、晴天八日間の興行が行われた。この番付では大関二名、関脇二名、小結二名、平幕十四名で幕内は計二十名、幕下（二段目）二十四名、三段目二十六名、序二段（四段目）二十八名、序ノ口（五段目）三十五名、計百三十三名であった。この他に本中前相撲の新弟子力士が六十六名であった。宝暦七年十月場所番付の力士は次の通りであり、二十名の幕内力士の経歴は表三十一の通りである。

（東方）			（西方）
九州（一）雪見山堅太夫	大関	江戸（二）白川関右衛門
秋田（三）大鳴戸淀右衛門	関脇	同（四）磯碇平左衛門
奥州（五）都山三太左衛門	小結	同（六）源氏山住右衛門
同（七）外ケ浜島之助	前頭一	同（八）関ノ戸億右衛門
九州（九）手柄山仁太夫	同　二	同（十）四ツ車大八
奥州（十一）出野里四方之助	同　三	同（十二）小松山音右衛門

九州（十三）不知火光右衛門
同（十五）響野灘右衛門
奥州（十七）八島圓之助
大阪（十九）渡山光右衛門
大阪　楯ケ崎岡之助
秋田　置塩川流蔵
奥州　小栗崎是非蔵
九州　相生岸右衛門
京　出羽崎浦之助
江戸　高波磯五郎
九州　御所桜楯右衛門
同　花笠重治郎
奥州　蟷戸嶋波之助
同　轟和左衛門
同　鳥居崎新右衛門
同　浦風安左衛門
奥州　大童子文七
同　神楽岡官兵衛

同　四　同（十四）宮城野丈助
同　五　同（十六）横雲林右衛門
同　六　同（十八）八ツ橋沢右衛門
同　七　同（二十）山姿乙右衛門
二段目一　江戸　戸田川鷲之助
同　二　同　艫綱良助
同　三　同　磐井川逸八
同　四　同　大矢嶋灘右衛門
同　五　同　浜風今右衛門
同　六　同　渦ケ崎増右衛門
同　七　同　鈴鹿山太右衛門
同　八　同　八光山権五郎
同　九　同　花見崎林右衛門
同　十　同　源氏瀧岩右衛門
同　十一　同　若松岩之助
同　十二　同　御崎山岸右衛門
三段目一　江戸　白糸宇八
二　同　因幡山勘蔵

同　鶴ケ岡千之助
九州　御所車淀之助
江戸　初瀬山団八
同　皆野川音之助
同　熊ケ谷半左衛門
同　屏風嶋国右衛門
奥州　浜松乙之助
同　綾波紋之助
江戸　絹嶋八百八
同　細布長太夫
同　松山文七
江戸　石動文七
同　大嶽喜太夫
同　甲山力蔵
同　龍沙川喜蔵
同　江戸ケ崎秀五郎
同　駒嶽喜之助
同　振分六之助

三　同　羽黒山友右衛門
四　同　厳嶋浦右衛門
五　同　錦山幸八
六　同　甲崎新右衛門
七　同　所縁嶋宗右衛門
八　同　朝日山森右衛門
九　同　志津川新六
十　同　頂山健右衛門
十一　同　鳥ノ海軍八
十二　同　亀ケ崎金平
十三　同　渦間川沢右衛門
四段目一　江戸　漣源蔵
二　同　初瀬川源治
三　同　山分由右衛門
四　同　種ケ嶋政右衛門
五　同　山吹治郎右衛門
六　同　田子浦源蔵
七　同　熊ケ石熊蔵

同　今出川新右衛門
同　立田川清五郎
同　橋立権二郎
同　姿川喜六
同　荒波六左衛門
同　鳴瀬川今七
同　荒瀧峯七
江戸　若緑儀平
同　名取川長太夫
同　矢橋川治之助
同　あら磯大八
同　中尾山段治
同　小松川幸八
同　松ノ尾甚太夫
同　桂川文蔵
同　榊山円太夫
同　二十山十治郎
同　志ら波伝之助

八　同　浦岩熊右衛門
九　同　荒浜政五郎
十　同　玉水定六
十一　同　剣山岩右衛門
十二　同　初石藤八
十三　同　七瀬川五三郎
十四　同　大汐岸右衛門
五段目一　江戸　花車川右衛門
二　同　二瀬川万治
三　同　大崎浜右衛門
四　同　浅香山倉右衛門
五　同　忍山三五郎
六　同　錦嶋三太夫
七　同　荒鷲長九郎
八　同　□□竹□右衛門
九　同　藤縄弥太郎
十　同　綾車五郎
十一　同　谷川円太夫

同　三国山八郎
同　亀割定五郎
同　中見山藤八
同　稲荷山又市
同　事国山庄五郎

十二　同　瀧ノ尾八三郎
十三　同　武蔵野沢右衛門
十四　同　袖ノ浦勝五郎
十五　同　藤戸川久治
十六　同　黒谷辰右衛門
十七　同　三上山太七
十八　同　□□滝右衛門
十九　同　若林源助

表31　宝暦７年(1757)幕内力士の経歴

力士名	生　年	初土俵年	入 幕 年	現役引退年	年 寄 名	没　年
1雪見山		宝暦７年	宝暦７年	安永６年	雪見山(九州)	
2白川		〃	〃	明和６年		明和６年(現役没)
3大鳴戸		〃	〃	宝暦12年		
4磯碇	享保12年	〃	〃	宝暦７年		文化元年
6源氏山		〃	〃	〃　８年	源氏山(京都)	
7外ケ浜		〃	〃	〃　７年		
8関ノ戸	元文元年	〃	〃	安永６年	関ノ戸・伊勢ノ海	天明２年
9手柄山		〃	〃	宝暦12年		
10四ツ車		〃	〃	〃　９年		
11出野里		〃	〃	〃12年		
12小松山		〃	〃	〃10年	小松山(京都)	安永９年
13不知火		〃	〃	〃12年		
14宮城野		〃	〃	〃12年	宮城野	
15響野		〃	〃	〃９年		
16横雲		〃	〃	〃７年		
17八島		〃	〃	〃		
18八ツ橋		〃	〃	明和元年		
19渡山		〃	〃	宝暦８年	渡山(兵庫)	
20山姿		〃	〃	〃		

幕内力士の内、(六) 源氏山が春日山の弟子であり、(二) 白川と (八) 関ノ戸が伊勢ノ海、(十) 四ツ車が鳴戸、(十四) の宮城野が桐山の弟子、(五) 都山と (十一) 出野里は大阪相撲の陣幕の弟子であった。この春日山・伊勢ノ海・鳴戸・桐山・陣幕の師匠名は、年寄名跡として現在の相撲社会に存在する。陣幕は、昭和二年の東西両協会の合併によって年寄となった名跡であり、当時は大阪相撲の頭取 (年寄) であった。一方、(一) 雪見山・(九) 手柄山・(十三) 不知火・(十五) 響野は肥後 (熊本) の竹島甚四郎の弟子、(十二) 小松山は京都相撲の名取川浦右衛門の弟子、(四) 磯碇が大橋三太左衛門の弟子であった。当時の力士には必ずしも師匠がいたとは限らないが、当時すでに師弟関係の萠芽的形態が存在したことは事実である。しかし、江戸相撲の師匠が必ず年寄であったとは限らなかった。また、江戸・京都・大阪の三都以外にも師匠がいた。

この二十名の幕内力士のうち師匠 (年寄および頭取) となった者は、(一) 雪見山・(四) 磯碇・(六) 源氏山・(八) 関ノ戸・(十) 四ツ車・(十二) 小松山・(十四) 宮城野の七名であった。この内 (一) は九州で、(四)、(八)、(十四) は江戸で、(十二) は京都で師匠となった。それぞれ郷里に帰って師匠となっている。(六) 源氏山は江戸相撲の春日山の弟子でありながら、また (十) 四ツ車も江戸相撲の鳴戸の弟子でありながら、現役引退後は京都相撲の頭取となっている。これらのことから当時の相撲の中心が、まだ大阪・京都の関西にあったことが理解できる。

この宝暦七年の番付の力士の頭書を調べると、奥州の頭書のある力士が十四名、九州が八名、秋田と大阪が各二名、京都が一名で計二十七名、その他は江戸である。当時の江戸勧進相撲の興行は、各地の力士団から力士を招いて本場所が行われた。宝暦七年の番付には、地方から招かれた力士が二十七名であった。従って、江戸相撲の力士は、当時約百名いたことになる。尚、宝暦の番付頭書は力士の所属する力士団の地名であったが、寛政以降の頭書は力士の出身地名となった（次節参照）。

江戸での興行に先立って同宝暦七年五月京都二条川原で行なわれた京都大相撲興行の番付（相撲博物館所蔵）には、百十九名の名前が載っている。京都相撲の興行も江戸相撲と同じように、各地の力士団から力士を招いて興行が行なわれた。百十九名の力士の内、番付の頭書が大阪である者が二十五名、播州が九名、江戸が九名、九州が六名、兵庫が六名、堺が四名、阿州が三名、勢州・奥州が各二名、南部・讃州・瀧野が各一名であり、京都以外の力士は計五十八名である。また、番付の三段目尻の八名には頭書がない。相撲博物館学芸員の村田邦男によれば、彼等は力士ではなかったと思われるとのことである。従って、当時の京都相撲には、力士が約五十名ぐらいいたと考えられる。江戸と京都相撲の番付を比較してみると、京都番付と東京番付でその頭書が異なっている力士がいた。まず、雪見山・不知火・手柄山・響野の四名は、九州の出身であるから江戸番付では九州となっているが、京都番付では播州となっている。これは彼等が、宝暦八年に播州姫路藩の「抱え力士」となっている。従って、宝暦七年には姫路藩の「お出入り力士」となったものと考えられる。抱え力士とは、大名の家臣であり禄が下付され、通常は藩の屋敷に住んだ。出入り力士とは、家臣（抱え力士）となる手前の段階の力士であり、大名の屋敷への出入りが許された力士のことである。

江戸時代初期の勧進相撲では、東方は「勧進方」あるいは「元方」と呼ばれ本職の相撲取りであり、西方は「寄方」と呼ばれあちらこちらから我こそはと出て来る武家の抱え力士であったり、素人相撲の力士であった(6)。これは和歌森太郎の説であり、逆に西方を「勧進方」とする香山磐根の説がある。従って、宝暦七年の興行では、地方から招いた力士を客分として東方に据え、地元江戸の力士を西方に置いたものと理解できる。

表三十一の宝暦七年幕内力士の経歴はあまりにも不明の点が多く、生年と没年が判明しているのは、(四)の磯碇と(八)の関ノ戸だけである。また、これら幕内力士の初土俵年と入幕年が同じである。これは、江戸相撲が宝暦七年から定期的に毎年興行が行われるようになったからで、これ以前の資料がないためである。従って、この資料から力士のライフコースの中位数・平均値を、算定することは不可能である。宝暦七年の幕内力士と年寄のライフコースは、次の宝暦十三年の資料を加えて検討することにする。

二、宝暦十三年（一七六三）

宝暦十三年（一七六三）江戸では四月と十月に本場所興行が行われ、この年から大正十五年（一九二六）までの約百六十年間、江戸（東京）では年二回の本場所興行が行われた。宝暦十三年四月場所は江戸神田明神境内、十月場所は江戸浅草御蔵前八幡宮境内で、それぞれ晴天八日間の本場所興行が行われた。

宝暦十三年四月場所の番付は、大関二名、関脇二名、小結二名、平幕十名で幕内は計十六名、幕下二十名、三段目二十四名、序二段二十四名、序ノ口二十四名で総勢百八名であった。この他に本中前相撲の新弟子が十三名いた。四月場所番付の力士は次の通りである。宝暦十三年（一七六三）四月番付の幕内力士の中で、雪見山・磯碇・関ノ戸は宝暦七年の力士と同一人物であり、資料のある関取十六名の経歴は、表三十二の通りである。

（東方）				（西方）			
大関	九州	（一）	大筏岸右衛門	大関	羽州	（二）	春日山段右衛門
関脇	同	（三）	荒滝吾太夫	関脇	江戸	（四）	大童子峰右衛門
小結	同	（五）	雪見山堅太夫	小結	同	（六）	磯碇平左衛門
前頭	江戸	（七）	関ノ戸億右衛門	前頭	同	（八）	戸田川鷲之助

同　奥州（九）荒磯岩右衛門	同	同　（十）艫綱良助
同　九州（十一）鹿間津浪之助	同	同　（十二）置塩川流蔵
同　大阪（十三）荒鷲孫八	同	同　（十四）盤井川逸八
同　江戸（十五）白川志賀右衛門	同	同　（十六）越ノ海福松
奥州　境川道右衛門	二段目一	江戸　獅子嶽谷右衛門
奥州　錦山和田右衛門	二	江戸　八ツ橋清太夫
江戸　七ツ池龍蔵	三	江戸　稲川治郎吉
江戸　今碇嘉蔵	四	江戸　羽黒山善太夫
江戸　沖ノ船大五郎	五	江戸　岸石喜之助
江戸　高波磯五郎	六	江戸　大山谷右衛門
江戸　熊ケ谷森右衛門	七	江戸　白石清五郎
江戸　甲山力蔵	八	江戸　武蔵野和田右衛門
江戸　柏戸村右衛門	九	江戸　名取山繁右衛門
江戸　安達山仙五郎	十	江戸　錦嶋三太夫
江戸　春日野軍八	三段目一	江戸　沖ノ石岸右衛門
江戸　入間川次太夫	二	江戸　立山金治郎
江戸　漣源蔵	三	江戸　常盤山新右衛門
江戸　甲嶋熊右衛門	四	江戸　種ケ嶋政右衛門

江戸　淀ノ浦段八
江戸　大見崎段八
江戸　唐松要五郎
江戸　青柳熊右衛門
江戸　小野川歳助
江戸　玉水定右衛門
江戸　乱獅子喜太夫
江戸　初春金吾
江戸　亀ケ崎金平
江戸　灘ノ尾大五郎
江戸　八十嶋浪五郎
江戸　岩角源蔵
江戸　浮嶋民右衛門
江戸　走り舟川右衛門
江戸　岩見山勘右衛門
江戸　荒井川龍蔵
江戸　立田山清太夫
江戸　巻ノ戸仁太夫

五　江戸　秋ノ浦長太夫
六　江戸　荒石和田右衛門
七　江戸　白滝源七
八　江戸　藤根鉄五郎
九　江戸　箙源次
十　江戸　三ツ浜政右衛門
十一　江戸　東川林蔵
十二　江戸　日下山林八

四段目

一　江戸　和田津海福介
二　江戸　山姿音右衛門
三　江戸　駿河野生右衛門
四　江戸　蘭磯五郎
五　江戸　時ノ浦四郎治
六　江戸　袖ノ浦萬蔵
七　江戸　絹川甚介
八　江戸　御崎野庄兵衛
九　江戸　小倉山八十七
十　江戸　鷲ノ尾大五郎

江戸　男山力蔵
江戸　名古浦岸之介
江戸　朝日野庄七
江戸　成瀬川今七
江戸　信夫山孫八
江戸　伊勢崎道右衛門
江戸　浦ケ崎藤八
江戸　小車小五郎
江戸　嶋ケ崎岩五郎
江戸　鶴岡藤吉
江戸　富士颪清五郎
江戸　荒川円蔵
江戸　茂り山織右衛門
江戸　成瀧重次郎
江戸　花車文蔵
江戸　八ツ嶽幸右衛門
江戸　三輪崎袖之介
江戸　二十山平次郎

十一　江戸　荒浜政五郎
十二　江戸　鷲津山幸右衛門
五段目一　江戸　八宝山又五郎
二　江戸　琵琶海近八
三　江戸　七瀬川五三郎
四　江戸　小乱文之丞
五　江戸　大住源弥
六　江戸　大湊庄次郎
七　江戸　竹縄半六
八　江戸　鴨井川幸右衛門
九　江戸　豊嶋元五郎
十　江戸　湊川小八
十一　江戸　岩ケ崎喜兵衛
十二　江戸　若山治兵衛
六段目一　江戸　鶴岡平助
二　江戸　大田山三之助
三　江戸　三ツ山鬼蔵
四　江戸　三ツ車庄七

江戸　田子浦政八　五

江戸　二世川平三郎　六

江戸　松嶋源右衛門　七

江戸　上総山団右衛門　八

江戸　笹ノ浦鈴右衛門

表32　宝暦13年(1763)幕内力士の経歴

力士名	生　年	初土俵年	入 幕 年	現役引退年	年 寄 名	没　年
1大筏		宝暦13年	宝暦13年	明和2年		
2春日山		〃	〃	宝暦13年		
3荒滝		〃 11年	〃 11年	明和7年		安永2年
4大童子		〃	〃	〃 4年		寛政元年
5雪見山		〃 7年	〃 7年	安永6年	雪見山(九州)	
6磯碇	享保12年	〃	〃	明和7年	春日山	文化元年
7関ノ戸	元文元年	〃	〃	安永6年	関ノ戸・伊勢ノ海	天明2年
8戸田川		〃	〃 8年	明和7年	玉垣・雷	寛政7年
9荒磯		〃 13年	〃 13年	宝暦13年		
10友綱	享保19年	〃 7年	〃 8年	天明元年	友綱	天明7年
11鹿間津		〃 8年	〃	明和4年		
12置塩川		〃 7年	〃	安永2年	押尾川(大阪)	天明3年
13荒鷲		〃 13年	〃 13年	宝暦13年		
14磐井川		〃 7年	〃 8年	安永2年		
15白川		〃	〃 7年	明和6年		明和6年(現役没)
16越ノ海		〃 9年	〃 9年	安永9年		

宝暦十三年四月場所の興行は、宝暦七年の興行と同じように、各地から力士を招いて行われた。九州から四名、奥州から三名、大阪から一名であり、計八名であった。この場所は、宝暦七年の場所よりも地方からの力士が少なかった。しかし、この地方力士を除けば、江戸相撲には宝暦七年とほぼ同じ、約百名の力士がいたことになる。

宝暦十三年四月場所の大関大筏と春日山は、看板大関（相撲用語集参照）である。看板大関はほとんど出場しないか、あるいは出てもほんの一日か二日であった。例えば、東の大筏岸右衛門は五日目と八日目に二回対戦しただけであり、西の春日山段右衛門は全休であった。看板大関には大関として見掛けの上は十分であるが、相撲の経験は全くないといった者がなった。看板大関が現れると、実力の大関が関脇に下げられることもあった。

この幕内力士十六名の内、番付頭書が江戸とある幕内力士は、(四) 大童子・(六) 磯碇・(七) 関ノ戸・(八) 戸田川・(十) 艫綱・(十二) 置塩川・(十四) 盤井川・(十五) 白石・(十六) 越ノ海の九名である。彼等には師匠がいてその師匠名は、伊勢ノ海・玉垣・武蔵川・大橋・捻鉄・御所車である。伊勢ノ海・玉垣・武蔵川は、代々受け継がれ現在も年寄名跡として残っているが、大橋、捻鉄、御所車の名は年寄名跡として残っていない。御所車は九州筑後の師匠であった。当時の師匠のなかには、その名が代々受け継がれる師匠名（年寄名跡）と受け継がれない師匠名とがあった。

宝暦十三年四月場所の星取表をみると、師匠を同じくする力士同士の対戦はなかった。玉垣の弟子である（四）大童子・（八）戸田川・（十）艫綱・（十六）越ノ海は揃って西方に位置し、伊勢ノ海の弟子である（七）関ノ戸・（十五）白川、竹島の弟子である（三）荒滝・（五）雪見山・（十一）鹿間津は東方に位置していた。当時の取り組みは東西制であり、師匠を同じくする力士は対戦していなかった。しかし、大阪の陣幕の弟子である（三）荒滝・（十二）置塩川・（十三）荒鷲の三名は、東方に荒滝・荒鷲、西方に置塩川と分かれ、師匠が同じである荒鷲と置塩川の対戦が実際に行われた。この対戦の置塩川は、江戸相撲での師匠が捻鉄であり、番付頭書も江戸となっていることから、江戸相撲の力士としての立場にあった。一方、荒鷲は、頭書が大阪となっており地方から招かれた力士の立場であったから、置塩川と対戦したものと理解できる。

同宝暦十三年五月大阪の堀江で、晴天十日間の勧進相撲が行なわれた。その時の番付（相撲博物館所蔵）には二百七十名の力士が載っている。この力士の内、大阪以外の力士は、京都が十六名、九州が十五名、江戸が九名、伊予が八名、尼崎が六名、兵庫・堺・備前が各四名、仙台が三名、西宮・河内・讃岐・池田が各二名、薩州・和州・芸州・備中・備後・明石・播州が各一名で、計八十五名である。従って、大阪相撲には力士が当時百八十五名いたことになる。

宝暦十三年の江戸・大阪と宝暦七年の京都の番付から当時、江戸には約百名、大阪には約百九十名、京都[7]には約五十名の力士がいた。力士の数は大阪が最も多く、次に江戸・京都の順である。力士数から見ると、当時の相撲の中心は大阪にあったことが理解できる。前述の江戸相撲の番付と大阪相撲の番付を比較すると、江戸からは関ノ戸・磯碇・戸田川・越ノ海・友綱・磐井川・白川・東川・白滝・秋ノ浦・日下山・今碇の十二名の力士が、大阪相撲に参加している。三都間の力士の交流は、明治時代初期に東京・大阪・京都の協会が、それぞれ自分のところの力士だけで興行をするようになるまで続いた。従って、図二十五に示した相撲番付の力士数には、明治時代初期まで江戸（東京）以外の大阪・京都相撲の力士が含まれている。

宝暦十三年から江戸では年二回の興行が行われるようになり、大阪・京都ではそれぞれ年一回の興行であった。また、大阪での興行には京都の力士が十六名、京都での興行には大阪の力士が四十一名参加しており、大阪と京都相撲の番付の上位は、ほとんど同じ顔触れで興行している。従って、当時の我が国の勧進相撲の興行は、関東の江戸で年二回、関西においては大阪と京都でそれぞれ年一回の計四回行われていた。

宝暦年間の江戸、大阪、京都の頭取名について、『相撲大全[8]』は次のように列挙している。『相撲大全』には（江戸の分）として次の三十名の年寄（京都・大阪では頭取）を師匠として列挙してあるが、木村喜太郎と巌島浦右衛門は代々受け継がれる年寄名跡ではなかった。

（江戸の分）
雷権太夫・伊勢ノ海五太夫・花籠與市・武蔵川初右衛門・木村瀬平・玉の井村右衛門・龍田川清八・音羽山與右衛門・錣山喜平次・入間川五右衛門・九重武治右衛門・藤島甚八・尾上甚五郎・若松平次・井筒伴五郎・間垣伴七・玉垣額之助・白玉由右衛門・春日山鹿右衛門・九重武七・木村喜太郎・龍田川清五郎・出来山岸右衛門・田子浦源蔵・桐山権平・厳島浦右衛門・立山宇右衛門・濱風宇右衛門・鳴戸沖右衛門・左野山丈助
（大阪の分）
藤島森右衛門・陣幕長兵衛・大島庄兵衛・草摺又七・鏡山左兵衛・間瀬垣茂兵衛・雷藤九郎・岩船門平・島ケ崎一平・藤綱市右衛門
（京都の分）
有知山八八・浮船羽右衛門・岩ケ端宗平・三輪山吉郎右衛門・鞍馬山鬼市・松ケ崎平蔵・篠竹定七・七ツ森折右衛門・山之井門兵衛・源氏山住右衛門
宝暦十三年（一七六三）の時点では、次の九名の年寄の経歴の一部が明らかとなっている（図二十八）。
（一）雷権太夫　二代目（音羽山峰右衛門）
（二）伊勢ノ海五太夫　（元前頭、伊勢ノ海五太夫）初代
（三）浦風林右衛門（元前頭、岩倉定右衛門）初代
（四）春日野軍八（元幕下、布ケ嶽軍八）初代
（五）春日山鹿右衛門（元幕下、春日山谷右衛門）二代目
（六）甲山力蔵（元幕下、甲山力蔵）初代

（七）桐山権平　初代
（八）佐ノ山丈助（元前頭、宮城野丈助）初代
（九）田子ノ浦源蔵（元三段目、田子ノ浦源太郎）初代

『相撲大全』の年寄名と上記十名の年寄名を照合すると、（一）雷・（二）伊勢ノ海・（五）春日山・（七）桐山・（八）左野山・（十）田子ノ浦の年寄名は一致している。しかし（三）浦風・（四）春日野・（六）甲山の年寄名は『相撲大全』にはない。（四）（六）は宝暦年間に年寄名を襲名しているが、当時はまだ現役の力士であったから、『相撲大全』の年寄名の中には入っていなかったと理解される。また（三）は何らかの理由で年寄の任務が、果たせなかったものと考えられる。

宝暦十三年の年寄の経歴分析から、雷と春日山が二代目であり、それ以外の八名の年寄は初代であった。当時の年寄は、ほとんどが初代か二代目であった。従って、この頃から師匠名が、師弟関係あるいは春日山のように親子関係によって、年寄名跡として継承されるようになったと考えられる。この他、当時の江戸相撲には大橋、捻鉄、塩風らの師匠がいた。しかし、彼らの師匠名は年寄名跡のようにその名を継ぐ者がいなかった。このような年寄ではない師匠は、現役を引退した大名の抱え力士（家臣）である場合が多かった。宝暦以降このような師匠は、減少して行く傾向にある。これは、大名が師匠を家臣として抱えなくなり、年寄とならなければ弟子を養う経済的基盤が確立されないような状況になって

きたからである。年寄となれば勧進相撲の興行収益が配分され、経済的基盤が確立される。

『相撲大全(9)』には次のような師弟関係が記されている。

江戸　春日山鹿右衛門弟子　源氏山住右衛門　鈴鹿山太右衛門　濱風今右衛門　武蔵野和田右衛門　八ツ橋清太夫　錦山段右衛門　御崎山岸五郎　八光山権五郎　戸根川宅右衛門　白石清五郎　伊勢海五太夫　楯ケ崎岡之丞

江戸　玉垣額之助弟子　大童子峯右衛門　戸田川鷲之助　友綱了助　蟷戸島善太夫

江戸　伊勢海五太夫弟子　関ノ戸重蔵　玉水定八　白川志賀右衛門　七ツ池

江戸　桐山権平弟子　獅子嶽谷右衛門　沖石岸右衛門　錦島三太夫

江戸　武蔵川初右衛門弟子　越ノ海福松

江戸　大橋三太左衛門弟子　磯碇平太左衛門

江戸　捻鉄能登右衛門弟子　押小川巻右衛門

江戸　塩風濱右衛門弟子　都山三太左衛門　月見山鉄右衛門

江戸　鳴戸仲右衛門弟子　四ツ車大八　出羽崎浦ノ助

筑後　秋津島浪右衛門弟子　呉服織右衛門　唐崎松之助　名取川信四郎

筑後　呉服織右衛門弟子　御所浦平太夫　壇ノ浦灘右衛門　揚石利八

筑後　御所車淀右衛門弟子　磐井川一八

肥後　竹島甚四郎弟子　荒瀧五太夫　響野灘右衛門　雪見山堅太夫　手柄山仁太夫　不知火光右衛門　大空圓右衛門　鎊間津平太夫

大阪　藤島森右衛門弟子　神楽太市　若松岩之助　富士颪大蔵　種ケ島吉平　三熊山澤右衛門

大阪　雷藤九郎弟子　藤九郎子雷富右衛門　八ケ峯七之助　山吹兵之助　浪除庄八

大阪　陣幕長兵衛弟子　名取山繁右衛門

大阪　獅子飛岸右衛門弟子　荒岸七之助　雁又戦八

京　名取川浦右衛門弟子　小松山音右衛門

京　小松山音右衛門弟子　夕嵐庄太夫　七ツ尾久蔵　預かり小塩山五太夫

京　楯ケ崎岡之丞弟子　荒鷲孫八　相生岸之右衛門

京　御崎山岸五郎弟子　岩浪和助

京　四ツ車大八弟子　朝日森右衛門　岩戸山川右衛門　南部　花霞林右衛門

京　七ツ森折右衛門弟子　四明ケ嶽源次

この資料から、江戸・大阪・京都の外に九州の筑後・肥後にも師匠がおり、東北の南部（網かけ）にも力士がいたことが知られる。当時の日本には全国各地に相撲集団があり、相撲が盛んであったと考えられる。

三、幕内力士と年寄のライフコース

図26　宝暦７年（1757）幕内力士の経歴

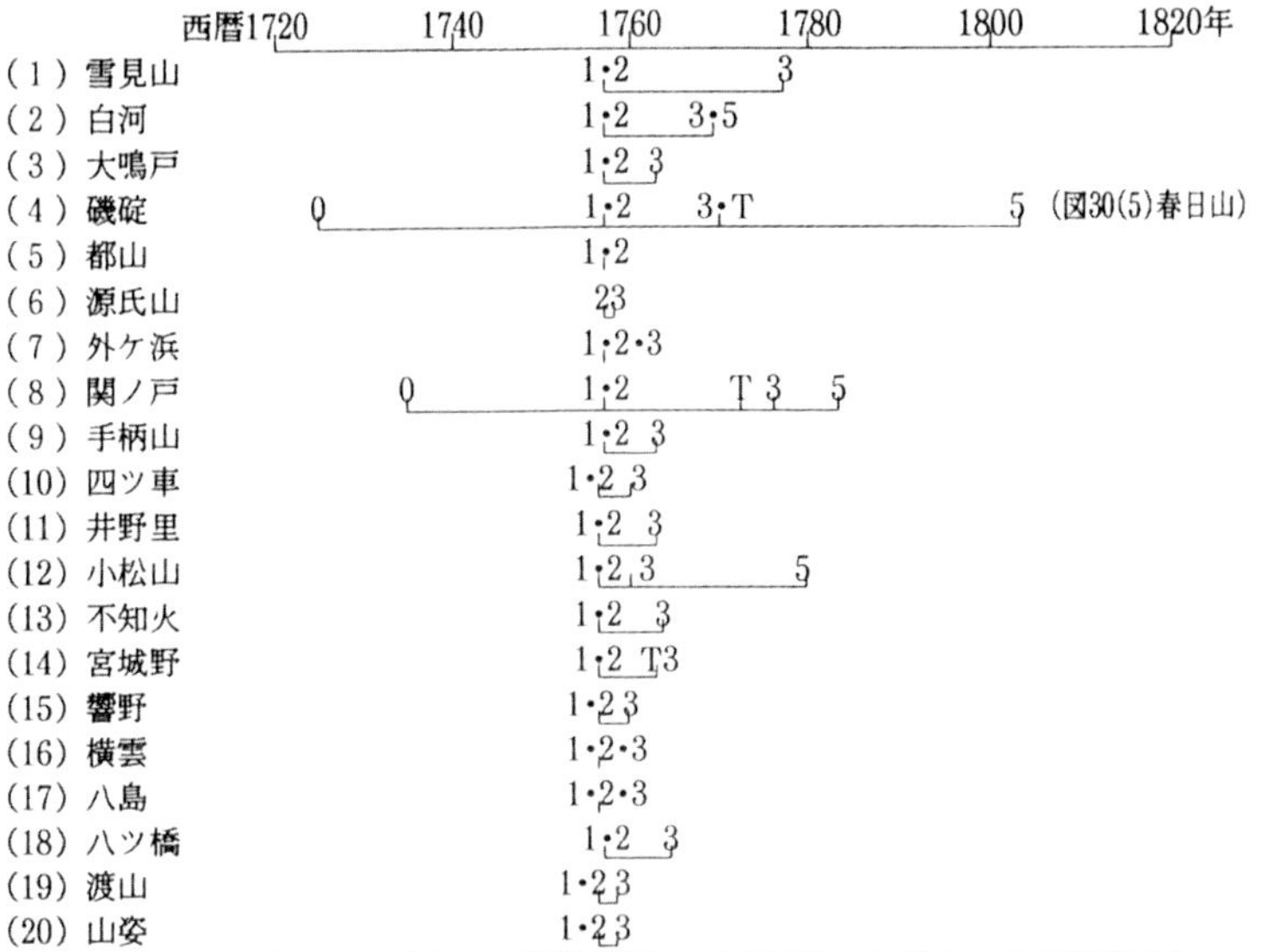

西暦1720　1740　1760　1780　1800　1820年

（１）雪見山　1・2　3
（２）白河　1・2　3・5
（３）大鳴戸　1・2　3
（４）磯碇　0　1・2　3・T　5（図30(5)春日山）
（５）都山　1・2
（６）源氏山　23
（７）外ケ浜　1・2・3
（８）関ノ戸　0　1・2　T　3　5
（９）手柄山　1・2　3
（10）四ツ車　1・2　3
（11）井野里　1・2　3
（12）小松山　1・2　3　5
（13）不知火　1・2　3
（14）宮城野　1・2　T3
（15）響野　1・2　3
（16）横雲　1・2・3
（17）八島　1・2・3
（18）八ツ橋　1・2　3
（19）渡山　1・2　3
（20）山姿　1・2　3

0-生年　1-初土俵年　2-入幕年　3-現役引退年　4-廃業年　5-没年　T-年寄襲名年
（この記号は図26から図42まで同じ）

図27　宝暦13年（1763）幕内力士の経歴

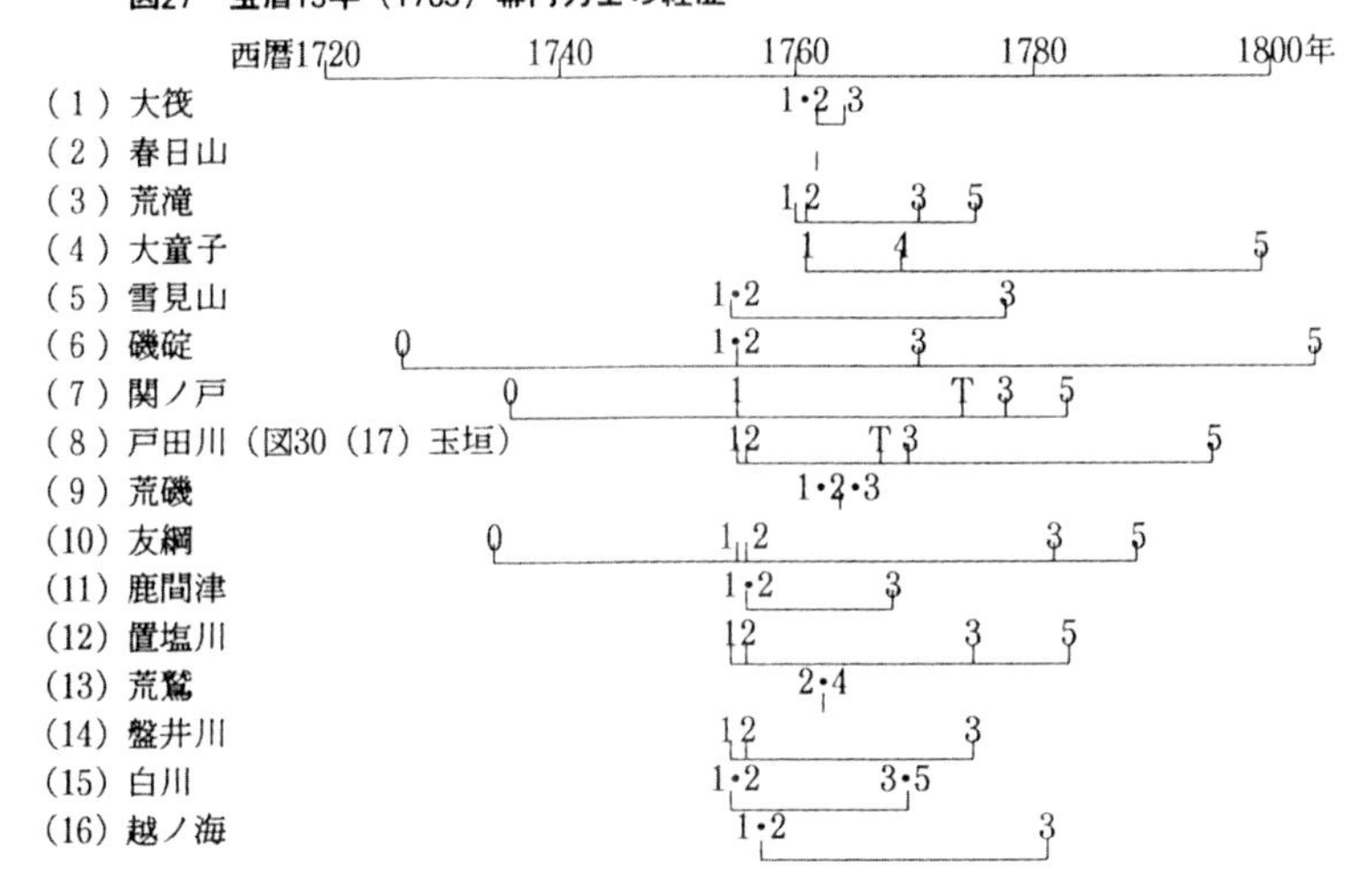

宝暦七年（一七五七）（図二十六）と宝暦十三年（一七六三）（図二十七）における幕内力士の経歴から、出生年と没年が判明していて死亡年齢の明らかな力士は、宝暦七年の（八）関ノ戸（四十六歳）と宝暦十三年の（十）友綱（五十三歳）の二名だけである。従って、平均死亡年齢は四十九・五歳となる。

幕内力士の現役年数は、宝暦七年は資料的に不備があるので、宝暦十三年から算定することにする。宝暦十三年の幕内力士で、初土俵から最終場所（現役引退）までの現役年数を算定できる江戸相撲の力士は、（四）大童子（六年）・（七）関ノ戸（二十年）・（十）友綱（二十四年）・（十五）白川（十二年）・（十六）越ノ海（二十二年）の五名である。江戸相撲の力士の現役年数の平均は十六・八年である。

没年が判明しており現役引退から没年までの現役引退後年数が算定できる力士は、宝暦七年では（二）白川（〇年）・（八）関ノ戸（五年）・（五）小松山（二十年）である。宝暦十三年（図二十七）では（三）荒滝（三年）・（四）大童子（三十二年）・（十）友綱（六年）・（十二）置塩川（九年）である。しかし、（五）小松山・（三）荒滝・（十二）置塩川の三名は、江戸相撲以外の力士であるのでここでは除外する。なぜならば、江戸相撲以外の力士は地方で現役を続けることがあるからである。この江戸相撲における力士の現役引退後年数の平均は十・八年であった。また、幕内力士の初土俵年齢は、死亡年齢（四十九・五歳）から現役年数（十六・八年）と現役引退後年数（十・八年）を引くと二十一・九歳となる。

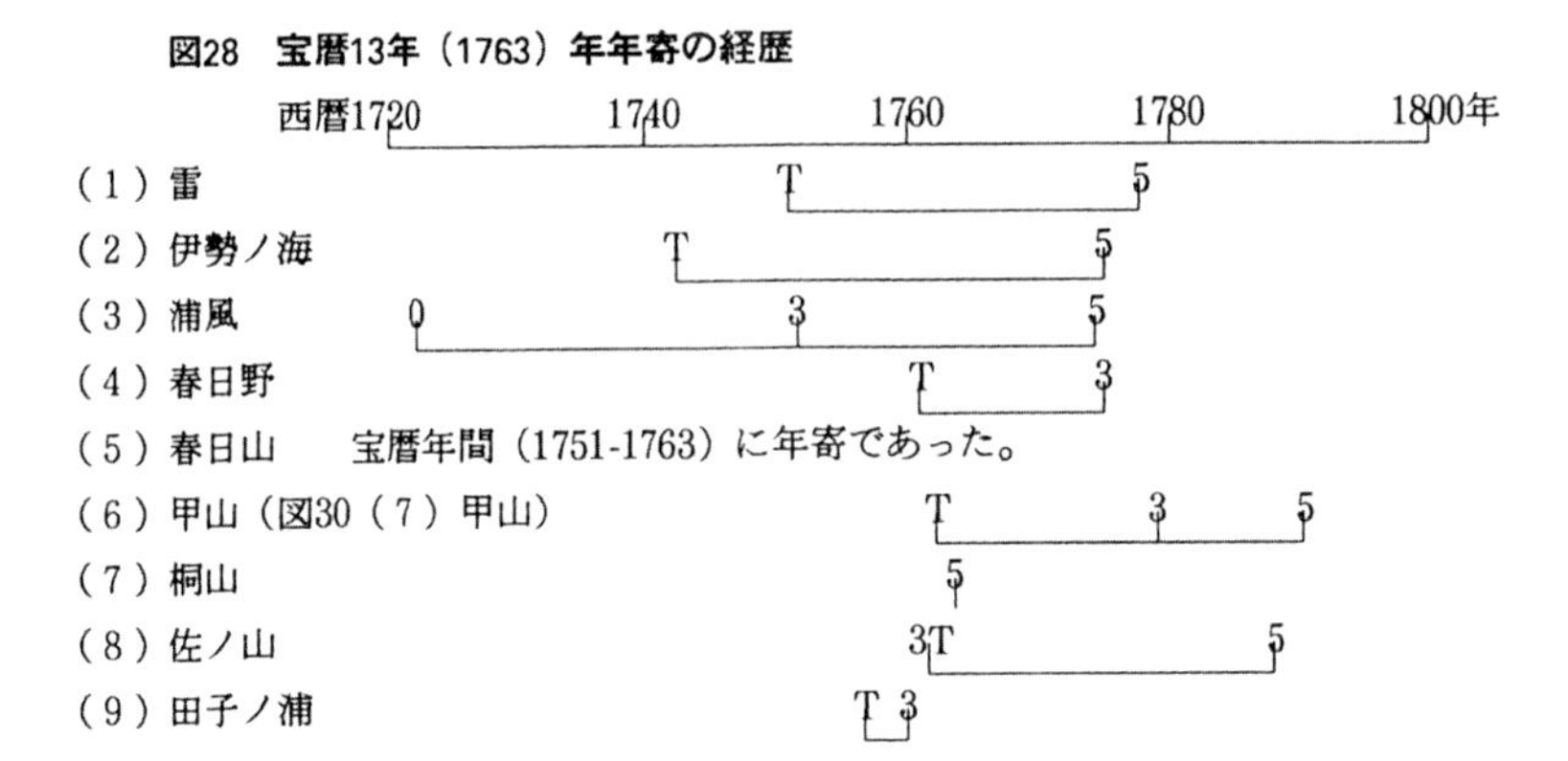
図28　宝暦13年（1763）年年寄の経歴
西暦1720
1740
1760
1780
1800年
（1）雷
T
5
（2）伊勢ノ海
T
5
（3）浦風
0
3
5
（4）春日野
T
3
（5）春日山　宝暦年間（1751-1763）に年寄であった。
（6）甲山（図30（7）甲山）
T
3
5
（7）桐山
5
（8）佐ノ山
3T
5
（9）田子ノ浦
T
3

宝暦十三年頃の年寄（図二十八）は、経歴からも明らかなように幕下以下の力士であった者が多い。当時の年寄は、年寄を何年くらい勤めたのであろうか。年寄襲名年（T）から没年までが判明している年寄は、（一）雷（二十六年）、（二）伊勢ノ海（三十一年）、（八）佐ノ山（二十五年）、の三名である。従って、年寄の襲名期間は平均二十七・三年であった。当時の年寄に定年制はないので、亡くなるまで年寄をしていたと考えられる。

宝暦十三年の年寄で、現役を引退してから亡くなるまでの現役引退後年数が算定できるのは、（三）浦風（二十一年）・（八）佐ノ山（二十四年）の二名だけである。従って、現役引退後年数の平均年数は二十二・五年である。

幕内力士のライフコースは、当時の幕内力士の平均死亡年齢が約五十歳であるとすれば、約二十二歳で初土俵を踏み、約十七年間現役を勤め、現役引退後に年寄となる者は少なく、大名の家臣として約十一年間の余生を過ごした。年寄の現役引退後年数は約二十三年であった。従って、年寄は襲名期間が約二十七年であるから、約四年間年寄と力士を兼務し、当時の年寄に定年はないので約二十三年間年寄稼業を勤めた。年寄と幕内力士の初土俵年齢に差はないと考えられ、年寄と幕内力士の現役年数が同じであるとすれば、当時の年寄は幕内力士より約十二年長生きであったことになる。

第二節　寛政三年（一七九一）

宝暦十三年（一七六三）の相撲興行は晴天八日間興行であったが、安永七年（一七七八）三月場所から晴天十日間の興行となった。一方、火事や飢饉あるいは雨天の為に、興行が中止されたこともあった。安永元年（一七七二）には二月に江戸の目黒行人坂で大火があり、春場所の興行は行われなかった。天明五年（一七八五）は大飢饉の為、江戸相撲の興行は二回とも行われなかった。天明七年（一七八七）この年も全国的に不作で米の値段が暴騰し、江戸では五月場所が番付まで出されたが興行は行われず、京都・大阪でも興行が行われなかった。番付の力士数は百名を割った時もあったが、寛政の頃までに力士数は二百名に届くようになった（図二十五）。

宝暦から安永の頃（一七五一―八〇）の江戸相撲の興行は、場所毎に力士の顔ぶれが変わり一定していなかった。例えば、宝暦七年から安永九年（一七五七―八〇）の二十四年間に大関が六十八名いたが、大部分は看板大関で全休あるいは千秋楽だけの出場で、二場所以上大関を勤めたのは十名に過ぎなかった（10）。幕内力士の場合も大関と同じように、一場所か二場所幕内を勤めて去る者が多かった。これは、大阪・九州・四国・奥州などの各地に力士団があり、江戸相撲の興行がこれら各地の力士を招いて行われていたからである。

この頃になると、力士の番付の頭書は各地の所属する力士団の地名ではなくなり、抱えられている藩の名か生国（出身地）となった。従って、番付頭書から江戸・京都・大阪相撲等の力士の所属する力士団の区別はできなくなった。

天明元年（一七八一）鷲ケ浜音右衛門と谷風梶之助が大関となった。両者は江戸相撲の力士で、鷲ケ浜は玉垣額之助の弟子であり、谷風は伊勢海億右衛門の弟子である。この頃から看板大関が漸次廃止されるようになった。これは伊勢海や玉垣などを中心に江戸相撲の年寄が、熱心に弟子を養成し江戸相撲に強い力士が多数輩出したからである。つまり、江戸相撲の力士と各地の力士との間に実力の差ができ、地方から来た関取で弱い者は帰って二度と来ないか、幕下から修業をしなおすようになったからである(11)。宝暦以前は大阪が相撲の中心であったが、安永の頃（一七七二―八〇）から興行日数が二日増え、江戸相撲も盛んとなった。例えば、大阪相撲の力士である小野川喜三郎は安永八年（一七七九）江戸に下り、江戸では玉垣額之助の弟子となった。

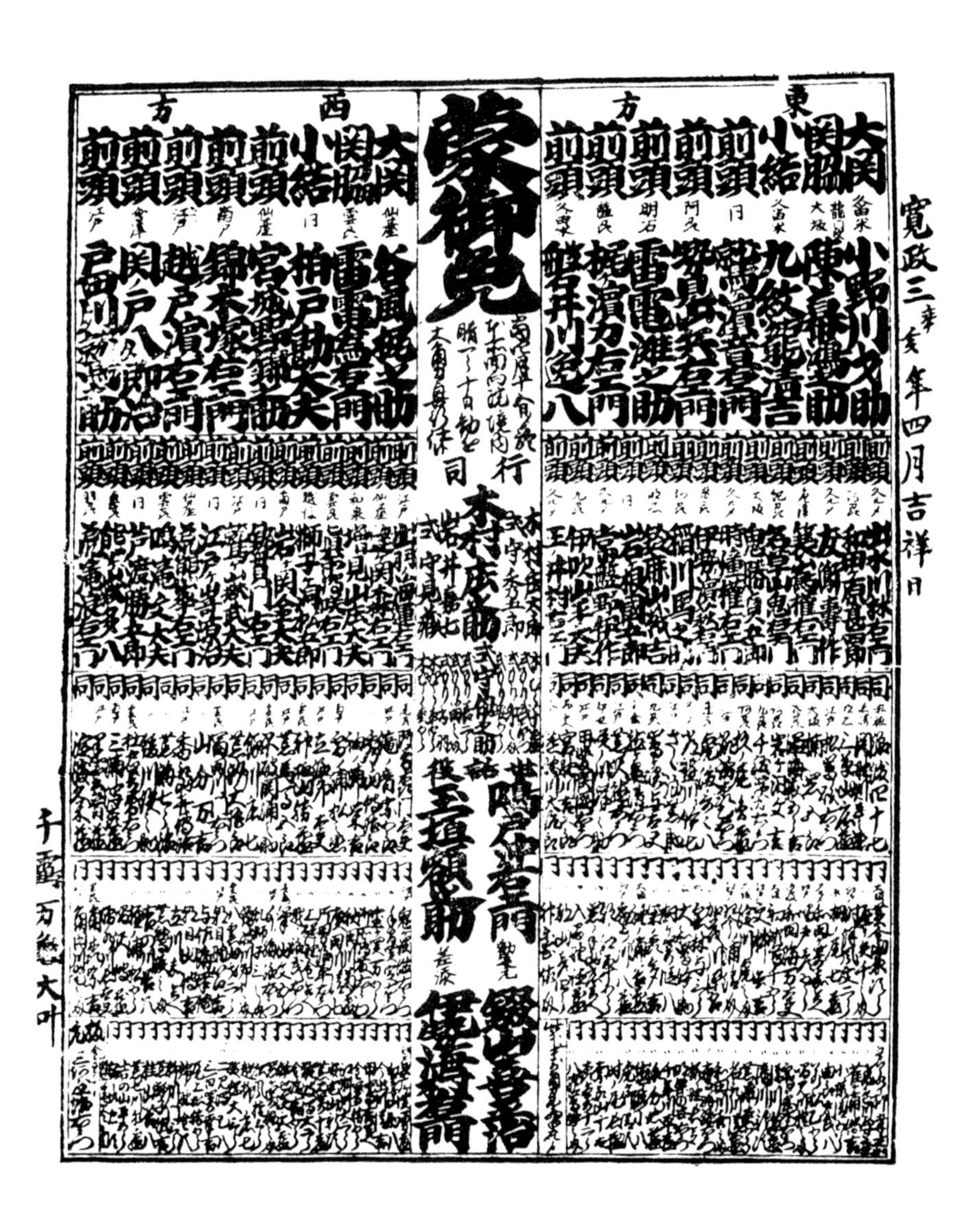

寛政３年４月の番付（相撲博物館所蔵）

寛政の頃の力士の師弟関係については、当時の力士（九十九名）の師匠名を記した『綽号出所記（12）』がある。この九十九名の力士の内、師匠が三名いる力士が六名、師匠が二名いる力士が四十七名、師匠が一名だけの力士が四十七名であった。また、師匠が二名いる力士の中で、江戸あるいは大坂の地に二名の師匠のいる力士が五名いた。当時、師匠は年寄だけではなく、また日本の各地に相撲団がありそこにも師匠がいたので、その師弟関係は一定していなかった。従って、当時の相撲社会には、まだ部屋制度が確立されていなかったと考えられる。しかし、この資料の約半数の力士の師匠は一人でその師匠には年寄が多く、而も江戸に二名の師匠がいる力士の必ず一方は年寄であることから、部屋制度を基盤とする師弟関係の原形が当時できつつあったことが理解できる。師匠が二名いる力士（四十七名）の内、江戸と大坂の両方に師匠のいる力士が三十名いた。当時の力士に江戸と大坂に師匠のいる者が多いのは、江戸の力士が大坂に来た時、また大坂の力士が江戸に来た時に、それぞれの地で宿舎などの世話になる師匠が必要であったからである。

寛政元年（一七八九）江戸相撲の谷風梶之助と大阪相撲の小野川喜三郎（小野川才助）が揃って、吉田司家から横綱を免許された。しかし、寛政三年四月の番付（前頁参照）では、谷風と小野川の番付地位が大関となっている。これは、当時の横綱が大関の称号であったからで、横綱が番付地位となるのは明治二十三年（一八九〇）からである。また、寛政三年には江戸で初めて将軍の上覧相撲が行われ、寛政年間に江戸勧進相撲は番付の力士数も二百名を越えるようになった。

一、寛政三年の幕内力士

寛政三年（一七九一）、十一代将軍徳川家斉の上覧相撲（13）が六月十一日江戸城吹上苑で初めて行われた。その時に、奉行所に差し出された力士と年寄の人別書の資料があるので、この年に年次を設定した。寛政三年の本場所は、六月と十一月に本所回向院境内で、晴天十日間の興行が行われた。六月に行われた本場所は当初四月十八日が初日の予定であり、番付（第四章二節参照）にもそう書かれてある。しかし、雨天で初日が延期され、六月十一日に上覧相撲があったため、さらに初日が延期され六月二十二日となった。上覧相撲後のこの本場所は、大入り満員であった（14）。

寛政三年六月場所の番付では、大関が二名、関脇が二名、小結が二名、平幕が十名で幕内は計十六名、幕下が二十八名、三段目が四十名、序二段が四十八名、序ノ口が五十名で総勢百八十二名であった。寛政三年六月場所番付の幕内力士と、上覧相撲に提出された人別書（相撲博物館所蔵）にある力士の師匠名・力士の年齢・生国・抱え大名は次の通りであり、彼等の経歴は表三十三の通りである。

（東方）　　　　　　　　　師匠名　年齢　　出身地　　　　　抱え大名

（一）	大関	久留米	小野川才助	玉垣	三十一	筑後久留米	有馬中務
（三）	関脇	伊予	陣幕島之助	藤嶋	二十一	予州松山	
（五）	小結	久留米	九紋龍清吉	常盤山	二十八	筑後久留米	有馬中務
（七）	前頭一	久留米	鷲ケ浜音右衛門	玉垣	三十六	筑後久留米	有馬中務
（九）	同　二	阿州	勢見山兵右衛門	友綱		阿波徳島	上覧相撲欠場
（十一）	同　三	明石	雷電灘之助	勝ノ浦	三十八	播州明石	
（十三）	同　四	薩州	梶ケ浜力右衛門	田子浦	三十六	薩摩大隅	
（十五）	同　五	久留米	盤井川逸八	玉垣	三十四	筑後久留米	有馬中務
（西方）							
（二）	大関	仙台	谷風梶之助	伊勢海	四十二	奥州仙台高城郡国分	片倉小十郎
（四）	関脇	雲州	雷電為右衛門	浦風	二十三	雲州島根郡	松平出羽
（六）	小結	同	柏戸勘太夫	伊勢海	三十二	雲州島根郡	松平出羽
（八）	前頭一	仙台	宮城野錦之助	佐野山	四十八	奥州仙台江刺郡	
（十）	同　二	南部	錦木塚右衛門	伊勢海	三十一	南部ワカ郡	
（十二）	同　三	江戸	越ノ戸浜右衛門	伊勢海	三十一	南部三ノ戸	
（十四）	同　四	会津	関ノ戸八郎治	伊勢海	三十五	越後蒲原郡	
（十六）	同　五	江戸	戸田川鷲之助	玉垣	三十四	武州埼玉郡	

表33　寛政３年(1791)幕内力士の経歴

力士名	生　年	初土俵年	入 幕 年	現役引退年	年寄名	没　年
1小野川	宝暦８年	安永８年	天明元年	寛政９年	小野川(大阪)	文化３年
2谷風	寛延３年	明和６年	明和６年	〃６年		寛政7年(現役没)
3陣幕	明和８年	寛政２年	寛政２年	享和２年	押尾川(大阪)	文化６年
4雷電	〃　4年	〃	〃	文化８年	雷電(雲州)	〃　8年
5九紋龍	〃　2年	天明７年	天明７年	寛政10年		〃　5年
6柏戸	宝暦10年	〃 元年	〃　6年	〃　3年		寛政4年(現役没)
7鷲ヶ浜	〃　6年	安永７年	安永７年	〃　9年	玉垣	〃　9年
8宮城野	延享元年	明和３年	天明元年	〃　8年	宮城野	〃　10年
9勢見山	宝暦12年	天明８年	天明８年	〃　11年		文化６年
10錦木	〃　10年	〃　3年	寛政２年	文化４年	二所ノ関	文政６年
11雷電(灘)	〃　7年	寛政元年	〃	寛政11年	(姫路)	〃　3年
12越ノ戸	〃　11年	天明７年	天明８年	〃　7年		
13梶ヶ浜	〃　6年	〃　2年	寛政２年	〃　6年		
14関ノ戸	〃　6年	安永７年	天明６年	〃　5年		文化２年
15磐井川	〃　8年	〃　8年	寛政２年	〃　8年		
16戸田川	〃　8年	〃　7年	天明６年	〃　3年		

この番付を見ると、東方は頭書が関西以西の力士であり、久留米の小野川・九紋龍・盤井川、伊予の陣幕、阿州の勢見山、明石の雷電灘之助、薩州の梶ケ浜の七名は、大阪相撲の力士であった。小野川・九紋龍・鷲ケ浜・盤井川の頭書は久留米であり、上覧相撲の人別帳も生国筑後久留米となっているが、小野川は近江（滋賀県）、九紋龍と鷲ケ浜は越後（新潟県）であり、盤井川だけが久留米の出身であった。従って東方の幕内力士の内、九紋龍と鷲ケ浜以外の六名は関西以西の出身である。一方、西方は雲州の雷電為右衛門と柏戸勘太夫を除けば、仙台の谷風・宮城野、南部の錦木、江戸の越ノ戸・戸田川、会津の関ノ戸と六名の頭書が関東以北である。雷電為右衛門と柏戸の頭書である雲州（松平出羽）は、抱えられている藩名である。天覧相撲の人別帳にも、両名の生国は雲州島根郡となっている。しかし、雷電は信州（長野県）の出身であり、柏戸は宮城県仙台の生まれであった。従って、西方の全ての幕内力士は関東以北の出身である。

越後の頸城に生まれた九紋龍が大阪相撲に加入し陣幕の弟子となり、同じ越後の島原に生まれた鷲ケ浜は江戸相撲に加入し玉垣の弟子となった。また、寛政三年（一七九一）の十一月場所に入幕した和田ケ原甚四郎は、宝暦十年（一七六〇）駿府（静岡県）に生まれ、江戸相撲の追手風の弟子となった。雷電為右衛門は信州（長野県）の出身で江戸相撲に弟子入りし、近江（滋賀県）の出身である小野川が京都相撲に弟子入りしている。従って、当時はほぼ日本海側の越後（新潟県）と太平洋側の三河（愛知県）あたりを結ぶラインで、江戸相撲と京都・大阪相撲の勢力範囲が分かれていた。つまり、このライン以西の力士は京都・大阪相撲に加入し、以東の力士は江戸相撲に加入していたと理解される。また、寛政三年（一七九一）の幕内力士の経歴を見ると、大阪相撲の力士だけが江戸相撲の師匠に弟子入りしたように思われるが、江戸の力士も大阪の興行に参加しているのであるから、彼等も大阪相撲の師匠に弟子入りしていたものと考えられる。

当時の取り組みは東西制であるので、東方の力士は西方の力士とだけ対戦し、同じ方屋(15)の力士は対戦しなかった。東方の力士の師匠は玉垣・藤嶋・常盤山・友綱・勝ノ浦・田子ノ浦であり、西方の力士の師匠は伊勢ノ海・浦風・佐野山・玉垣であった。玉垣の弟子だけが東西に分かれていた。星取表では玉垣の弟子である西方の戸田川は、同じ玉垣の弟子である東方の盤井川と対戦し、「預かり」となっている。「預かり」とは対戦して物言いがつき、勝負の判定がつかない試合のことである。昭和二年に取り直し制度ができるまでは、この「預かり」や「引分」が多かった（本章第七節参照）。玉垣の弟子である戸田川と盤井川が本場所で対戦しているが、盤井川は大阪相撲の力士であり久留米藩（有馬中務）の抱え力士でもあった。従って、同じ師匠の弟子である力士の対戦とはいっても、片方が本場所だけに参加する大名の抱え力士であり且つ大阪相撲の力士であったから、対戦させたものと理解できる。また、玉垣の弟子のなかで戸田川だけが西方となり、同じ玉垣の弟子である小野川・鷲ケ浜・盤井川が東方となったのは、小野川・鷲ケ浜・盤井川が久留米藩の抱え力士だったからである。東西制では、基本的に同じ師匠の弟子同士は対戦しないことになっている。しかし、前述の久留米藩のように同じ藩の抱え力士同士の対戦は、同じ師匠の弟子である力士同士の対戦に優先して、その対戦が避けられた。

寛政三年の幕内力士の中で江戸相撲の年寄となった者は三名で、鷲ケ浜が玉垣、宮城野が宮城野、錦木が二所ノ関となった。この三名は江戸相撲に入門した力士である。一方、大阪相撲の小野川と陣幕は、現役引退後に大阪相撲の頭取（年寄）となった。これは大阪相撲の力士と江戸相撲の年寄の師弟関係が本場所興行のためだけの一時的な関係であったからであり、当時は大阪相撲の力士が、江戸相撲の年寄になることはなかった。寛政三年の江戸相撲の幕内力士の師匠名は、すべて現在もその名跡が継承されている年寄名跡であった。これは、安永二年（一七七三）の十月二十三日付の幕府の布達によって、金銭の取れる相撲興行が勧進相撲に限定され、その興行の運営が年寄に限られるようになったからである。

二、寛政三年の年寄

当時の師匠は、すべて年寄であったかというとそうではなく、雷電為右衛門は雲州の抱え力士から、現役引退後も雲州松平出羽の家臣（相撲頭取）として弟子を養成していた。また、雷電灘ノ助も現役引退後に姫路藩の相撲頭取となった。このように当時は、まだ大名の家臣として弟子を養成している師匠が少なからずいた。しかし、彼等と年寄の関係は緊密であり、例えば雷電為右衛門の弟子である稲出川市右衛門は、浦風を襲名し江戸相撲の年寄となっている。

寛政三年（一七九一）に将軍上覧相撲を催す前に、年寄・行司全部が呼び出され奉行所（幕府）からの「申渡し」があり、これに対する年寄一同の「受書」の中に、次のような三十八名の総年寄の連名がある。従って、当時は年寄が三十八名いたことが知られる。

鳴戸沖右衛門・玉垣額之助・白玉由右衛門・立田川清五郎・音羽山峰右衛門・春日山平左衛門・伊勢海村右衛門・浦風林右衛門・藤島甚助・追手風喜太郎・二十山要右衛門・勝ノ浦甚五郎・井筒万五郎・甲山力蔵・田子浦嘉蔵・間垣伴五郎・久米川平蔵・錦島三太夫・常盤山平治・熊ケ谷弥三郎・山響伝内・二子山万右衛門・東関庄助・待乳山楯之丞・清見潟亦五郎・桐山権平・高砂五郎七・千賀浦喜三郎・錣山喜平治・武蔵川初右衛門・大山谷右衛門・若藤恒右衛門・振り分忠蔵・立田山清太郎・佐渡ケ嶽大五郎・君ケ濱安右衛門・艫綱馬之助・佐野山丈助

しかし、寛政三年（一七九一）の時点で経歴が明らかとなっている年寄は、次の二十七名である（図三十四）。

（一）　東関庄助　（元三段目、日本橋丈助）二代目
（二）　伊勢ノ海村右衛門　（元前頭、柏戸村右衛門）三代目
（三）　浦風林右衛門　（元序二段、浦風与八）二代目

（四）　追手風喜太郎　（元三段目、追手風早之助）初代
（五）　春日山鹿右衛門　（元関脇、磯碇平太左衛門）三代目
（六）　勝ノ浦甚五郎　（元三段目、勝ノ浦善兵衛）初代
（七）　甲山力蔵　（不明）初代
（八）　清見潟亦五郎　（元三段目、清見潟亦五郎）初代
（九）　桐山権平　（元幕下、獅子ケ嶽峯之助）三代目
（十）　熊ケ谷弥三郎　（元序二段、熊ケ谷弥三郎）初代
（十一）　久米川平蔵　（元三段目、久米川平蔵）二代目
（十二）　佐渡ケ嶽大五郎　（元三段目、佐渡ケ嶽大五郎）二代目
（十三）　佐野山丈助　（元三段目、佐野山丈助）二代目
（十四）　錣山喜平治　（元三段目、宮戸川半五郎）二代目
（十五）　高砂五郎治　（元三段目、高砂五郎七）初代
（十六）　田子浦嘉蔵　（元前頭、今碇嘉蔵）二代目
（十七）　玉垣額之助　（元小結、戸田川鷲之助）三代目
（十八）　玉ノ井村右衛門　（元幕下、初瀬川又吉）二代目
（十九）　出羽海運右衛門　（元前頭、出羽海運右衛門）初代
（二十）　友綱良助　（先代［初代］の長男であり力士ではなかった）二代目
（二十一）　錦島三太夫　（元三段目、錦島三太夫）初代

（二十二）二十山要右衛門[16]　（元小結、鞍手山森右衛門）三代目
（二十三）二子山万右衛門　（不明）初代
（二十四）振分忠蔵　（元序二段、振分忠蔵）初代
（二十五）松鐘幸太夫　（不明、松鐘幸吉）初代
（二十六）待乳山楯之丞　（元幕下、待乳山楯之丞）初代
（二十七）若藤恒右衛門　（元三段目、若藤庄八）初代

前記二十七名の年寄の内、出羽海・玉ノ井・松鐘は上覧相撲の総年寄連名に名がない。出羽海と玉ノ井は寛政三年当時まだ現役の力士であった。松鐘は当時現役の力士ではなかったが、年寄連名に入っていない。彼には病気等の何らかの理由があって、年寄としての仕事が果たせなかったものと考えられる。また、友綱は先代の長男であり力士ではなかった。当時は力士経験がなくても年寄になれたので、長男が年寄名跡を相続し継承したものと理解できる。

この二十七名の年寄の内、現役力士時代の地位がわからない者は、甲山・二子山・松鐘と友綱の四名である。残り二十三名の年寄の現役時代の最高位は、関脇が一名、小結が二名、前頭が三名、幕下が三名、三段目が十一名、序二段が三名であった。当時の年寄は、三段目の力士が最も多かった。

寛政三年当時の年寄は初代が多く、追手風・勝ノ浦・甲山・清見潟・熊ケ谷・高砂・出羽海・錦島・二子山・振分・松鐘・待乳山・若松の十三名であり、ほとんどが四股名のまま年寄となっている。高砂・若

藤が伊勢ノ海部屋、出羽海が友綱部屋、錦島が桐山部屋から分家して年寄となった。このように年寄の初代が輩出するようになったのも、安政二年（一七七三）の幕府の布達によって、相撲の興行が年寄に限られるようになったからである。

寛政三年当時二代目の年寄は、東関・浦風・粂川・佐渡ケ嶽・佐ノ山・錣山・田子ノ浦・玉ノ井・友綱である。佐渡ケ嶽・佐ノ山・錣山は弟子が師匠の年寄名跡を継ぎ、友綱は初代の長男が年寄名跡を継いだ。寛政三年当時三代目であった年寄は、伊勢ノ海・春日山・桐山・玉垣・二十山であり、伊勢ノ海と玉垣は弟子が師匠の年寄名跡を継いだ。しかし、三代目春日山の師匠は、大橋三太左衛門であり年寄ではなかった。

寛政三年と寛政六年の上覧相撲の人別書から作成した師匠別力士数を表したものが表三十四である。寛政三年と同六年の間の寛政四年（一七九二）に、玉垣は安永六年（一七七七）から十五年間途絶えていた雷を襲名し、玉垣を弟子の鷲ケ浜に襲名させた。従って、寛政四年に玉垣の弟子は、自動的に雷の弟子となった。寛政三年から寛政六年の間に、錦島と鳴戸に弟子がいなくなった。錦島は寛政五年に亡くなっている。鳴戸は経歴が不明であるので理由が判明しない。寛政三年から同六年の間に、宮城野・錣山・大山・山分の新しい師匠が生まれた。宮城野は、寛政三年当時は佐野山の弟子であったが、寛政六年には現役力士のまま四名の弟子の師匠となった。四名の弟子の内の陣ケ原多喜之助と鉄ケ島与七は、寛政三年当時佐野山の弟子であったので、彼等は宮城野の内弟子であったと思われる。

玉垣と伊勢ノ海に弟子が多いのは、彼等の弟子に大名の抱え力士や大阪・京都相撲の力士が多いからである。玉垣（小結）と伊勢ノ海（前頭）は、当時三代目で現役時代の実力もあった力士であったから、江戸相撲の年寄として知名度が高く、弟子や京都・大阪相撲から力士を集め易かった。弟子の出身地をみると、関西以西の弟子が多いのが玉垣、関東以東の弟子が多いのが伊勢ノ海である。

表34 師匠別力士数（寛政3年・寛政6年）

師匠名	寛政３年	寛政６年
(1)玉垣（雷）	38名	31名
(2)伊勢ノ海	32	46
(3)浦風	10	5
(4)佐渡ケ嶽	10	8
(5)藤嶋	9	22
(6)勝ノ浦	9	10
(7)常盤山	8	8
(8)友綱	8	11
(9)桐山	8	12
(10)東関	7	11
(11)佐野山	6	1
(12)追手風	6	8
(13)白玉	6	3
(14)熊ケ谷	4	6
(15)音羽山	4	4
(16)武蔵川	3	3
(17)田子ノ浦	2	1
(18)二十山	2	3
(19)清見潟	2	2
(20)山響	2	1
(21)石ケ浜	1	3
(22)木村庄之助	1	1
(23)錦嶋	1	0
(24)鳴戸	1	0
(25)春日山	1	1
(26)二子山	1	2
(27)久米川	1	1
(28)若藤	1	2
(29)千賀ノ浦	1	1
(30)宮城野	0	4
(31)鏴山	0	3
(32)大山	0	1
(33)山分	0	1

三、幕内力士と年寄のライフコース

寛政三年（一七九一）の幕内力士の経歴（図二十九）から出生年と没年が判明しており、死亡年齢が算定できるのは次の十一名の力士である。

（一）小野川　四十八歳　（二）谷風　四十五歳　（三）陣幕　三十八歳　（四）雷電　五十八歳
（五）九紋龍　四十四歳　（六）柏戸　三十二歳　（七）鷲ケ浜　四十一歳　（八）宮城野　五十四歳
（九）勢見山　四十七歳　（十一）雷電　六十三歳　（十四）関ノ戸　四十八歳

彼等の平均死亡年齢は四十七・一歳であった。

京都・大阪相撲の力士を除く江戸相撲の力士は次の八名であり、彼等の初土俵年齢、現役年数、現役引退後年数は次の通りである。

（二）谷風　十九歳　二十五年　一年　（四）雷電　二十三歳　二十一年　十四年
（六）柏戸　二十一歳　十一年　〇年　（七）鷲ケ浜　二十二歳　十九年　〇年

（八）宮城野　二十二歳　三十年　二年　（十二）越ノ戸　二十六歳　八年
（十四）関ノ戸　二十一歳　十五年　十二年　（十六）戸田川　二十歳　十三年

この八名の江戸相撲の力士の初土俵年齢の平均は二十一・八歳であり、現役年数は十七・八年、現役引退後年数は四・八年であった。

寛政十二年に出版された『綽号出所記』の力士（四十六名）の江戸・京都・大坂相撲での平均初土俵年齢は二十三・三歳、江戸力士（十九名）の江戸相撲でのそれは二十一・八歳、京都・大坂力士（二十七名）の江戸相撲でのそれは二十四・三歳であった。『綽号出所記』には、九十三名の力士の初土俵年齢が記されてあり、その平均値は十八・九歳（江戸相撲の力士は十八・八歳）であり、筆者の算出した値より約四・四年若かった。『綽号出所記』の初土俵年齢は、例えば雷電の場合「十九ヨリ出ル」とあり、十九歳で初土俵を踏んだことになっている。しかし、彼の江戸相撲での初土俵は二十三歳であるから約四年（実際には五年）の差が出る。つまり、この『綽号出所記』の初土俵年齢は、地方相撲での初土俵年齢であると考えられる。当時は江戸・大阪・京都以外にも各地に相撲団があり、そこにまず入門し強くなった者だけが江戸・大阪・京都の勧進相撲に上がってきた。従って、力士の三都での初土俵年齢は必然的に高かった。

この頃の江戸相撲の関取の平均的なライフコースは、約二十二歳くらいで初土俵を踏み、それから約十八年間現役を勤めると年齢は約四十歳となり、現役引退後は約五年の余生があるだけで四十歳代の後半に亡くなった。当時の力士は一生の仕事であった。当時の幕内力士で江戸相撲の年寄となった力士は、（七）鷲ケ浜が玉垣、（八）宮城野が宮城野、（十）錦木が二所ノ関の三名だけであった。（七）は現役引退の年に亡くなり、（八）は現役引退後に年寄を二年勤めただけで亡くなり、（十）錦木（二所ノ関）だけが現役引退後に十六年間年寄を勤めた。

図29　寛政３年（1791）幕内力士の経歴

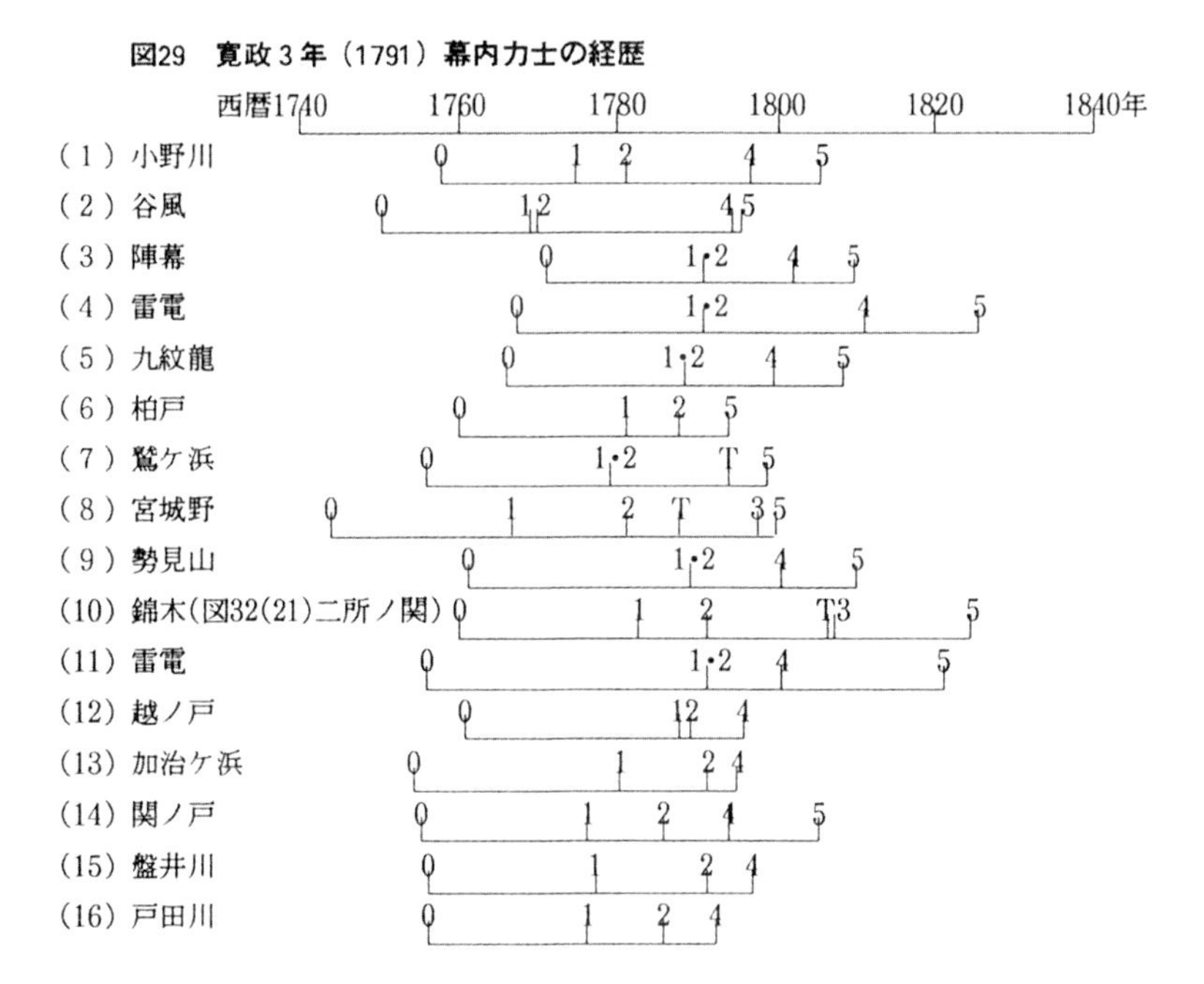

寛政三年（一七九一）の年寄の経歴（図三十）の生年と没年から死亡年齢の算定できる年寄は、（二）伊勢ノ海（五十八歳）・（五）春日山（七十八歳）・（八）清見潟（五十一歳）・（十九）出羽海（五十一歳）である。この四名の平均死亡年齢は五十九・五歳である。この頃の年寄は、現役中に年寄を襲名する者がかなりいた。当時の年寄には定年制がなかったので、一般的には現役引退から没年までが年寄の勤務年数である。しかし、（十一）粂川と（二十四）振分は亡くなる前に年寄を廃業し、弟子にその年寄名跡を譲った。また、（十七）玉垣は晩年に雷を襲名変更し、玉垣の年寄名跡を弟子に譲っている。

力士から年寄となった者の初土俵年齢と現役年数は次の通りである。

図30　寛政3年（1791）年寄の経歴

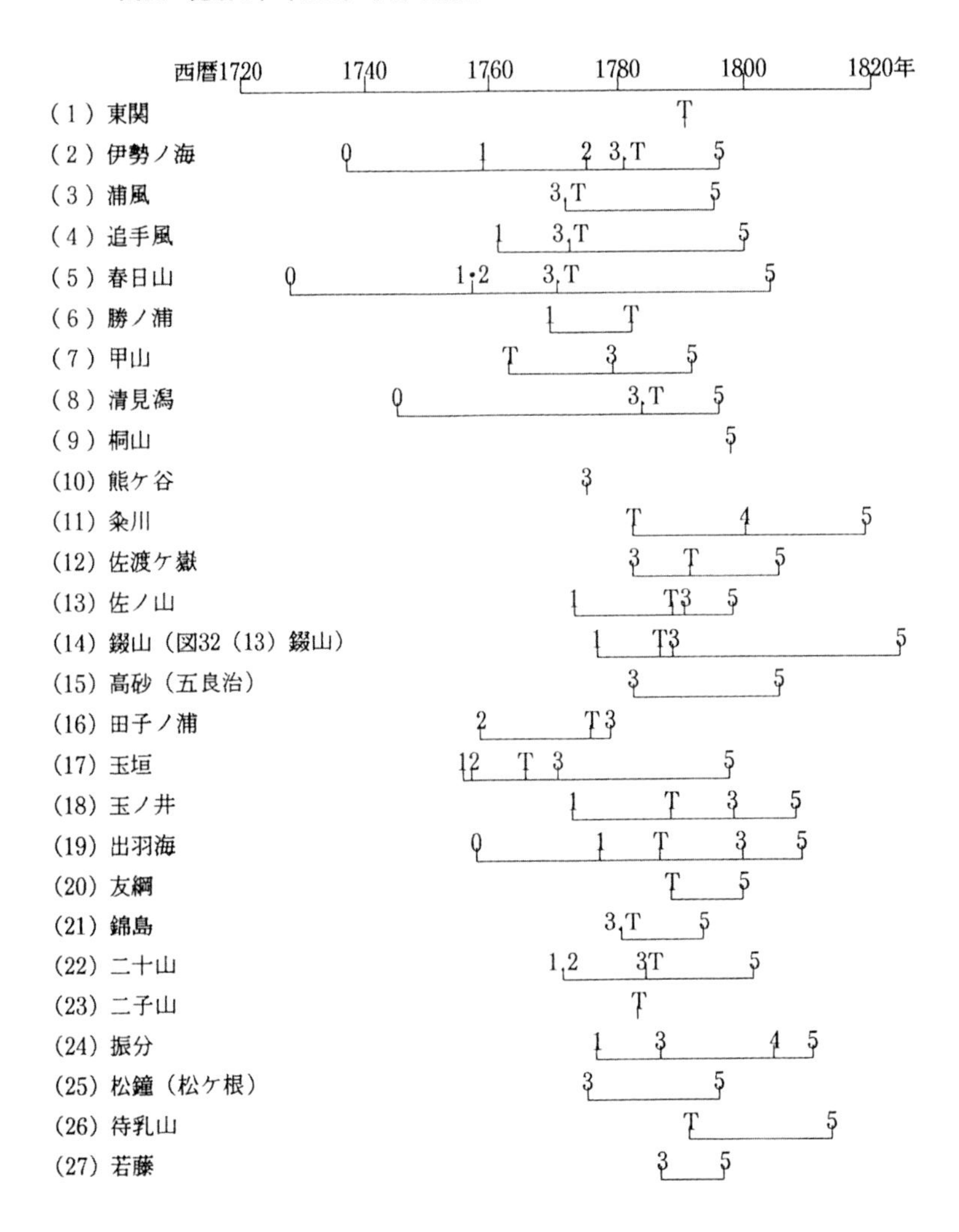

年寄の平均初土俵年齢は二十三・三歳、平均現役年数は十四・六年であり、現役年数は幕内力士よりも三・二年少ない。

この年次の初土俵年齢は、年寄のほうが幕内力士より約二年高い。これは年寄の初土俵年齢のサンプルが三名と少ないこともあるが、当時の年寄には年寄名跡を襲名継承（相続）することが決まってから、力士として初土俵を踏んだ者もいたと推測できる。

次に左記の十六名の年寄の経歴から、現役引退後年数を算定する。

これを平均すると年寄の現役引退後年数は十八・一年である。年寄の現役引退後年数は幕内力士より十三・三年長かった。

当時の年寄の平均的なライフコースは、約二十三歳で初土俵を踏み、現役力士として約十五年間勤め、現役を引退して約十八年間年寄稼業を勤め六十歳になる前に亡くなった。当時の年寄は、幕内力士より少し早めに現役を引退して、年寄稼業に就いたものと理解できる。

第三節　文政六年（一八二三）

寛政六年（一七九四）江戸相撲の横綱谷風が世を去り、大阪相撲の横綱小野川も江戸相撲に参加しなくなり、寛政九年に現役を引退した。寛政年間の前期に二回にわたる将軍上覧相撲を行い最高潮にあった江戸相撲は、両横綱を失い、相撲の人気は下降線を辿り始めた。しかし、江戸相撲の力士数は、文化元年（一八〇四）だけ阿州と雲州の抱え力士全員欠場（18）のため二百名を大きく割ったが、その他の年は二百―三百名の間で推移した（図二十五）。

寛政の後期になると雷電が大関となり、雲州藩の抱え力士が多くなった。雲州の抱え力士には、雷電・千田川・鳴滝・稲妻・桟シ（かけはし）・秀ノ山らがいた。享和元年（一八〇一）は、大関から前頭三枚目までを雲州力士が独占した。この雲州力士に対抗できる力士がおらず、また同じ藩の力士を東西に分けることもできなかったので、番付の編成は困難を極めた。また、雲州の抱え力士が不出場の場所は、看板大関や一時的な関取を乱造しなければならなくなり、本場所興行自体の運営に差し支えた。享和元年（一八〇一）雲州の抱え力士である雷電以下五名の幕内力士が、藩主の帰国に付き添って松江に行ってしまい、十一月の本場所に出場できなくなった。この時、年寄の東関庄助が勧進元の代理として松江に出向き、雲州力士の出場を頼んだが拒絶された。

雷電はあまりにも強く別格に扱われていたが、文化八年（一八一一）現役を引退した。文化年間（一八〇四―一七）には、柏戸宗五郎と玉垣額之助の対戦が人気を集めた。しかし、文化九年柏戸と玉垣の両力士が現役を引退し、復活しはじめた相撲人気が衰えた。文化十二年（一八一五）先代の弟子である柏戸利助（伊勢海利助）と玉垣額之助（越ノ海勇蔵）が大関となり、第二期柏戸・玉垣時代を迎え、江戸相撲の人気も高まりはじめた。

この頃から幕末にかけての相撲社会で注意すべきことは、大名の抱え力士が減ったことである。これは大相撲の人気が落ちたため、大名の相撲に対する関心が薄らいだためであるが、それにも増して文化文政時代の町人文化の繁栄と反比例して、大名の経済力が衰えてきたことにも原因があると考えられる(19)。

一、文政六年の幕内力士

文政六年（一八二三）は四月三日に、矢来御門内吹上で十一代将軍家齋の上覧相撲があった。この上覧相撲には、寛政三年と同様に力士と年寄の人別書があるので、幕内力士はこの年に年次を設定した。この年の本場所は、二月と十月に本所回向院で晴天十日の興行が行われた。二月の番付では大関が二名、関脇が二名、小結が二名、平幕が十六名で幕内は計二十二名、幕下が五十二名、三段目が六十三名、序二段が七十一名、序ノ口が三十四名、この他三段目に張出が二名で総計二百四十四名であった。

文政六年（一八二三）二月場所の幕内力士は次の通りであり、彼等の経歴は表三十五の通りである。

				師匠名	年齢	出身地	抱え大名
（東方）							
（一）	大関	弘前	柏戸利助	先代柏戸宗五郎	三十六	奥州津軽	津軽越中守
（三）	関脇	同	源氏山吉太夫	秀ノ山	三十四	羽州最上郡寺津	津軽越中守
（五）	小結	江戸	荒馬大五郎	桐山	三十	下総千葉郡馬加村	
（七）	前頭	阿州	雲早山森之助	勝ノ浦	三十八	肥後天草郡二江村	松平阿波守
（九）	同	同	大鳴門浦右衛門	桐山	二十九	武州高麗郡坪村	松平阿波守
（十一）	同	同	諭鶴羽富之助	桐山	三十二	摂州津名郡千草村	松平阿波守
（十三）	同	江戸	大山梅五郎	桐山	四十二	筑後御井郡小野村	
（十五）	同	同	小柳長吉	武隈	三十	能州珠洲郡志津見村	
（十七）	同	下野	砥並山岩之助	柏戸利助	三十四	野州都賀郡大沢村	
（十九）	同	阿州	越ノ海勇蔵	玉垣	二十七	芸州佐伯郡草津村	松平丹波守
（二十一）	同	弘前	千年山歳助	久米川	二十八	奥州津軽郡大浜村	津軽越中守
（西方）							
（二）	大関	島原	玉垣額之助	玉垣	四十	肥前高来郡島原	
（四）	関脇	盛岡	岩見潟丈右衛門	勝ノ浦	三十九	摂州武庫郡	南部大膳太夫
（六）	小結	八戸	四賀峰音蔵	秀ノ山	二十九	奥州和賀郡	南部左衛門尉
（八）	前頭	紀州	千田川吉蔵	玉垣	三十二	紀州牟□郡田辺村	
（十）	同	江戸	音羽山峰右衛門	久米川	三十五	御当地（江戸）	

（十二）同　八戸　千年川音松　秀ノ山
（十四）同　九州　蓑島権太夫　玉垣
（十六）同　姫路　陣幕島之助　久米川
（十八）同　江戸　玉川浪三郎　柏戸利助
（二十）同　同　戸田川鷲之助　勝ノ浦
（二十二）同　盛岡　越ノ戸浜之助　秀ノ山

二十四　奥州和賀郡　南部左衛門尉
二十二　肥前松浦郡唐津
四十一　播州加古郡　酒井雅楽頭
三十七　羽州田河郡庄内
四十　甲州山梨郡田中村
三十二　羽州平賀郡　南部大膳太夫

表35　文政6年(1823)幕内力士の経歴

力士名	生　年	初土俵年	入幕年	現役引退年	年寄名	没　年
1柏戸	天明3年	文化3年	文化8年	文政8年	伊勢ノ海	文政13年
2玉垣	〃　6年	〃	〃　7年	〃　7年	玉垣	〃7年(現役没)
3源氏山	〃	〃　4年	〃　11年	〃　11年	秀ノ山	天保15年
4岩見潟	〃　5年	〃　5年	〃　10年	〃　7年	小野川(大阪)	〃　6年
5荒馬	寛政5年	〃　11年	〃　11年	天保6年	宮城野	嘉永2年
6四賀峰	〃　2年	〃　9年	文政2年	文政11年		天保3年
7雲早山	天明7年	〃　4年	文化10年	〃　6年		文政8年
8千田川	寛政5年	〃　11年	〃　11年	〃		〃　11年
9大鳴戸	〃　7年	〃　13年	〃　13年	〃		〃6年(現役没)
10音羽山	〃　元年	〃　8年	〃　11年	〃　11年	(音羽山)	
11論鶴羽	〃　4年	〃　9年	〃　9年	〃　6年		天保4年
12千年川	〃　9年	文政元年	文政4年	天保6年		〃　9年
13大山	〃　4年	文化5年	〃　2年	文政9年	大山	〃　6年
14箕島	〃　12年	文政6年	〃　6年	弘化2年	常盤山	嘉永5年
15小柳	〃　3年	文化12年	〃　5年	天保6年	阿武松	〃　4年
16陣幕	天明3年	〃　2年	文化10年	文政6年		文政12年
17砥並山	寛政2年	文政5年	文政5年	〃		
18玉川	天明7年	文化3年	文化11年	〃　12年	春日山	
19越ノ海	寛政9年	〃　14年	〃　14年	天保2年	雪見山(大阪)	文久元年
20戸田川	天明4年	〃　4年	文政2年	文政13年		天保4年
21千年山	寛政8年	〃　9年	〃　4年	〃　7年		
22越ノ戸	天明7年	〃　10年	〃　4年	〃　11年		〃　12年

前記二十二名の幕内力士の内、(二)玉垣額之助・(四)岩見潟丈右衛門・(七)雲早山森之助・(八)千田川吉蔵・(十一)諭鶴羽富之助・(十三)大山梅五郎・(十四)箕島権太夫・(十六)陣幕島之助・(十九)越ノ海勇蔵の九名は、大阪相撲の力士である。この大阪相撲の九名の力士の出身地は、(二)が長崎、(四)が兵庫、(七)熊本、(八)和歌山、(十一)が兵庫、(十三)が福岡、(十四)が佐賀、(十六)が兵庫、(十九)が広島である。一方、江戸相撲の力士の出身地は、(一)が青森、(三)が山形、(五)が千葉、(六)が岩手、(九)が埼玉、(十)が千葉、(十二)が青森、(十五)が石川、(十七)が栃木、(十八)が山形、(二十)が山梨、(二十一)が青森、(二十二)が山形である。ここでも関西以西の者が大阪相撲に加入し、関東以東の力士は江戸相撲に加入していることが理解できる。

しかし、大阪相撲の力士であった(二)玉垣額之助・(十三)大山梅五郎・(十四)箕島権太夫は、江戸相撲の年寄になっている。しかし、(二)玉垣は玉垣を襲名したが現役のまま亡くなった。(十三)大山は三代目大山に、(十四)箕島は七代目常盤山となった。同じく大阪相撲の力士であった(四)岩見潟と(十九)越ノ海は、現役引退後に大阪相撲の世話人となった。大阪相撲の力士が江戸に来て大阪に帰らず江戸相撲の年寄となったのは、前節の寛政の頃まで見られなかった現象である。このことから、相撲の中心が大阪から江戸へ移り始めたことが理解できる。

この他に幕内力士で年寄となった者は、(一)の柏戸が五代目伊勢ノ海、(三)の源氏山が二代目秀ノ山、(五)の荒馬が二代目宮城野、(十五)の小柳が初代阿武松、(十八)の玉川が五代目春日山となった。従って、二十二名の幕内力士の内、年寄となった力士は(一)(三)(五)(十三)(十四)(十五)(十八)の七名であり、寛政の頃の三名と比べると、多くの幕内力士が年寄を襲名するようになった。

当時の相撲興行は東西制であり、東あるいは西の力士同士が対戦することはなかった。文政六年の星取表では、師匠が同じである力士が東西に分かれ、実際に対戦している。師匠を同じくする弟子が東西に分かれているのは、柏戸(伊勢ノ海)・秀ノ山・久米川・勝ノ浦・玉垣の弟子達である。柏戸・玉垣・秀ノ山と勝ノ浦の弟子は、番付では東西に分かれているが対戦していない。しかし、久米川の弟子は本場所で対戦している。久米川の弟子同士の対戦は、津軽越中守の抱え力士である千年山と抱え力士ではない音羽山の対戦であった。師匠を同じくする弟子同士の対戦は、藩の異なる抱え力士の対戦であるか、抱え力士ではない力士と抱え力士の対戦であった。抱え力士は藩邸などに住み、師匠である年寄のところ(相撲部屋)にはいなかった。従って、同じ師匠であっても、藩の異なる抱え力士同士の対戦や、抱え力士と抱えではない力士の対戦は、同門相戦わずの原則に反しないとされたのであるから、藩邸や相撲部屋のような生活共同体を同じくする力士同士は対戦しないということに他ならなかった。

二、文政五年の年寄

年寄については、文政五年に出版された『續金剛傳(20)』に三十五名の年寄連名(第一章第二節参照)がある。この年寄連名を参考資料として使用するために、年寄の考察年次は文政五年(一八二二)とした。文政五年(一八二二)に年寄であった者の経歴は、次の三十三名が判明している(図三十二)。

(一) 東関庄助(元三段目、日本橋丈助)二代目
(二) 浦風林右衛門(元三段目、稲出川市右衛門)四代目
(三) 追手風喜太郎(元幕下、和田ケ原小太郎)三代目
(四) 春日山鹿右衛門(元小結、大綱七郎治)四代目
(五) 勝ノ浦与一右衛門(元大関、鬼面山与一右衛門)二代目
(六) 甲山半五郎(不明、浪除半五郎)二代目
(七) 木村瀬平(元立行司、七代目木村庄之助)二代目
(八) 清見潟又蔵(元幕下、立浪卯太夫)二代目
(九) 桐山権平(諭鶴羽峯右衛門[五代目桐山]の甥、力士ではなかった)六代目
(十) 粂川新右衛門(元三段目、矢車留五郎)三代目
(十一) 酒井川豊五郎(元幕下、甲豊五郎)三代目
(十二) 佐渡ケ嶽沢右衛門(元前頭、栈シ初五郎)四代目

（十三）　鎹山喜平治（元三段目、宮戸川半五郎）二代目
（十四）　高砂五郎治（元序二段、高砂五郎兵衛）二代目
（十五）　田子ノ浦嘉蔵（元三段目、茨木音五郎）四代目
（十六）　玉垣額之助（元大関、越ノ海勇蔵）六代目
（十七）　玉ノ井村右衛門（元幕下、諭摺木浜右衛門）四代目
（十八）　常盤山小平治（元前頭、鯱和三郎）五代目
（十九）　友綱良助（初代友綱の息子であり、力士ではなかった）三代目
（二十）　錦島三太夫（元三段目、網代木力蔵）四代目
（二十一）　二所ノ関軍右衛門（元大関、錦木塚右衛門）初代
（二十二）　二十山重五郎（元序二段、木曽川伝吉）五代目
（二十三）　花籠與市（元三段目、立岩万太郎）三代目
（二十四）　秀ノ山伝治郎（元小結、秀ノ山伝治郎）初代
（二十五）　二子山三五郎（元三段目、浮島三五郎）二代
（二十六）　振分忠蔵（元序二段、桜野長兵衛）二代目
（二十七）　松ケ根幸太夫（元三段目、明保野安右衛門）二代目
（二十八）　武蔵川初五郎（元三段目、大橋清五郎）四代目
（二十九）　山科斧吉（元三段目、三田ノ森斧吉）二代目
（三十）　山響島五郎（元幕下、鳴潮島五郎）二代目

（三十一）若藤恒右衛門（元幕下、若ノ森太吉）三代目
（三十二）藤島甚助（元幕下格行司、木村甚助〔四代目藤島の伜〕）五代目
（三十三）大山梅五郎（元前頭、天秤梅五郎）三代目

前記三十三名の年寄の現役時代の番付最高位は、大関が三名、小結が二名、平幕が三名、幕下が六名、三段目が十一名、序二段が三名、行司が二名、不明が一名、力士でなかった者が二名である。当時の年寄には、幕下・三段目の力士が多かった。伊勢ノ海部屋出身の年寄が六名で最も多い。力士の経験がなく年寄になった二名は、友綱が先代の弟（先々代友綱の息子）、桐山が先代の甥であり、血縁の者が年寄を襲名継承（相続）している。行司から年寄となった二名の内、藤島甚助は先代の伜であり、やはり血縁の者が年寄を継いだ。

弟子が師匠の年寄名跡を継いだのは、（一）東関・（三）追手風・（五）勝ノ浦・（八）清見潟・（十）粂川・（十二）佐渡ケ嶽・（十三）錣山・（十五）田子ノ浦・（十六）玉垣・（二十二）二十山・（二十三）花籠・（二十六）振分・（三十）山響の十三名である。（二）浦風の師匠は雷電である。この雷電は先代浦風の弟子であったが、現役を引退してから雲州藩の家臣として弟子を養成していた。従って、（二）浦風は、先代の孫弟子が継いだことになる。

大阪相撲の力士から江戸相撲の年寄になった者は、（十二）佐渡ケ嶽・（十六）玉垣・（十八）常盤山・

（三十三）大山の四名である。（十二）佐渡ケ嶽は鳥取、（十六）玉垣は長崎、（十八）常盤山と（三十三）大山は福岡の出身である。やはり、関西以西の力士は大阪相撲に入門している。しかし、雷電の弟子である（二）浦風と佐渡ケ嶽の弟子であった（二十）錦島は、浦風が熊本、錦島が鳥取の出身であるにもかかわらず、江戸相撲に入門した。大阪の力士が江戸相撲の年寄となったり、関西以西の力士が直接江戸相撲に加入するようになり、ここにも相撲の中心が徐々に大阪から江戸に移りつつあることの兆候がみられる。

文政十年（一八二七）に出版された『相撲金剛傳(21)』の「当時江戸相撲年寄連名」には、次のような三十一名の年寄名が記されてある。この連名には年寄の住所の頭書に、初めて宿所・稽古場という言葉が出てくる。従って、文政年間には、現在とほぼ同じような生活共同体としての相撲部屋が形成されたと考えられる。

（一）　宿所・稽古場　神田和泉橋通　故粂川門人矢車留五郎改　筆頭役　粂川新右衛門　角力若者頭勤来ル
（二）　宿所・稽古場　本小田原町一丁目　故友綱伜　筆脇役　友綱良助
（三）　宿所・稽古場　本郷金助町　故浦風門人山桂与三郎改　荒磯與八
（四）　宿所・稽古場　四谷内藤新宿　故勝ノ浦門人鬼面山与一右衛門改　勝ノ浦與一右衛門
（五）　宿所・稽古場　本郷金助町　雷電門人稲出川市五郎改　浦風銀右衛門
（六）　宿所・稽古場　和国橋杉森稲荷前　粂川門人鍬形粂蔵改　立田川清五郎

（七）宿所・稽古場　小梅瓦町　故追手風門人和田ケ原小太郎改　追手風喜太郎

（八）宿所・稽古場　根津七軒町　故錣山門人大橋清五郎改　錣山喜平治　角力若者頭勤来ル

（九）宿所・稽古場　本所松井町　勝ノ浦門人甲豊五郎改　酒井川豊五郎　角力若者頭勤来ル

（十）宿所・稽古場　神田龍閑町　故小野川門人鯱和三郎改　常盤山小平次

（十一）宿所・稽古場　西久保廣小路　故二十山門人木曽川傳吉改　二十山重五郎

（十二）宿所・稽古場　浅草三軒町　故佐渡ケ嶽門人網代木力蔵改　錦島三太夫

（十三）宿所・稽古場　浅草砂石場　故佐渡ケ嶽門人礎清五郎改　白玉由右衛門

（十四）宿所・稽古場　深川常盤町　故千賀ノ浦門人横雲太吉改　千賀ノ浦太三郎　角力若者頭勤来ル

（十五）宿所・稽古場　南茅場町　故玉垣門人朝ノ雪勘三郎改　玉垣勘三郎

（十六）宿所・稽古場　向両国　故伊勢海門人柏戸利助改　伊勢海利助

（十七）宿所・稽古場　音羽町一丁目　故雷門人曙野安右衛門改　松ケ根幸太夫　角力若者頭勤来ル

（十八）宿所・稽古場　根津門前町　錣山門人浪除半五郎改　甲山半五郎　角力若者頭勤来ル

（十九）宿所・稽古場　品川新宿二丁目　諭鶴羽改桐山甥　桐山権平

（二十）宿所・稽古場　神田旅籠町　粂川門人鯱亀之助改　間垣伴七

（二十一）宿所・稽古場　大鋸町　故桐山門人天秤梅五郎改　大山梅五郎

（二十二）宿所・稽古場　湯島天神前　故花籠門人立石万太郎改　花籠與市

（二十三）宿所・稽古場　浅草堀田原　故山分門人隅田川重兵衛改　濱風今右衛門　角力若者頭勤来ル

（二十四）宿所・稽古場　赤羽根森本　故振分門人雲龍浪五郎改　振分忠蔵

（二十五）宿所・稽古場　湯島六丁目　粂川門人常山倉之助改　出来山峰右衛門
（二十六）宿所・稽古場　霊岸島南新堀町　故清見潟門人小森野又市改　清見潟又蔵
（二十七）宿所・稽古場　麻布十番　故山響門人鳴潮嶋五郎改　山響勇五郎
（二十八）宿所・稽古場　銀座二丁目新道　故藤島倅　藤島甚助
（二十九）宿所・稽古場　深川佐賀町　伊勢海門人越ノ川弥作改　玉ノ井村右衛門
（三十）宿所・稽古場　神田銀町　故鎹山門人稲荷山長兵衛改　山科長兵衛
（三十一）宿所・稽古場　下谷御徒町　故田子浦門人茨木音右衛門改　田子ノ浦嘉蔵

表三十六は、文政六年と文政十三年の上覧相撲の人別書から作成した師匠別力士数である。文政六年に年寄ではないが弟子のいる師匠は、（一）柏戸利助・（二）玉垣・（十四）木村庄之助の三名である。（一）柏戸利助は、文政六年当時は現役力士であり、文政八年に伊勢ノ海を襲名し年寄となった。従って、文政六年の柏戸と文政十三年の伊勢ノ海は同一人物である。また文政六年の（七）粂川は、文政十三年に雷を襲名した。従って、文政六年の（七）粂川と文政十三年の（二十八）雷も、同一人物である。（二）玉垣は、当時は現役力士であり現役で年寄を襲名していたが、文政七年現役力士のまま亡くなってしまった。従って、文政六年の玉垣は六代目で、文政十三年の玉垣は七代目である。伊勢ノ海と玉垣には弟子が多く、文政十年には玉垣部屋が南茅場町、伊勢ノ海部屋が向両国で両者共墨田区の回向院の近くにあった。（十四）木村庄之助は行司であるが、当時は行司も力士を養成していた。

表36　師匠別力士数（文政６年・文政13年）

師匠名	文政６年	文政13年
(１)柏戸（伊勢ノ海）	37名	41名
(２)玉垣	18	33
(３)秀ノ山	18	9
(４)桐山	19	8
(５)勝ノ浦	22	6
(６)武隈	2	0
(７)久米川	24	5
(８)振分	5	5
(９)佐渡ケ嶽	19	0
(10)荒磯	2	4
(11)追手風	3	0
(12)錦嶋	3	17
(13)浦風	9	13
(14)木村庄之助	8	8
(15)山分	5	0
(16)若藤	4	1
(17)立田川	4	0
(18)千賀ノ浦	2	2
(19)酒井川	7	3
(20)甲山	5	0
(21)花籠	2	0
(22)玉ノ井	2	0
(23)武蔵川	1	0
(24)友綱	1	3
(25)錣山	2	2
(26)清見潟	2	3
(27)松ケ根	2	1
(28)雷	0	42
(29)二十山	0	1
(30)大山	0	9
(31)田子ノ浦	0	2
(32)間垣	0	1
(33)常盤山	0	1

文政六年弟子の多い師匠は、(一)柏戸利助(伊勢ノ海)・(二)玉垣・(三)秀ノ山・(四)桐山・(五)勝ノ浦・(七)粂川・(九)佐渡ケ嶽である。(一)柏戸利助・(三)秀ノ山・(七)粂川の弟子は、関東以北の弟子が多く、一方(二)玉垣・(四)桐山・(五)勝ノ浦・(九)佐渡ケ嶽には関東以西の弟子が多い。(一)柏戸は青森県、(三)秀ノ山は東京都、(七)粂川は埼玉県の出身である。関東以西の弟子が多いと

いうことは、京都・大阪相撲の力士が多いということである。(二)玉垣と(九)佐渡ケ嶽は、大阪相撲の元力士であり、彼らの出身地は玉垣が長崎県であり佐渡ケ嶽が鳥取県であった。

三、幕内力士と年寄のライフコース

文政六年(一八二三)の幕内力士の経歴(図三十一)から、江戸相撲の幕内力士は十一名であり、彼等の初土俵年齢、現役年数、現役引退後年数、そして死亡年齢は次の通りである。尚、(十七)砥並山は、江戸相撲を二場所だけ勤めた看板力士であるので、ここでの算定から除外する。

江戸相撲の幕内力士の平均初土俵年齢は二十一・一歳、平均現役年数は十六・九年、平均現役引退後年数は七・九年、そして平均死亡年齢は、四十六・六歳である。この十一名の幕内力士の中で、現役引退後に年寄となったのは(一)柏戸・(三)源氏山・(五)荒馬の三名だけで、彼等の平均死亡年齢は五十三・七歳である。一方、年寄にならなかった残りの八名の幕内力士の平均死亡年齢は四十一・三歳であり、年寄となった幕内力士のほうが十年以上も長生きであった。

当時の幕内力士のライフコースは、約二十一歳で初土俵を踏み、約十七年間現役を勤めると年齢は約三十八歳であり、現役引退後は約八年の余生があるだけであった。

文政五年の年寄の経歴（図三十二）から死亡年齢の算定できる年寄は、（四）春日山（五十五歳）・（五）勝ノ浦（六十五歳）・（十）粂川（六十七歳）・（十二）佐渡ケ嶽（五十歳）・（十六）玉垣（三十八歳）・（十八）常盤山（六十一歳）・（二十二）二所ノ関（六十三歳）・（二十四）秀ノ山（五十九歳）・（三十三）大山（四十三歳）の九名である。この九名の平均死亡年齢は、五十五・七歳であった。年寄は幕内力士より九・二年長生きであった。

力士から年寄となった者の初土俵年齢、現役年数と現役引退後年数を算定できるのは、次の二十二名の年寄である。

図31　文政６年（1823）幕内力士の経歴

西暦1780　1800　1820　1840　1860年

力士	経歴
（１）柏戸	0　1　2　3T　5
（２）玉垣(図32(16)玉垣)	0　1　2　T　5
（３）源氏山	0　1　1　3T　5
（４）岩見潟	0　1　2　4　5
（５）荒馬	0　1,2　T3　5
（６）四賀峰	0　1　2　4　5
（７）雲早山	0　1　2　4 5
（８）千田川	0　1,2　4　5
（９）大鳴門	0　1,2　5
（10）音羽山	0　1　2　4
（11）諭鶴羽	0　2　4　5
（12）千年川	0　1　2　4　5
（13）大山(図32(33)大山)	0　1　2　T　3　5
（14）箕島(図34(27)常盤山)	0　1,2　T3　5
（15）小柳(図34(6)阿武松)	0　1　2　T　3　5
（16）陣幕	0　1　2　4　5
（17）砥並山	0　1,24
（18）玉川	0　1　2　T 4
（19）越ノ海	0　1,2　4　5
（20）戸田川	0　1　2　4 5
（21）千年山	0　1　2 4
（22）越ノ戸	0　1　2　4　5

図32　文政5年（1822）年寄の経歴

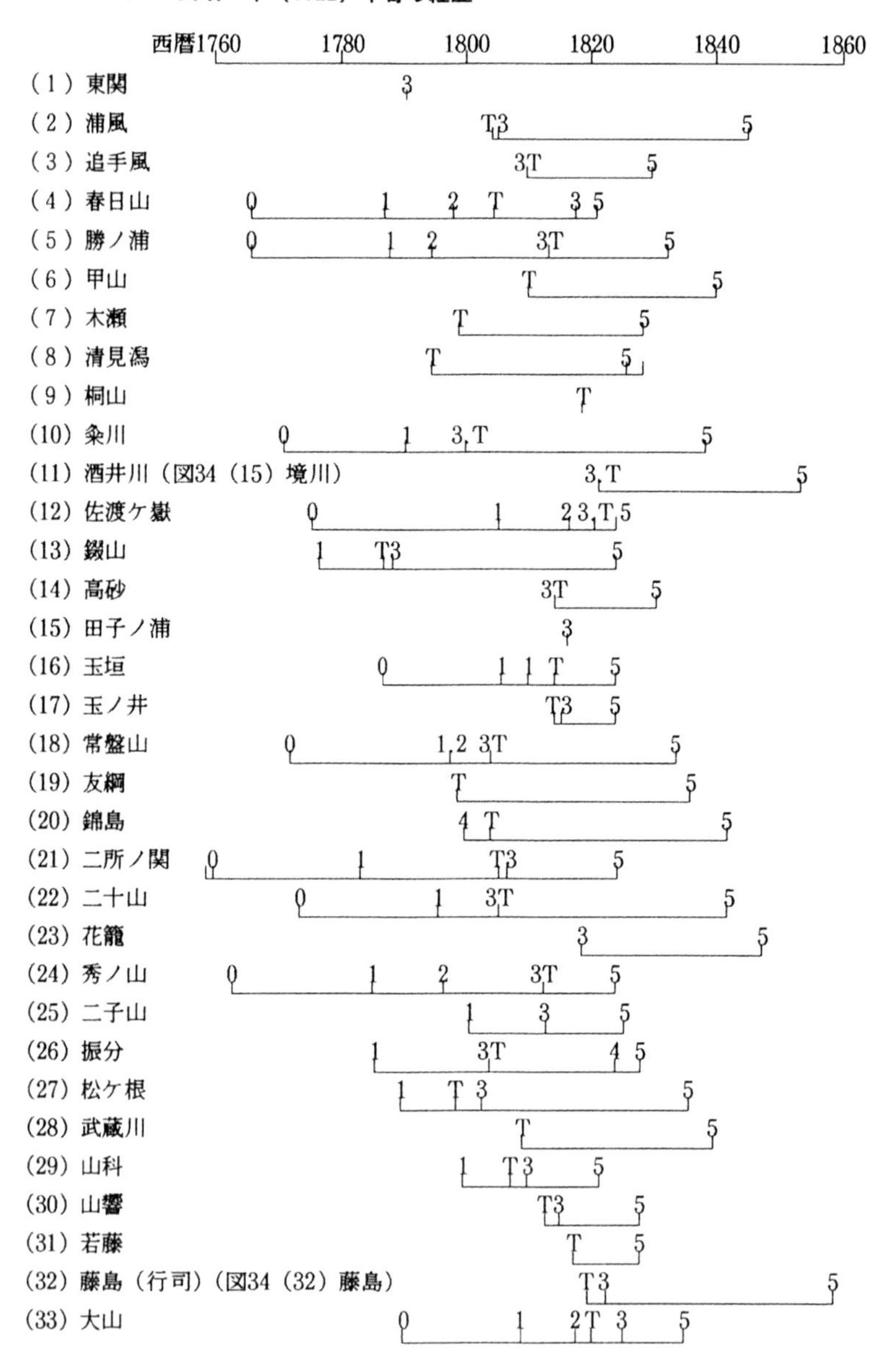

	初土俵年齢	現役年数	引退後年数
(二)　浦風			三十八年
(四)　春日山	二十歳	三十年	六年
(十)　粂川	二十歳	九年	三十八年
(十三)　鐵山		十二年	三十六年
(十六)　玉垣	二十歳	十八年	〇年
(十八)　常盤山	二十三歳	七年	二十九年
(二十一)二所ノ関	二十四歳	二十四年	十六年
(二十三)花籠			十五年
(二十五)二子山		十二年	十二年
(二十七)松ケ根		十三年	三十三年
(三十)　山響			十三年
(三)　追手風			十九年
(五)　勝ノ浦	二十二歳	二十四年	十九年
(十二)　佐渡ケ嶽	三十三歳	十四年	三年
(十四)　高砂			十六年
(十七)　玉ノ井			九年
(二十)　錦島			四十三年
(二十二)二十山	二十三歳	十年	三十七年
(二十四)秀ノ山	二十二歳	二十六年	十一年
(二十六)振分		十七年	二十四年
(二十九)山科		十年	十二年
(三十三)大山	十六歳	十八年	九年

これを平均すると初土俵年齢は二十二・三歳、現役年数は十六・三年、現役引退後年数は十九・九年である。当時の年寄のライフコースは、約二十二歳で初土俵を踏み、約十六年間現役を勤めると年齢は約三十七歳、そして現役引退後は約二十年間年寄を勤めて亡くなっている。

第四節　嘉永三年（一八五〇）

文政七年（一八二四）に玉垣、そして翌年には柏戸が現役を引退し、第二期柏戸・玉垣時代は終わった。文政九年に小柳春吉が大関に昇進し翌年阿武松緑之助と改名、文政十一年（一八二八）には谷風・小野川以来三十年ぶりに吉田司家より横綱を免許された。同年稲妻雷五郎が大関に進み、彼も文政十三年吉田司家より横綱を免許された。文政十三年（一八三〇）三月二十五日江戸城吹上十三間御門内の芝間で、将軍徳川家斉の上覧相撲が催された。

天保六年（一八三五）に阿武松が現役を引退、天保十年には稲妻も現役を引退、相撲の人気は沈滞し、力士数は二百名台を推移した（図二十五）。天保十年不知火諾右衛門が大関となり、翌年には横綱を免許された。しかし、この時彼は既に四十歳となっており、一時代を築く元気もなく、天保十四年（一八四三）江戸城吹上における将軍家慶の上覧相撲を勤め、翌年に現役を引退した。

不知火の引退後、秀ノ山雷五郎が大関に昇進した。剣山谷右衛門は、天保・弘化年間（一八三〇―一八四七）にわたって、不知火・秀ノ山に対して大関を勤めた。弘化から嘉永初年にいたる時期は、江戸相撲は力士数が三百名を越えるようになり活気づいてきた（図二十五）。弘化二年（一八四五）秀ノ山は横綱となり、嘉永二年（一八四九）の上覧相撲を勤め、翌年に現役を引退した。しかし、剣山はとうとう横綱にはなれず、嘉永五年に現役を引退した。

一、嘉永三年の幕内力士

嘉永三年（一八五〇）の本場所は、三月と十一月に本所回向院境内で、晴天十日間の興行が行われた。三月場所の番付では、大関が二名、関脇が二名、小結が二名、平幕が十六名、平幕張出一名で幕内力士は計二十三名、幕下が七十四名、三段目が九十名と同張出が一名、序二段が七十一名、序ノ口が七十名と同張出が一名で総計三百三十名であった。

三月場所の幕内力士は次の通りであり、彼等の経歴は表三十七の通りである。

（東方）

（一）　大関　江戸　剣山谷右衛門
（三）　関脇　同　小柳常吉
（五）　小結　平戸　御用木雲右衛門
（七）　前頭　因州　猪王山森右衛門
（九）　同　仙台　荒熊力之助
（十一）　同　延岡　友綱良助
（十三）　同　人吉　熊ケ嶽猪助
（十五）　同　江戸　雲早山鉄之助
（十七）　同　同　武蔵野門太

（西方）

（二）　大関　盛岡　秀ノ山雷五郎
（四）　関脇　村松　鏡岩浜之助
（六）　小結　八戸　荒馬吉五郎
（八）　前頭　庄内　常山五良治
（十）　同　丸亀　稲川政右衛門
（十二）　同　同　巌嶋関右衛門
（十四）　同　八戸　階ケ嶽龍右衛門
（十六）　同　丸亀　黒岩重太郎
（十八）　同　江戸　君ケ嶽助三郎

（十九）　同　同　増位山岩之助
（二十一）同　肥後　雲生嶽霧右衛門

（二十）　同　同　一力長五郎
（二十二）同　同　天津風雲右衛門
（二十三）張出　平戸　生月鯨太左衛門（22）

表37　嘉永３年(1850)幕内力士の経歴

力士名	生　年	初土俵年	入幕年	現役引退年	年寄名	没　年
1剣山	享和３年	文政10年	天保５年	嘉永５年	二十山	嘉永７年
2秀ノ山	文化５年	〃	〃　8年	〃　3年	秀ノ山	文久２年
3小柳	〃　14年	天保６年	〃　11年	安政３年	阿武松	安政５年
4鏡岩	〃　6年	文政13年	〃　8年	〃	粂川	慶応２年
5御用木	〃	天保２年	天保11年	〃		〃　3年
6荒馬	〃　12年	〃　3年	〃　12年	嘉永７年		嘉永７年(現役没)
7猪王山	〃	〃　10年	弘化３年	安政７年		明治５年
8常ノ山	〃　9年	〃　6年	天保14年	〃　6年	立田川	慶応３年
9荒熊	〃　11年	〃　9年	弘化３年	〃	伊勢ケ浜	文久元年
10稲川	〃　3年	文化３年	天保７年	嘉永４年	稲川	嘉永６年
11友綱	〃　6年	文政11年	〃　9年	〃	友綱	明治４年
12厳島	〃　3年	天保５年	〃　15年	〃　7年	稲川	嘉永７年(現役没)
13熊ケ獄	〃　12年	〃　10年	弘化２年	〃　6年		安政２年
14階ケ獄	〃　14年	〃　11年	〃　5年	安政６年	熊ケ谷	明治元年
15雲早山	〃　11年	〃　10年	〃	〃　2年	湊(大阪)	〃　8年
16黒岩	〃	弘化２年	嘉永２年	〃　4年		安政４年(現役没)
17武蔵野	〃　7年	天保３年	弘化２年	嘉永５年	大獄	文久元年
18君ケ獄	〃　11年	〃　6年	〃　4年	〃　7年	境川	嘉永７年(現役没)
19増位山	文政２年	〃　14年	嘉永３年	文久元年	境川	慶応３年
20一力	文化12年	〃　8年	〃　2年	安政６年		安政６年(現役没)
21雲生獄		〃	天保13年	嘉永３年		
22天津風	〃　14年	〃　10年	弘化３年	〃　4年		明治13年
23生月	文政10年	弘化元年	〃　元年	〃　3年		嘉永３年(現役没)

前記二十三名の幕内力士の内、(五)(十一)(十五)(十六)(十九)(二十三)は大阪相撲の力士であり、(十三)(二十一)は京都相撲の力士である。彼等の出身は、(五)が大分、(十一)が宮崎、(十五)が徳島、(十六)が香川、(十九)が三重、(二十三)が長崎、(十三)と(二十一)が熊本である。九州、四国、中国、近畿地方出身の力士は、大阪相撲か京都相撲に入門している。(十二)は丸亀(香川県)の出身であるが、江戸相撲の雷部屋に入門した。彼は、江戸相撲の稲川の年寄名跡を現役で襲名したが、現役中に亡くなった。

この二十三名の幕内力士の中で年寄となった者は、(一)(二)(三)(四)(八)(九)(十)(十二)(十二)(十四)(十七)(十八)(十九)の十三名である。また、この中の(十一)友綱と(十九)増位山は大阪相撲の力士であったが、江戸相撲の年寄となっている。江戸相撲の力士で年寄にならなかったのは、(六)荒馬・(七)猪王山・(二十)一力・(二十三)生月の四名だけで、猪王山以外の三名は現役中に亡くなっている。幕内力士の年寄となる割合が増えたのは、大名の抱え力士が減少したためである。文政の幕内力士(二十二名)は十二名が大名の抱え力士であったが、嘉永の幕内力士(二十三名)では(一)(五)(七)(九)(二十二)の五名と減少した。(三)小柳は天保十五年十月の一場所だけ阿波藩に抱えられたが、以後は大名の抱えとならなかった(小池資料)。これは幕末の混乱期に、力士を抱える経済的余裕のある大名が少なくなったからである。

二十三名の幕内力士の中で、境川と浦風の弟子が番付上東西に分かれている。境川の弟子である（十五）（十九）が東で（十八）が西、浦風の弟子は（二十一）が東で（二十二）が西であった。（十五）（十九）は大阪相撲の力士であり、（二十一）は京都相撲の力士であり、（十八）（二十二）は江戸相撲の力士であった。しかし、師匠（相撲部屋）を同じくする弟子同士の対戦は行われなかった。これは、当時既に生活共同体としての部屋制度が確立されており、大阪・京都相撲の力士さらには大名の抱え力士も、相撲部屋で生活を共にしながら稽古をするようになってきたからであろう。

二、嘉永三年の年寄

嘉永三年（一八五〇）の年寄は、次の四十八名の経歴が判明している（図三十四）。尚、（四十）―（四十八）の年寄は、系譜から嘉永三年当時年寄であったことが推定できる人物である。

（一）　東関庄助（元幕下、志賀ノ浦一松）四代目
（二）　荒磯倉吉（元幕下、関ノ川倉吉）四代目
（三）　雷権太夫（元三段目、鍬形粂蔵）七代目
（四）　伊勢ノ海五太夫（元前頭、柏戸宗五郎）七代目
（五）　浦風林右衛門（七代目玉垣の次男［八代目玉垣の弟］力士ではなかった）五代目

（六）阿武松緑之助（元横綱、阿武松緑之助）初代
（七）追手風喜太郎（元大関、黒柳松治郎）四代目
（八）音羽山峰右衛門（元前頭、十万ノ海剛右衛門）五代目
（九）春日野松五郎（元前頭、相生松五郎）二代目
（十）甲山半五郎（元三段目、浪除宗吉）三代目
（十一）木村瀬平（元幕内格行司、木村庄三郎）四代目
（十二）清見潟又市（元幕下、小森野又市）三代目
（十三）桐山権平（元幕下、荒井崎繁蔵）八代目
（十四）粂川新右衛門（元大関、平石七太夫）五代目
（十五）境川浪右衛門（元幕下、甲豊五郎）三代目
（十六）佐渡ケ嶽沢五郎（元幕下、松ノ浦左市）五代目
（十七）錣山喜平治（元幕下、雲井川太吉）六代目
（十八）関ノ戸億右衛門（元前頭、御所ノ浦平太夫）六代目
（十九）高砂五郎治（元幕内格行司、木村正八郎）三代目
（二十）武隈文右衛門（元大関、武隈文右衛門）五代目
（二十一）立川定吉（元三段目、立川定吉）初代
（二十二）楯山藤蔵（元三段目、仮名頭次平）四代目
（二十三）玉垣額之助（序ノ口、不明［先代の伜］）八代目

（二十四）玉ノ井村右衛門（元幕下、越ノ川弥作）五代目
（二十五）千賀ノ浦庄吉（元幕下、松ケ枝庄吉）五代目
（二十六）出来山藤四郎（元幕下、常盤戸文吉）五代目
（二十七）常盤山小平治（元関脇、鷲ケ浜音右衛門）七代目
（二十八）友綱良助（元前頭、千田川吉五郎）四代目
（二十九）錦島三太夫（元幕下、走り舟猪牙右衛門）五代目
（三十）花籠平五郎（元幕下、盤石岩右衛門）四代目
（三十一）秀ノ山雷五郎（元横綱、秀ノ山雷五郎）三代目
（三十二）藤島甚助（元幕下格行司、木村甚助［先代の倅］）
（三十三）二子山為右衛門（元三段目、羅生門為八）三代目
（三十四）振分忠蔵（元幕下、八光山権五郎）五代目
（三十五）待乳山楯之丞（元前頭、荒滝伊之助）三代目
（三十六）湊川由三郎（元前頭、由良ノ海揖五郎）四代目
（三十七）宮城野馬五郎（元幕下、御所車清蔵）三代目
（三十八）山科長兵衛（元三段目、諳ケ浜善太夫）四代目
（三十九）若松源治（元幕下、大江山源治）四代目
（四十）井筒元右衛門（元三段目、越ケ浜浦右衛門）三段目
（四十一）片男浪岸右衛門（元幕下、温海嶽幸介）二代目

（四十二）熊ケ谷弥三郎（元三段目、松尾山米蔵）四代目
（四十三）九重武治右衛門（元幕下、太宰山清吉）四代目
（四十四）佐ノ山丈助（元幕下、総ケ関荒五郎）五代目
（四十五）田子ノ浦忠太夫（元三段目、松ケ崎八五郎）五代目
（四十六）立田山清太夫（元三段目、立ケ島浪五郎）三代目
（四十七）放駒弥三郎（元幕下、荒汐弥三郎）三代目
（四十八）若藤恒右衛門（元三段目、若ノ森政五郎）四代目

前記四十六名の年寄の内、現役力士時代の番付最高位が横綱であった者が二名、大関が三名、関脇が一名、前頭が七名、幕下が十九名、三段目が十一名、序ノ口が一名であった。幕下と三段目から年寄となる者が最も多かった。雷部屋出身の年寄が大名が六名で最も多く、次が伊勢ノ海部屋と玉垣部屋出身で各四名であった。序ノ口から年寄となったのは（二十三）八代目玉垣で、七代目玉垣の長男であった。力士の経験がなく年寄となった者は（五）の浦風で、彼は七代目玉垣の次男であり、先代浦風の養子となり浦風を襲名継承した。血縁関係で年寄名を継承したのは、（二十三）の玉垣と（三十二）の藤島で両者とも先代の息子であり、（三）雷は先代の甥であった。現役時代の実力のない力士や力士経験のない者は、血縁関係で年寄名跡を相続している。

力士から年寄となった者四十四名の中で師匠の年寄名跡を継承した者は、十八名である。（一）の東関

と（二十八）の友綱は、両者とも現役時代に師匠が亡くなり東関は伊勢海部屋へ、友綱は玉垣部屋に移り師匠が変わったが、元の師匠の年寄名跡をそれぞれ継承している。尚、（十二）清見潟・（三十八）山科・（四十二）熊ケ谷の師匠名が不明であり、（六）阿武松と（二十一）立川が初代であった。従って、この五名を除けば、当時は年寄名跡の約半数が師弟関係で襲名継承されていたことになる。

大阪相撲出身の力士で江戸相撲の年寄となったのは、徳島県出身の（九）春日野と宮崎県出身の（二十八）友綱である。京都相撲出身の力士で江戸相撲の年寄となったのは、滋賀県出身の（二十）武隈である。佐賀県出身の（二十七）常盤山は、最初から江戸相撲の玉垣部屋に入門していた。このことから、幕府の膝もとの江戸相撲が数度にわたる上覧相撲を催し、大阪・京都相撲を凌いで、日本の勧進相撲の中心となったことが知られる。

三、幕内力士と年寄のライフコース

嘉永三年（一八五〇）の幕内力士の経歴（図三十三）から、初土俵年齢、現役年数と現役引退後年数、死亡年齢およびその平均値は、表三十八の通りである。江戸相撲の力士は（一）（二）（三）（四）（六）（七）（八）（九）（十）（十二）（十四）（十七）（十八）（二十）（二十二）の十五名である。その外の力士は大阪相撲か京都相撲の力士であるので、平均値の算定からは除外した。嘉永三年（一八五〇）の幕内力士の平均死亡年齢は四十七・一歳であった。そして、初土俵の平均年齢は二十二・六歳、現役の平均年数は二十・〇年、現役引退後年数の平均は四・〇年であった。また、江戸相撲の幕内力士で年寄とならなかった者（六）（七）（二十）（二十三）の経歴の平均値は、死亡年齢が四十・八歳、初土俵年齢が二十・〇歳、現役年数が十七・八年、現役引退後年数が三・〇年であった。当時の幕内力士のライフコースは、約二十三歳で初土俵を踏み、約二十年間現役を勤めると約四十三歳、現役引退後は約四年の余生があるだけであった。

嘉永三年（一八五〇）の年寄の経歴（図三十四）から、初土俵年齢、現役年数、現役引退後年数、死亡年齢は、表三十九の通りである。その平均値は、死亡年齢が六十一・七歳、初土俵年齢が二十一・九歳、現役年数が十七・七年、現役引退後の年数が二十・〇年であった。年寄は幕内力士より約十五年長生きであり、現役年数が約二年短く、現役引退後の年数が約十六年長い。当時の年寄のライフコースは約二十二歳で初土俵を踏み、約十八年間現役力士を勤め、幕内力士より約二年早く現役を引退し約四十歳で年寄となり、現役引退後は約二十年間年寄を勤めて亡くなった。現役中に年寄名跡を襲名する者が増えた。これは前にも述べたように、大名が力士を家臣として抱えなくなり、年寄とならなければ弟子を養う経済的基盤が確立されないような状況になってきたからである。年寄となれば、興行収益が配分され、経済的基盤が確立される。

図33　嘉永３年（1850）幕内力士の経歴

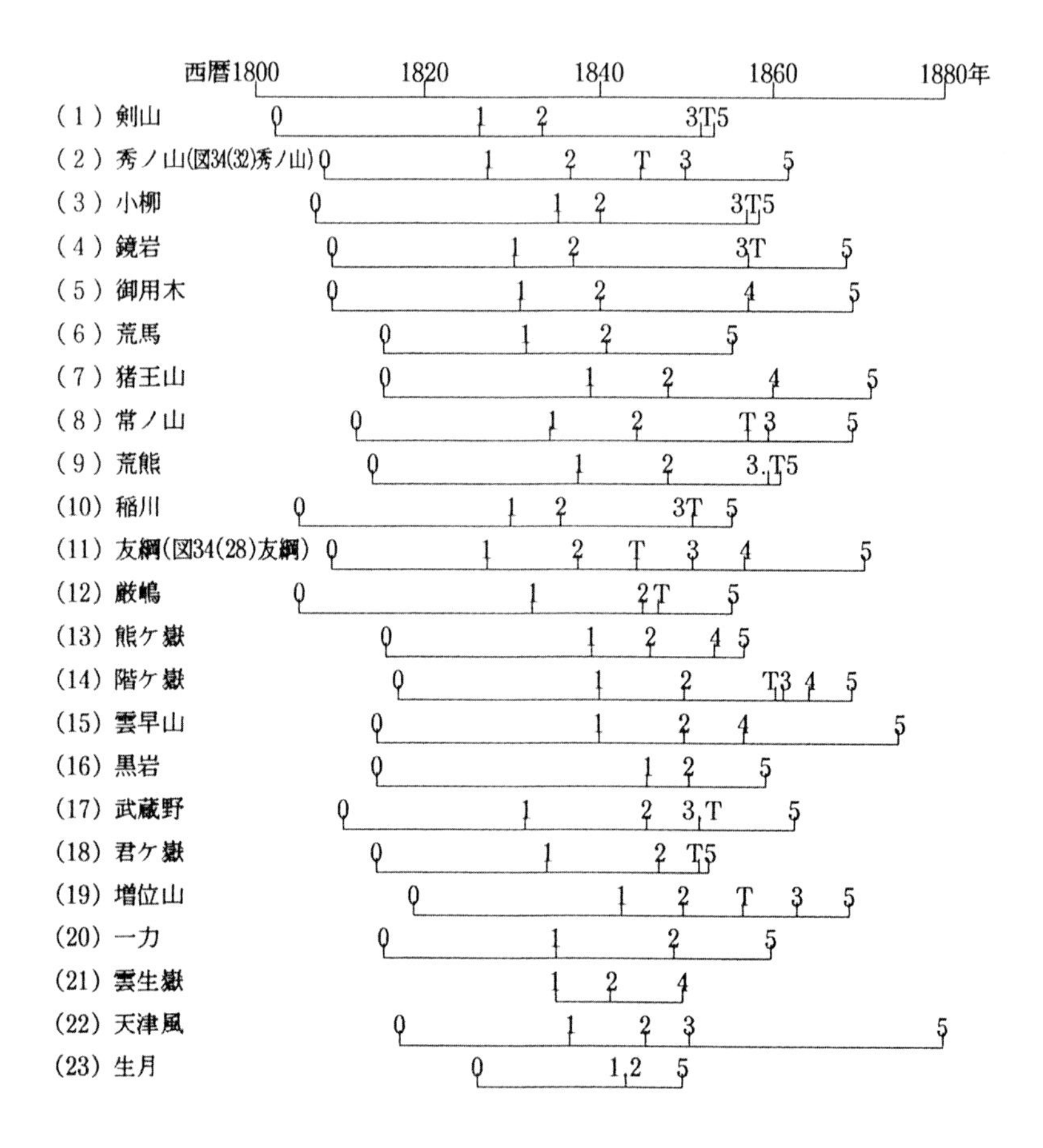

表38　嘉永3年(1850)の幕内力士のイベント時点

	初土俵年齢	現役年数	現役引退後年数	死亡年齢
(1)剣山	24歳	25年	2年	51歳
(2)秀ノ山	20歳	22年	12年	54歳
(3)小柳	28歳	21年	2年	51歳
(4)鏡岩	21歳	26年	10年	57歳
(5)御用木	22歳	25年	11年	58歳
(6)荒馬	17歳	22年	0年	39歳
(7)猪王山	24歳	21年	12年	57歳
(8)常ノ山	23歳	24年	8年	55歳
(9)荒熊	24歳	21年	2年	47歳
(10)稲川	24歳	21年	2年	47歳
(11)友綱	19歳	23年	20年	62歳
(12)厳島	28歳	20年	0年	48歳
(13)熊ケ嶽	24歳	14年	2年	40歳
(14)階ケ嶽	23歳	19年	9年	51歳
(15)雲早山	26歳	15年	20年	61歳
(16)黒岩	31歳	12年	0年	43歳
(17)武蔵野	21歳	20年	9年	50歳
(18)君ケ嶽	21歳	19年	0年	40歳
(19)増位山	24歳	19年	5年	48歳
(20)一力	22歳	22年	0年	44歳
(21)雲生嶽		13年		
(22)天津風	22歳	12年	29年	63歳
(23)生月	17歳	6年	0年	23歳
平均値	22.6歳	20.0年	4.0年	47.1歳

図34　嘉永３年（1850）年寄の経歴

西暦1780　1800　1820　1840　1860　1880　1900年

（１）東関　T3　5
（２）荒磯　0　T3　5
（３）雷　T 3　5
（４）伊勢ノ海（図36(4)伊勢ノ海）　0　1　2T 3　5
（５）浦風　T　5
（６）阿武松　0　1　2　3, T　5
（７）追手風　0　1　2　T　3　5
（８）音羽山　0　1　2 T　3　5
（９）春日野　1　2 3T 5
（10）甲山　3T　5
（11）木村瀬平（行司）　3T　5
（12）清見潟　0　3　T　4 5
（13）桐山　1　T　3　5
（14）粂川　0　1　2　3T　5
（15）境川　3T　5
（16）佐渡ケ嶽　1　T　3 5
（17）錣山　0　T　3　4　5
（18）関ノ戸　0　1　2 T3　5
（19）高砂（行司）　3T　5
（20）武隈　0　1　2　T3　5
（21）立川　T 3　5
（22）楯山　3T　4 5
（23）玉垣　0　1　T　5
（24）玉ノ井　0　1　3T　5
（25）千賀ノ浦　T　3　4　5
（26）出来山　1　T3　5
（27）常盤山　0　1, 2　T3　5
（28）友綱　0　1　2　T　3　4　5
（29）錦島　1T　3　5
（30）花籠　0　T3　5
（31）秀ノ山　0　1　2　T　3　5
（32）藤島（行司）　T3　5
（33）二子山　0　1　3　T　5
（34）振分　1　T　35
（35）待乳山　0　1　2T　3　5
（36）湊川　0　1, 2　3, T　5
（37）宮城野　1　T3　5
（38）山科　0　T3　5
（39）若松　1　3T　5

表39　嘉永3年(1850)の年寄のイベント時点

	初土俵年齢	現役年数	現役引退後年数	死亡年齢
(1)東関			22年	
(2)荒磯			12年	55歳
(3)雷			47年	
(4)伊勢海	21歳	16年	39年	76歳
(5)浦風（力士ではなかった）				
(6)阿武松	24歳	20年	16年	60歳
(7)追手風	17歳	23年	25年	65歳
(8)音羽山	26歳	16年	24年	66歳
(9)春日野		19年	5年	
(10)甲山			29年	
(11)木村瀬平（元幕内格行司、木村庄三郎）				
(12)清見潟			55年	84歳
(13)桐山		16年	33年	
(14)粂川	17歳	22年	15年	54歳
(15)境川			32年	
(16)佐渡ケ嶽		13年	2年	
(17)鏨山			23年	57歳
(18)関ノ戸	24歳	18年	10年	52歳
(19)高砂五郎治（元幕内格行司、木村正八郎）				
(20)武隈	26歳	21年	13年	60歳
(21)立川			15年	
(22)楯山			32年	
(23)玉垣	15歳			66歳
(24)玉ノ井	23歳	12年	27年	62歳
(25)千賀ノ浦			12年	
(26)出来山		19年	15年	
(27)常盤山	23歳	22年	7年	52歳
(28)友綱	19歳	23年	20年	62歳
(29)錦島		11年	16年	
(30)花籠			16年	59歳
(31)秀ノ山	20歳	22年	12年	54歳
(32)藤島甚助（元幕下格行司、木村甚助）				
(33)二子山	25歳	5年	43年	73歳
(34)振分		10年	1年	
(35)待乳山	25歳	18年	20年	63歳
(36)湊川	23歳	21年	14年	58歳
(37)宮城野		19年	6年	
(38)山科			19年	70歳
(39)若松		20年	22年	
平均値	21.9歳	17.7年	20.0年	61.7歳

第五節　明治十三年（一八八〇）

嘉永年間（一八四八―五四）頃から江戸相撲の力士数は、三百名を超えるようになった（図二十五）。嘉永四年（一八五一）には相撲史上初めて、前相撲・本中相撲の新弟子約百名がストライキ事件を起した[23]。この頃の相撲界は力士志願者が激増し、それまで新弟子達の前相撲を一日おきに取らせていたが、人数が多すぎて時間がなくなり、二日おきあるいは三日おきという不運の者も出るようになった。新弟子は、土俵に上がる機会が少なくなり、自然出世も遅れるという結果になった。このような時に、年寄で検査役をしていた秀ノ山が、自分の新弟子は一日おきに相撲を取らせたが、他の部屋の新弟子は三日に一度くらいしか土俵に上がらせなかった。このような不公平な状況に、他の部屋の新弟子がストライキを起こし、さらに彼を殺そうとした。この事件は会所が新弟子の要求を受け入れたので、流血の惨事には至らず解決した。

嘉永・安政年間（一八四八―一八五九）は、小柳・猪王山・雲龍・鏡岩・荒馬・階ケ嶽・六ツケ峰（境川）等の活躍した時代であった。安政三年（一八五六）小柳・鏡岩の両大関が現役を引退し、猪王山、階ケ嶽が大関に昇った。安政五年（一八五八）から万延（一八六〇）にいたる間は雲龍・境川の時代であり、文久元年（一八六一）には雲龍が横綱を免許された。文久二年（一八六二）境川が現役を引退し不知火光右衛門が大関となり、翌年に不知火は横綱を許された。

文久・元治年間（一八六一―六五）は、雲龍・不知火の横綱時代であった。慶応元年（一八六五）雲龍が現役を引退し、鬼面山につづいて陣幕が大関となり、慶応三年には陣幕に横綱が授与された。しかし、翌年には江戸相撲の横綱である陣幕が大阪相撲に加入して、江戸相撲の力士数は二百名を割った時もあった（図二十五）。この陣幕の大阪相撲加入は、凋落傾向にあった当時の大阪相撲の地位を高めた。

明治維新となり、江戸相撲会所は東京相撲会所と改名、明治元年（一八六八）十一月に改元して初めての本場所を回向院で催した。しかし、不安定な当時の社会情勢から興行に客は入らず、年二回の興行を辛うじて催すのがやっとであった。明治前期の東京相撲は、ただその形式を維持するだけであった[24]。東京相撲は、明治七年（一八七四）従来の勧進大相撲興行から勧進の二字を廃し、大相撲興行とした。当時の文明開化の風潮から、相撲は「野蛮な裸踊り」と非難された。明治の前半期の相撲は衰退の一途をたどり、東京相撲の力士数は三百名前後を推移した（図二十五）。

明治初年、版籍を奉還した大名が力士の抱えを解いたので、力士の生活は不安定となり、力士の相撲会所に対する不満が募った。明治六年（一八七三）高砂浦五郎は、力士の待遇改善と相撲会所の改革の要求を、会所の筆頭玉垣・筆脇伊勢ノ海に迫った。しかし、高砂の要求は入れられなかったので、彼は東京相撲と分かれて「改正相撲組」を組織した。

明治十一年（一八七八）高砂と東京相撲会所との調停（和解）が、警視庁より布達された次の規則[25]によって成立した。

［角觝（すもう）並行司取締規則］

角觝並行司取締規則及興行場所取締規則、左之通相定候条、此旨布達候事。

明治十一年二月五日　大警視　川路　利良

［第一条］角觝及行司タラント欲スル者ハ其区戸長並組合取締ノ奥印ヲ以テ警視本署ヘ願出鑑札ヲ受クヘシ。但、鑑札料トシテ上等金拾銭、下等金五銭納ムベシ。

［第二条］居所ヲ転スル時ハ第一条ノ手続ヲ以テ鑑札書換ヲ願ヒ出ヘシ。但、廃業ノ節ハ所轄分所ヘ鑑札相添届出ツヘシ。

［第三条］角觝及行司ハ東京府下ヲ一組トナシ、同業中ヨリ正副頭取ヲ置キ諸事取締ヲナスヘシ。

［第四条］無鑑札ノ者及組合ニ入ラスシテ其業ヲナスヲ許サス。

この相撲取締規則によって年寄・力士・行司は「鑑札」が必要となり、第三条「角觝及行司ハ東京府下ヲ一組トナシ」によって、高砂の改正相撲組は東京相撲会所と和解せざるをえなくなった。和解以後の東京相撲会所の実権は、徐々に高砂の手に帰するようになった(26)。

明治の大相撲は、不知火・鬼面山の両横綱時代で始まり、明治三年（一八七〇）不知火、翌明治四年に鬼面山が現役を引退すると、境川・象ケ鼻・綾瀬川・朝日嶽・梅ケ谷が大関となった。明治十年（一八七七）境川が横綱となり、明治十二年に梅ケ谷が大関に昇進、境川・梅ケ谷の時代となった。そして、明治十七年には梅ケ谷が横綱となった。梅ケ谷の出現によって、相撲の人気に回復の兆しが見えてきた。

一、明治十三年の幕内力士

明治十三年（一八八〇）の本場所は、一月と五月に本所回向院境内で晴天十日間の興行が行われた。一月場所の番付では、大関が二名、関脇が二名、小結が二名、平幕が十六名で幕内が計二十二名、幕下が八十八名、三段目が六十四名、序二段が六十一名、序ノ口が四十九名で総計二百八十四名であった。

明治十三年一月場所の幕内力士と師匠名は次の通りであり、彼等の経歴は表四十の通りである。

（東方）　　　　　　　　　　　　師匠名

（一）　大関　尾州　境川浪右衛門　　境川

（三）　関脇　姫路　阿武松和助　　　阿武松→千賀ノ浦

（五） 小結 東京 武蔵潟伊之助 君ケ浜
（七） 前頭 姫路 手柄山勝司 境川
（九） 同 東京 響矢宗五郎 高砂
（十一） 同 同 勝ノ浦与一右衛門 勝ノ浦
（十三） 同 同 荒角金太郎 桐山
（十五） 同 同 藤田川利助 湊川
（十七） 同 菊間 清見潟又市 清見潟
（十九） 同 足利 稲川政右衛門 稲川
（二十一） 同 東京 入間川清蔵 入間川

（西方） 師匠名

（二） 大関 東京 梅ケ谷藤太郎 玉垣
（四） 関脇 同 若島久三郎 楯山
（六） 小結 薩州 鯱の海梅吉 伊勢ノ海
（八） 前頭 東京 浦風林右衛門 浦風
（十） 同 丸亀 大纒長吉 玉垣
（十二） 同 東京 藤ノ川忠之助 伊勢ノ海
（十四） 同 同 上ケ汐永吉 若藤→伊勢ノ海
（十六） 同 同 千羽ケ嶽宗助 玉垣

（十八）同　同　荒虎敬之助　若藤→伊勢ノ海
（二十）同　丸亀　井筒菊次郎　雷
（二十二）同　仙台　達ケ関森右衛門　秀ノ山

表40　明治13年(1880)幕内力士の経歴

力士名	生　年	初土俵年	入幕年	現役引退年	年寄名	没　年
1境川	天保12年	安政4年	慶応3年	明治14年	境川	明治20年
2梅ケ谷	弘化2年	明治4年	明治7年	〃 18年	雷	昭和3年
3阿武松	天保13年	元治元年	〃 3年	〃 14年	阿武松	明治17年
4若島	〃	文久2年	〃	〃 17年	楯山	〃 24年
5武蔵潟	〃 12年	〃 3年	〃	〃 18年		〃 23年
6鯱ノ海	〃 15年	万延2年	〃 2年	〃 17年	関ノ戸	〃 33年
7手柄山	〃 12年	元治元年	〃 5年	〃 19年	武隈	〃 22年
8浦風	〃 9年	万延2年	〃	〃 18年	浦風	〃 36年
9響矢	嘉永4年	明治11年	〃 11年	〃 22年	阿武松・高砂	大正3年
10大纏	天保14年	安政4年	慶応3年	〃 16年	出来山	明治22年
11勝ノ浦	〃 12年	万延元年	明治5年	〃	勝ノ浦	
12藤ノ川	嘉永元年	明治2年	〃 10年	〃 22年	伊勢ノ海	〃 41年
13荒角		慶応元年	〃 12年	〃 15年	桐山	〃 15年
14上ケ汐	〃 6年	明治2年	〃 10年	〃 23年	若藤	〃 36年
15藤田川	弘化2年	慶応4年	〃 11年	〃 13年		〃 13年(現役没)
16千羽ケ嶽	〃 4年	明治元年	〃 10年	〃 23年	春日野	〃 33年
17清見潟	天保9年	安政7年	〃 6年	〃 18年	清見潟	〃
18荒虎	〃 14年	元治2年	〃 7年	〃 15年	若藤	〃 15年(現役没)
19稲川	〃 10年	安政7年	〃 10年	〃	稲川	〃 23年
20井筒	〃 8年	〃	〃 9年	〃 17年	井筒	〃 20年
21入間川	弘化元年	明治4年	〃 12年	〃 18年	入間川	昭和3年
22達ケ関	天保10年	元治元年	〃	〃 19年	山科	明治42年

前記二十二名の幕内力士の内、西国の出身者は筑前（福岡県）の梅ケ谷と讃岐（香川県）の井筒の二名だけであり、他の幕内力士は東国の出身者であった。讃岐（丸亀）の井筒は、郷里の相撲団で修行し、直接東京相撲の雷部屋に入門している。また、梅ケ谷は大阪相撲で大関に昇進したが、明治四年に東京相撲の玉垣部屋に入門し、番付の幕下に張出された。当時もやはり、西国出身者は京都、大阪相撲に加入し、東国出身者が東京相撲に加入する傾向にあった。しかし、大阪、京都相撲の力士の実力は低く、明治維新以降は東京相撲の本場所に大阪、京都相撲の力士は招かれなくなった。

この二十二名の幕内力士の中で年寄とならなかった者は、（五）の武蔵潟と（十五）の藤田川の二名だけで、他の二十名は東京相撲の年寄となっている。しかも、この二十名の年寄となった力士の中で十七名が、現役の時に年寄を襲名していた。これは版籍を奉還した大名が力士の抱えを解いたためで、当時の力士達は現役中に早々と年寄名跡を襲名して、現役引退後の経済的基盤を確保したものと理解される。

大名の抱え力士達は藩の屋敷（藩邸）、あるいは場所中であれば肥後熊本の細川藩のように、下総屋（かずさや）という旅館を借り切って抱え力士を宿泊させたので、師匠（年寄）の相撲部屋にはいなかった。従って、江戸時代には同じ師匠の力士同士が、本場所で対戦することもあった。しかし、明治維新となり、力士が大名の抱えを解かれ師匠（年寄）と共に相撲部屋で生活するようになり、経済的自立のために一門で地方巡業に出かけるようになった。従って、明治維新以降は一門の力士同士が東西に分かれることも少なくなくなり、本場所で対戦することもなくなった。

二、明治十九年の年寄

年寄については、警視庁に提出された八十四名の年寄連名があるので、明治十九年に年次を設定した。明治十九年（一八八六）当時で経歴の判明している年寄は、次の七十二名である（図三十六）。尚、（六十七）―（七十二）は経歴の一部が判明している年寄である。

（一）東関庄助（元前頭、島田川儀兵衛）六代目
（二）雷権太夫（元横綱、梅ケ谷藤太郎）十代目
（三）伊勢ケ浜勘太夫（元関脇、両国梶之助）二代目
（四）伊勢ノ海五太夫（元前頭、柏戸宗五郎）七代目
（五）井筒菊治郎（元前頭、投石菊治郎）四代目
（六）稲川政右衛門（元前頭、玉風芳蔵）四代目
（七）入間川治太夫（元前頭、稲瀬川清助）代数不明
（八）浦風林右衛門（元関脇、浦湊五十平）八代目
（九）大嶽門左衛門（元前頭、和田ケ原甚四郎）代数不明
（十）阿武松和助（元幕下、兜山亥之助）五代目

（十一）大山安蔵（元幕下、宝川安之助）七代目
（十二）尾車文五郎（元前頭、勝山芳蔵）初代
（十三）追手風喜太郎（元横綱、雲龍久吉）五代目
（十四）音羽山峰右衛門（元十両、出釈迦山与吉）七代目
（十五）春日野宗助（元前頭、千羽ケ嶽宗助）六代目
（十六）春日山万蔵（元十両、朝日森万蔵）十一代目
（十七）片男波藤三郎（元三段目、中ノ関藤三郎）六代目
（十八）甲山力蔵（元幕下、朝嵐熊太郎）四代目
（十九）君ケ浜安右衛門（元前頭、武蔵潟伊之助）六代目
（二十）木村瀬平（元立行司、木村庄五郎）六代目
（二十一）清見潟又市（元前頭、志貴ノ海幸蔵）五代目
（二十二）桐山石太郎（元前頭、忍川由太郎）十代目
（二十三）熊ケ谷弥三郎（元前頭、飛龍喜三太）七代目
（二十四）粂川新右衛門（元幕下、鬼竜山雷八）七代目
（二十五）境川浪右衛門（元横綱、境川浪右衛門）六代目
（二十六）佐渡ケ嶽兵右衛門（元幕下、戸上山兵右衛門）七代目
（二十七）佐ノ山丈助（元前頭、佐ノ山幸吉）六代目
（二十八）高砂浦五郎（元前頭、高砂浦五郎）初代

（二十九）高砂五郎治（元三段目、高砂五郎治）五代目
（三十）　田子ノ浦嘉蔵（元前頭、小松山鶴吉）七代目
（三十一）立浪繁蔵（元十両、和田ノ森繁蔵）三代目
（三十二）立川虎吉（元幕下、角田川虎吉）四代目
（三十三）楯山久三郎（元大関、若島久三郎）六代目
（三十四）玉垣額之助（元十両、長山勝五郎）九代目
（三十五）千賀ノ浦喜三郎（元前頭、松ケ枝喜三郎）六代目
（三十六）出来山長吉（元関脇、大纒長吉）七代目
（三十七）常盤山音右衛門（元前頭、鷲ケ浜音右衛門）九代目
（三十八）友綱良助（元前頭、浜ノ音乙吉）六代目
（三十九）中立重太郎（元前頭、伊勢ノ浜荻右衛門）六代目
（四十）　錦島三太夫（元幕下、鈴ケ嶽金松）六代目
（四十一）錦戸辰五郎（元幕下、刺扠辰五郎）二代目
（四十二）二所ノ関軍右衛門（元幕下、富士ノ越鬼太郎）四代目
（四十三）二十山重五郎（元幕下、鰐石文蔵）七代目
（四十四）花籠平五郎（元三段目、大灘団介）七代目
（四十五）浜風今右衛門（元幕下、三国山政吉）九代目
（四十六）秀ノ山雷五郎（元前頭、鹿島灘鰐右衛門）五代目

（四十七）富士ケ根弥吉（元幕下、荒志子勇之介）五代目
（四十八）藤島甚助（元幕下、龍ケ鼻清吉）六代目
（四十九）二子山為右衛門（元幕下、照ケ嶽光吉）五代目
（五十）　間垣竹治郎（元前頭、出釈迦山峰吉）九代目
（五十一）松ケ根幸太夫（元幕下、稲ノ川善吉）四代目
（五十二）待乳山楯之丞（元幕下、常葉山源吉）四代目
（五十三）陸奥治良右衛門（元幕下、深川次良吉）初代
（五十四）湊川四郎兵衛（元前頭、茂り山弥吉）六代目
（五十五）峰崎銀治郎（元三役格行司、木村銀治郎）
（五十六）宮城野馬五郎（元小結、荒馬大五郎）四代目
（五十七）武蔵川大次郎（元前頭、漣大五郎）七代目
（五十八）若藤恒右衛門（前頭、上ケ汐永吉）六代目
（五十九）若松源治（滝嵐）六代目
（六十）　九重武治右衛門（元十両、浦湊喜太郎）六代目
（六十一）山分万吉（元幕下、和田ノ海又吉）八代目
（六十二）白玉音吉（元幕下、淀川音吉）七代目
（六十三）関ノ戸億右衛門（元小結、鯱ノ海梅吉）七代目
（六十四）武隈勝司（元関脇、手柄山勝司）六代目

（六十五）山科長兵衛（元前頭、達ケ関森右衛門）五代目
（六十六）山響団蔵（元幕下、藤縄団次）五代目
（六十七）荒汐仁太夫（元幕下、荒汐仁太夫）初代
（六十八）勝ノ浦与一右衛門（二十七）（元前頭、鬼若力之助）五代目
（六十九）尾上唯右衛門（元前頭、鹿島潟久吉）六代目
（七十）立田山清太夫（元三段目、立ケ島浪五郎）三代目
（七十一）振分忠蔵（元幕下、四ツケ浜万吉）二代目
（七十二）鳴戸沖右衛門（元幕下、縄張綱右衛門）三代目

前記七十二名の年寄の内、力士から年寄となった者は七十名、行司から年寄となった者は二名である。力士経験のない年寄は、行司からなった者以外にはいなくなった。力士から年寄となった者の中で、現役時代の最高位が横綱であった者三名、大関一名、関脇四名、小結二名、前頭二十七名、幕下二十八名（含十両四名）、三段目が五名であった。年寄の現役時代の最高位は、前頭と幕下が最も多く、江戸時代より高くなった。

明治十九年の年寄七十二名の内、師匠の年寄名を継承した者は三十二名である。これは当時少なくとも三十二の相撲部屋があり、その弟子が師匠の年寄名跡を継承していたことになる。また、玉垣部屋出身の年寄は七名と最も多く、次は伊勢ノ海部屋出身の年寄で四名である。当時の玉垣と伊勢ノ海は、明

治初期の相撲会所の実力者（筆頭・筆脇）であって、弟子に多くの年寄名跡を襲名させ、一門を形成していたことが理解できる。この七十二名の年寄の中には、血縁関係で年寄名跡を相続した者はいなかったが、養子関係による相続が次の三名あった。（十三）追手風と（三十九）中立は、先代（師匠）の養子となって年寄名跡を相続し、（五十五）峰崎は桐山部屋の行司であったが、先代峰崎の養子となって年寄名跡を相続している。

現役力士で年寄を襲名した者は、明治十一年警視庁より発布された前述の角觝並行司取締規則［第一条］が定められたことによって、「二枚鑑札」と呼ばれるようになった。二枚鑑札とは、鑑札料を二人分納める者を指す。鑑札料は、十両以上の関取と行司及び年寄が上等の拾銭、幕下以下の力士と行司が下等の五銭である。例えば、現役力士で伊勢ノ海を襲名した柏戸は、関取としての鑑札料拾銭と年寄としての鑑札料拾銭、計二十銭の鑑札料を警視本署に納めなければならなかった。柏戸（伊勢ノ海）の他には当時、（十）阿武松・（二十二）桐山・（三十）山科・（三十二）立川・（五十四）春日野・（六十三）武隈・（六十五）立浪・（六十六）間垣・（六十九）九重・（七十一）若藤・（七十二）中立・（七十四）友綱・（七十七）山分・（八十二）玉垣が二枚鑑札であった。

明治十一年の次の角觝営業内規則によって、年寄は現役時代に十両以上の関取だった者が優遇されるようになり、その地位が現役時代の実力に影響されるようになった。

［第六条］新たに角觝年寄となる者は従来の年寄惣人員之末席に記名すべき事もっとも十両以上の者にて年寄となる者は末席より十人目に記名する事。但し横綱及び両大関の者年寄となるとき其組合の者協議を以て定むべき事。

年寄には、歩持年寄(28)と歩持外の年寄があり、勧進元となる資格のあるのが歩持年寄であり、その資格のないのが歩持外の年寄である。明治七年に勧進大相撲興行から勧進の字が廃された時に、勧進元は願人及び差添人と改められた。大相撲興行の願人二名及び差添人一名には、明治十一年の次の角觝営業内規則によって歩持に加入した順となり、本場所の相撲興行収益金の一割が与えられた。また、興行が赤字になった時は、この歩持年寄全員がその負担をした。しかし、明治十四年一月場所から差添人は廃止され、願人二名だけとなった。

［第三条］春冬両度大相撲興行の願人及び差添人の義は歩持加入の順序を以て相定めべく其両人之内願人になると差添人になるとは籤引を以て定むべし且興行損益金は歩方惣持惣人員の責任たるべし尤も益金有之節は多少を論ぜず其一割を願人並びに差添人へ可相渡事若損金有之節は願人差添人とも歩持一同割合を以て出金可致事。

三、幕内力士と年寄のライフコース

明治十三年（一八八〇）の幕内力士の経歴（図三十五）から、初土俵年齢、現役年数と現役引退後年数、死亡年齢およびその平均値は、表四十一の通りである。（二）梅ケ谷は、初め大阪相撲に入門し後に東京相撲に加入、現役引退後は東京相撲の年寄である雷を襲名した力士である。従って、彼のここでの初土俵年齢は大阪相撲での初土俵であって、東京相撲での初土俵は明治四年（一八七一）三月の幕下付出である。前にも述べたように彼は、文久三年（一八六三）十八歳で大阪相撲の湊部屋に入門し大阪相撲の大関となったが、明治四年二十六歳の時に東京相撲の玉垣部屋に入門し幕下張出から再出発した。これは、東京相撲が大阪相撲の大関の実力を認めなかったからである。

明治十三年の幕内力士の経歴の平均値は、初土俵年齢が二十二・五歳、現役年数が十六・七年、現役引退後年数が七・四年、死亡年齢が四十八・〇歳であった。この幕内力士二十二名の中で、年寄とならなかった力士は（五）武蔵潟と（十五）藤田川だけで、しかも藤田川は現役中に亡くなっている。当時の幕内力士のライフコースは、約二十三歳で初土俵を踏み、約十七年間現役を勤めると約四十歳、現役引退後の余生は約七年間であった。

図35　明治13年（1880）幕内力士の経歴

西暦1840　1860　1880　1900　1920年

(1)境川(図36(25)境川)　0　1　2　T　3　5
(2)梅ケ谷　0　1　2　3　T　4　5
(3)阿武松　0　1　2　T　3　5
(4)若島(図36(33)楯山)　0　1　2　T　3　5
(5)武蔵潟　0　1　2　4　5
(6)鯱ノ海(図36(63)関ノ戸)　0　1　2　T　3　5
(7)手柄山(図36(64)武隈)　0　1　2　T　3　5
(8)浦風(図36(8)浦風)　0　1　2　T　3　5
(9)響矢　0　1　2　T　3　5
(10)大纒(図36(36)出来山)　0　1　2　T　3　5
(11)勝ノ浦(図36(68)勝ノ浦)　0　1　2　T　3
(12)藤ノ川　0　1　2　3　T　5
(13)荒角　1　2　3　T　5
(14)上ケ汐(図36(58)若藤)　0　1　2　T　3　5
(15)藤田川　0　1　2　5
(16)千羽ケ嶽(図36(15)春日野)　0　1　2　T　3　5
(17)清見潟(図36(21)清見潟)　0　1　T　2　3　4　5
(18)荒虎　0　1　2　T　5
(19)稲川(図36(6)稲川)　0　1　T　2　3　5
(20)井筒(図36(5)井筒)　0　1　2　T　3　5
(21)入間川(図38(8)入間川)　0　1　T　2　3　4　5
(22)達ケ関(図38(73)山科)　0　1　2　3　T　5

表41　明治13年(1880)の幕内力士のイベント時点

	初土俵年齢	現役年数	現役引退後年数	死亡年齢
(1)境川	17歳	23年	6年	46歳
(2)梅ケ谷	18歳（大阪）	22年	43年	83歳
(3)阿武松	22歳	17年	3年	42歳
(4)若島	20歳	22年	7年	49歳
(5)武蔵潟	22歳	22年	5年	49歳
(6)鯱野海	17歳	23年	16年	56歳
(7)手柄山	23歳	22年	3年	48歳
(8)浦風	23歳	24年	18年	65歳
(9)響矢	25歳	13年	25年	63歳
(10)大纒	14歳	26年	6年	46歳
(11)勝ノ浦	19歳	24年		
(12)藤ノ川	21歳	20年	19年	60歳
(13)荒角		16年	0年	
(14)上ケ汐	16歳	21年	13年	50歳
(15)藤田川	23歳	12年	0年	35歳
(16)千羽ケ嶽	21歳	22年	10年	53歳
(17)清見潟	22歳	25年	15年	62歳
(18)荒虎	22歳	17年	0年	39歳
(19)稲川	21歳	22年	8年	51歳
(20)井筒	23歳	24年	3年	50歳
(21)入間川	27歳	14年	43年	84歳
(22)達ケ関	25歳	22年	23年	70歳
平均値	22.5歳	16.7年	7.4年	48.0歳

明治十九年（一八八六）の年寄の経歴（図三十六）から、彼等の初土俵年齢、現役年数、現役引退後年数、死亡年齢は、表四十二の通りである。その平均値は、初土俵年齢が二十一・〇歳、現役年数が十九・四年、現役引退後年数が十九・七年、死亡年齢が五八・五歳であった。明治十九年の年寄は、幕内力士より約十一年長生きである。当時の年寄のライフコースは、約二十一歳で初土俵を踏み、約十九年間現役力士を勤めると四十歳、現役引退後は約二十年間年寄を勤めて亡くなった。

年寄の死亡年齢の平均値は、この年寄が五十八・五歳で前節嘉永の年寄が六十一・七歳であるから、明治初期の年寄のほうが約三年寿命が短くなった。また、年寄と幕内力士の死亡年齢の差は十・五年で、嘉永の時の差が十四・六年であるから、その差が縮小した。これは、幕末から明治維新にかけて、多くの幕内力士が年寄となるようになったからである。

表42　明治19年(1886)の年寄のイベント時点

	初土俵年齢	現役年数	現役引退後年数	死亡年齢
(1)東関	25歳	17年	36年	78歳
(2)雷	18歳	22年	43年	83歳
(3)伊勢ケ浜	23歳	19年	32年	74歳
(4)伊勢ノ海	21歳	16年	39年	76歳
(5)井筒	23歳	24年	3年	50歳
(6)稲川	21歳	22年	8年	51歳
(7)入間川	27歳	14年	43年	84歳
(8)浦風	23歳	24年	18年	65歳
(9)大嶽	21歳	25年	26年	72歳
(10)阿武松			28年	73歳
(11)大山			29年	
(12)尾車	23歳	13年	19年	55歳
(13)追手風	24歳	18年	25年	67歳
(14)音羽山			3年	50歳
(15)春日野	20歳	22年	10年	53歳
(16)春日山			25年	76歳
(17)片男波			23年	56歳
(18)甲山			17年	54歳
(19)君ケ浜	18歳	23年	26年	67歳
(20)木瀬				68歳
(21)清見潟	22歳	25年	15年	62歳
(22)桐山	24歳	20年	1年	45歳
(23)熊ケ谷	23歳	18年	23年	64歳
(24)粂川	22歳	14年	27年	63歳
(25)境川	16歳	24年	6年	46歳
(26)佐渡ケ嶽			20年	
(27)佐ノ山	21歳	21年	23年	65歳
(28)高砂浦	25歳	10年	27年	62歳
(29)高砂五			22年	
(30)田子ノ浦	21歳	21年	30年	72歳
(31)立浪			24年	66歳
(32)立川			20年	53歳
(33)楯山	20歳	17年	7年	49歳
(34)玉垣			0年	30歳
(35)千賀ノ浦			23年	
(36)出来山	14歳	25年	7年	46歳
(37)常盤山	20歳	18年	21年	59歳

(38)友綱	20歳	11年	0年	31歳
(39)中立	23歳	15年	5年	33歳
(40)錦島			27年	
(41)錦戸			21年	
(42)二所ノ関			24年	72歳
(43)二十山	18歳	24年	27年	69歳
(44)花籠			43年	76歳
(45)浜風			18年	
(46)秀ノ山	22歳	19年	29年	70歳
(47)富士ケ根			30年	
(48)藤島			26年	
(49)二子山			17年	53歳
(50)間垣	24歳	14年	4年	43歳
(51)松ケ根		19年	29年	
(52)待乳山			26年	61歳
(53)陸奥			31年	64歳
(54)湊川		16年	24年	
(55)峰崎(行司)	15歳	22年	23年	60歳
(56)宮城野		25年	19年	
(57)武蔵川	25歳	19年	35年	79歳
(58)若藤	16歳	21年	13年	50歳
(59)若松			30年	
(60)九重			17年	
(61)山分		14年	34年	
(62)白玉	18歳	25年	30年	73歳
(63)関ノ戸	17歳	23年	16年	56歳
(64)武隈	23歳	14年	3年	58歳
(65)山科	25歳	22年	23年	70歳
(66)山響			14年	53歳
(68)勝ノ浦	19歳	24年		43歳
(69)尾上		17年		
平均値	21.0歳	19.4年	19.7年	58.5歳

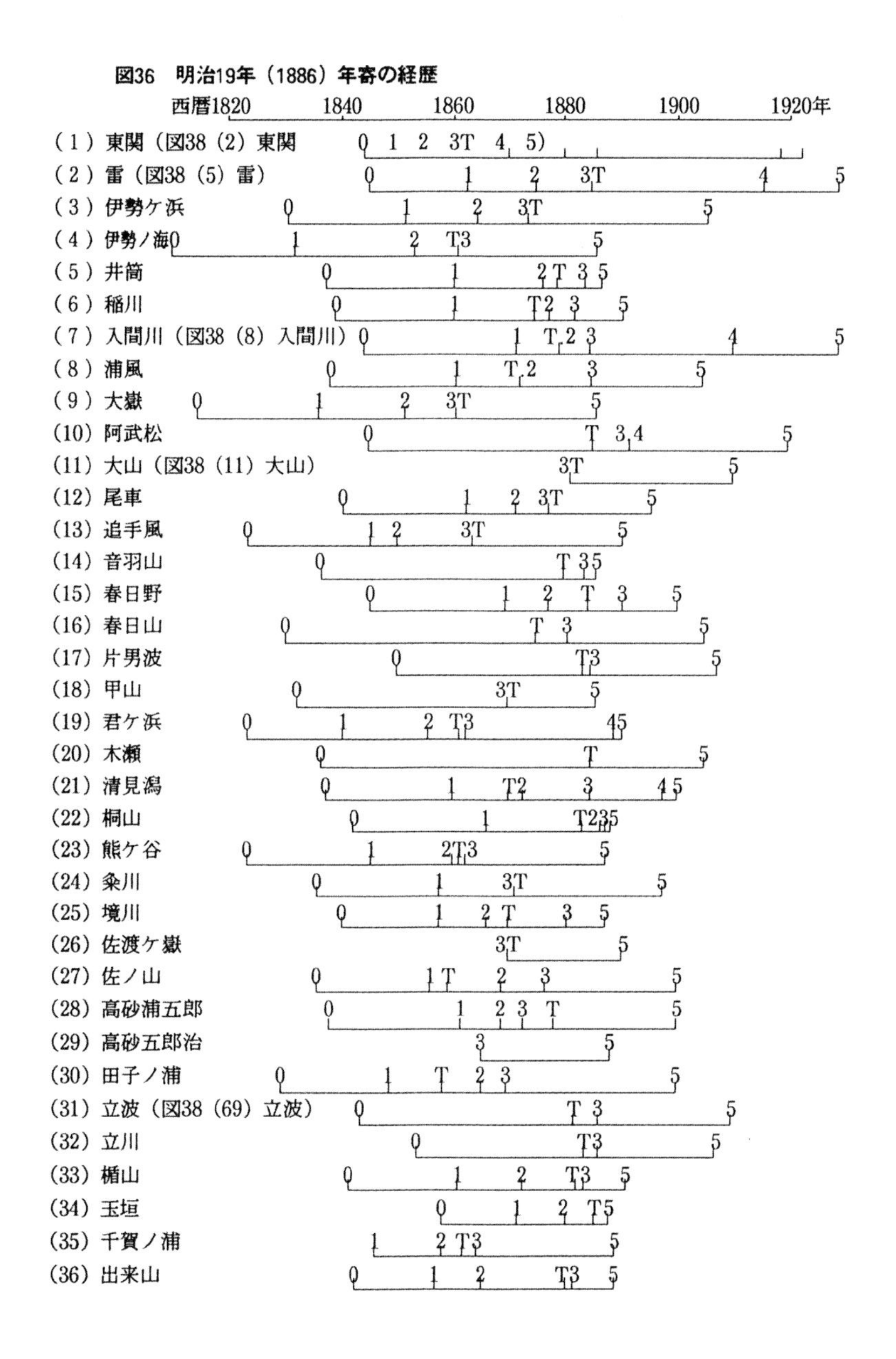

図36　明治19年（1886）年寄の経歴

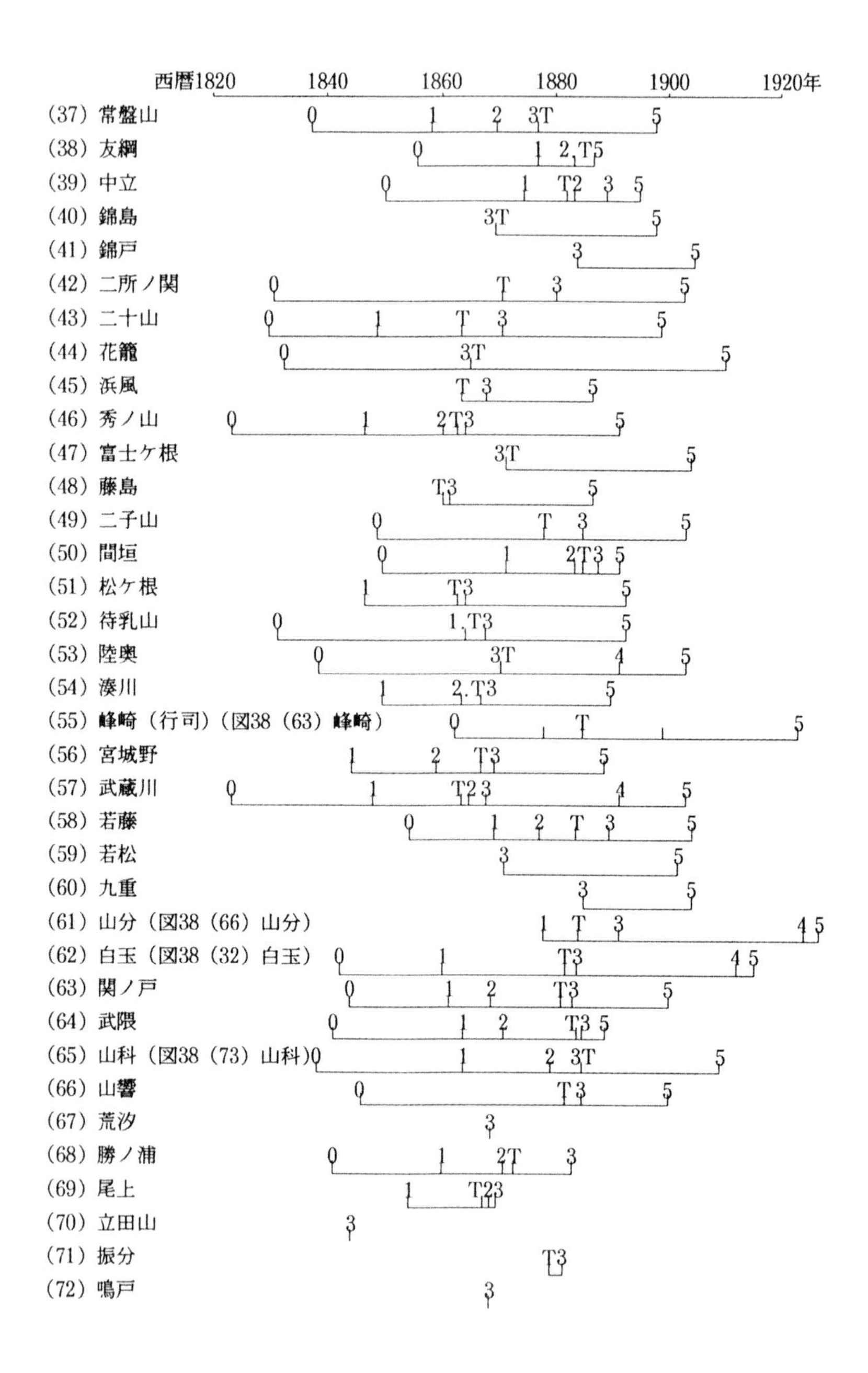

西暦1820
1840
1860
1880
1900
1920年
(37) 常盤山
(38) 友綱
(39) 中立
(40) 錦島
(41) 錦戸
(42) 二所ノ関
(43) 二十山
(44) 花籠
(45) 浜風
(46) 秀ノ山
(47) 富士ケ根
(48) 藤島
(49) 二子山
(50) 間垣
(51) 松ケ根
(52) 待乳山
(53) 陸奥
(54) 湊川
(55) 峰崎(行司)(図38(63)峰崎)
(56) 宮城野
(57) 武蔵川
(58) 若藤
(59) 若松
(60) 九重
(61) 山分(図38(66)山分)
(62) 白玉(図38(32)白玉)
(63) 関ノ戸
(64) 武隈
(65) 山科(図38(73)山科)
(66) 山響
(67) 荒汐
(68) 勝ノ浦
(69) 尾上
(70) 立田山
(71) 振分
(72) 鳴戸

第六節　明治四十二年（一九〇九）

明治維新の文明開化や欧化思想に影響され、明治初期の大相撲は衰退の一途を辿った。明治中期となり、初代梅ケ谷の出現で相撲の人気も回復し、明治十九年（一八八六）には力士数が五百名を超える時もあった（図二十五）。明治二十一年から幕下の上位十枚（東西で二十名）を太字で記し、十枚目（十両）の地位が「関取」として確立された。明治二十二年には「東京相撲組合(29)」が、「東京大角力協会」と改名された。そして、明治二十三年（一八九〇）には大関の称号であった横綱が、初めて番付に表示されるようになった。明治二十七年（一八九四）日清戦争が始まり、明治二十九年から三年間は東京相撲の力士数が三百名を割った（図二十五）。その後、明治三十七年（一九〇四）には梅ケ谷・常陸山が同時に横綱に昇進し、相撲は明治の最盛期を迎え、この年の力士数は五百八十八名に達した。しかし、同年日露戦争が始まり、力士数は四百名を割るようになった。明治四十二年（一九〇九）本所区両国元町に相撲常設館「国技館」が完成し、江戸時代からの晴天興行は晴雨にかかわらず十日間興行となった(30)。それまで幕内力士は千秋楽に出場しなかったが、国技館建設を機に十日間全部出場ということになった。この翌年には力士数が再び五百名を越すようになった（図二十五）。

江戸時代の力士には京都あるいは大阪と江戸の両方に師匠がいて、力士達は江戸・大阪・京都の相撲興行に参加していたが、明治維新以降力士の交流は少なくなった。明治四十三年（一九一〇）大阪相撲協会と東京相撲協会は大木戸横綱問題で絶縁状態となり、力士の交流はまったく行われなくなった。京都相撲協会の力士は、同年に日英博覧会のために渡英し、そのまま帰国せず協会は解散した。

大木戸の横綱問題とは、明治四十三年一月大阪相撲協会から熊本の吉田司家に対し、大木戸森右衛門の横綱免許を申請したところ、司家から横綱昇進の申請を却下されたことに端を発している。大阪相撲協会は司家の処置を不満とし、協会単独で大木戸を横綱にすることにした。このような大阪協会の行動に対して、司家は破門を言い渡した。東京相撲協会は、司家から破門された大阪相撲協会と交流することは出来ないとして、次のような絶縁状を大阪協会に送付した(31)。

「拝啓愈々御清栄奉賀候、陳者貴協会は吉田家と絶縁の上、横綱免状は貴協会より交付せられ本月五日授与式御決行の趣承知仕候、然るに我協会員常陸山、梅ケ谷の両横綱はいずれも吉田家の門人に有之候に付、我協会は今日以後貴協会に対し、巳むを得ず従来の御交際を連続する能はざる次第に御差候、右念のため貴意を得候、拝具」

一、明治四十二年の幕内力士

明治四十二年（一九〇九）六月場所は、完成したばかりの国技館で初めて興行が行われた。六月場所の番付では、横綱が二名、大関が三名、関脇が二名、小結が二名、前頭が三十一名で幕内は計四十名、十両が二十二名、幕下が百十四名、三段目が百十八名、序二段が百十八名、序ノ口が四十八名の総計四百六十名であった。

明治四十二年六月場所の幕内力士と師匠名は次の通りであり、彼等の経歴は表四十三の通りである。

	（東方）	師匠名			（西方）	師匠名
（一）	常陸山谷右衛門	出羽海	横綱	（二）	梅ケ谷藤太郎	雷
（三）	駒ケ嶽国力	井筒	大関	（四）	太刀山峰右衛門	友綱
				（五）	国見山悦吉	友綱
（六）	西ノ海灘右衛門	井筒	関脇	（七）	玉椿憲太郎	雷
（八）	朝嵐長太郎	佐野山	小結	（九）	伊勢ノ浜慶太郎	友綱
（十）	大ノ川甚太郎	君ケ浜	前頭一	（十一）	鶴渡清治郎	中立
（十二）	碇潟卯三郎	出羽海	同　二	（十三）	鳳谷五郎	宮城野
（十四）	尼ケ崎清吉	高砂	同　三	（十五）	上ケ汐福治郎	友綱
（十六）	両国梶之助	出羽海	同　四	（十七）	有明吾郎	伊勢海

（十八）大緑仁吉　高砂　同　五
（二十）千年川金之助　立田山　同　六
（二十二）高見山酉之助　高砂　同　七
（二十四）浪ノ音健蔵　高砂　同　八
（二十六）大湊徳松　出羽海　同　九
（二十八）小柳芦太郎　高砂　同　十
（三十）小常陸由太郎　出羽海　同　十一
（三十二）紫雲龍吉之助　阿武松　同　十二
（三十四）山泉鶴松　二十山　同　十三
（三十六）男島舟蔵　出羽海　同　十四
（三十八）神崎重太郎　高砂　同　十五
（四十）氷見ケ浜弥太郎　稲川　張出

（十九）大崎為之助　尾車
（二十一）鏡川正光　友綱
（二十三）柏山吾郎　伊勢海
（二十五）緑島友之助　春日山
（二十七）立川伊平　立川
（二十九）有村直吉　入間川
（三十一）稲瀬川栄治郎　入間川
（三十三）黒瀬川浪之助　友綱
（三十五）司天竜文治郎　八角
（三十七）梅ノ花市五郎　雷
（三十九）錦戸春吉　錦戸

表43　明治42年(1909)幕内力士の経歴

力士名	生　年	初土俵年	入幕年	現役引退年	年寄名	没　年
1常陸山	明治７年	明治25年	明治32年	大正３年	出羽海	大正11年
2梅ケ谷	〃 11年	〃	〃 30年	〃 ４年	雷	昭和２年
3駒ケ嶽	〃 13年	〃 31年	〃 36年	〃 ３年		大正3年(現役没)
4太刀山	〃 10年	〃 33年	〃	〃 ７年	東関	昭和16年
5国見山	〃 ９年	〃 28年	〃 33年	明治45年	放駒	大正13年
6西ノ海	〃 13年	〃 33年	〃 39年	大正７年	井筒	昭和６年
7玉椿	〃 16年	〃 30年	〃 36年	〃 ５年	白玉	昭和３年
8朝嵐	〃 12年	〃 34年	〃 40年	〃 ８年	高砂	〃 36年
9伊勢ノ浜	〃 16年	〃 35年	〃 39年	〃	中立	大正３年
10大ノ川	〃 13年	〃 34年	〃 40年	〃 ６年	君ケ浜	大正6年(現役没)
11鶴渡	〃 19年	〃	〃	〃 ８年	中立・荒磯	昭和11年
12碇潟	〃 12年	〃	〃	〃 ３年	山響・佐ノ山	〃 ３年
13鳳	〃 20年	〃 36年	〃 42年	〃 ９年	宮城野	〃 31年
14尼ケ崎	〃 ４年	〃 29年	〃 33年	明治45年	振分・間垣	〃 22年
15上ケ汐	〃 14年	〃 32年	〃 42年	大正２年	若藤	〃 10年
16両国	〃 ７年	〃 36年	〃 36年	明治45年	入間川・出羽海	〃 24年
17有明	〃 ８年	〃 27年	〃 34年	大正２年	式秀	〃 18年
18大緑	〃 13年	〃 34年	〃 41年	明治45年	大山	〃 29年
19大崎	〃 ７年	〃 26年	〃 38年	大正４年	（世話人）	〃 ４年
20千年川	〃 17年	〃 33年	〃 41年	〃 ６年	立田山	〃 11年
21鏡川	〃 12年	〃 34年	〃	〃 ３年	鳴戸	〃 16年
22高見山	〃 ６年	〃 28年	〃 40年	〃 ２年		大正13年
23柏山	〃 12年	〃 32年	〃 41年	〃	山科	昭和８年
24浪ノ音	〃 15年	〃 31年	〃 39年	〃 ３年	振分	〃 42年
25緑島	〃 11年	〃	〃 35年	〃 ４年	立浪	〃 27年
26大湊	〃 ９年	〃 38年	〃 38年	明治44年		〃 12年
27立川	〃 ２年	〃 26年	〃 36年	大正２年	立川	大正12年
28小柳	〃 11年	〃 31年	〃 38年	明治44年		昭和21年
29有村	〃 ４年	〃 27年	〃	〃 43年	入間川	明治44年
30小常陸	〃 19年	〃 35年	〃 41年	大正７年	秀ノ山	昭和２年
31稲瀬川	元治元年	〃 22年	〃 32年	明治43年		
32紫雲龍	明治15年	〃 31年	〃 40年	大正６年	出来山・阿武松	〃 21年
33黒瀬川	〃 18年	〃 36年	〃 42年	〃 11年	谷川	〃 32年
34山泉	〃 20年	〃 34年	〃	〃 ６年	二十山	〃 18年
35大鳴戸	〃	〃 35年	〃	〃 10年	八角	〃 17年
36男島	〃 11年	〃 33年	〃 41年	〃 13年		〃 18年
37梅ノ花	〃 20年	〃 36年	〃 42年	〃 ４年		〃 15年
38神崎	〃 15年	〃 34年	〃 41年	〃		〃 17年
39錦戸	〃 ５年	〃 24年	〃 42年	〃44年	錦戸	〃 20年
40氷見ケ浜	〃 15年	〃 34年	〃	〃		〃 17年

前記四十名の幕内力士の中で年寄とならなかった力士は、(三)駒ケ嶽・(十九)大崎・(二十二)高見山・(二十六)大湊・(二十八)小柳・(三十一)稲瀬川・(三十六)男島・(三十七)梅ノ花・(三十八)神崎・(四十)氷見ケ浜の十名であった。(三)駒ケ嶽は現役中に亡くなった。(十九)大崎は協会の世話人となり、(三十一)稲瀬川は古川男爵家の家人(召使)となった。前節明治十三年の幕内力士(二十二名)で年寄にならなかった者は二名だけであった。これは幕内力士が四十—五十名(図二十五)と倍増し、さらに明治二十一年から十両も関取となったので、幕内力士となっても簡単には年寄になれなくなったためである。

明治四十二年六月場所番附では、同じ部屋の幕内力士は東西に分かれていない。当時の取り組みは東西制であったから、同じ部屋の幕内力士同士の本場所での対戦もなかった。十両では尾車部屋の大戸崎が東、同じく尾車部屋の陣立が西で、同じ部屋の力士が東西に分かれたが、本場所での対戦はなかった。

前記四十名の幕内力士の内、大阪相撲から加入した力士は(十六)両国(長崎県)・(二十六)大湊(和歌山県)、京都相撲から加入してきた力士は(十二)碇潟(大阪府)・(二十五)緑島(富山県)である。大阪・京都相撲から東京相撲に加入する力士には、やはり西国出身の者が多い。また、西国出身の力士で直接東京相撲に入門したのは、(五)國見山(高知県)・(六)西ノ海(鹿児島県)・(八)朝嵐(愛媛県)・(十四)尼ケ崎(大阪府)・(十七)有明(長崎県)・(二十一)鏡川(高知県)・(三十五)司天竜(滋賀県）・（三十八）神崎重太郎（兵庫県）であり、幕内力士のなかに八名もいた。当時の東京相撲には、全国から力士が集まって来るようになった。

大阪、京都相撲から東京相撲に加入する力士は、次の規約のように審査され給料が定められた。

［東京大角力協会申合規約（明治二十二年）第四十四条］

京阪並に東京附出の者は勝負検査の上給金並に番附の位置を定むる者とする。

［角觝組中申合規則（明治二十年）第三十五条］

京阪幕ノ内関取組中に加入を望むものは幕ノ内又は幕下と組合せ勝越たる者は給金弐拾円より拾弐円迄の額を定め幕ノ内又は幕下と為すべし負越又は五部の働き者は給金拾円と極め幕下に加ゆべし其幕下関取は勝越たる者は給金拾円とす五部の働き者給金七円負越は同五円と定め幕下に加ゆべし其拾円以下の角觝取は勝越すとも給金五円より多からさる額に定むべし悉な取締老長組長両大関の協議を以て確定する者とす。

（一）常陸山、（十九）大崎、（二十七）立川の三力士は、現役のときに脱走して大阪相撲に加入したが、師匠の許しを得て東京相撲に復帰し、脱走前の部屋に戻った。多くの力士が脱走したものと思われるが、一般的に脱走した力士は、当時も以前の師匠の許しを貰って、その師匠の部屋に戻るのでなければ、相撲社会への復帰は認められなかった。

復帰した力士は次のように給金が半減した。

［東京大角觝協会申合規約（明治二十九年）第三十五条］
角觝上下を論ぜず一場所欠勤したる者又は其師匠を離れ他の組と営業をなしたる者は其給金を半減するものとす　但し実際病気にて療養の為病院又は師匠の家等に居りたる事を取締及検査役に於て確かに認めたる時は協議の上適宜取計らふ事あるべし。

（三十八）神崎重五郎は現役力士の時に日露戦争に出征のため廃業しているが、給金は半減しなかった。出征に関しては、次のような規約があった。

［東京大角觝協会申合規約（明治二十九年）第三十六条］
角觝取にして一旦廃業したる者再び組合に加入せんとする者ある時も亦元給金の半額に減ずるものとす。但し徴兵合格にて廃業せし者は此限にあらず。

加藤健治の調査「明治四十二年六月場所力士の成績と所属部屋」から当時は、六十一の部屋があったことが判明している。弟子の多い部屋は、高砂部屋（三十五名）・雷部屋（三十名）・出羽海部屋（四十四名）・友綱部屋（三十五名）・伊勢ノ海部屋（十八名）・尾車部屋（三十三名）・熊ケ谷部屋（十七名）・二十山部屋（十五名）・八角部屋（十七名）等であった。弟子が一人あるいは数名の部屋もある。当時は六十一の相撲部屋の全てに稽古場（土俵）があったわけではなく、稽古場は前述のような弟子の多い一門の本家にあたる部屋にだけあった。

二、明治四十二年の年寄

明治二十二年（一八八九）東京大角力協会は年寄の数を八十八名に制限した。この年寄の中には木村庄之助と式守伊之助の両立行司が含まれ、さらに番附の版元根岸家を世襲年寄として含めた。この規約で、年寄は幕下以上の力士経験者でなければなれなくなり、現役の力士は年寄になれなくなった。また、力士名であった高砂浦五郎を年寄名とし、以前からあった高砂を高島に変更した（第三章第三節二参照）。

明治四十二年（一九〇九）には次七十三名の年寄の経歴が判明している（図三十八）。

（一）浅香山関太郎（元幕下、三日月関太郎）七代目

（二）東関庄助（元前頭、島田川儀兵衛）六代目

（三）荒磯（元幕下、君山国吉）八代目

（四）荒汐安吉（元前頭、谷ノ音安吉）三代目
（五）雷権太夫（元横綱、梅ケ谷藤太郎）十代目
（六）伊勢浜勘太夫（元前頭、鶴ケ浜熊吉）三代目
（七）稲川政右衛門（元関脇、玉風貞四郎）五代目
（八）入間川治太夫（元前頭、稲瀬川清助）代数不明
（九）浦風林右衛門（元前頭、小松山与三松）九代目
（十）阿武松緑之助（元前頭、大見崎八之助）六代目
（十一）大山安蔵（元幕下、宝川安之介）七代目
（十二）尾車文五郎（元大関、大戸平広吉）二代目
（十三）追手風政吉（元十両、綾渡り政吉）七代目
（十四）音羽山峰右衛門（元十両、梅垣直二郎）九代目
（十五）尾上唯右衛門（元十両、野州山徳之丞）八代目
（十六）鏡山静太夫（元幕下、金木山弥一郎）四代目
（十七）春日野七五郎（元幕内格行司、木村宗四郎）七代目
（十八）春日山信太郎（元前頭、当り矢信太郎）十二代目
（十九）片男浪藤三郎（元三段目、高緑太三郎）七代目
（二十）勝ノ浦与一右衛門（元十両、御舟潟春吉）六代目
（二十一）甲山信太郎（元幕下、大甲信太郎）七代目

（二十二）君ケ浜市五郎（元十両、志子ケ嶽市五郎）七代目
（二十三）木村瀬平（元幕内格行司、木村庄五郎）七代目
（二十四）清見潟又蔵（元十両、勢力忠四郎）六代目
（二十五）桐山権平（元幕下、谷ノ川岩太郎）十二代目
（二十六）熊ケ谷弥三郎（元幕下、小天龍嘉吉）九代目
（二十七）九重牛之助（元前頭、増田川牛之助）七代目
（二十八）境川浪右衛門（元幕下、総ノ海孫右衛門）八代目
（二十九）佐ノ山太郎（元大関、朝潮太郎）八代目
（三十）鎹山伝次郎（元幕下、小金山伝次郎）九代目
（三十一）芝田山力蔵（元幕下、松ケ枝力蔵）初代
（三十二）白玉音吉（元幕下、淀川音吉）七代目
（三十三）関ノ戸与治郎（元関脇、逆鉾与治郎）八代目
（三十四）高砂浦五郎（元関脇、高見山宗五郎）二代目
（三十五）高島五良治（元関脇、谷ノ音喜市）七代目
（三十六）武隈清四郎（元十両、龍門清四郎）七代目
（三十七）田子ノ浦嘉蔵（元小結、鬼ケ谷歳治）八代目
（三十八）立田川清五郎（元幕下、朝日嶽鶴之助）八代目
（三十九）立田山清太夫（元小結、千年川政吉）四代目

（四十）　立川安吉（元前頭、甲吾郎）五代目
（四十一）玉ノ井福司（元十両、磯千鳥重五郎）九代目
（四十二）千賀ノ浦保吉（元前頭、大泉保吉）八代目
（四十三）出来山千代吉（元前頭、大纒千代吉）八代目
（四十四）出羽海運右衛門（元前頭、常陸山虎吉）四代目
（四十五）常盤山音右衛門（元前頭、松ケ関文蔵）十代目
（四十六）友綱貞太郎（元前頭、海山太郎）七代目
（四十七）中川清七（元前頭、鬼鹿毛清七）五代目
（四十八）中立庄太郎（元小結、司天龍政吉）七代目
（四十九）鳴戸沖右衛門（元幕下、縄張綱右衛門）四代目
（五十）　錦島三太夫（元前頭、大蛇潟大五郎）七代目
（五十一）錦戸春吉（元前頭、小左倉春吉）三代目
（五十二）二所ノ関軍右衛門（元関脇、海山太郎）五代目
（五十三）二十山重五郎（元横綱、小錦八十吉）八代目
（五十四）花籠平五郎（元大関、荒岩亀之助）八代目
（五十五）浜風今右衛門（元幕下、稲葉山菊治郎）十代目
（五十六）秀ノ山雷五郎（元前頭、天津風雲右衛門）六代目
（五十七）富士ケ根竹松（元関脇、若湊祐三郎）六代目

（五十八）二子山為右衛門（元前頭、不知火光右衛門）六代目
（五十九）振分忠蔵（元幕下、麓川忠三）九代目
（六十）　間垣竹松（元十両、九紋龍竹松）十代目
（六十一）陸奥真助（元十両、西郷市之助）三代目
（六十二）湊川常吉（元幕下、鷲ノ森常吉）八代目
（六十三）峰崎銀治郎（元三役格行司、木村銀治郎）二代目
（六十四）武蔵川谷右衛門（元大関、剣山熊十郎）八代目
（六十五）山響亀吉（元十両、嶽ノ越亀吉）六代目
（六十六）山分万吉（元幕下、和田ノ海又吉）八代目
（六十七）若松源治（元幕内格行司、木村一学）七代目
（六十八）大嶽門左衛門（元幕下、毛谷村六介）五代目
（六十九）立浪繁蔵（元十両、和田ノ森繁蔵）三代目
（七十）　楯山大五郎（元前頭、高ノ戸大五郎）七代目
（七十一）松ケ根幸太夫（元幕下、友鶴金五郎）五代目
（七十二）待乳山楯之丞（元横綱、大砲万右衛門）七代目
（七十三）山科長兵衛（元前頭、達ケ関森右衛門）五代目

前記七十三名の年寄の内、力士から年寄となった者が六十九名、行司から年寄となった者が四名であった。力士から年寄となった者六十九名の内、現役時代に横綱であった者が三名、大関が五名、関脇が

六名、小結が三名、前頭が十九名、十両が十二名、幕下が二十名、三段目が一名であった。年寄の現役時代の番付最高位は前頭が最も多く、続いて幕下・十両の順である。高砂部屋出身の年寄が十四名で最も多く、以下、雷部屋出身の八名、玉垣部屋と尾車部屋出身が各四名、伊勢ノ海部屋出身は三名となった。明治四十二年の年寄には大阪・京都相撲からの加入した力士が十名もいた。江戸時代には、大阪・京都相撲出身の力士が江戸相撲の年寄となることは少なく、前節明治十三年の年寄では中立一人だけであった。

七十三名の年寄の内、師匠の年寄名跡を継いだ者は二十四名であった。先代の養子となって年寄名跡を継いだ者は（十七）春日野・（十九）片男波・（二十四）清見潟・（四十一）玉ノ井・（五十七）富士ケ根・（六十三）峰崎・（六十四）武蔵川・（六十七）若松・（七十一）松ケ根の九名である。先代の養子となって年寄名跡を継いだ者の内、師弟関係にあったのは（二十四）清見潟と（五十七）富士ケ根の二名だけであり、先代の実子が年寄名を継いだのは（二十一）甲山だけであった。明治維新以降は養子関係で年寄名跡を継承する例が増えたが、養子関係と師弟関係が必ずしも一致しなくなった。これは年寄の人数が増え、弟子のいない部屋に所属する年寄が多くなったからである。つまり、力士が部屋に所属する年寄の養子となって年寄名跡を相続しても、その関係を相撲社会では師弟関係と呼ばないからである。

三、幕内力士と年寄のライフコース

明治四十二年六月場所の幕内力士の経歴（図三十七）から、初土俵年齢、現役年数、現役引退後年数と死亡年齢は、表四十四の通りである。その平均値は、初土俵年齢が十九・三歳、現役年数が十六・九年、現役引退後年数が十六・二年、死亡年齢が五十二・〇歳であった。尚、この幕内力士の中で、（十二）碇潟と（二十五）緑島が京都相撲から、（十六）両国と（二十六）大湊が大阪相撲からの加入であるので、平均値の算定からは除外した。

当時の幕内力士のライフコースは、約十九歳で初土俵を踏み、約十七年間現役を勤めると約三十六歳、現役引退後年数は約十六年の余生であった。明治四十二年の幕内力士の平均値を前節明治十三年のそれと比較すると、死亡年齢は約五歳伸び、初土俵年齢は約三歳若くなり、現役引退後年数が約九年長くなった。幕内力士のライフコースは、初土俵年齢が若年化し、現役引退後年数が長期化する傾向にある。また、年寄にならなかった者（三）（二十二）（二十八）（三十一）（三十六）（三十七）（三十八）（四十）の平均死亡年齢は五十三・九歳、現役引退後年数の平均が十九・一年であった。彼等の死亡年齢と現役引退後年数の平均値が、初めて年寄となった幕内力士を上回るようになった。年寄とならなかった幕内力士は、現役引退後に別の職業に就くようになり、力士は一生の仕事ではなくなりつつある。

明治四十二年（一九〇九）の年寄の経歴（図三十八）から、初土俵年齢、現役年数、現役引退後年数、死亡年齢は、表四十五の通りである。その平均値は、初土俵年齢が二十一・七歳、現役年数が十七・六年、現役引退後年数が二十一・六年、死亡年齢が六十一・一歳であった。尚、この年寄の中で、（五）雷、（二十九）佐ノ山、（三五）高島、（三七）田子ノ浦、（四十六）友綱、（四十八）中立、（五十二）二所ノ関、（五十四）花籠、（六十四）武蔵川は大阪相撲から、（四十七）中川は京都相撲から加入した力士であり、（十七）春日野、（二十三）木瀬、（六十三）峰崎、（六十七）若松は行司から年寄となったので、平均値の算定からは除外した。

当時の年寄のライフコースは、約二十二歳で初土俵を踏み、約十八年間現役を勤めると約四十歳、現役引退後は約二十二年間年寄を勤めた。この年寄と幕内力士の死亡年齢を比べると、年寄のほうが約九歳長生きであった。また、前節の年寄と比べると、現役年数が約二年短くなり、現役引退後年数が約二年長くなっている。

図37　明治42年（1909）幕内力士の経歴

西暦1860　1880　1900　1920　1940　1960年

（1）常陸山 0 1 2 3 5
（2）梅ケ谷 0 1 2 3 5
（3）駒ケ嶽 0 1 2 5
（4）大刀山 0 1 2 34 5
（5）国見山 0 1 2 3 4 5
（6）西ノ海 0 1 2 3 5
（7）玉椿 0 1 2 3 5
（8）朝嵐（図40（46）高砂）0 1 2 3 4 5
（9）伊勢ノ浜 0 1 2 3 5
（10）太ノ川 0 1 2 5
（11）鶴渡 0 1 2 3 5
（12）碇潟 0 1 2 3 5
（13）鳳（図40（88）宮城野）0 1 2 3 5
（14）尼ケ崎(図40(81)間垣) 0 1 2 3 5
（15）上ケ汐 0 1 2 T3 5
（16）両国(図40(62)出羽海) 0 1,2 3 5
（17）有明（図40(39)式秀）0 1 2 3 5
（18）大緑 0 1 2 3 4 5
（19）大崎 0 1 2 3(世話人) 5
（20）千年川 0 1 2 3 4 5
（21）鏡川 0 1 2 3 4 5
（22）高見山 0 1 2 4 5
（23）柏山 0 1 2 3 5
（24）浪ノ音（図40（80）振分）0 1 2 3 4 5
（25）緑島（図40（54）立浪）0 1 2 3 5
（26）大湊 0 1,2 4 5
（27）立川 0 1 2 3 5
（28）小柳 0 1 2 4 5
（29）有村 0 1 2 35
（30）小常陸 0 1 2 3 5
（31）稲瀬川 0 1 2 4
（32）紫雲龍（図40(15)阿武松）0 1 2 3 5
（33）黒瀬川（図40（57）谷川）0 1 2 3 4 5
（34）山泉（図40（70）二十山）0 1 2 34 5
（35）大鳴戸（図40（74）八角）0 1 T2 3 5
（36）男島 0 1 2 4 5
（37）梅ノ花 0 1 2 4 5
（38）神崎 0 1 2 4 5
（39）錦戸(図40(71)錦戸) 0 1 2T3 5
（40）氷見ケ浜 0 1 24 5

図38　明治42年（1909）年寄の経歴

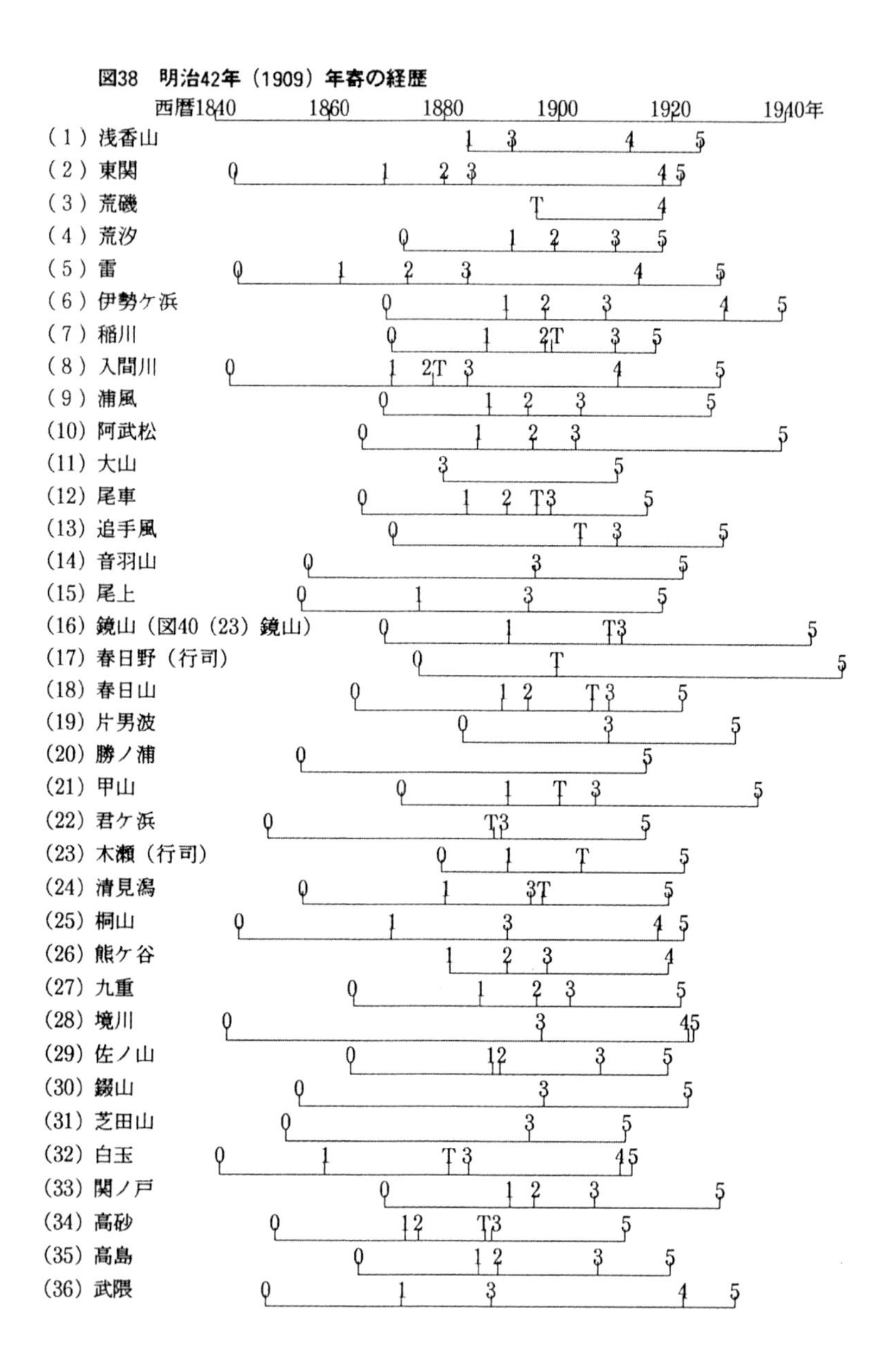

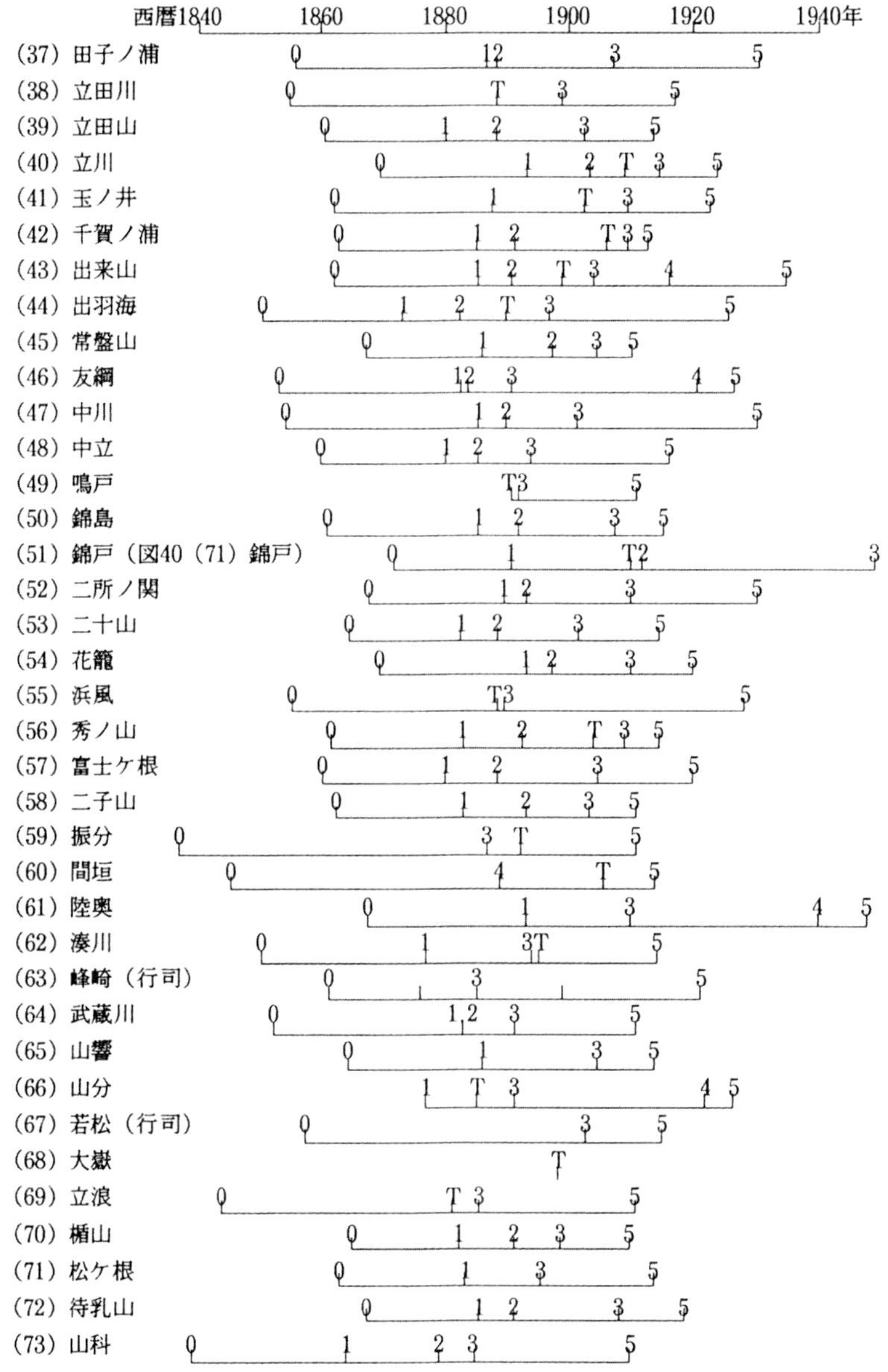

西暦1840　1860　1880　1900　1920　1940年

(37) 田子ノ浦　0　12　3　5
(38) 立田川　0　T　3　5
(39) 立田山　0　1　2　3　5
(40) 立川　0　1　2　T　3　5
(41) 玉ノ井　0　1　T　3　5
(42) 千賀ノ浦　0　1　2　T 3 5
(43) 出来山　0　1　2　T　3　4　5
(44) 出羽海　0　1　2　T　3　5
(45) 常盤山　0　1　2　3　5
(46) 友綱　0　12　3　4　5
(47) 中川　0　1　2　3　5
(48) 中立　0　1　2　3　5
(49) 鳴戸　T3　5
(50) 錦島　0　1　2　3　5
(51) 錦戸（図40（71）錦戸）　0　1　T2　3
(52) 二所ノ関　0　1　2　3　5
(53) 二十山　0　1　2　3　5
(54) 花籠　0　1　2　3　5
(55) 浜風　0　T3　5
(56) 秀ノ山　0　1　2　T　3　5
(57) 富士ケ根　0　1　2　3　5
(58) 二子山　0　1　2　3　5
(59) 振分　0　3　T　5
(60) 間垣　0　4　T　5
(61) 陸奥　0　1　3　4　5
(62) 湊川　0　1　3T　5
(63) 峰崎（行司）　0　3　5
(64) 武蔵川　0　1,2　3　5
(65) 山響　0　1　3　5
(66) 山分　1　T　3　4　5
(67) 若松（行司）　0　3　5
(68) 大嶽　T
(69) 立浪　0　T　3　5
(70) 楯山　0　1　2　3　5
(71) 松ケ根　0　1　3　5
(72) 待乳山　0　1　2　3　5
(73) 山科　0　1　2　3　5

表44　明治42年(1909)の幕内力士のイベント時点

	初土俵年齢	現役年数	現役引退後年数	死亡年齢
(1)常陸山	18歳	22年	8年	48歳
(2)梅ケ谷	14歳	23年	12年	49歳
(3)駒ケ嶽	18歳	16年	0年	34歳
(4)太刀山	23歳	18年	23年	64歳
(5)國見山	19歳	17年	12年	48歳
(6)西ノ海	20歳	18年	13年	51歳
(7)玉椿	14歳	19年	12年	45歳
(8)朝嵐	22歳	18年	42年	82歳
(9)伊勢ノ濱	19歳	17年	9年	45歳
(10)大ノ川	21歳	16年	0年	37歳
(11)鶴渡	15歳	18年	17年	50歳
(12)碇潟（京都）	22歳	13年	14年	49歳
(13)鳳	16歳	17年	36年	69歳
(14)尼ケ崎	25歳	16年	35年	76歳
(15)上ケ汐	18歳	14年	22年	54歳
(16)両国（大阪）	29歳	9年	37年	75歳
(17)有明	19歳	19年	30年	68歳
(18)大緑	21歳	11年	42年	74歳
(19)大崎	19歳	22年	14年	55歳
(20)千年川	16歳	17年	19年	52歳
(21)鏡川	22歳	13年	27年	62歳
(22)高見山	22歳	18年	11年	51歳
(23)柏山	20歳	14年	20年	54歳
(24)浪ノ音	17歳	15年	53年	85歳
(25)緑島（京都）	20歳	17年	37年	74歳
(26)大湊（大阪）	29歳	6年	26年	61歳
(27)立川	24歳	20年	10年	54歳
(28)小柳	20歳	13年	35年	68歳
(29)有村	23歳	16年	1年	40歳
(30)小常陸	16歳	16年	9年	41歳
(31)稲瀬川	25歳	21年		
(32)紫雲龍	16歳	19年	29年	64歳
(33)黒瀬川	18歳	19年	35年	72歳
(34)山泉	14歳	26年	16年	56歳
(35)司天竜	15歳	19年	21年	55歳
(36)男島	22歳	24年	19年	65歳
(37)梅ノ花	16歳	12年	11年	39歳
(38)神崎	19歳	14年	27年	60歳
(39)錦戸	19歳	20年	34年	73歳
(40)氷見ケ濱	19歳	10年	31年	60歳
平均値	19.3歳	16.9年	16.2年	52.0歳

表45　明治42年(1909)の年寄のイベント時点

	初土俵年齢	現役年数	現役引退後年数	死亡年齢
(1)浅香山		7年	33年	
(2)東関	25歳	17年	36年	78歳
(4)荒汐	19歳	17年	9年	45歳
(5)雷（大阪）	18歳	22年	43年	83歳
(6)伊勢ケ浜	21歳	16年	32年	69歳
(7)稲川	17歳	21年	8年	46歳
(8)入間川	27歳	14年	43年	84歳
(9)浦風	20歳	15年	23年	58歳
(10)阿武松	21歳	16年	36年	73歳
(11)大山			29年	
(12)尾車	19歳	14年	17年	50歳
(13)追手風			19年	57歳
(14)音羽山			26年	67歳
(15)尾上	22歳	19年	23年	64歳
(16)鏡山	22歳	19年	34年	75歳
(17)春日野(行司)				74歳
(18)春日山	25歳	19年	14年	58歳
(19)片男浪			22年	47歳
(20)勝ノ浦				61歳
(21)甲山	19歳	15年	29年	63歳
(22)君ケ浜			26年	67歳
(23)木瀬(行司)				44歳
(24)清見潟	25歳	14年	25年	64歳
(25)桐山(大阪)	26歳	20年	32年	78歳
(26)熊ケ谷		17年		
(27)九重	23歳	16年	19年	58歳
(28)境川			28年	83歳
(29)佐ノ山(大阪)	25歳	19年	12年	56歳
(30)錣山			26年	70歳
(31)芝田山			19年	61歳
(32)白玉	18歳	25年	30年	73歳
(33)関ノ戸	22歳	14年	32年	68歳
(34)高砂	25歳	13年	25年	53歳
(35)高島(大阪)	20歳	21年	13年	54歳
(36)武隈	26歳	14年	43年	83歳
(37)田子ノ浦(大阪)	31歳	21年	24年	76歳
(38)立田川			19年	63歳

(39)立田山	19歳	22年	10年	51歳
(40)立川	24歳	20年	10年	54歳
(41)玉ノ井	24歳	19年	13年	59歳
(42)千賀ノ浦	20歳	25年	3年	48歳
(43)出来山	22歳	18年	31年	71歳
(44)出羽海	23歳	23年	29年	75歳
(45)常盤山	19歳	18年	4年	41歳
(46)友綱(大阪)	29歳	8年	35年	72歳
(47)中川(京都)	30歳	17年	29年	76歳
(48)中立(大阪)	20歳	15年	22年	57歳
(49)鳴戸			18年	
(50)錦島	23歳	22年	9年	54歳
(51)錦戸	19歳	20年	34年	73歳
(52)二所ノ関(大阪)	21歳	19年	22年	62歳
(53)二十山	17歳	18年	13年	48歳
(54)花籠(大阪)	23歳	15年	11年	49歳
(55)浜風			34年	72歳
(56)秀ノ山	21歳	24年	6年	51歳
(57)富士ケ根	19歳	24年	16年	59歳
(58)二子山	20歳	18年	8年	46歳
(59)振分			23年	72歳
(60)間垣			24年	67歳
(61)陸奥	25歳	15年	35年	75歳
(62)湊川	28歳	17年	19年	64歳
(63)峰崎(行司)				60歳
(64)武蔵川(大阪)	31歳	9年	18年	58歳
(65)山響	20歳	18年	9年	47歳
(66)山分		14年	34年	
(67)若松(行司)			14年	58歳
(69)立浪			24年	66歳
(70)楯山	18歳	16年	10年	44歳
(71)松ケ根	21歳	12年	17年	50歳
(72)待乳山	18歳	21年	10年	49歳
(73)山科	25歳	22年	23年	70歳
平均値	21.7歳	17.6年	21.6年	61.1歳

第七節　昭和十五年（一九四〇）

明治四十四年（一九一一）一月玉椿[32]を除く関脇以下十両以上の五十四名の力士が、給金の増額を要求して各部屋に帰らず、銀座の西沢旅館に集まった。力士の要求に対して協会は、関取の数が増え、国技館建設以来借入金の利息が多額であることを理由に、要求には応じられない旨回答した。関取の数は、明治二十三年から十両の地位が確立され、幕下の上位二十枚（四十名）が関取格となり、幕内力士も明治末年には二十枚（四十名）を超え、六十名に達していた（図二十五）。この協会の回答に対して力士側は、団結を固め新橋倶楽部に土俵を築いて稽古を始めた。これが「新橋倶楽部事件」である。この事件は、次のような和解の「覚書[33]」が作成されて落着した。

（一）役員の選挙はその終了まで関取衆の自由意志に任じ、干渉せざること。
（二）役員の重任に対し制限を付すこと。
（三）横綱、大関の他関取衆より毎場所東西各二名および平年寄より二名立会人を互選し、協会の収支決算に立会はせしむること。
（四）毎場所総収入金額の十分の一を慰労金として協会より横綱、大関を除きたる関取衆に支給し、関取衆はその三分の二を配当し、三分の一を養老金として積立つること。

（五）関取衆は特に横綱、大関に対し敬意を表し、役員は平年寄を優遇すること。

大正三年（一九一四）に常陸山が、翌年には梅ケ谷の両横綱が引退したが、大正五年には力士数が六百四十八名に達した（図二十五）。大正六年（一九一七）には太刀山・鳳・大錦・西ノ海の四横綱時代となったが、翌大正七年国技館が焼失し、力士数は五百名を割るようになった。

大正九年（一九二〇）第一次大戦後の不況が起こり、力士の生活も影響を受け、大正十二年（一九二三）一月九日伊吹山[34]を除く関脇以下十両以上の六十五名と行司十四名の計七十九名は、給金と養老金の増額を協会に要求し、上野駅前の上野館に集結した。協会は、これら力士を脱走と認め破門除名とした。この協会の措置に対して、力士達は三河島の日本電解会社工場に土俵を築き稽古を始めた。これが「三河島事件[35]」である。同年一月十七日に警視総監赤池濃が調停に入り和解したが、同日横綱大錦が責任を取って髷を切り廃業した。この調停によって本場所の興行日数が一日増え十一日間興行となり、その収入増を養老金の増額に当てることにした。また、従来十両を八場所勤めなければ養老金を受ける権利がなかったのを、一場所でも十両にいればその権利が取得できるようになった。

大正十二年九月には関東大震災があり国技館も被災し、大正十三年一月場所は名古屋で行われた。大震災後の大相撲の人気は場所毎に下火となり、さらに不景気が力士の生活を脅かし、力士数は四百名を割るようになった(図二十五)。当時の東京相撲協会は、焼失(大正七年)と震災による二度の国技館再建で負債に苦しんでいた。

大正十四年(一九二五)十二月、東京相撲協会と、同じように経営難に喘いでいた大阪相撲協会との合併が成立し、文部省より財団法人の認可をうけて「大日本相撲協会」が設立されることになった。大正十五年(昭和元年)十二月三十日東京相撲協会は年寄総会を開き、雷取締より次の提議が上程され、満場一致で合併が決定した。

「一般運動競技の進歩せる今日地方巡業の困難に陥りたるを以て時世の大勢よりしても東京角力と大阪角力とを合同せんとす合同すれば日本大相撲協会とする年寄は大阪方十七名を加え総数百五名となる国技館と地上権や興行一切の関係は八十八名のものとする二期大場所には賃料にて館を貸与するものとする(36)」

京都相撲協会は、既に述べたように明治末年に解散していたので(前節一参照)、ここに日本の大相撲は統一された。

東西両協会合併の要項(37)は次の通りである。

一、東京年寄八十八家、大阪方年寄十七家、全員を以て新協会を結成する。

一、大阪方における一代頭取（年寄）の異例は認めぬ事。

一、大阪方における別格年寄不知火、猪名川、藤島、西岩、北陣の家は除外する。

但し、そのうち藤島、猪名川の両家は、東京方にも同名の藤島、呼声等しき稲川の両家あるを以て、双方の由来を尋ね、由緒あるものを残して一方を併合整理する。

一、東京及び大阪の年寄、力士に同名のある場合は、年寄名を残して力士名を改めさせ、力士同士の場合は下位のものを改めさする事。

一、力士、行司は横綱並びに木村庄之助、式守伊之助（東京）、木村玉之助（大阪）の三立行司を除き、大関以下の全力士、全行司はすべて無資格とし、実力審査の上新しく順位を決定する事。

東西両協会の合併に先立って、東京大角力協会は大正十五年（一九二六）一月場所から、次のような新制度（38）を施行した。この規定によって、引分・預が廃止され、個人優勝制度が確立された。

一、摂政杯制度

摂政宮殿下よりの御下賜金により大銀杯を造り、角道奨励の意味をもって幕内優勝者に授与する事。

一、初日社会奉仕日

各場所初日を社会奉仕日として、五十銭均一になす事。

一、新審判制度

引分、預全廃の主旨により、預はすぐに取直し、引分は二番後に取直す事。

昭和二年（一九二七）東西両協会の合併によって、力士数は四百名を超え（図二十五）、年四場所[39]の興行が行われるようになった。しかし、昭和三年には力士数が再び四百名を割り、昭和五年に常ノ花、翌昭和六年には宮城山の両横綱が引退し横綱不在となった。

昭和七年（一九三二）出羽海一門の力士三十二名が、大井町の春秋園という料亭に集まり、協会の改革を要求する「春秋園事件」を起こした。春秋園の力士と協会の和解は成立せず、力士達は大日本新興力士団を結成し協会を脱退した。この西方の出羽海一門の力士に呼応して、東方の力士も井筒部屋に集結し、同じように協会を脱退し革新力士団を結成した。協会は、新興力士団と革新力士団に加わった幕内十両力士四十八名を、除名処分にした。この事件で力士数は一挙に三百名を割った。（図二十五）幕内力士の数が少なくなったため、協会は東西対抗の団体優勝制（東西制）をやめて一門系統別総当制にした。そして、東西合併以来の年四場所興行をとりやめ、東京での年二場所興行とした。

翌昭和八年には玉錦が横綱となり、春秋園事件で脱退した力士も帰参するようになった。昭和十一年には武蔵山・男女ノ川が横綱となり、翌昭和十二年双葉山が横綱になると、相撲の人気は当時の戦時体制と相俟って異常なまでに高まった。昭和十二年から協会は、国技館に入場できない観客のために、従来の興行日数（十一日）を十三日間興行とし、さらに昭和十五年には十五日間興行とした。昭和十五年（一九四〇）力士数は五百名を超え（図二十五）、再び東西制が復活した。

一、昭和十五年の幕内力士

昭和十五年一月場所の番付は、横綱が二名、大関が二名、関脇が二名、小結が二名、前頭が四十一名で幕内は計四十九名、十両が三十二名、幕下が九十五名、三段目が百三十一名、序二段が百六十八名、序ノ口が九十名で総勢五百六十五名であった。この場所の幕内力士と師匠名は次の通りであり、彼等の経歴は表四十六の通りである。

（東方）		師匠名		（西方）		師匠名
（一）	双葉山定次	立浪	横綱	（二）	男女ノ川登三	佐渡ケ嶽
（三）	羽黒山政司	立浪	大関	（四）	前田山英五郎	高砂
（五）	名寄岩静男	立浪	関脇	（六）	安芸ノ海節男	出羽海
（七）	玉ノ海梅吉	二所ノ関	小結	（八）	綾昇竹蔵	出羽海
（九）	楯甲新蔵	中村	前頭	（十）	五ツ島名良男	出羽海
（十一）	照国万蔵	伊勢ケ浜	同	（十二）	笠置山勝一	出羽海
（十三）	大浪妙博	高島	同	（十四）	両国梶之助	出羽海
（十五）	大潮清治郎	陸奥	同	（十六）	松ノ里直市	出羽海
（十七）	金湊利三郎	湊川	同	（十八）	綾若真生	出羽海

（十九）　佐賀ノ花勝巳　二所ノ関　同
（二十）　竜王山光　出羽海
（二十一）磐石熊太郎　朝日山　同
（二十二）鹿島洋起市　春日野
（二十三）青葉山徳雄　小野川　同
（二十四）出羽湊利吉　出羽海
（二十五）旭川幸吉　立浪　同
（二十六）大邱山高祥　出羽海
（二十七）富士ケ嶽幸一郎　富士ケ根　同
（二十八）肥州山栄　出羽海
（二十九）巴潟誠一　高島　同
（三十）　相模川佶延　春日野
（三十一）鶴ケ嶺道芳　井筒　同
（三十二）出羽ノ花国市　出羽海
（三十三）鯱ノ里一郎　若松　同
（三十四）駒ノ里秀雄　山分
（三十五）小松山貞蔵　井筒　同
（三十六）大和錦幸男　出羽海
（三十七）九ケ錦担平　朝日山　同
（三十八）桜錦利市　出羽海
（三十九）桂川質郎　伊勢ケ浜　同
（四十）　藤ノ里栄蔵　出羽海
（四十一）幡瀬川邦七郎　伊勢ケ浜　同
（四十二）神東山忠也　春日野
（四十三）源氏山力三郎　井筒　同
（四十四）四海波好一郎　出羽海
（四十五）松浦潟達也　錦島　同
（四十六）一渡明　出羽海
（四十七）小島川庄吉　立浪　同
（四十八）倭岩英太郎　出羽海
（四十九）九州山義雄　出羽海　同張出応召

表46　昭和15年(1940)幕内力士の経歴

力士名	生　年	初土俵年	入幕年	現役引退年	年寄名	没　年
1双葉山	明治45年	昭和2年	昭和7年	昭和20年	時津風	昭和43年
2男女ノ川	〃 36年	大正13年	〃 3年	〃 17年	男女ノ川	〃 46年
3羽黒山	大正3年	昭和9年	〃 12年	〃 28年	立浪	〃 44年
4前田山	〃	〃 4年	〃	〃 24年	高砂	〃 46年
5名寄岩	〃	〃 7年	〃	〃 29年	春日山	〃
6安芸ノ海	〃	〃	〃 13年	〃 21年	不知火・藤島	〃 54年
7玉ノ海	〃 元年	〃 5年	〃 10年	〃 20年	二所ノ関	〃 63年
8綾昇	明治41年	大正14年	〃 9年	〃	千賀ノ浦・峰崎	〃 44年
9楯甲	〃	〃 15年	〃	〃 18年	中村	〃 41年
10五ツ島	大正元年	昭和5年	〃 11年	〃 17年		〃 48年
11照国	〃 8年	〃 10年	〃 14年	〃 28年	荒磯・伊勢ケ浜	〃 52年
12笠置山	明治44年	〃 7年	〃 10年	〃 20年	秀ノ山	〃 46年
13大浪	〃 41年	大正15年	〃 8年	〃 16年		
14両国	〃 40年	昭和2年	〃 7年	〃 17年	待乳山	〃 34年
15大潮	〃 33年	大正8年	〃	〃 16年	陸奥	〃 54年
16松ノ里	〃 42年	〃 15年	〃 14年	〃 20年		〃 60年
17金湊	〃 41年	昭和2年	〃 9年	〃 18年	二十山	〃 54年
18綾若	〃	大正14年	〃	〃 17年		
19佐賀ノ花	大正6年	昭和9年	〃 14年	〃 27年	二所ノ関	〃 50年
20竜王山	明治43年	〃 5年	〃 13年	〃 19年		〃 23年
21磐石	〃 41年	〃 2年	〃 9年	〃 18年	北陣	〃 19年
22鹿島洋	大正3年	〃 5年	〃 13年	〃 21年		〃 22年(現役没)
23青葉山	〃 2年	〃 4年	〃 12年	〃 19年	陣幕	〃 47年
24出羽湊	明治40年	〃 3年	〃 10年	〃	浜風	〃 39年
25旭川	〃 38年	大正11年	〃 7年	〃 17年	玉垣	〃 53年
26大邱山	〃 41年	〃 14年	〃	〃 19年	山科・間垣	〃 58年
27富士ケ嶽	〃 42年	昭和6年	〃 13年	〃 20年	富士ケ根	〃 57年
28肥州山	〃 39年	〃 2年	〃 6年	〃		〃 55年
29巴潟	〃 44年	大正15年	〃 7年	〃 15年	玉垣・高島・友綱ほか	〃 53年
30相模川	大正6年	昭和10年	〃 14年	〃 24年		
31鶴ケ嶺	明治45年	〃 6年	〃 12年	〃 22年	井筒	〃 47年
32出羽の花	〃 42年	大正14年	〃 7年	〃 15年	出羽海・武蔵川	〃 62年
33鯱ノ里	大正3年	昭和4年	〃 12年	〃 22年	西岩・若松	〃 56年
34駒ノ里	明治42年	〃 2年	〃 8年	〃 17年	秀ノ山・山分	〃 46年
35小松山	大正2年	〃 5年	〃 15年	〃 20年	甲山	〃 47年
36大和錦	明治38年	大正12年	〃 6年	〃 18年	千賀ノ浦	〃 45年
37九ケ錦	大正2年	昭和5年	〃 15年	〃 24年	北陣・片男波ほか	〃

38桜錦	〃　5年	〃　13年	〃	〃　26年	高崎	〃　37年
39桂川	明治40年	〃　2年	〃　9年	〃　17年	北陣・岩友・木瀬ほか	〃
40藤ノ里	〃　34年	大正9年	〃　5年	〃　18年	出来山	〃　24年
41幡瀬川	〃　38年	〃　11年	〃　3年	〃　15年	千賀ノ浦・楯山	〃　49年
42神東山	大正2年	昭和7年	〃　14年	〃　22年	岩友	〃　58年
43源氏山	〃　3年	〃　4年	〃　13年	〃　16年	浅香山	〃
44四海波	〃　5年	〃　6年	〃　15年	〃　22年	出来山	〃
45松浦潟	〃　4年	〃　5年	〃　13年	〃　19年		〃20年（現役没）
46一渡	〃　7年	〃　8年	〃　14年	〃　18年		〃　49年
47小島川	〃　3年	〃　3年	〃　13年	〃　17年	八角	〃　21年
48倭岩	明治43年	大正15年	〃　14年	〃　19年		〃　57年
49九州山	大正2年	昭和5年	〃　9年	〃　20年		〃

昭和十五年一月場所は東西制が復活した場所であり、東方は立浪部屋を頭に連合軍、西方は出羽海一門であった。高砂一門（佐渡ケ嶽・若松・富士ケ根部屋）は東西に二分されたが、高砂一門の力士同士の本場所での対戦はなかった。

前記四十九名の幕内力士の内、（十）（十三）（十六）（十八）（二十）（二十八）（三十）（四十六）（四十八）（四十九）の十名は、現役を引退して年寄にはならなかった。また、（二十二）鹿島洋と（四十五）松浦潟の二名は現役力士のまま亡くなった。彼等の現役時代の幕内在位場所数は、（十）五ツ島が十二場所、（十三）大浪が十六場所、（十六）松ノ里が十三場所、（十八）綾若が十五場所、（二十）竜王山が十場所、（二十八）肥州山が十九場所、（三十）相模川が二十場所、（四十六）一渡が三場所、（四十八）倭岩が六場所、（四十九）九州山が二十三場所である。彼等は年寄となった力士と比べ幕内在位数が少ない。当時は幕内力士が多いため、実力のない力士は年寄になれなくなった。

年寄になった三十七名の幕内力士の内、亡くなるかまたは定年近くまで年寄を勤めた者は、（一）（三）（四）（五）（九）（十一）（十二）（十四）（十五）（十七）（十九）（二十）（二十一）（二十四）（二十五）（二十七）（二十九）（三十一）（三十二）（三十三）（三十四）（三十五）（三十八）（三十九）（四十一）（四十二）（四十七）の二十七名で、他の十名は経歴の途中で年寄を廃業している。また、年寄となった幕内力士の中で年寄名を変更している者は、（六）（八）（十一）（二十六）（二十七）（二十九）（三十二）（三十三）（三十四）（三十七）（三十九）（四十一）の十二名であった、年寄を途中で廃業する者と年寄名を変更する者が、増加する傾向にある。これは、年寄の年寄襲名期間が長くなったため、年寄名跡の空席が少なくなったことに原因がある。年寄を十年以内に廃業するか襲名変更する者の多くは、一般的に借株であることが多い。

昭和七年の春秋園事件で、新興力士団と革新力士団に加わって復帰した力士は、（二）（四）（八）（九）（十六）（十七）（十八）（二十一）（二十四）（二十八）（三十六）（四十）（四十八）の十三名である。（九）（十六）（十八）（二十一）（二十八）（四十八）は年寄とならず廃業、（二）（三十六）は年寄となったがすぐに年寄を廃業、（四）（八）（十七）（二十四）（四十）の五名だけが亡くなるか亡くなる近くまで年寄であった。年寄となれた割合からして、春秋園事件が彼等の年寄名跡の襲名に与えた影響は、小さくなかったと思われる。

二、昭和十五年の年寄

年寄は昭和二年の東西両協会の合併の時に、東京の八十八家に大阪の次の十七家が加わり、百五家となった。

朝日山・陣幕・千田川・枝川・押尾川・三保ケ関・大鳴戸・時津風・小野川・高崎・岩友・中村・高田川・竹縄・湊・　荒岩・鏡山

この中で、荒岩と鏡山は一代限りで廃家となったので、昭和十五年一月場所時点での年寄は百三家であった。

年寄の資格も東西両協会の合併によって、従来の幕下以上から次の昭和十四年細則第十七条(40)のように、力士は十両以上、行司は本足袋以上(41)でないと年寄になれなくなった。

［第十七条］年寄の名籍は現存のものに限る。年寄の名籍は理事会の銓衡に依り会長の決裁を経て之を継承せしめ、年寄名簿に登録する。養老金を受ける資格のある力士及紅白以上の行司以外の者は年寄たることを得ず。但十両以上の力士及本足袋以上の行司にして師匠の名籍を継承せんとする場合、並に根岸治右衛門の名籍を継承せんとする場合に限り、理事会の承認を経たるときは本文の制限に依らざることを得。年寄の名籍を継承したる者は、協会に対し宣誓書に加盟金弐百五拾円を添え寄付することを要す。五年間継承者なき年寄名籍は協会に帰属するものとす。

昭和十五年（一九四〇）の年寄で経歴の判明している者は次の九十三名で、彼等の経歴は図四十の通りである。

（一）　朝日山四郎右衛門（元大関、二瀬川宗五郎）十四代目
（二）　東関猪太夫（元前頭、天城山猪太夫）九代目
（三）　荒磯幸蔵（元関脇、新海幸蔵）十代目
（四）　荒汐宇三郎（元十両、殿り卯三郎）四代目
（五）　伊勢ケ浜勘太夫（元関脇、清瀬川敬之助）四代目
（六）　伊勢海五太夫（元前頭、柏戸宗五郎）九代目
（七）　井筒実義（元前頭、星甲実義）八代目
（八）　稲川七兵衛（元十両、常陽山恵一）九代目
（九）　入間川七五郎（元幕内格行司、木村宗四郎）代数不明
（十）　岩友成吉（元前頭、射水川成吉）代数不明
（十一）　浦風林右衛門（元前頭、太郎山勇吉）十一代目
（十二）　枝川大五郎（元前頭、海光山大五郎）十一代目
（十三）　大嶽隆資（元前頭、土州山好一郎）八代目
（十四）　大鳴戸吉五郎（元関脇、大達吉五郎）四代目
（十五）　阿武松緑之助（元前頭、紫雲龍吉之助）七代目
（十六）　大山渉（元関脇、高登弘光）十代目
（十七）　尾車文五郎（元関脇、大戸平吉太郎）三代目
（十八）　押尾川巻右衛門（元関脇、時ノ矢五郎）十一代目

（十九）　追手風元吉（元大関、清水川元吉）八代目
（二十）　音羽山亮治（元前頭、白岩亮治）十代目
（二十一）尾上義郎（元十両、野州山義郎）九代目
（二十二）小野川辰蔵（元大関、加古川辰蔵）十三代目
（二十三）鏡山静太夫（元幕下、金木山弥一郎）四代目
（二十四）春日野剛史（元横綱、栃木山守也）八代目
（二十五）春日山真弘（元関脇、藤ノ川雷五郎）十三代目
（二十六）片男浪勘太郎（元前頭、開月勘太郎）八代目
（二十七）勝ノ浦与一右衛門（元前頭、五十嵐敬之助）七代目
（二十八）甲山権蔵（元十両、小田ノ山権蔵）八代目
（二十九）君ケ浜源之助（元前頭、達ノ矢源之助）十代目
（三十）　木村瀬平（元前頭、太刀ノ海浪右衛門）八代目
（三十一）清見潟又蔵（元十両、伊勢錦清）八代目
（三十二）桐山権平（元幕下、高武蔵源太郎）十三代目
（三十三）熊ケ谷猪之助（元前頭、敷島猪之助）十代目
（三十四）粂川善四郎（元大関、鏡岩善四郎）九代目
（三十五）九重貴昭（元前頭、宇都宮新七郎）十代目
（三十六）境川勝史（元大関、常陸岩英太郎）九代目

（三十七）佐渡ケ嶽高一郎（元前頭、阿久津川高一郎）十代目
（三十八）佐ノ山信親（元前頭、朝響信親）十代目
（三十九）式守秀五郎（元小結、有明吾郎）五代目
（四十）　錣山剛敏（元関脇、若葉山鐘）十代目
（四十一）芝田山福松（元横綱、宮城山福松）四代目
（四十二）白玉多喜知（元前頭、大八洲多喜知）十代目
（四十三）関ノ戸三郎（元小結、和歌島三郎）九代目
（四十四）千田川喜三郎（元行司、木村喜三郎）十四代目
（四十五）高崎大五郎（元前頭、錦華山大五郎）十五代目
（四十六）高砂浦五郎（元大関、朝潮太郎）三代目
（四十七）高島純司（元前頭、八甲山純司）八代目
（四十八）高田川一栄（元関脇、早瀬川一栄）二代目
（四十九）武隈勇治郎（元関脇、両国梶之助）八代目
（五十）　竹縄理一（元前頭、常陸嶽理市）十代目
（五十一）田子ノ浦文治郎（元関脇、出羽ケ嶽文治郎）九代目
（五十二）立田川好永（元立行司、十六代式守伊之助）十代目
（五十三）立田山豊州（元大関、能代潟錦作）八代目
（五十四）立浪弥右衛門（元小結、緑島友之助）四代目

（五十五）立川光三（元前頭、雷山勇吉）六代目
（五十六）楯山治三郎（元幕下、国ノ音治三郎）八代目
（五十七）谷川浪之助（元関脇、黒瀬川浪之助）八代目
（五十八）玉垣誠一（元小結、巴潟誠一）十四代目
（五十九）玉ノ井崇峰（元十両、陸奥錦秀二良）十二代目
（六十）千賀ノ浦五郎次（元関脇、綾川五郎次）十一代目
（六十一）出来山武司（元横綱、武蔵山武）十代目
（六十二）出羽海梶之助（元小結、両国梶之助）六代目
（六十三）時津風統八（元小結、小九紋龍梅吉）十一代目
（六十四）常盤山峰五郎（元前頭、太刀若峰五郎）十三代目
（六十五）友綱亀之助（元小結、矢筈山登）八代目
（六十六）中川要治郎（元前頭、吉野山要治郎）六代目
（六十七）中立虎之助（元前頭、伊勢ノ浜虎之助）十代目
（六十八）中村清太夫（葭ノ浦（よしのうら）清二郎）四代目
（六十九）鳴戸政三（元大関、太刀光電右衛門）六代目
（七十）錦島三太夫（元前頭、大蛇山酉之助）九代目
（七十一）錦戸春吉（元前頭、小左倉春吉）三代目
（七十二）二所ノ関梅吉（関脇、玉ノ海梅吉）七代目

（七十三）二十山弥太夫（元小結、小錦八十吉）九代目
（七十四）八角灘右衛門（元関脇、大鳴門灘右衛門）
（七十五）花籠平五郎（元関脇、三杉磯善七）九代目
（七十六）秀ノ山恒吉（元前頭、若常陸恒吉）八代目
（七十七）富士ケ根佑吉（元小結、若湊義正）七代目
（七十八）藤島秀光（元横綱、常ノ花寛市）十代目
（七十九）二子山役太郎（元前頭、土州山役太郎）八代目
（八十）　振分健蔵（元関脇、浪ノ音健蔵）十一代目
（八十一）間垣末吉（元小結、尼ケ崎清吉）十一代目
（八十二）松ケ根幸市（元小結、紅葉川幸市）七代目
（八十三）待乳山楯之丞（元小結、光風貞太郎）九代目
（八十四）湊光之助（元幕内格行司、木村光之助）代数不明
（八十五）湊川吉 （元前頭、綾錦由之丞）十代目
（八十六）峰崎弥太郎（元前頭、外ケ浜弥太郎）三代目
（八十七）三保ケ関喜八郎（元十両、滝ノ海調五郎）八代目
（八十八）宮城野谷五郎（元横綱、鳳谷五郎）七代目
（八十九）武蔵川喜偉（元前頭、出羽ノ花国市）十代目
（九十）　山響庄太郎（元前頭、釈迦ケ嶽庄太郎）八代目

（九十一）山分嘉右衛門（元関脇、大門岩嘉右衛門）九代目
（九十二）若藤達之助（元前頭、越ノ海東治郎）九代目
（九十三）若松健之（元小結、射水川健太郎）九代目

前記の経歴の判明している年寄九十三名の内、現役力士時代に横綱であった者が五名、大関が八名、関脇が十八名、小結が十三名、前頭が三十四名、十両が七名、幕下が三名、行司が四名、計九十二名であった。年寄の現役時代の番付最高位は前頭が最も多く、以下関脇・小結・大関の順であり、前節明治四十二年の年寄より番付最高位が高くなっている。尚、（六十八）中村は大阪相撲の力士であったから、現役時代の番付最高位は不明である。四名の行司の番付地位は、（五十二）立田川が立行司（式守伊之助）、（九）入間川と（八十四）湊が幕内格行司、（四十四）千田川は大阪相撲の行司であるためその地位は不明であった。この四名の行司出身の年寄の外に、式守伊之助と木村庄之助の二名の立行司も年寄である。

この九十三名の年寄の中で、出羽海部屋出身の年寄が二十三名と最も多く、以下高砂部屋出身が十一名、友綱部屋出身が七名、伊勢ノ海部屋出身が五名であった。このことから、当時の相撲社会における一門の勢力分布が理解される。

師匠の年寄名を継承した者は二十六名であった。この師匠の年寄名を継承した二十六名の内、（二十七）勝ノ浦、（三十二）桐山、（九十二）若藤の三名は師匠の養子となっている。この外に師匠ではないが先

代の養子となって年寄名を継承しているのは、(二十四) 春日野、(三十一) 清見潟、(三十九) 式秀、(五十二) 立田川、(九十) 山響の五名である。

ここで昭和初期における相撲部屋の状況を知るために、昭和五年 (表四十七) と昭和十五年 (表四十八) の相撲部屋所在地と所属力士数を挙げ、十年間の相撲部屋の動向について次に検討する。当時は出羽海部屋に力士が集中しており、出羽海部屋には昭和五年に八十二名、昭和十五年には九十三名の所属力士がいた。二所ノ関部屋は、この十年間に弟子が三名から五十九名と急成長した部屋である。当時の相撲部屋は、弟子の数が十名以下の部屋が多かった。これは稽古土俵のある部屋が限られていたからであり、昭和五年に土俵のあった部屋は、(一) 出羽海部屋・(二) 井筒部屋・(三) 高砂部屋・(四) 立浪部屋・(五) 春日野部屋・(七) 伊勢ノ海部屋・(九) 錦島部屋・(十四) 二十山部屋・(十五) 湊川部屋の九部屋であった (表四十七)。昭和十五年に稽古土俵のあった部屋は、(一) 出羽海部屋・(二) 二所ノ関部屋・(三) 立浪部屋・(四) 高砂部屋・(五) 春日野部屋・(七) 粂川部屋・(十) 湊川部屋・(十三) 井筒部屋・(十四) 錦島部屋・(二十二) 二十山部屋の十部屋であった (表四十八)。この十年間に台頭してきた相撲部屋は、前述の二所ノ関部屋と粂川部屋であり、反対に没落した部屋は伊勢ノ海部屋である (第三章第三節三参照)。

昭和五年の相撲部屋住所の特徴は、東西合併の直後であり大阪相撲の（十三）朝日山・（十七）小野川・（十八）三保ケ関・（二十二）時津風・（二十五）高田川・（二十七）陣幕・（三十三）押尾川・（三十四）中村・（三十九）岩友の相撲部屋が、まだ大阪にあった。これら大阪相撲の相撲部屋は昭和十五年までに、朝日山・小野川・三保ケ関・時津風の部屋は東京へ移転し、高田川・陣幕・押尾川・岩友の部屋は消滅し、中村部屋だけが当時まだ大阪に残っていた。

昭和十五年の四十八部屋の内、（二）二所ノ関部屋と（十六）陸奥部屋には師匠（年寄）が当時いなかった。二所ノ関部屋では玉ノ海が、陸奥部屋では大潮が現役力士でありながら師匠を兼ねていた。二所ノ関部屋は昭和五年から昭和十五年の間に、まず昭和六年に海山の五代目二所ノ関が亡くなり、それを継いだ横綱玉錦（六代目二所ノ関）が昭和十三年に虫垂炎で現役中に亡くなった。その後を玉ノ海（七代目）が継いだが、昭和十五年当時はまだ現役力士であった。陸奥は先代が昭和十二年に亡くなり、その後を弟子の大潮が継いだが、昭和十五年当時はまだ現役力士であった。

昭和五年から昭和十五年の間に新しく興った部屋は、若松・富士ケ根・追手風・熊ケ谷・芝田山・鏡山・甲山・中川・浦風・松ケ根・枝川・音羽山・大山・式秀・立田川の十五部屋であり、消滅した部屋は伊勢ノ海・高田川・出来山・陣幕・山科・押尾川・岩友・浅香山の八部屋であった。従って、この十年間に三十三の相撲部屋が消滅せずに残った。

表47　昭和５年の相撲部屋住所と所属力士数

部屋	住所		
(１)出羽海部屋	・本所区東両国 1-1	所属力士数	82名
(２)井筒部屋	・本所区緑町公園 10	〃	22名
(３)高砂部屋	・本所区東両国 3-5	〃	23名
(４)立浪部屋	・本所区東両国 3-9	〃	27名
(５)春日野部屋	・本所区東両国 1-10	〃	14名
(６)伊勢ヶ浜部屋	京橋区築地 3-15	〃	9名
(７)伊勢ノ海部屋	・本所区東両国 1-4	〃	7名
(８)花籠部屋	本所区横網 10-9	〃	5名
(９)錦島部屋	・本所区東両国 2-17	〃	7名
(10)友綱部屋	本所区東両国 3丁目	〃	7名
(11)宮城野部屋	本所区東両国 2-7	〃	6名
(12)八角部屋	東京府荏原郡小山 372	〃	9名
(13)朝日山部屋	大阪市住吉区天王寺町 1丁目	〃	8名
(14)二十山部屋	・本所区緑町 2-23	〃	6名
(15)湊川部屋	・本所区東両国 1-10-1	〃	8名
(16)二子山部屋	日本橋区上槇町 2	〃	16名
(17)小野川部屋	大阪市北区曽根崎新地	〃	4名
(18)三保ヶ関部屋	大阪市南区順慶町 4-72	〃	4名
(19)高島部屋	本所区東両国 3-3	〃	4名
(20)荒汐部屋	日本橋区蠣殻町 3-11	〃	4名
(21)振分部屋	本所区緑町 2-23	〃	3名
(22)時津風部屋	大阪市南区鶴町 1丁目	〃	2名
(23)二所ノ関部屋	麹町区飯田町 6丁目21	〃	3名
(24)若藤部屋	本所区東両国 1-6	〃	4名
(25)高田川部屋	大阪市浪速区宮浦町 44	〃	2名
(26)出来山部屋	本所区東両国 1-6	〃	2名
(27)陣幕部屋	大阪市住吉区天王寺町	〃	2名
(28)山科部屋	本所区東両国 2-7	〃	1名
(29)佐渡ヶ嶽部屋	埼玉県川口市境町 3-1653	〃	1名
(30)粂川部屋	本所区東両国 3丁目 8	〃	7名
(31)陸奥部屋	東京府荏原郡羽田町萩中 418	〃	3名
(32)山分部屋	本所区林町 2-35	〃	3名
(33)押尾川部屋	大阪市住吉区安立町 4 丁目	〃	2名
(34)中村部屋	大阪市浪速区東関谷町 1-1	〃	1名
(35)谷川部屋	京橋区木挽町 2-13	〃	1名
(36)武隈部屋	本所区東両国 1-6	〃	1名
(37)春日山部屋	本所区東両国 2-1	〃	1名
(38)尾車部屋	東京府豊多摩郡上落合 625	〃	3名
(39)岩友部屋	大阪市南区難波新地 3 番地	〃	1名
(40)片男波部屋	本所区石原町 1-30	〃	1名
(41)浅香山部屋	東京府南葛飾郡亀戸町 6-34	〃	1名

表48　昭和15年相撲部屋住所と所属力士数

部屋	住所		
(1)出羽海部屋	・本所区東両国 1-1-3	所属力士数	93名
(2)二所ノ関部屋	・本所区東両国 4-4	〃	59名
(3)立浪部屋	・本所区東両国 3-9	〃	43名
(4)高砂部屋	・本所区東両国 3-9	〃	36名
(5)春日野部屋	・本所区東両国 1-10	〃	23名
(6)高島部屋	本所区石原町 1-22	〃	19名
(7)粂川部屋	・本所区東両国 3-8	〃	26名
(8)伊勢ケ浜部屋	京橋区築地 4-6	〃	26名
(9)朝日山部屋	深川区高橋 2-2	〃	10名
(10)湊川部屋	・本所区東両国 2-10	〃	13名
(11)小野川部屋	本所区東両国 2-17	〃	12名
(12)花籠部屋	本所区亀沢町 2-1	〃	11名
(13)井筒部屋	・本所区亀沢町 1-10	〃	20名
(14)錦島部屋	・本所区東両国 2-17-2	〃	15名
(15)中村部屋	大阪市浪速区東関谷町 1-1	〃	6名
(16)陸奥部屋	本所区緑町 2-6-5	〃	3名
(17)山分部屋	本所区堅川町 1-8-1	〃	7名
(18)若松部屋	本所区東両国 2-2	〃	9名
(19)富士ケ根部屋	本所区東両国 2-2	〃	4名
(20)振分部屋	本所区亀沢町 2-2	〃	8名
(21)三保ケ関部屋	本所区東両国 2-8	〃	7名
(22)二十山部屋	本所区緑町 2-2	〃	2名
(23)追手風部屋	本所区千歳町 3-4	〃	7名
(24)宮城野部屋	本所区東両国 2-7	〃	5名
(25)武隈部屋	本所区東両国 1-6	〃	11名
(26)二子山部屋	日本橋区呉服橋 3-5-3	〃	2名
(27)時津風部屋	(不明)	〃	1名
(28)熊ケ谷部屋	江戸川区小岩町 3-1868	〃	3名
(29)若藤部屋	本所区東両国 1-6	〃	4名
(30)友綱部屋	麹町区九段 3-1-3	〃	10名
(31)芝田山部屋	本所区横網町 16	〃	9名
(32)鏡山部屋	本所区東両国 1-14	〃	5名
(33)甲山部屋	本所区亀沢町 1-8	〃	5名
(34)荒汐部屋	本所区東両国 3-10	〃	6名
(35)春日山部屋	本所区東両国 2-2	〃	6名
(36)中川部屋	本所区東両国 2-2	〃	2名
(37)片男波部屋	本所区緑町 3-14	〃	1名
(38)浦風部屋	本所区東両国 2-5	〃	1名
(39)佐渡ケ嶽部屋	川口市本町三丁目	〃	5名
(40)松ケ根部屋	杉並区馬橋四丁目 549	〃	1名
(41)枝川部屋	目黒区上目黒 8-403	〃	1名
(42)尾車部屋	淀橋区上落合 2-625	〃	1名
(43)谷川部屋	麹町区永田町 2-1	〃	2名
(44)音羽山部屋	江戸川区興ノ宮町 4	〃	2名

(45)大山部屋、(46)式秀部屋、(47)立田川部屋、(48)八角部屋

(45)―(48) の部屋は昭和15年1月場所に誕生した部屋である。

師匠が同一人物であるのは、出羽海・高砂・立浪・春日野・伊勢ケ浜・花籠・友綱・宮城野・朝日山・二十山・湊川・二子山・小野川・三保ケ関・高島・荒汐・振分・時津風・佐渡ケ嶽・山分・中村・谷川・武隈・春日山・尾車・八角の二十六の部屋である。また、この間に師匠が代わったのは、井筒・錦島・二所ノ関・若藤・粂川・陸奥・片男波[42]の七部屋であり、それぞれ弟子が部屋を継いでいた。

二所ノ関・陸奥・片男波部屋は、師匠の交替に伴って部屋の所在地も変わった。師匠が替わって部屋の住所が移転しなかったのは、井筒[43]・錦島・若藤・粂川部屋である。まず若藤部屋は、先代の養子となって若藤部屋を相続した。井筒・錦島・粂川部屋は、先代と同郷の弟子が部屋を継いだ。井筒は、先代が鹿児島県西之表市西之表川迎であり、継承者は鹿児島県鹿児島市東千石町であった。錦島は、先代が秋田県能代市幸町であり、継承者は秋田県雄勝郡羽後町であった。粂川は、先代が青森県三戸郡倉石町であり、継承者は青森県三戸郡三戸町であった。相撲社会では、養子関係による部屋の相続の場合の他に、地縁関係に基づく師弟関係の場合にも、相撲部屋は移転しなかった。

三、幕内力士と年寄のライフコース

昭和十五年（一九四〇）の幕内力士の経歴（図三十九）から、初土俵年齢、現役年数、現役引退後年数と死亡年齢は、表四十九の通りである。その平均値は、初土俵年齢が十七・九歳、現役年数が十六・五年、現役引退後年数が二十三・六年、死亡年齢が五十八・六歳であった。当時の幕内力士のライフコースは、約十八歳で初土俵を踏み、約十七年間現役力士を勤めると約三十五歳、現役引退後は約二十四年の余生であった。これを前節の幕内力士の経歴を比較すると、死亡年齢が六・六歳伸び、初土俵年齢が一・四歳若くなり、現役年数が〇・四年短くなり、現役引退後年数が七・四年長くなった。初土俵年齢が若年化し、現役引退後年数が長期化する傾向にある。

図39　昭和15年（1940）幕内力士の経歴

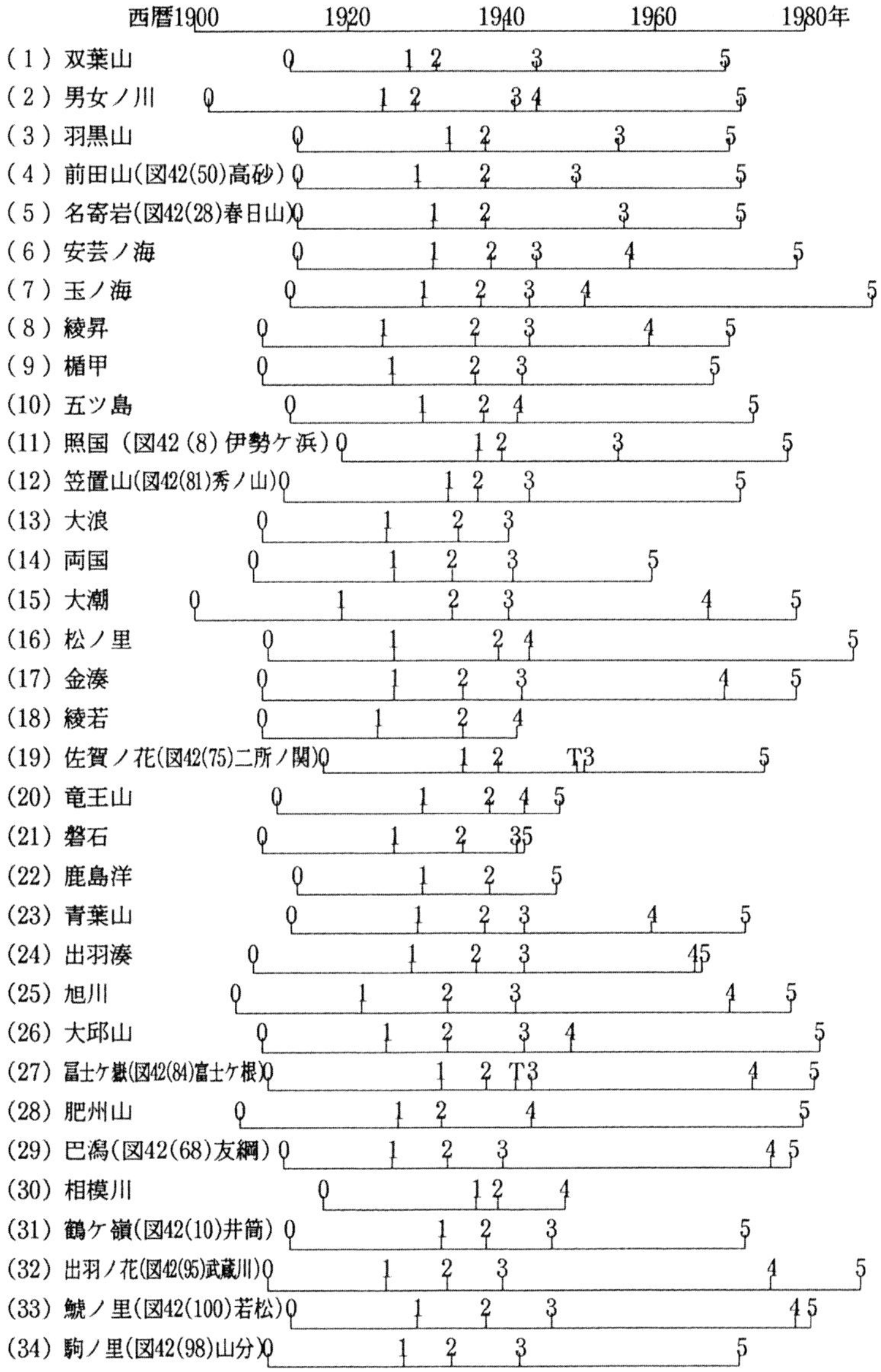

西暦1900　1920　1940　1960　1980年

（1）双葉山　0 1 2 3 5
（2）男女ノ川　0 1 2 3 4 5
（3）羽黒山　0 1 2 3 5
（4）前田山(図42(50)高砂)　0 1 2 3 5
（5）名寄岩(図42(28)春日山)　0 1 2 3 5
（6）安芸ノ海　0 1 2 3 4 5
（7）玉ノ海　0 1 2 3 4 5
（8）綾昇　0 1 2 3 4 5
（9）楯甲　0 1 2 3 5
（10）五ツ島　0 1 2 4 5
（11）照国（図42（8）伊勢ケ浜）　0 1 2 3 5
（12）笠置山(図42(81)秀ノ山)　0 1 2 3 5
（13）大浪　0 1 2 3
（14）両国　0 1 2 3 5
（15）大潮　0 1 2 3 4 5
（16）松ノ里　0 1 2 4 5
（17）金湊　0 1 2 3 4 5
（18）綾若　0 1 2 4
（19）佐賀ノ花(図42(75)二所ノ関)　0 1 2 T3 5
（20）竜王山　0 1 2 4 5
（21）磐石　0 1 2 35
（22）鹿島洋　0 1 2 5
（23）青葉山　0 1 2 3 4 5
（24）出羽湊　0 1 2 3 45
（25）旭川　0 1 2 3 4 5
（26）大邱山　0 1 2 3 4 5
（27）富士ケ嶽(図42(84)富士ケ根)　0 1 2 T3 4 5
（28）肥州山　0 1 2 4 5
（29）巴潟(図42(68)友綱)　0 1 2 3 4 5
（30）相模川　0 1 2 4
（31）鶴ケ嶺(図42(10)井筒)　0 1 2 3 5
（32）出羽ノ花(図42(95)武蔵川)　0 1 2 3 4 5
（33）鯱ノ里(図42(100)若松)　0 1 2 3 4 5
（34）駒ノ里(図42(98)山分)　0 1 2 3 5

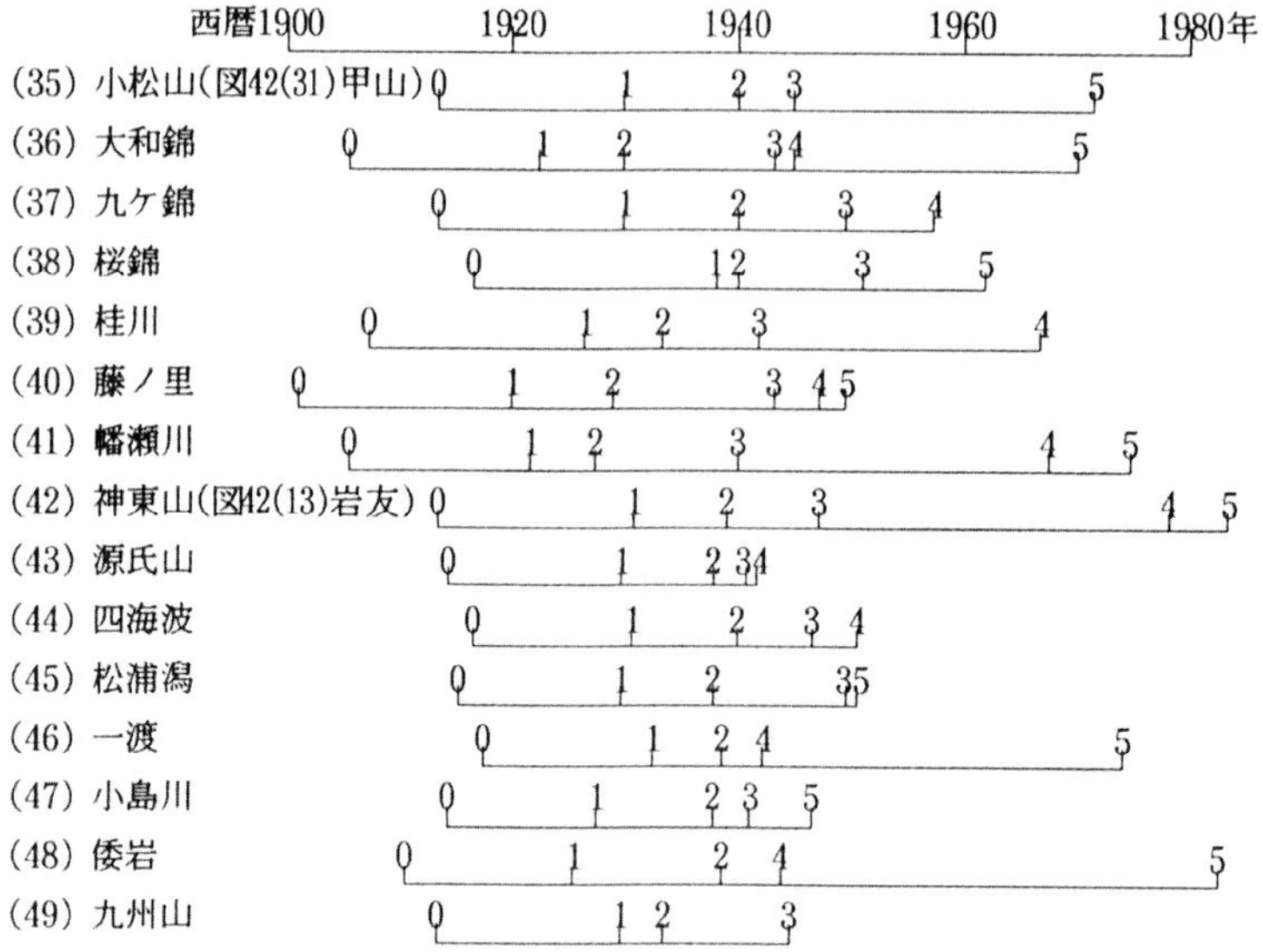

西暦1900　1920　1940　1960　1980年

(35) 小松山(図42(31)甲山) 0 1 2 3 5

(36) 大和錦 0 1 2 34 5

(37) 九ケ錦 0 1 2 3 4

(38) 桜錦 0 12 3 5

(39) 桂川 0 1 2 3 4

(40) 藤ノ里 0 1 2 3 4 5

(41) 幡瀬川 0 1 2 3 4 5

(42) 神東山(図42(13)岩友) 0 1 2 3 4 5

(43) 源氏山 0 1 2 34

(44) 四海波 0 1 2 3 4

(45) 松浦潟 0 1 2 35

(46) 一渡 0 1 2 4 5

(47) 小島川 0 1 2 3 5

(48) 倭岩 0 1 2 4 5

(49) 九州山 0 1 2 3

昭和十五年の年寄の経歴（図四十）から、初土俵年齢、現役年数、現役引退後年数、死亡年齢は、表五十の通りである。この年寄の中で、（一）朝日山・（十四）大鳴戸・（十八）押尾川・（二十二）小野川・（四十五）高崎・（四十八）高田川・（六十三）時津風・（六十八）中村・（八十七）三保ケ関は、大阪相撲協会の頭取であったが、昭和二年の東西合併で年寄となった名跡である。従って、彼等は平均値の算定からは除外した。また、（九）入間川、（四十四）千田川、（五十二）立田川、（八十四）湊は行司出身であるから、彼等も平均値の算定からは除外した。（四十一）芝田山は元横綱の宮城山福松である。彼は、明治四十三年出羽海部屋に入門したが、明治四十五年東京相撲を廃業して大阪相撲の高田川部屋に入門した。その後、大正十一年大阪相撲の横綱となり、昭和二年の東西合併の場所で横綱張出となり、昭和六年に現役を引退した人物である。従って、彼の経歴は平均値の算定に入れた。

年寄の経歴の平均値は、初土俵年齢が十八・〇歳、現役年数が十六・四年、現役引退後年数が三十一・五年、死亡年齢が六十五・七歳であった。当時の年寄のライフコースは、約十八歳で初土俵を踏み、約十六年間現役力士を勤めると約三十四歳、現役引退後は約三十二年間年寄を勤めて亡くなった。前節の年寄と比較すると、初土俵年齢が若年化し、現役引退後年数が長期化する傾向にある。また、年寄と幕内力士のライフコースにおけるイベント時点の差が漸次縮小する傾向にある。

表49　昭和15年(1940)の幕内力士のイベント時点

	初土俵年齢	現役年数	現役引退後年数	死亡年齢
(1)双葉山	15歳	18年	23年	56歳
(2)男女ノ川	21歳	18年	29年	68歳
(3)羽黒山	20歳	19年	16年	55歳
(4)前田山	15歳	20年	22年	57歳
(5)名寄岩	18歳	22年	17年	57歳
(6)安芸ノ海	18歳	14年	33年	65歳
(7)玉ノ海	18歳	15年	43年	76歳
(8)綾昇	17歳	20年	24年	61歳
(9)楯甲	19歳	17年	23年	58歳
(10)五ツ島	18歳	12年	31年	61歳
(11)照国	16歳	18年	24年	58歳
(12)笠置山	21歳	13年	26年	60歳
(13)大浪	18歳	15年		
(14)両国	20歳	15年	17年	52歳
(15)大潮	19歳	22年	38年	79歳
(16)松ノ里	18歳	18年	40年	76歳
(17)金湊	19歳	16年	36年	71歳
(18)綾若	17歳	17年		
(19)佐賀ノ花	17歳	18年	23年	58歳
(20)竜王山	20歳	18年	0年	38歳
(21)磐石	19歳	16年	1年	36歳
(22)鹿島洋	16歳	17年	0年	33歳
(23)青葉山	16歳	15年	26年	59歳
(24)出羽湊	21歳	16年	20年	57歳
(25)旭川	17歳	20年	36年	73歳
(26)大邱山	17歳	19年	39年	75歳
(27)富士ケ嶽	22歳	14年	37年	73歳
(28)肥州山	21歳	18年	35年	74歳
(29)巴潟	15歳	14年	38年	67歳
(30)相模川	18歳	14年		
(31)鶴ケ嶺	19歳	16年	25年	60歳
(32)出羽ノ花	16歳	15年	47年	78歳
(33)鯱ノ里	15歳	18年	34年	67歳
(34)駒ノ里	18歳	15年	29年	62歳
(35)小松山	18歳	14年	27年	59歳
(36)大和錦	18歳	20年	27年	65歳
(37)九ケ錦	18歳	18年		
(38)桜錦	22歳	13年	11年	46歳
(39)桂川	20歳	15年		
(40)藤ノ里	19歳	23年	6年	48歳
(41)幡瀬川	17歳	18年	34年	69歳
(42)神東山	19歳	15年	36年	70歳
(43)源氏山	17歳	12年		
(44)四海波	15歳	15年		
(45)松浦潟	15歳	14年	1年	30歳
(46)一渡	15歳	10年	31年	56歳
(47)小島川	14歳	14年	4年	32歳
(48)倭岩	16歳	18年	38年	72歳
(49)九州山	17歳	15年		
平均値	17.9歳	16.5年	23.6年	58.6歳

図40　昭和15年（1940）年寄の経歴

西暦1880　1900　1920　1940　1960　1980年

年寄	経歴
（1）朝日山	0 T 3 5
（2）東関（図42（4）東関）	0 1 2 3 4
（3）荒磯	0 1 2 3 4 5
（4）荒汐	0 1 3 5
（5）伊勢ケ浜	0 1 2 3 4 5
（6）伊勢ノ海	0 12 3 5
（7）井筒	0 1 23 5
（8）稲川	0 3 4
（9）入間川（行司）	0 3 5
（10）岩友	0 1 2 3 5
（11）浦風	0 1 2 3 5
（12）枝川	0 1 2 3 45
（13）大嶽	0 1 2 3 4 5
（14）大鳴戸	0 3 5
（15）阿武松	0 1 2 3 5
（16）大山	0 12 3 5
（17）尾車	0 1 2 T 3 45
（18）押尾川	0 T 3 5
（19）追手風	0 1 2 3 45
（20）音羽山	0 1 2 3 4 5
（21）尾上	0 3 5
（22）小野川	0 3T 4 5
（23）鏡山	0 1 T3 5
（24）春日野	0 1 2 3 5
（25）春日山	0 1 2 3 4 5
（26）片男波	0 1 2 3 4 5
（27）勝ノ浦	0 1 2 3 4 5
（28）甲山	0 1 3 5
（29）君ケ浜	0 1 2 3 5
（30）木瀬	0 1 2 3 5
（31）清見潟	0 3 5
（32）桐山	0 1 3 5
（33）熊ケ谷	0 1 2 3 5
（34）粂川	0 1 2 3 5
（35）九重	0 1 2 3 5
（36）境川	0 1 2 3 5
（37）佐渡ケ嶽	0 1 2 3 4 5
（38）佐ノ山	0 1 2 3 5

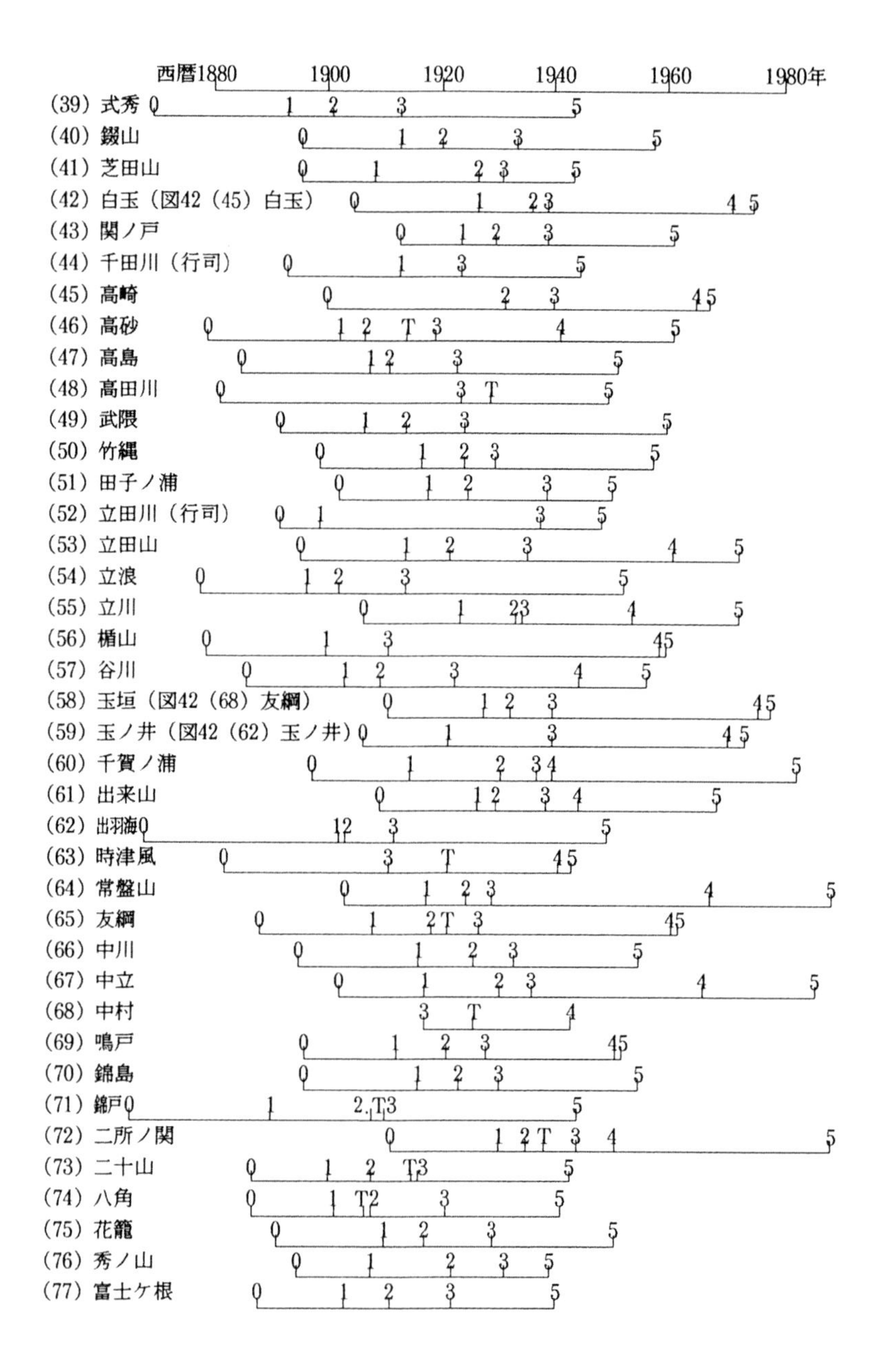

西暦1880
1900
1920
1940
1960
1980年
(39) 式秀
(40) 錣山
(41) 芝田山
(42) 白玉（図42（45）白玉）
(43) 関ノ戸
(44) 千田川（行司）
(45) 高崎
(46) 高砂
(47) 高島
(48) 高田川
(49) 武隈
(50) 竹縄
(51) 田子ノ浦
(52) 立田川（行司）
(53) 立田山
(54) 立浪
(55) 立川
(56) 楯山
(57) 谷川
(58) 玉垣（図42（68）友綱）
(59) 玉ノ井（図42（62）玉ノ井）
(60) 千賀ノ浦
(61) 出来山
(62) 出羽海
(63) 時津風
(64) 常盤山
(65) 友綱
(66) 中川
(67) 中立
(68) 中村
(69) 鳴戸
(70) 錦島
(71) 錦戸
(72) 二所ノ関
(73) 二十山
(74) 八角
(75) 花籠
(76) 秀ノ山
(77) 富士ケ根

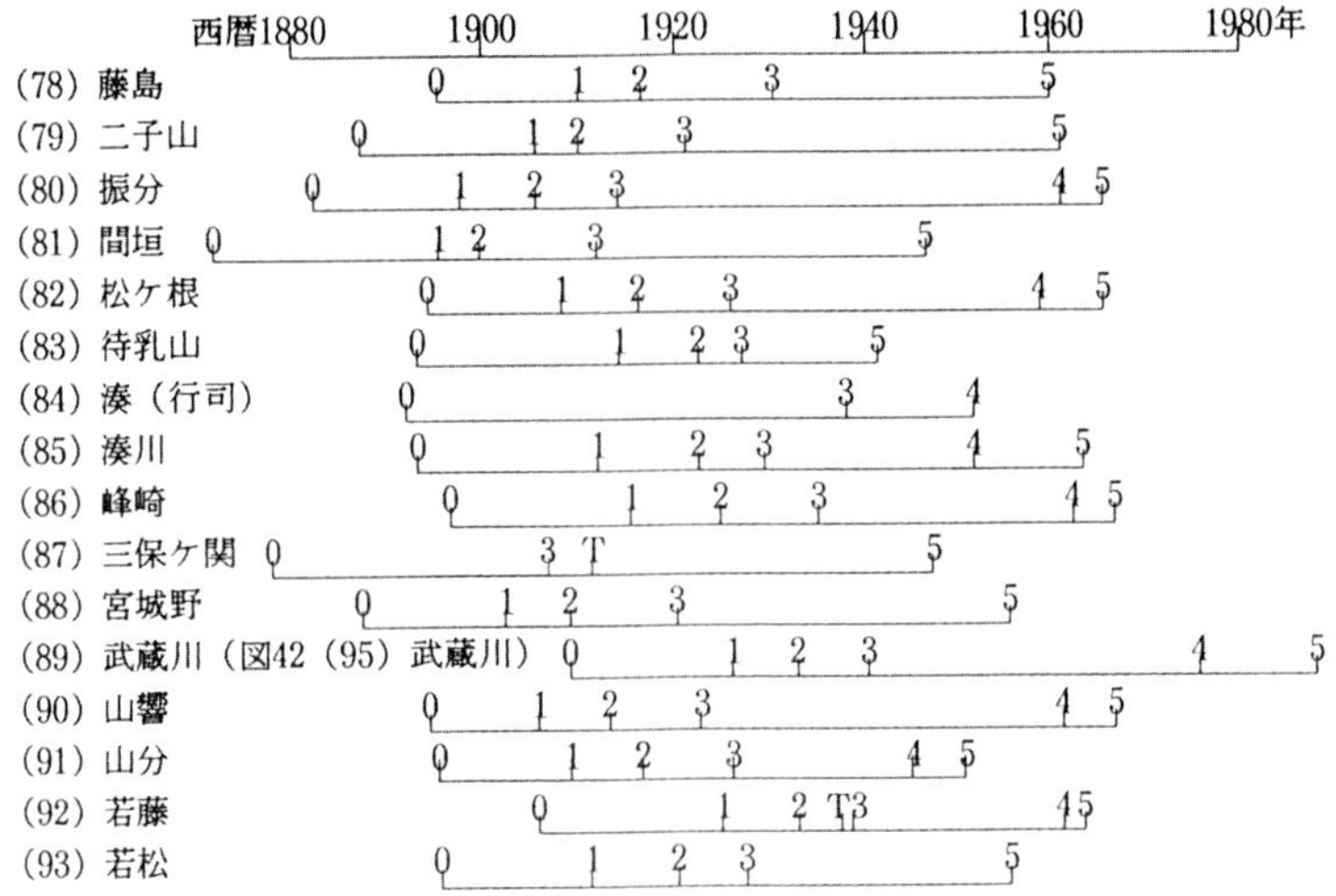

西暦1880　1900　1920　1940　1960　1980年

(78) 藤島　0 1 2 3 5
(79) 二子山　0 1 2 3 5
(80) 振分　0 1 2 3 4 5
(81) 間垣　0 1 2 3 5
(82) 松ケ根　0 1 2 3 4 5
(83) 待乳山　0 1 2 3 5
(84) 湊（行司）　0 3 4
(85) 湊川　0 1 2 3 4 5
(86) 峰崎　0 1 2 3 4 5
(87) 三保ケ関　0 3 T 5
(88) 宮城野　0 1 2 3 5
(89) 武蔵川（図42（95）武蔵川）　0 1 2 3 4 5
(90) 山響　0 1 2 3 4 5
(91) 山分　0 1 2 3 4 5
(92) 若藤　0 1 2 T3 45
(93) 若松　0 1 2 3 5

表50　昭和15年(1940)の年寄のイベント時点

	初土俵年齢	現役年数	現役引退後年数	死亡年齢
(1)朝日山（大阪）			22年	55歳
(2)東関	19歳	13年		
(3)荒磯	17歳	16年	39年	72歳
(4)荒汐	18歳	15年	35年	68歳
(5)伊勢ケ浜	18歳	18年	38年	74歳
(6)伊勢ノ海	25歳	12年	30年	67歳
(7)井筒	16歳	13年	13年	42歳
(9)入間川（行司）				74歳
(10)岩友	18歳	15年	6年	39歳
(11)浦風	16歳	18年	29年	63歳
(12)枝川	24歳	15年	15年	54歳
(13)大嶽	18歳	17年	38年	73歳
(14)大鳴戸（大阪）			36年	75歳
(15)阿武松	16歳	19年	29年	64歳
(16)大山	19歳	12年	23年	54歳

(17)尾車	17歳	16年	41年	74歳
(18)押尾川（大阪）			33年	69歳
(19)追手風	17歳	20年	30年	67歳
(20)音羽山	20歳	19年	42年	81歳
(21)尾上			35年	65歳
(22)小野川（大阪）			25年	61歳
(23)鏡山	22歳	19年	34年	75歳
(24)春日野	19歳	14年	34年	67歳
(25)春日山	20歳	17年	41年	78歳
(26)片男浪	17歳	17年	33年	67歳
(27)勝ノ浦	17歳	16年	47年	80歳
(28)甲山	19歳	13年	19年	51歳
(29)君ケ浜	16歳	18年	23年	57歳
(30)木村瀬平	19歳	12年	39年	70歳
(31)清見潟			33年	64歳
(32)桐山	17歳	22年	30年	69歳
(33)熊ケ谷	19歳	15年	36年	70歳
(34)粂川	19歳	18年	11年	48歳
(35)九重	17歳	14年	31年	62歳
(36)境川	17歳	14年	31年	57歳
(37)佐渡ケ嶽	18歳	14年	43年	75歳
(38)佐ノ山	15歳	17年	31年	63歳
(39)式守秀五郎	18歳	20年	30年	68歳
(40)錣山	18歳	20年	25年	63歳
(41)芝田山（大阪）	15歳	21年	12年	48歳
(42)白玉	21歳	12年	36年	69歳
(43)関ノ戸	17歳	16年	22年	55歳
(44)千田川（行司）				52歳
(45)高崎　（大阪）			26年	66歳
(46)高砂	23歳	17年	42年	82歳
(47)高島	24歳	14年	29年	67歳
(48)高田川（大阪）			26年	63歳
(49)武隈	15歳	17年	36年	68歳
(50)竹縄	18歳	13年	28年	59歳
(51)田子ノ浦	16歳	21年	11年	48歳
(52)立田川（行司）				56歳
(53)立田山	20歳	21年	37年	78歳
(54)立浪	19歳	18年	37年	74歳
(55)立川	16歳	12年	38年	66歳

(56)楯山	21歳	11年	49年	81歳
(57)谷川	18歳	19年	35年	72歳
(58)玉垣	15歳	14年	38年	67歳
(59)玉ノ井	15歳	19年	34年	68歳
(60)千賀ノ浦	18歳	21年	45年	84歳
(61)出来山	17歳	13年	30年	60歳
(62)出羽海（大阪）			37年	75歳
(63)時津風（大阪）			32年	61歳
(64)常盤山	14歳	11年	60年	85歳
(65)友綱	20歳	18年	37年	75歳
(66)中川	20歳	17年	23年	60歳
(67)中立	15歳	18年	50年	83歳
(68)中村（大阪）				
(69)鳴戸	16歳	14年	25年	55歳
(70)錦島	19歳	14年	26年	59歳
(71)錦戸	19歳	20年	34年	73歳
(72)二所ノ関	18歳	15年	43年	76歳
(73)二十山	14歳	16年	26年	56歳
(74)八角	15歳	19年	21年	55歳
(75)花籠	19歳	18年	22年	59歳
(76)秀ノ山	13歳	22年	9年	44歳
(77)富士ケ根	17歳	17年	19年	53歳
(78)藤島	14歳	20年	30年	64歳
(79)二子山	18歳	15年	40年	73歳
(80)振分	16歳	16年	53年	85歳
(81)間垣	25歳	16年	35年	76歳
(82)松ケ根	14歳	17年	41年	72歳
(83)待乳山	20歳	13年	14年	47歳
(84)湊（行司）				
(85)湊川	21歳	16年	34年	71歳
(86)峰崎	19歳	18年	32年	69歳
(87)三保ケ関（大阪）			39年	68歳
(88)宮城野	15歳	18年	36年	69歳
(89)武蔵川	16歳	15年	47年	78歳
(90)山響	17歳	16年	44年	77歳
(91)山分	19歳	16年	25年	60歳
(92)若藤	18歳	13年	26年	57歳
(93)若松	18歳	14年	30年	62歳
平均値	18.0歳	16.4年	31.5年	65.7歳

第八節　昭和四十五年（一九七〇）

昭和十七年（一九四二）双葉山の人気で番付の力士数は六百八十七名を数えるようになり、関取の数も幕内が五十四名、十両が三十一名で計八十五名と急増した（図二十五）。しかし、太平洋戦争が激しくなり昭和十八年には国技館が軍部に接収され、力士数は二百名台に激減した。昭和二十年に第二次世界大戦が終わり、同年双葉山が現役を引退した。戦後の混乱期に力士数は三百名を割ったが、相撲興行は続けられ、昭和二十二年には本場所の対戦方法が再び東西制から一門系統別総当制となった。

昭和二十五年（一九五〇）十一月吉田司家の二十四代目長善が、司家の跡目（二十五代目）を息子の長孝に譲った。従って、横綱はわずか七歳の子供によって、その称号を授けられることになった。江戸時代から吉田司家は、横綱を決めて横綱免許状を授与してきた。その授与式は、東京の細川邸で仮授与式が行われ、後に熊本の吉田家で本授与式が行われた。昭和になってからは、東西合併の相撲協会となったので、協会が番付編成会議の席上で内定し、吉田司家の意向を聞いてから横綱の昇進を決定していた。従って、相撲協会と吉田司家のいずれか一方が、絶対的な権威を持つわけではなかったが、依然として吉田司家が横綱免許状を授与していた。

そこで相撲協会は昭和二十六年一月二十七日吉田司家と次のような「覚え書[44]」を取り交した。

一、横綱は今日既に力士の地位になっている。協会は大関以下全力士の地位を決定すると同様今後横綱を最高位としてこれを決定する。
一、従って横綱授与式は東京において協会がこれを厳修する。横綱授与式には伝統を重んずる伝統に則り、相撲司家の臨席のもとに、司家より古実並びに横綱を授与する。
一、新横綱の誓いは協会代表これを受け、新横綱に対する訓示は協会代表これをなす。
一、協会は新横綱を決定した場合、特使を司家に派して、これを報告し臨席を申し入れる。
一、新横綱熊本方面に初巡業の際は、司家神前において土俵入りをなす。
(付)一、司家当主幼少につき成年に達する迄は血統を重んじ伝統を尊ぶ趣旨に則り、後見人を置く（後見人は親族の者とする)。熊本県では司家保存会のようなものを組織し、司家としての体面保持の責に任じてもらいたい。

この覚え書によって、吉田司家の家元としての権威はなくなった。立行司の木村庄之助と式守伊之助も、依然として吉田司家の門人となり、司家から立行司の免許状を伝授されていた。しかし、昭和六十年より横綱も立行司も司家とは、全く関係がなくなった。

昭和二十九年（一九五四）蔵前に国技館が完成し、年に四回の本場所[45]の興行が行われるようになり、力士数も五百名を超えるようになった（図二十五）。しかし、昭和三十二年衆議院予算委員会で財団法人（公益法人）としての相撲協会の在り方が問題となり、協会は内部の改革に着手した。この改革によって力士の給料は月給制となり、年寄の定年制が実施されるようになった。土俵上では昭和二十九年栃錦が、昭和三十三年には若乃花が横綱となり、栃若時代で相撲の人気が高まり、力士数も七百名を超え年六場所の興行が行われるようになった（図二十五）。昭和三十五年力士数は八百名となり、翌昭和三十六年柏戸と大鵬が同時に横綱に昇進し、柏鵬時代を迎えた。

昭和四十年（一九六五）協会は第二次の改革を行い、対戦方法を一門系統別総当制から部屋別総当制とし、昭和四十二年には関取の数（幕内六名・十両十名）を削減した（表七）。関取の数は、第一次改革の時（昭和三十二年）にも幕内十名、十両十二名減らしているので、計三十八名の関取がこの十年間に削減されたことになる（図二十五）。協会の健全経営のためには、関取数の削減が効果的であった。何故ならば、相撲社会において報酬配分の最も多いのは関取だからである（第二章第三節参照）。昭和四十四年に柏戸、昭和四十六年には大鵬が現役を引退し、新弟子の基準が厳しくなると力士数が減少し始めた（図二十五）。そして昭和四十六年に中学生力士の入門が認められなくなると、力士数はさらに減少し六百名を割るようになった。

一、昭和四十五年の幕内力士

昭和四十五年（一九七〇）一月場所の番付では、横綱が一名、大関が四名、関脇が三名、小結が二名、前頭が二十四名で幕内力士が計三十四名、十両が二十六名、幕下が百二十名、三段目二百名、序二段が百六十二名、序ノ口が三十二名であり、総計五百七十四名であった。この場所の幕内力士と師匠名は次の通りであり、彼等の経歴は表五十一の通りである。

（東方）	師匠名		（西方）	師匠名	
（一）大鵬幸喜	二所ノ関	横綱			
（二）琴桜傑将	佐渡ケ嶽	大関	（四）玉乃島正夫	片男波	
（三）北の富士勝昭	九重	同	（五）清国忠雄	伊勢ケ浜	
（六）麒麟児将能	二所ノ関	関脇	（七）長谷川勝敏	佐渡ケ嶽	同
（八）前乃山太郎	高砂				
（九）栃東知頼	春日野	小結	（十）高見山大五郎	高砂	
（十一）陸奥嵐幸雄	宮城野	前頭	（十二）龍虎勢朋	花籠	
（十三）朝登俊光	朝日山	同　二	（十四）大雄辰實	井筒	
（十五）福の花幸一	出羽海	同　三	（十六）三重ノ海	出羽海	
（十七）錦洋孝治	井筒	同　四	（十八）浅瀬川剛也	伊勢ケ浜	

（十九）　黒姫山秀男　立浪　同　五
（二十一）栃王山裕規　春日野　同　六
（二十三）花光節夫　花籠　同　七
（二十五）戸田智次郎　立浪　同　八
（二十七）若二瀬唯之　朝日山　同　九
（二十九）高鉄山豊也　朝日山　同　十
（三十一）時葉山敏夫　時津風　同　十一
（三十三）海乃山勇　出羽海　同　十二

（二十）　大文字研二　二所ノ関
（二十二）藤ノ川武雄　伊勢ノ海
（二十四）若浪順　立浪
（二十六）二子岳武士　二子山
（二十八）貴ノ花満　二子山
（三十）　大竜川一男　三保ケ関
（三十二）旭国武雄　立浪
（三十四）大雪芳男　宮城野

表51　昭和45年(1970)幕内力士の経歴

力士名	生　年	初土俵年	入幕年	現役引退年	年寄名	没　年
1大鵬	昭和15年	昭和31年	昭和35年	昭和46年	大鵬	
2琴桜	15年	34年	38年	49年	白玉・佐渡ケ嶽	
3北の富士	17年	32年	39年	49年	井筒・九重	
4玉乃島	19年	34年	39年	46年		昭和46年(現役没)
5清国	16年	31年	38年	49年	楯山・伊勢ケ浜	
6大麒麟	17年	33年	38年	49年	押尾川	
7長谷川	19年	35年	40年	51年	秀ノ山	
8前乃山	20年	36年	41年	49年	高田川	
9栃東	19年	35年	42年	52年	玉ノ井	
10高見山	19年	39年	43年	59年	東関	
11陸奥嵐	18年	36年	42年	51年	安治川	
12龍虎	16年	32年	43年	50年	放駒	
13朝登	23年	38年	44年	53年	東関	
14大雄	15年	31年	38年	47年	陸奥・甲山	
15福の花	15年	33年	40年	50年	関ノ戸	
16三重ノ海	23年	38年	44年	55年	山科・武蔵川	
17錦洋	25年	40年	44年	52年		
18浅瀬川	17年	32年	39年	46年	浦風	
19黒姫山	23年	39年	44年	57年	錦島・山響・北陣ほか	
20大文字	15年	31年	41年	48年	押尾川・西岩	
21栃王山	18年	33年	38年	47年	清見潟	
22藤ノ川	21年	36年	41年	47年	立川・伊勢ノ海	
23花光	15年	33年	40年	45年	大嶽・放駒	
24若浪	16年	32年	38年	47年	大鳴戸・玉垣	
25戸田	21年	36年	42年	53年	雷	
26二子岳	18年	36年	42年	51年	白玉・荒磯	
27若二瀬	17年	35年	41年	50年	浦風・北陣・朝日山	
28貴ノ花	25年	40年	43年	56年	鳴戸・藤島	
29高鉄山	17年	32年	38年	50年	大鳴戸	
30大竜川	21年	36年	43年	54年	清見潟	
31時葉山	19年	34年	42年	50年	富士ケ根	
32旭国	22年	38年	44年	54年	大島	
33海乃山	15年	31年	36年	45年	小野川	
34大雪	19年	37年	45年	48年		昭和55年

（この表の元号は全て昭和である）

前記三十四名の幕内力士の内、年寄とならなかった者は（四）玉乃島と（三十四）大雪の二名だけである。（四）は現役中に亡くなっているので、現役を引退して年寄とならなかったのは（十七）（三十四）の二名だけであった。（三十四）大雪の幕内在位場所は十二場所であり、幕内力士の中では幕内在位が最も少ない力士であった。このように多くの幕内力士が年寄になれるようになったのは、関取の数が削減されたからである。

（一）大鵬は、昭和四十四年（一九六九）相撲協会からその功績に対して、一代年寄を贈られた。一代年寄とは、現役力士時代の四股名で年寄となれるが、廃業（死亡）してもその年寄名を弟子に譲ることができない年寄である。従って、一代年寄は一代限りで消滅してしまう年寄であり、代々受け継がれる年寄名跡ではない。昭和六十年（一九八五）北の湖にも、この一代年寄が協会から贈られた。

一代年寄の制度は、昭和十六年（一九四一）に「横綱は引退後一代年寄として待遇する」で始まった。しかし、翌昭和十七年協会は、旧大阪頭取の名跡であった大島・西岩・北陣・不知火・安治川の五家を年寄名跡に復活させ、この横綱一代年寄制度を廃止した。その後、昭和三十二年（一九五七）再び横綱の一代年寄制度が復活し、昭和三十四年には「横綱には、その引退に際し、力士名のまま五年間年寄としての資格を与えることができる」となり、現在に至っている。この一代年寄制度は、年寄株が不足し横綱でさえも年寄名跡を襲名することができない時期があったために、始まった制度である。年寄名跡の不足は、幕内力士の現役年数の短期化と現役引退後年数の長期化に起因している。

（二十九）高鉄山は朝日山部屋に入門し、自費養成力士として昭和三十二年に中学校二年生で初土俵を踏んだ。自費養成力士は、新弟子検査で不合格となった者でも、師匠が有望と認めた場合は審査の結果、師匠の自費養成力士として本場所の土俵に上がることができた。しかし、自費養成力士に食糧費・部屋維持費・稽古場経費は支給されない。この自費養成力士制度は、昭和三十一年（一九五六）に施行されたが翌年には廃止となり、新弟子検査に合格しなければ相撲部屋への入門はできなくなった。

二、昭和四十五年の年寄

年寄名跡は、昭和十七年（一九四二）旧大阪頭取の大島、西岩、北陣、不知火、安治川の五家を復活させ、従来の年寄百三家と合わせて百八家となった。そして、番付の版元で代々世襲とされてきた根岸が、昭和二十六年（一九五一）に年寄名跡返上を協会に申し出て廃家となったので、年寄名跡は百七家となった。また、昭和三十四年（一九五九）協会の第一次改革で年寄と行司に六十五歳定年制が導入され、これと並行して立行司の木村庄之助と式守伊之助が年寄から除かれたので、年寄は百五家となった。

さらに、この改革で現役行司の年寄襲名が廃止されることとなり、阿武松（式守鬼一郎）・錦島（木村今朝三）・鏡山（式守勘太夫）の三名は、年寄となるか行司に専念するかの選択を迫られた。阿武松（式守鬼一郎）は行司に専念することとなり、その年寄名跡を増巳山に譲り廃業した。錦島（木村今朝三）と鏡山（式守勘太夫）は、行司を引退し年寄となった。その後、昭和四十四年に大鵬、昭和六十年には北の湖に一代年寄が協会から贈られ、年寄は百七名となり現在に至っている。

昭和四十五年（一九七〇）一月場所の年寄は次の百一名であり、彼等の経歴は図四十二の通りである。

（一）浅香山泰範（元小結、若瀬川泰二）十二代目
（二）朝日山勝護（元前頭、二瀬山勝語）十七代目
（三）安治川嘉昭（元十両、一錦周之助）二代目
（四）東関猪太夫（元前頭、天城山猪太夫）九代目
（五）荒磯久照（元関脇、大豪久照）十二代目
（六）荒汐光義（元十両、豊ノ花光義）五代目
（七）雷権太夫（元前頭、番神山政三郎）十二代目
（八）伊勢ケ浜万蔵（元横綱、照国万蔵）五代目
（九）伊勢海裕丈（元前頭、柏戸秀剛）十代目
（十）井筒友康（元前頭、鶴ケ嶺道芳）九代目
（十一）稲川正三（元前頭、常錦利豪）十代目
（十二）入間川勇（元前頭、大江戸勇二）代数不明

（十三）岩友祥行（元前頭、神東山忠義）十六代目
（十四）浦風光宏（元前頭、大昇充宏）十二代目
（十五）枝川英俊（元大関、北葉山英俊）十三代目
（十六）大島正義（元前頭、若浪義光）初代
（十七）大嶽節夫（元前頭、花光節夫）九代目
（十八）大鳴戸幸平（元関脇、若見山幸平）八代目
（十九）阿武松定行（元小結、大晃定行）十一代目
（二十）大山晟郎（元大関、松登晟郎）十一代目
（二十一）尾車貞雄（元大関、琴ケ浜貞雄）五代目
（二十二）押尾川泰三（元小結、広川泰三）十一代目
（二十三）追手風裕邦（元前頭、追風山寅治郎）十代目
（二十四）音羽山竜宝（元小結、若ノ海周治）十三代目
（二十五）小野川勇（元関脇、海乃山勇）十六代目
（二十六）鏡山剛（元横綱、柏戸剛）六代目
（二十七）春日野清隆（元横綱、栃錦清隆）九代目
（二十八）春日山強（元大関、名寄岩静男）十四代目
（二十九）片男浪嶽太郎（元関脇、玉乃海代太郎）十二代目
（三十）　勝ノ浦光雄（元前頭、鬼竜川光雄）八代目

（三十一）甲山貞造（元前頭、小松山貞造）九代目
（三十二）北陣統彦（元前頭、福ノ海七男）七代目
（三十三）君ケ浜昭男（元関脇、鶴ケ嶺昭男）十三代目
（三十四）木村瀬平（元前頭、清ノ森政夫）十代目
（三十五）桐山勘之丞（元関脇、開隆山勘之丞）十七代目
（三十六）熊ケ谷元志（元関脇、芳野嶺元志）十三代目
（三十七）粂川徳義（元前頭、双ツ龍徳義）十二代目
（三十八）九重雅信（元横綱、千代の山雅信）十二代目
（三十九）境川男右衛門（元小結、大起男右衛門）十代目
（四十）　佐渡ケ嶽登（元小結、琴錦登）十一代目
（四十一）佐ノ山国生（元小結、国登国生）十一代目
（四十二）式守秀五郎（元小結、潮錦義秋）八代目
（四十三）錣山貞雄（元小結、若葉山貞雄）十二代目
（四十四）芝田山弘（元小結、宮錦浩）八代目
（四十五）白玉多喜知（元前頭、大八洲多喜知）十代目
（四十六）不知火敬勝（元前頭、八方山主計）十一代目
（四十七）陣幕広史（元前頭、島錦博）十七代目
（四十八）千田川徳夫（元前頭、若鳴門清海）十六代目

（四十九）高崎正昭（元関脇、小城ノ花正昭）十四代目
（五十）　高砂浦五郎（元横綱、前田山英五郎）四代目
（五十一）高島（元大関、三根山隆司）十代目
（五十二）武隈昇（元関脇、北の洋昇）十代目
（五十三）竹縄一行（元前頭、鳴戸海一行）十二代目
（五十四）田子ノ浦忠雄（元関脇、出羽錦忠雄）十一代目
（五十五）立田川（元横綱、鏡里喜代治）十二代目
（五十六）立田山平吉（元大関、大内山平吉）九代目
（五十七）立浪治（元関脇、羽黒山礎丞（ひおどし））九代目
（五十八）立川純市（元前頭、緋縅力弥）八代目
（五十九）楯山秀男（元関脇、宇田川勝太郎）十一代目
（六十）　谷川平八郎（元十両、八幡野平八郎）十代目
（六十一）玉垣進（元関脇、羽黒花統司）十六代目
（六十二）玉ノ井崇峰（元十両、陸奥錦秀二良）十二代目
（六十三）千賀ノ浦穏光（元大関、栃光正之）十七代目
（六十四）出来山忠夫（元大関、汐ノ海運右衛門）十三代目
（六十五）出羽海智敬（元横綱、佐田の山晋松）九代目
（六十六）時津風勝男（元大関、豊山勝男）十四代目

（六十七）常盤山高明（元関脇、若秩父高明）十三代目
（六十八）友綱誠一（元小結、巴潟誠一）九代目
（六十九）中川（元前頭、清恵波一綱）七代目
（七十）中立大嗣（元横綱、栃ノ海晃嘉）十一代目
（七十一）中村清（元関脇、明武谷保彦）七代目
（七十二）鳴戸金次（元前頭、大岩山大五郎）七代目
（七十三）西岩章（元小結、富士錦猛光）四代目
（七十四）錦戸一朗（元前頭、大田山一朗）六代目
（七十五）二所ノ関勝巳（元大関、佐賀ノ花勝巳）八代目
（七十六）二十山盛（元関脇、青ノ里盛）十一代目
（七十七）八角政雄（元前頭、緑国政雄）代数不明
（七十八）花籠久光（元前頭、大ノ海久光）十一代目
（七十九）放駒富治（元前頭、大ノ海久光）十一代目
（八十）浜風義雄（元前頭、宮柱義雄）十代目
（八十一）秀ノ山勝一（元関脇、笠置山勝一）十代目
（八十二）富士ケ根邦之佐（元前頭、若港三郎）八代目
（八十三）藤島秀一（元前頭、出羽湊秀一）十代目
（八十四）二子山勝治（元横綱、若乃花幹士）十代目

（八十五）振分文敏（元横綱、朝潮太郎）十二代目
（八十六）間垣光男（元小結、清水川明於）十五代目
（八十七）松ケ根昌乃武（元関脇、羽島山昌乃武）八代目
（八十八）待乳山（元前頭、増巳山晃匡）九代目
（八十九）陸奥良夫（元前頭、星甲良夫）五代目
（九十）　湊幸重（元十両、大達信太郎）十八代目
（九十一）湊川豊（元前頭、十勝岩豊）十一代目
（九十二）峰崎浩徳（元前頭、那智ノ山公晴）五代目
（九十三）三保ケ関国秋（元大関、増位山大志郎）九代目
（九十四）宮城野潤之輔（元横綱、吉葉山潤之輔）八代目
（九十五）武蔵川喜偉（元前頭、出羽ノ花国市）十代目
（九十六）山科四郎（元十両、太平山圭四郎）八代目
（九十七）山響正勝（元関脇、房錦勝比古）十代目
（九十八）山分満長（元前頭、駒ノ里秀雄）九代目
（九十九）若藤達之助（元前頭、越ノ海東治郎）九代目
（百）若松万雄（元前頭、鯱ノ里一郎）十代目
（百一）大鵬幸喜（元横綱、大鵬幸喜）一代年寄

表52　昭和44年の相撲部屋所在地と所属力士数

(1)出羽海部屋	東京都墨田区両国 2-3-15	所属力士数44名
(2)春日野部屋	東京都墨田区両国 1-7-11	〃 46名
(3)三保ケ関部屋	東京都墨田区両国 3-2-12	〃 15名
(4)立浪部屋	東京都墨田区両国 3-26-2	〃 26名
(5)伊勢ケ浜部屋	東京都墨田区両国 1-17-7	〃 41名
(6)宮城野部屋	東京都墨田区横網 2-14-5	〃 30名
(7)高島部屋	東京都墨田区千歳町 3-8-13	〃 16名
(8)朝日山部屋	東京都墨田区両国 4-6-10	〃 20名
(9)友綱部屋	東京都墨田区両国 2-17-6	〃 5名
(10)春日山部屋	東京都墨田区千歳 2-10-6	〃 8名
(11)間垣部屋	東京都墨田区千歳 3-3-10	〃 3名
(12)中川部屋	東京都江戸川区東小岩 6-15-8	〃 3名
(13)木瀬部屋	東京都文京区本郷 2-35-21	〃 4名
(14)高砂部屋	東京都墨田区両国 3-24-8	〃 30名
(15)若松部屋	東京都墨田区両国 2-10-8	〃 6名
(16)九重部屋	東京都台東区柳橋 1-29	〃 15名
(17)大山部屋	東京都墨田区両国 2-9-12	〃 3名
(18)二所ノ関部屋	東京都墨田区両国 4-17-1	〃 33名
(19)花籠部屋	東京都杉並区阿佐ケ谷南 3-9-6	〃 40名
(20)二子山部屋	東京都杉並区成宗 3-335	〃 36名
(21)佐渡ケ嶽部屋	東京都江東区深川新大橋 2-1	〃 26名
(22)片男波部屋	東京都墨田区石原 1-33-9	〃 31名
(23)時津風部屋	東京都墨田区両国 3-15-3	〃 40名
(24)伊勢ノ海部屋	東京都墨田区両国 4-25-12	〃 16名
(25)井筒部屋	東京都墨田区亀沢町 1-3-14	〃 18名
(26)行司部屋	東京都墨田区厩橋 1-35-3	所属行司数36名

前記百一名の年寄の内、現役時代に横綱であった者が十二名、大関が十一名、関脇が十九名、小結が十三名、前頭が三十九名、十両が七名である。年寄の現役時代の最高位は横綱と三役経験者が約半数の五十五名を占めるようになった。出羽海部屋出身の年寄が十七名で最も多く、以下時津風部屋出身が十一名、立浪部屋出身も十一名、高砂部屋出身が八名、春野部屋出身が七名、二所ノ関部屋出身が六名である（伊勢ノ海部屋出身は一名）。

師匠の年寄名跡を継承している者は二十五名である。この中で養子となって継承したのは、（二十七）春日野・（六十五）出羽海・（九十九）若藤・（百）若松の四名であり、（四十四）友綱は師匠の娘と結婚したが養子ではなかった。この他、師匠ではないが先代の養子となって年寄名跡を継承したのは、（六十九）中川、（九十七）山響の二名であった。

年寄名跡の襲名変更をしている者は三十八名である。年寄名跡の襲名変更者が増加している。（七十）中立（横綱栃ノ海）と（九十四）宮城野（横綱吉葉山）は、現役引退後に横綱の四股名のままで年寄待遇となり、その後に年寄名跡を襲名した。これらの現象は、年寄の現役引退後年数の長期化による年寄名跡の不足に起因している。

昭和後期の相撲部屋の動向を知るために、昭和四十四年十一月場所（表五十二）と昭和六十一年一月場所（表五十三）の相撲部屋所在地と部屋所属力士数を挙げ、以下に検討する。

表53　昭和61年の相撲部屋所在地と所属力士数

部屋	所在地	所属力士数
(1)春日野部屋	東京都墨田区両国 1-7-11	所属力士数48名
(2)立浪部屋	東京都墨田区両国 3-26-2	〃 13名
(3)時津風部屋	東京都墨田区両国 3-15-3	〃 33名
(4)高砂部屋	東京都台東区柳橋 1-22-5	〃 38名
(5)出羽海部屋	東京都墨田区両国 2-3-15	〃 34名
(6)二子山部屋	東京都杉並区成田東 3-25-10	〃 21名
(7)伊勢ヶ浜部屋	東京都文京区白山 5-7-14	〃 30名
(8)大鵬部屋	東京都江東区清澄 2-8-3	〃 25名
(9)鏡山部屋	東京都江戸川区北小岩 8-16-1	〃 16名
(10)春日山部屋	東京都江東区佐賀 1-10-14	〃 18名
(11)片男波部屋	東京都墨田区石原 1-33-9	〃 15名
(12)立田川部屋	東京都墨田区両国 4-7-11	〃 5名
(13)九重部屋	東京都墨田区亀沢 1-16-1	〃 29名
(14)佐渡ヶ嶽部屋	東京都墨田区太平 4-18-13	〃 47名
(15)友綱部屋	東京都江東区毛利 1-20-7	〃 12名
(16)朝日山部屋	東京都江戸川区北葛西 4-14-2	〃 16名
(17)安治川部屋	東京都江東区毛利 1-7-4	〃 13名
(18)伊勢ノ海部屋	東京都江戸川区春江町 3-8-80	〃 15名
(19)押尾川部屋	東京都江東区木場 2-17-7	〃 34名
(20)陸奥部屋	東京都江戸川区平井 3-13-14	〃 5名
(21)放駒部屋	東京都杉並区阿佐谷南 3-12-8	〃 25名
(22)高田川部屋	東京都江戸川区一之江 3-7-4	〃 17名
(23)若松部屋	東京都墨田区両国 2-10-8	〃 10名
(24)武蔵川部屋	東京都江東区平野 3-2-9	〃 21名
(25)花籠部屋	東京都杉並区阿佐谷南 3-9-6	〃 20名
(26)藤島部屋	東京都中野区中野本町 3-10-6	〃 28名
(27)三保ヶ関部屋	東京都墨田区千歳 3-2-12	〃 22名
(28)熊ヶ谷部屋	東京都江戸川区南小岩 1-6-28	〃 11名
(29)大山部屋	東京都江戸川区東小岩 5-35-13	〃 4名
(30)木瀬部屋	東京都文京区本郷 2-35-21	〃 11名
(31)井筒部屋	東京都墨田区両国 2-2-7	〃 31名
(32)宮城野部屋	東京都墨田区緑 4-16-3	〃 16名
(33)二所ノ関部屋	東京都墨田区両国 4-17-1	〃 13名
(34)大鳴戸部屋	千葉県市川市北方 2-22-14	〃 15名
(35)大島部屋	東京都墨田区両国 3-5-3	〃 25名
(36)間垣部屋	東京都墨田区亀沢 3-8-1	〃 19名
(37)湊部屋	埼玉県川口市芝中田 2-20-10	〃 12名
(38)北の湖部屋	東京都江東区清澄 2-10-11	〃 12名

昭和四十四年の行司部屋は、協会が昭和三十二年の第一次改革で、行司が相撲部屋に所属して力士と一緒に生活をするのは、勝負の判定上好ましくないので独立させた部屋であった。しかし、昭和四十八年この行司部屋は次のような理由（46）で解散となり、従来通り行司は各相撲部屋に所属し相撲部屋で養成されるようになった。

一、行司は所帯持ちが多く、部屋住みは独身者七名（当時の行司は三十三名）だけなので、指導監督ができない。
二、地方場所や巡業中は全員が留守になるので、行司部屋の維持がむずかしい。
三、行司部屋独立後も実際には相撲部屋に出入りして秘書的な仕事をし、前と変わらなかった。
四、土俵上で、これがうちの部屋の力士、あれがよその部屋の力士と区別して軍配を上げるような余裕はない。
五、行司部屋は解散しても行司会があるので、行司の独自性と自立性は保たれる。

昭和四十四年の相撲部屋では、所属力士数が十名以下の部屋が二十五部屋の内七部屋あったが、昭和六十一年には三十八部屋の内の三部屋に減っている。これは、昭和五十年頃から相撲部屋に稽古場を設置することが、義務付けられるようになり、所属力士の数が少なくては、部屋の経営が成り立たなくなったからである。一般的に、相撲部屋の経営には、少なくとも弟子が十名以上いなければ成り立たないと言われている。

昭和四十四年と昭和六十一年の相撲部屋で師匠が同一人物であるのは、春日野・二子山・片男波・木瀬の四部屋である。昭和四十四年から昭和六十一年の間に師匠が代わったのは立浪・時津風・高砂・出羽海・伊勢ケ浜・春日山・九重・佐渡ケ嶽・友綱・朝日山・伊勢ノ海・若松・三保ケ関・井筒・宮城野・二所ノ関の十六の部屋である。師匠が替わって部屋の住所が移転しなかったのは、立浪・時津風・出羽海・若松・花籠・二所ノ関の六部屋である。この六部屋の中で、立浪・出羽海・若松・花籠・二所ノ関の五部屋は先代の養子となって部屋を相続している。従って、時津風部屋だけが、先代の養子とならずに部屋を継いだが、部屋は移転しなかったことになる。三保ケ関部屋は実子が部屋を相続したが、表五十二から表五十三では部屋が移転したようになっている。これは先代が部屋を移転したのであって、部屋の相続の時に三保ケ関部屋の移転はなかった。つまり、相撲部屋は養子か実子が部屋を継ぐのでなければ移転するようになり、従来の地縁の師弟関係による部屋が移転しない例（前節二、第三章第二節四参照）は見られなくなった。

三、幕内力士と年寄のライフコース

昭和四十五年（一九七〇）の幕内力士の経歴（図四十一）から、初土俵年齢、現役年数、現役引退後年数、死亡年齢は、表五十四の通りである。その平均値は、初土俵年齢が十六・一歳、現役年数が十四・八年であった。昭和四十五年の幕内力士の経歴は、まだ存命中の者が多く、亡くなっているのは（四）玉乃島と（三十四）大雪の二名だけであった。従って、この年次の死亡年齢と現役引退後年数は、算定することができなかった。幕内力士のライフコースは、約十六歳で初土俵を踏み、約十五年現役を勤めると約三十一歳で現役を引退した。これを前節（昭和十五年）の幕内力士と比較すると、さらに初土俵年齢が若くなり、現役年数が短くなっている。

昭和四十五年（一九七〇）の年寄の経歴（図四十二）から、初土俵年齢、現役年数、現役引退後年数、死亡年齢は、表五十五の通りである。その平均値は、初土俵年齢が十七・二歳、現役年数が十六・二年、現役引退後年数が二十六・五年、死亡年齢が六十・二歳であった。昭和四十五年の年寄は幕内力士と同じように存命中の者が多く、死亡年齢・現役引退後年齢は約半数が空欄であるから、この年次の年寄の死亡年齢と現役引退後年齢は、比較的に早く亡くなった者の平均値となり実際より短いと考えられる。しかし、この年寄集団はコーホート（同時出生集団）ではなく、昭和四十五年時点に年寄であった者の集団であるから、その集団の年齢層はさまざまであった（図四十二）。従って、その平均値に大きな誤差はないと思われるので、ここではそのまま平均値を使用することにする。

年寄のライフコースは、約十七歳で初土俵を踏み、約十六年間現役を勤めると約三十三歳、現役を引退して年寄として約二十七年勤めて亡くなっている。これを前節（昭和十五年）の年寄と比べると、初土俵年齢が若年化し、現役年数と現役引退後年数そして死亡年齢が短期化し、年寄と幕内力士のライフコースの差がなくなってきている。これは、明治維新以降に多くの幕内力士が年寄となるようになったことに起因している。

図41　昭和45年（1970）幕内力士の経歴

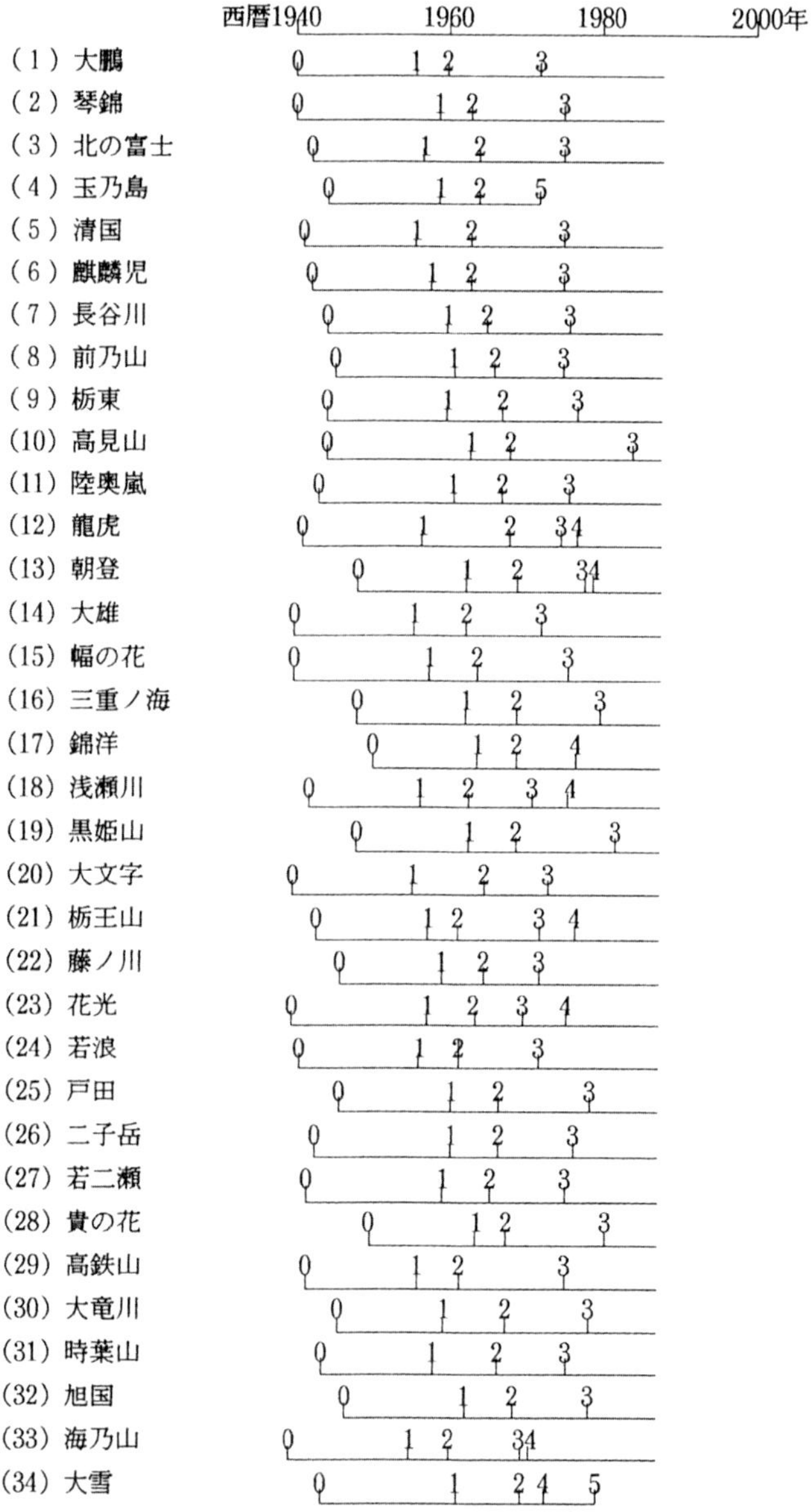

表54　昭和45年(1970)の幕内力士のイベント時点

	初土俵年齢	現役年数	現役引退後年数	死亡年齢
(1)大鵬	16歳	15年		
(2)琴桜	19歳	15年		
(3)北の富士	15歳	17年		
(4)玉乃島	15歳	12年	0年	27歳
(5)清国	15歳	18年		
(6)麒麟児	16歳	16年		
(7)長谷川	16歳	16年		
(8)前乃山	16歳	13年		
(9)栃東	16歳	17年		
(10)高見山	20歳	20年		
(11)陸奥嵐	18歳	15年		
(12)龍虎	16歳	18年		
(13)朝登	15歳	15年		
(14)大雄	16歳	16年		
(15)福の花	18歳	17年		
(16)三重ノ海	15歳	17年		
(17)錦洋	15歳	12年		
(18)浅瀬川	15歳	14年		
(19)黒姫山	16歳	18年		
(20)大文字	16歳	17年		
(21)栃王山	15歳	14年		
(22)藤ノ川	15歳	11年		
(23)花光	18歳	12年		
(24)若浪	16歳	15年		
(25)戸田	15歳	17年		
(26)二子岳	18歳	13年		
(27)若二瀬	18歳	15年		
(28)貴の花	15歳	16年		
(29)高鉄山	15歳	13年		
(30)大竜川	15歳	18年		
(31)時葉山	15歳	16年		
(32)旭国	16歳	16年		
(33)海乃山	16歳	14年		
(34)大雪	18歳	11年	7年	36歳
平均値	16.1歳	14.8年		

図42　昭和45年（1970）年寄の経歴

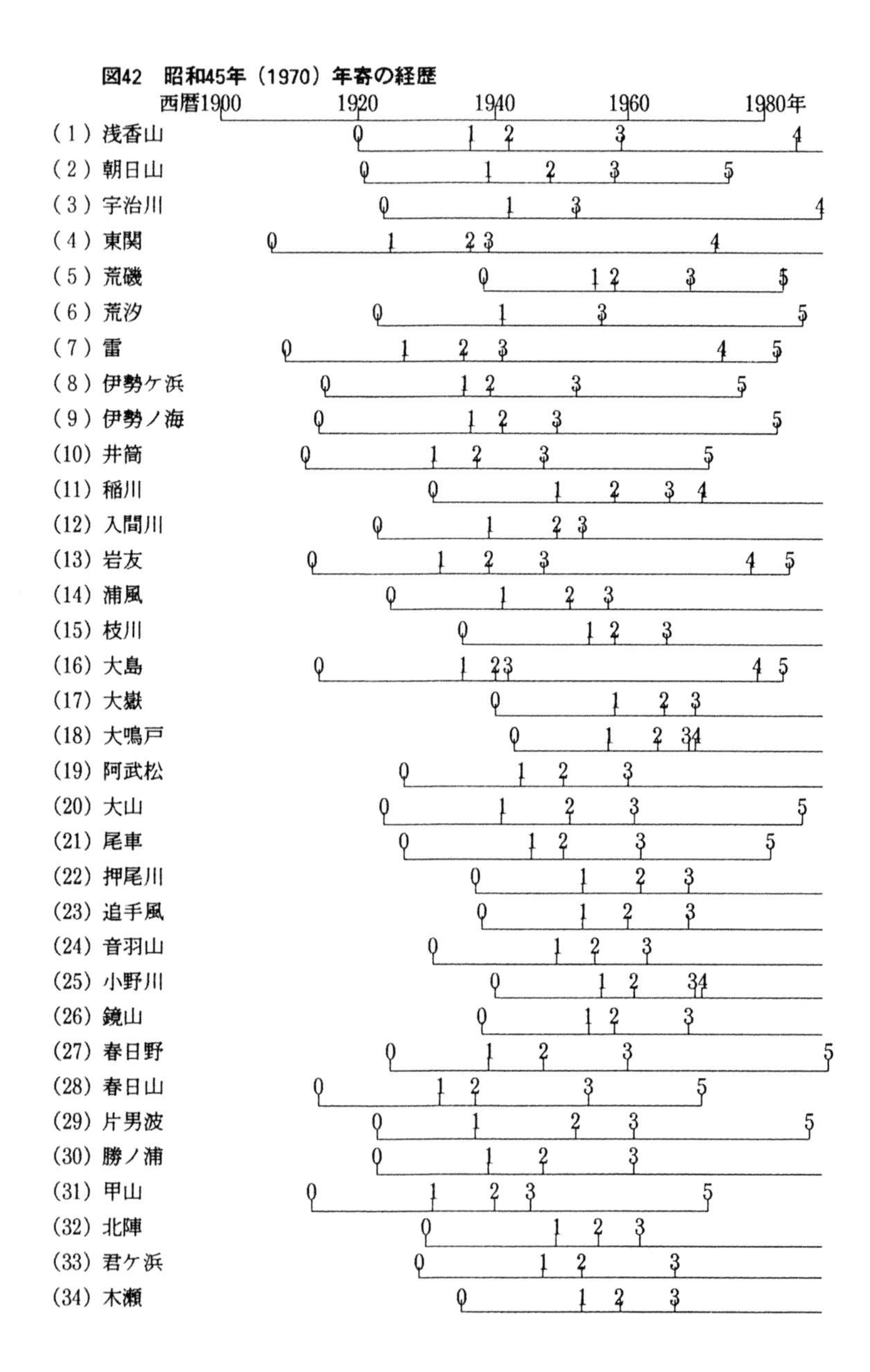

西暦1900　1920　1940　1960　1980年

(35) 桐山　0 1 2 3 4 5
(36) 熊ケ谷　0 1 2 3
(37) 粂川　0 1 2 3
(38) 九重　0 1 2 3 5
(39) 境川　0 1 2 3 5
(40) 佐渡ケ嶽　0 1 2 3 5
(41) 佐ノ山　0 1 2 3
(42) 式秀　0 1 2 3
(43) 錣山　0 1 2 3 4
(44) 芝田山　0 1 2 3
(45) 白玉　0 1 2 3 4 5
(46) 不知火　0 1 2 3 5
(47) 陣幕　0 1 2 3
(48) 千田川　0 1 2 3
(49) 高崎　0 1 2 3
(50) 高砂　0 1 2 T 3 5
(51) 高島　0 1 2 3 4
(52) 武隈　0 1 2 3 5
(53) 竹縄　0 1 2 3
(54) 田子ノ浦　0 1 2 3
(55) 立田川　0 1 2 3 4
(56) 立田山　0 1 2 3 5
(57) 立浪　0 1 2 3
(58) 立川　0 1 2 3 5
(59) 楯山　0 1 2 3 4
(60) 谷川　0 1 3 4
(61) 玉垣　0 1 2 3 4 5
(62) 玉ノ井　0 1 3 4 5
(63) 千賀ノ浦　0 1 2 3 5
(64) 出来山　0 1 2 3 5
(65) 出羽海　0 1 2 3
(66) 時津風　0 1 2 3
(67) 常盤山　0 1 2 3
(68) 友綱　0 1 2 3 4 5

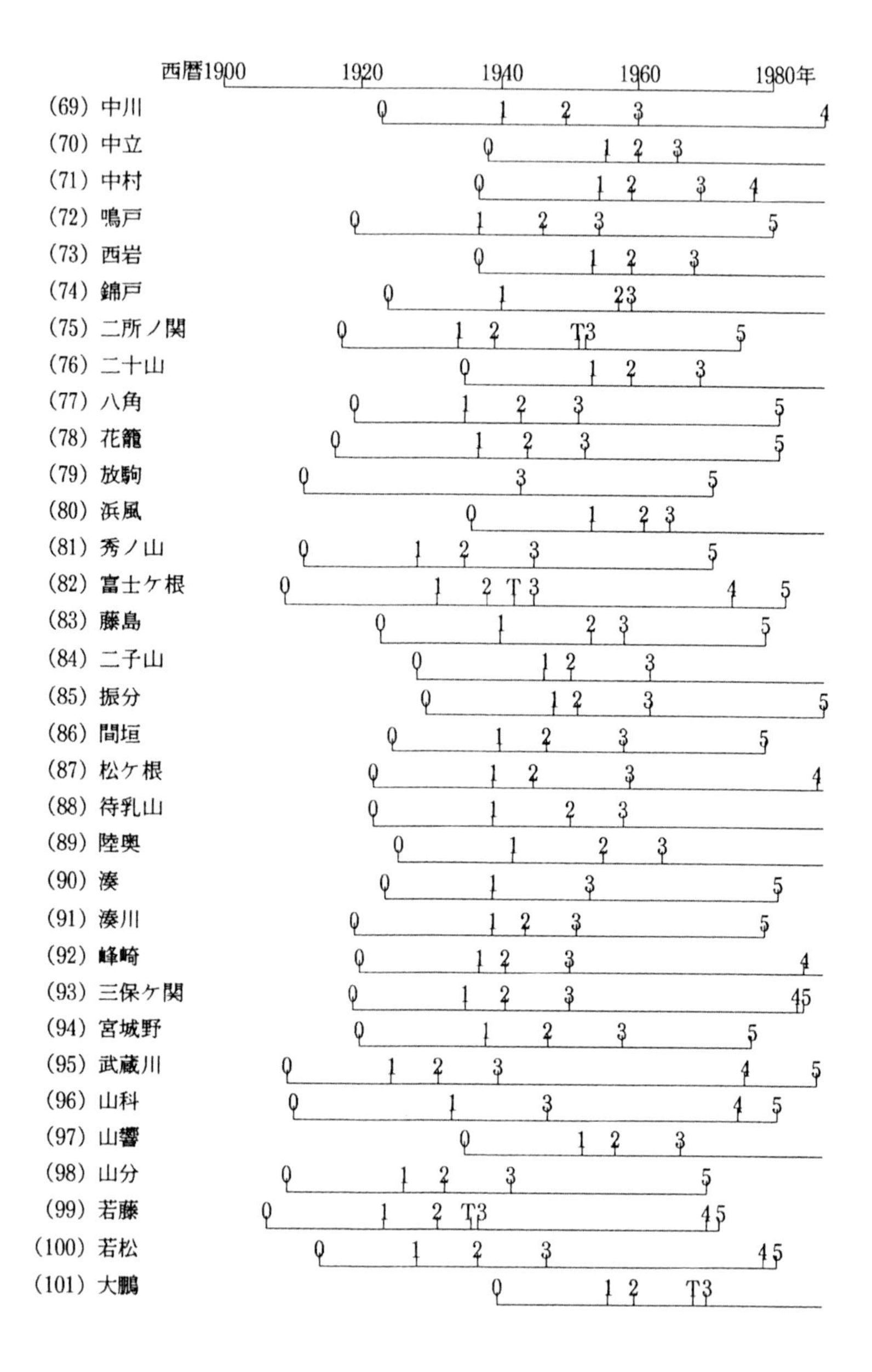
西暦1900
1920
1940
1960
1980年
(69) 中川
(70) 中立
(71) 中村
(72) 鳴戸
(73) 西岩
(74) 錦戸
(75) 二所ノ関
(76) 二十山
(77) 八角
(78) 花籠
(79) 放駒
(80) 浜風
(81) 秀ノ山
(82) 富士ケ根
(83) 藤島
(84) 二子山
(85) 振分
(86) 間垣
(87) 松ケ根
(88) 待乳山
(89) 陸奥
(90) 湊
(91) 湊川
(92) 峰崎
(93) 三保ケ関
(94) 宮城野
(95) 武蔵川
(96) 山科
(97) 山響
(98) 山分
(99) 若藤
(100) 若松
(101) 大鵬

表55　昭和45年(1970)の年寄のイベント時点

	初土俵年齢	現役年数	現役引退後年数	死亡年齢
(1)浅香山	15歳	24年		
(2)朝日山	17歳	20年	17年	54歳
(3)安治川	18歳	11年		
(4)東関	19歳	13年		
(5)荒磯	18歳	14年	14年	46歳
(6)荒汐	18歳	15年	30年	63歳
(7)雷	18歳	14年	41年	73歳
(8)伊勢ケ浜	16歳	18年	24年	58歳
(9)伊勢海	18歳	13年	33年	64歳
(10)井筒	19歳	16年	25年	60歳
(11)稲川	18歳	18年		
(12)入間川	16歳	15年		
(13)岩友	19歳	15年	36年	70歳
(14)浦風	16歳	16年		
(15)枝川	19歳	12年		
(16)大島	21歳	7年	40年	68歳
(17)大獄	18歳	12年		
(18)大鳴戸	14歳	12年		
(19)阿武松	17歳	16年		
(20)大山	17歳	20年	25年	62歳
(21)尾車	18歳	17年	19年	54歳
(22)押尾川	16歳	16年		
(23)追手風	15歳	16年		
(24)音羽山	18歳	14年		
(25)小野川	16歳	14年		
(26)鏡山	16歳	15年		
(27)春日野	14歳	21年	30年	65歳
(28)春日山	18歳	22年	17年	57歳
(29)片男浪	14歳	24年	26年	64歳
(30)勝ノ浦	16歳	22年		
(31)甲山	18歳	14年	27年	59歳
(32)北陣	19歳	13年		
(33)君ケ浜	18歳	20年		
(34)木瀬	18歳	14年		
(35)桐山	17歳	12年	18年	47歳
(36)熊ケ谷	16歳	17年		
(37)粂川	17歳	14年		
(38)九重	16歳	17年	18年	51歳
(39)境川	15歳	20年	12年	47歳
(40)佐渡ケ嶽	16歳	17年	19年	52歳
(41)佐ノ山	15歳	21年		
(42)式秀	17歳	20年		
(43)錣山	20歳	19年		
(44)芝田山	15歳	17年		
(45)白玉	21歳	12年	36年	69歳
(46)不知火	17歳	19年	24年	60歳
(47)陣幕	15歳	17年		
(48)千田川	16歳	15年		
(49)高崎	17歳	15年		
(50)高砂	14歳	21年	22年	57歳

(51)高島	15歳	23年		
(52)武隈	17歳	22年	26年	
(53)竹縄	16歳	19年		
(54)田子ノ浦	15歳	24年		
(55)立田川	18歳	17年		
(56)立田山	18歳	15年	26年	59歳
(57)立浪	16歳	15年		
(58)立川	19歳	17年	12年	47歳
(59)楯山	15歳	13年		
(60)谷川	18歳	13年		
(61)玉垣	19歳	10年	19年	48歳
(62)玉ノ井	15歳	19年	34年	68歳
(63)千賀ノ浦	19歳	14年	11年	44歳
(64)出来山	20歳	13年	32年	65歳
(65)出羽海	18歳	12年		
(66)時津風	24歳	7年		
(67)常盤山	15歳	14年		
(68)友綱	15歳	14年		
(69)中川	17歳	20年		
(70)中立	17歳	11年		
(71)中村	17歳	15年		
(72)鳴戸	18歳	17年	26年	61歳
(73)西岩	16歳	15年		
(74)錦戸	16歳	19年		
(75)二所ノ関	17歳	18年	23年	58歳
(76)二十山	18歳	16年		
(77)八角	16歳	16年	30年	62歳
(78)花籠	21歳	15年	29年	65歳
(79)放駒			28年	60歳
(80)浜風	17歳	12年		
(81)秀ノ山	17歳	17年	26年	60歳
(82)富士ケ根	22歳	14年	37年	73歳
(83)藤島	17歳	18年	21年	56歳
(84)二子山	18歳	16年		
(85)振分	19歳	14年	26年	59歳
(86)間垣	15歳	18年	21年	54歳
(87)松ケ根	17歳	20年		
(88)待乳山	17歳	19年		
(89)陸奥	16歳	22年		
(90)湊	15歳	14年	28年	57歳
(91)湊川	20歳	12年	28年	60歳
(92)峰崎	17歳	21年		
(93)三保ケ関	16歳	15年	35年	66歳
(94)宮城野	18歳	20年	19年	57歳
(95)武蔵川	16歳	15年	47年	78歳
(96)山科	24歳	13年	34年	71歳
(97)山響	16歳	15年		
(98)山分	18歳	15年	29年	62歳
(99)若藤	18歳	13年	36年	67歳
(100) 若松	15歳	18年	34年	67歳
(101) 大鵬	16歳	15年		
平均値	17.2歳	16.2年	26.5年	60.2歳

まとめ

我が国の大相撲は、江戸時代の中期に江戸、京都、大坂で始まった。その頃、相撲の中心は大阪にあり力士数は約二百名、一方江戸相撲は約百名、京都相撲は五十名であった。その後、相撲の中心は徐々に大阪から江戸に移り、江戸時代末期には江戸相撲の力士は三百名に達するようになった。明治維新以降の我が国の急速な近代化・産業化とともに、相撲社会も大きく変動し、明治末年には京都相撲が解散し、大正末年には東京相撲と大阪相撲が合併した。また、相撲社会は明治末年から昭和初期にかけて三度にわたる内紛事件を経験し、戦後は二度の改革を断行した。その相撲社会の変動過程は力士数にも表れている（図二十五）。

そして、相撲社会の師弟関係も大きく変動した。江戸時代の年寄は少なく、年寄には必ず弟子がいた。従って、年寄名跡の多くは弟子によって継承され、年寄名跡が血縁関係で相続される場合もあった。明治維新によって相撲社会は、従来の大名への依存的体質を改め、経済的に自立しなければならなくなった。力士も現役引退後の経済的基盤を確保するために、年寄となるようになった。従って、明治以降は年寄の数が増加し、弟子のいない部屋所属の年寄が増え、その年寄名跡は必ずしも師弟関係で継承されなくなった。しかし、明治以降は先代の養子となって、その年寄名跡を相続する例が増え、血縁による年寄名跡の相続はなくなった。また、相撲部屋の土地と建物は、江戸時代から血縁や養子関係による相続の場合を除いて、師弟関係で相続（継承）されることは少なかった。例外としては、地縁関係を基盤とした師弟関係による部屋の相続（継承）があった。

以下、年寄と幕内力士のライフコースにおける経歴（イベント時点）の分析から、相撲社会の変動の過程を考察する。彼等の経歴の平均値の推移は次の通りである。尚、宝暦七年と宝暦十三年、昭和四十五年の幕内力士の現役引退後年数と死亡年齢は、資料が少ないのでここでは省略する。

表五十六　幕内力士のライフコース（イベント時点）の推移

年次	初土俵年齢	現役年数（入幕所要年数）	現役引退後年数	死亡年齢
寛政三年（一七九一）	二十一・八歳	十七・八年（四・八年）	四・八年	四十七・一歳
文政六年（一八二三）	二十一・一歳	十六・九年（五・一年）	七・九年	四十六・六歳
嘉永三年（一八五〇）	二十二・六歳	二十・〇年（八・五年）	四・〇年	四十七・一歳
明治十三年（一八八〇）	二十二・五歳	十六・七年（十・三年）	七・四年	四十八・〇歳
明治四十二年（一九〇九）	十九・三歳	十六・九年（七・七年）	十六・二年	五十二・十歳
昭和十五年（一九四〇）	十七・九歳	十六・五年（七・〇年）	二十三・六年	五十八・六歳
昭和四十五年（一九七〇）	十六・一歳	十四・八年（六、〇年）		

表五十七　年寄のライフコース（イベント時点）の推移

年次	初土俵年齢	現役年数	現役引退後年数	死亡年齢
寛政三年（一七九一）	二十三・三歳	十四・六年	十八・一年	五十九・五歳
文政五年（一八二二）	二十二・三歳	十六・三年	十九・九年	五十五・七歳
嘉永三年（一八五〇）	二十一・九歳	十七・七年	二十・〇年	六十一・七歳
明治十九年（一八八六）	二十一・〇歳	十九・四年	十九・七年	五十八・五歳
明治四十二年（一九〇九）	二十一・七歳	十七・六年	二十一・六年	六十一・一歳
昭和十五年（一九四〇）	十八・〇歳	十六・四年	三十一・五年	六十五・七歳
昭和四十五年（一九七〇）	十七・二歳	十六・二年	二十六・五年	六十・二歳

これを図示すると図四十三―一、図四十四―一となる。そして、このイベント時点年齢をライフコースに沿って図示すると図四十三―二、図四十四―二となる。

江戸時代の全幕内力士の平均死亡年齢は、小池謙一らの算出によれば五十一・一歳(47)であった。しかし、本研究における幕内力士の死亡年齢は、江戸時代から明治初期まで五十歳を超えることはなかった(48)。江戸時代の幕内力士のライフコースは、約二十二歳で初土俵を踏み、それから約十八年間現役力士として活躍し、現役を引退すると四十歳を過ぎ、現役引退後の余生は約六年であった。江戸時代の力士にとって相撲は、一生の職業であったと言える。また、江戸時代の幕内力士は年寄となる者が少なく、抱え力士となって大名の家臣となる者が多かった。力士にとって相撲は仕官への道でもあった。

寛政六年(一七九四)の人別書の二百二十一名の力士の平均年齢は約二十九歳、文政六年(一八一三)の人別書の二百二十八名の力士の平均年齢は約二十七歳である。一方、昭和四十五年(一九七〇)一月場所の力士五百八十八名(番付に載らない前相撲の力士を含む)の平均年齢は約二十一歳であり、その年齢構成は表五十八の通りである。江戸時代の現役力士の年齢は高かった。また、江戸時代の力士の初土俵年齢が高いのは、江戸・大阪・京都の三都以外の各地に相撲団があり、力士は先ず地方の相撲団に入門し、そこで強くなった者だけが三都の大相撲にやってきたからである。また、付出し力士が多いことから考えて、江戸時代の相撲部屋に新弟子養成機関としての機能は、少なかったと考えられる。

江戸時代の年寄の初土俵年齢は約二十三歳であったが、死亡年齢は約五十九歳であり、江戸時代の年寄は幕内力士より約十二年長生きであった。現役年数は年寄のほうが約二年短く、現役引退後年数は年寄が約十三年長かった。江戸時代の年寄は、現役時代の最高位が幕下の力士経験者が最も多く、早めに現役を引退し、年寄稼業に専念したものと理解される。また、江戸時代の年寄には、明らかに年寄名跡を襲名継承することが決まってから入門する力士が少なからずいたと考えられる。

図43－1　幕内力士の経歴の推移

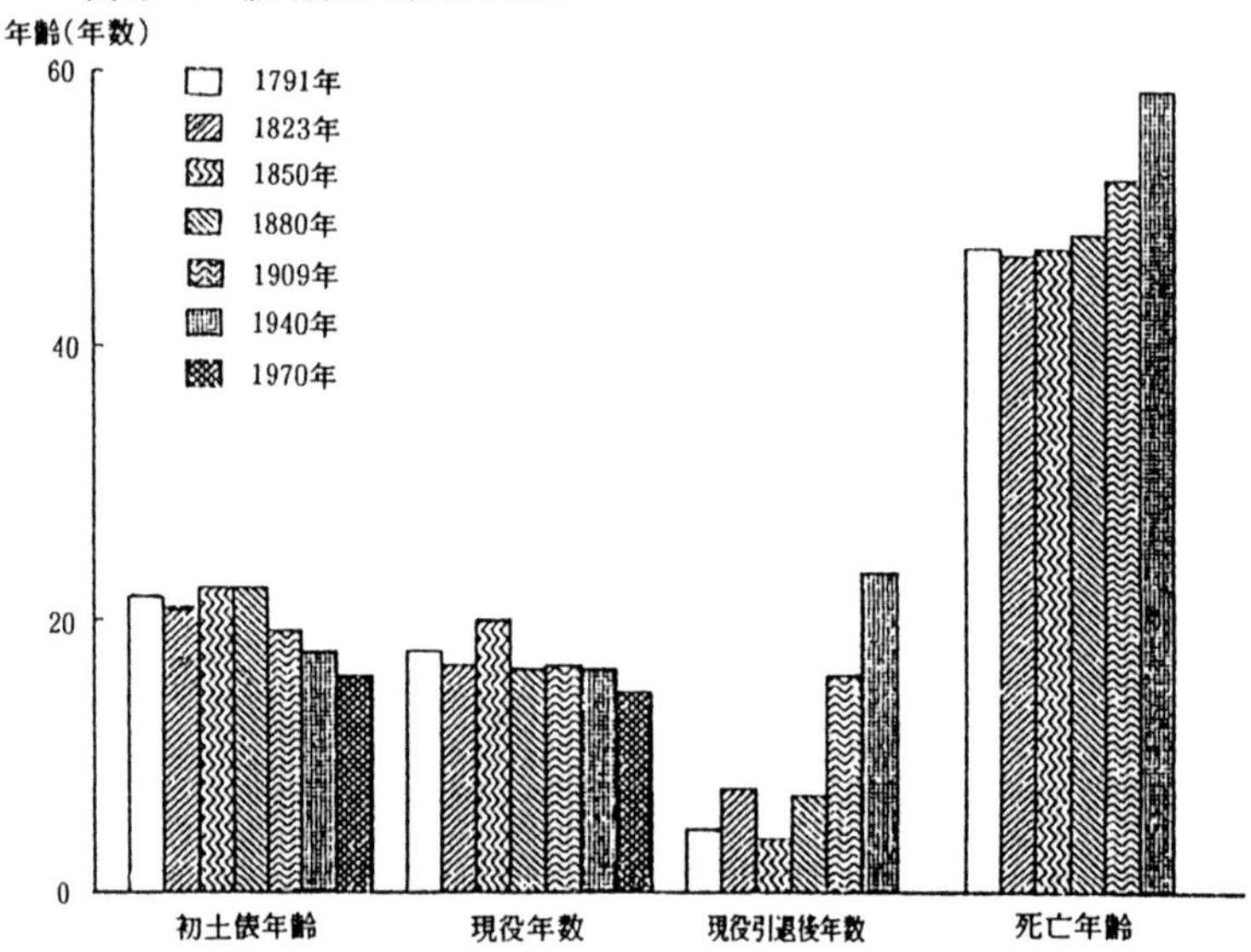

図43－2　幕内力士の経歴の推移

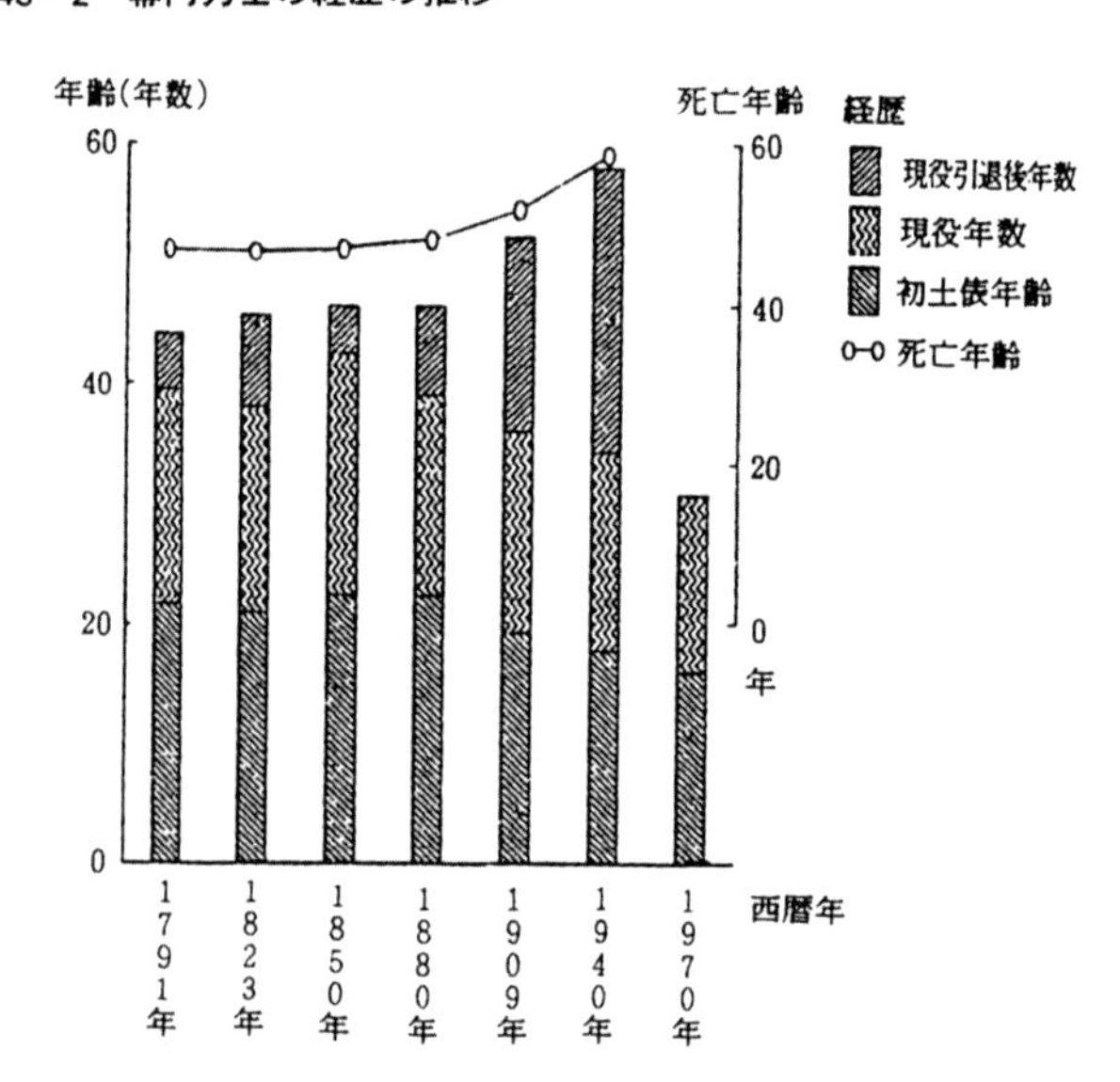

図44－1　年寄の経歴の推移

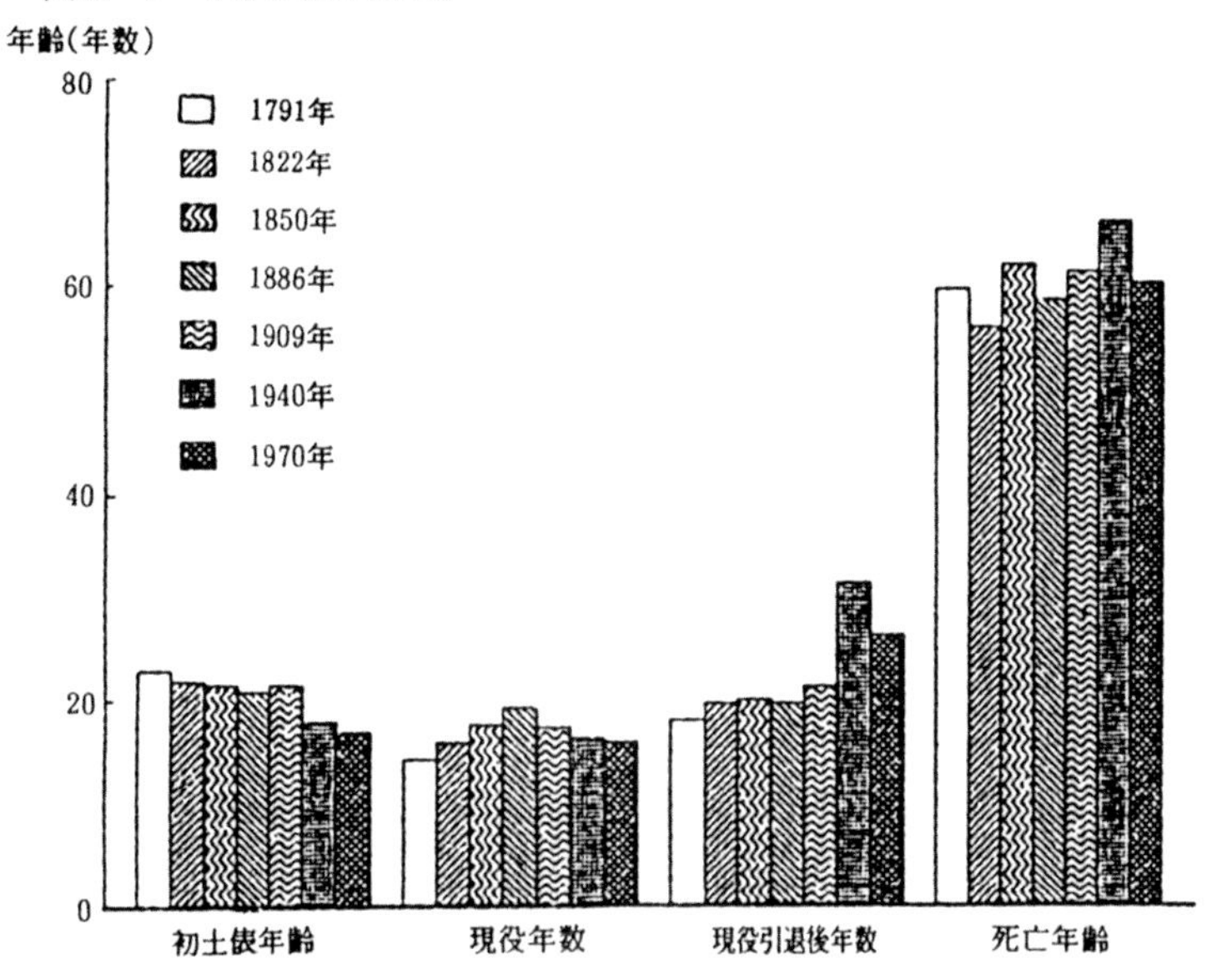

図44－2　年寄の経歴の推移

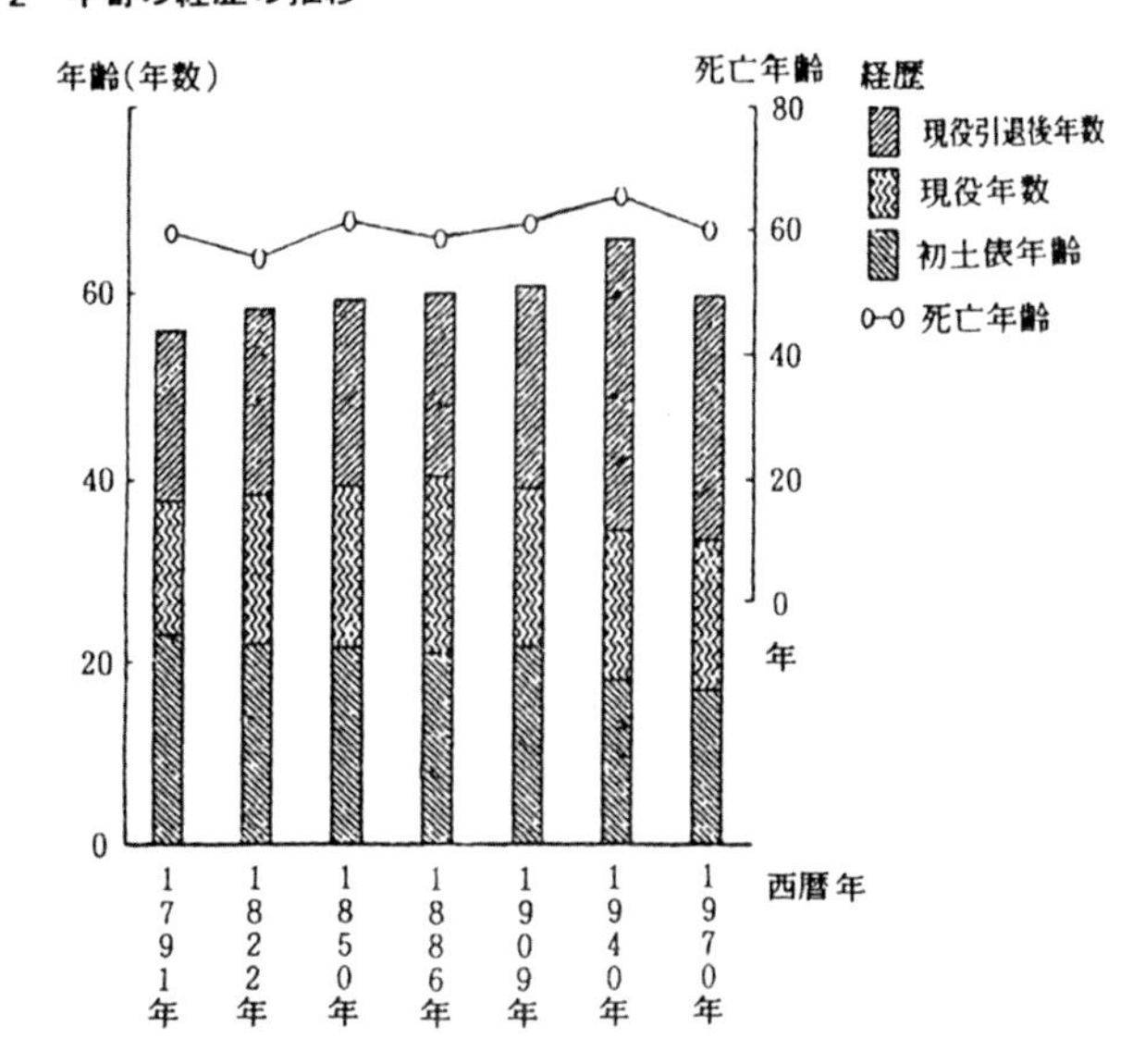

表58　力士の年齢構成

	寛政６年(1794)	文政６年(1823)	昭和45年(1970)
15歳	1名		15名
16			34
17		1名	54
18	1	1	56
19	3	2	54
20	2	11	69
21	11	15	61
22	8	20	76
23	5	22	49
24	14	19	34
25	19	15	20
26	21	19	20
27	18	12	17
28	17	14	9
29	3	13	9
30	9	17	8
31	13	8	2
32	7	7	
33	14	4	1
34	8	5	
35	13	3	
36	9	4	
37	1	2	
38	5	2	
39	5	4	
40	4	2	
41	4	2	
42	1	1	
43	2	1	
44		1	
45	2	1	
51	1		
	221名	228名	588名
平均年齢	29.3歳	27.0歳	21.0歳

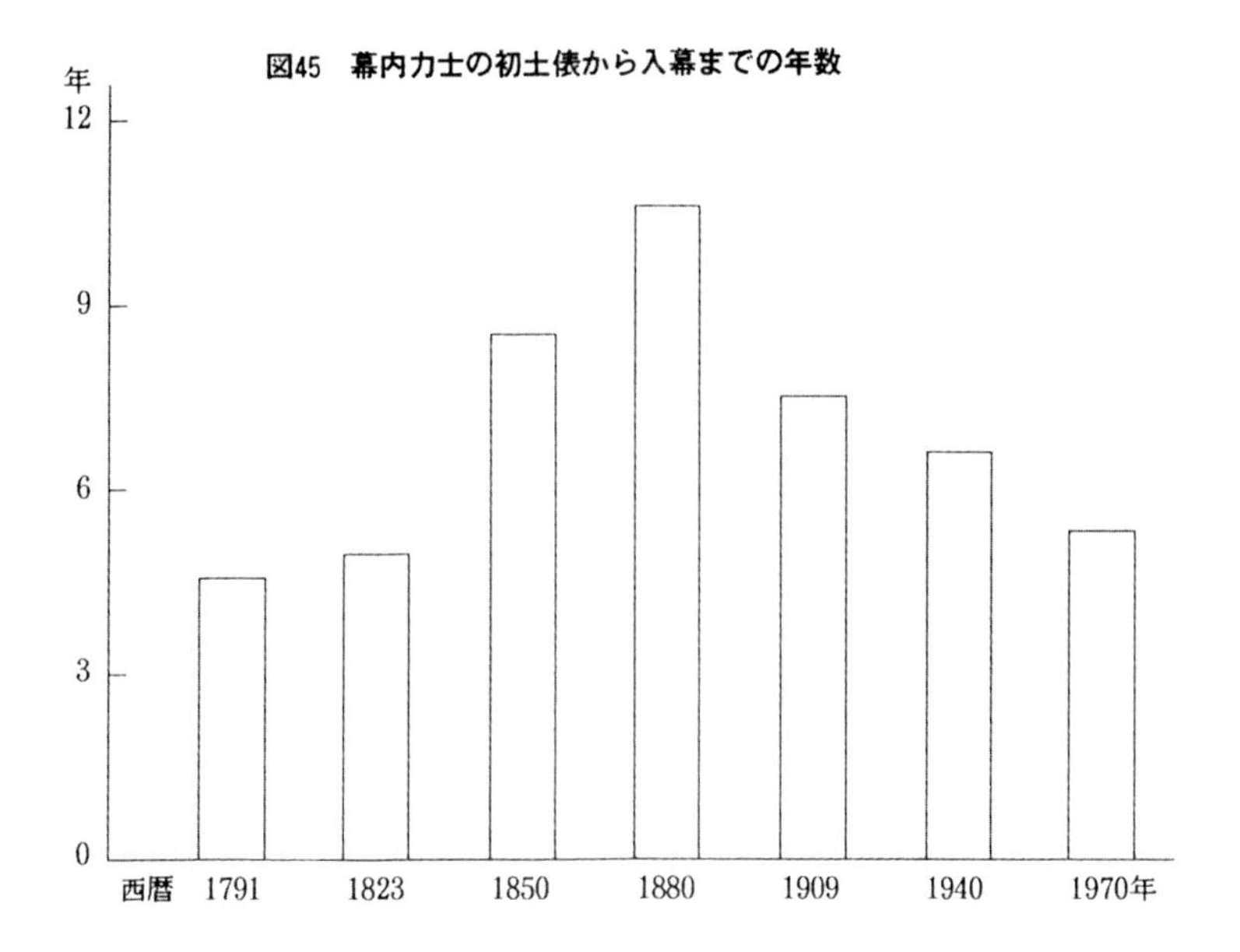
図45　幕内力士の初土俵から入幕までの年数
年
12
9
6
3
0
西暦
1791
1823
1850
1880
1909
1940
1970年

明治維新（一八六八）の版籍奉還によって大名が没落すると、相撲社会は経済的に自立する道を模索しなければならなくなった。この幕末から明治初期における相撲社会の混乱ぶりは、嘉永三年の幕内力士と明治十九年の年寄のライフコースに影響が出ている。この年次の幕内力士と年寄の現役年数は約二十年であり、異常に長くなっている。さらに、この幕内力士の現役年数の長期化は、図四十五からも明らかなように、明治十三年の幕内力士に初土俵から入幕までの所要年数の長期化（十・三年）をもたらした。何故ならば、幕内力士が長く現役に留まると、幕下以下の力士の入幕の機会は少なくなる。そして、幕内力士は大名の抱え力士としての仕官の道を失ったため、現役引退後に年寄となることを希望するようになり、年寄になれるまで現役を続けるようになった。年寄となれば相撲興行の収益が配分され、経済的基盤が確立される。このような状況下にあった東京相撲協会は、明治二十二年に年寄の数を八十八名に制限するようになった。

明治維新以降は、幕内力士と年寄の初土俵年齢が若年化し、現役年数が短期化した。これは我が国の近代化が、地方の相撲団を消滅させたことに原因がある。つまり、江戸時代は日本の各地で相撲が盛んに行なわれ、相撲社会は力士を地方の相撲団から得ていた。しかし、明治維新によって仕官の道もなくなり相撲は衰退し、他の職業に就いた逞しい若者を呼び戻すだけの魅力がなくなった。従って、相撲社会はその成員を確保するために、独自で力士（新弟子）の養成を行わなければならなくなり、相撲部屋は競って若者を入門させるようになり、新弟子養成の機関となった。戦後はさらに初土俵年齢が若年化し、中学生力士が誕生するような状況に至った。このような状況を抑制するために、協会は昭和四十六年（一九七一）義務教育期間中の中学生の相撲部屋への入門を禁止するようになった。そして、力士は年寄株を取得すると早々に現役を引退するので、現役年数の短期化を招来せしめた。

初土俵年齢の若年化と現役年数の短期化は、明治維新以降の国民の平均寿命の伸びと相俟って、必然的に幕内力士と年寄の現役引退後年数の飛躍的な長期化をもたらした。江戸時代力士は一生の仕事であったが、明治以降力士は現役を引退してから別の仕事に就くようにもなった。また、この現役引退後年数の長期化は年寄名跡の不足状況をもたらし、昭和十六年と昭和三十二年には横綱でさえも年寄名跡を襲名できなくなった。このような状況に、相撲協会は年寄名跡の数を増やしたり、横綱一代年寄制を一時的に導入して対応したが、遂に昭和三十四年の第一次改革で関取の数を削減し、年寄と行司の六十五歳定年制を導入するに至った。

江戸時代の年寄と幕内力士のライフコースは異なり、相撲社会の成員のライフコースは二重構造であった。つまり、年寄は比較的弱い力士が、早めに現役を引退して年寄稼業に就いた。一方、幕内力士は大名の抱え力士（家臣）として長期間にわたって現役力士を勤め、現役を引退しても年寄となる者は少なかった。しかし、明治維新によって大名の抱え力士への道が断たれると、多くの幕内力士が年寄となることを希望するようになった。そのために、強くなった幕内力士だけが年寄となるようになり、年寄と幕内力士のライフコースの構造が一本化するようになった。この年寄と幕内力士のライフコースの一本化によって、明治維新以降の相撲社会の課題であった経済的自立の基盤が、幕内力士の現役引退後の就業対策も含めて確立されたのである。つまり、我が国の近代化過程における相撲社会の変動過程は、幕内力士と年寄のライフコースの同一化の過程にあったと言える。

〈註〉

（1）森岡清美・望月嵩共著『新しい家族社会学』培風館、一九八三、一一八頁。「イベント時点区分法は、結婚・子の出生・子の結婚・夫婦の死亡といった、家族史を画する重要な出来事が、妻が何歳の時に起きたかを、コーホート（同時出生集団）の中位数・平均値あるいは分布で捉える手法である。たとえば初婚年齢について、あるいは子どもを産む期間について、一九二〇年代コーホートと一九五〇年代コーホートとの歴史的な変化をつきとめたり、同じコーホート内でも、人種により、階級により、あるいは地方によって、どんな差異があるかを検出するために、便利である。」

（2）初土俵年とは、新弟子検査に合格した力士が、初めて本場所の土俵に上がった年である。入門年とは相撲部屋へ入門した年である。元大関大受の場合は、昭和三十七年三月中学一年で高島部屋に入門し新弟子検査を受けたが、身長が一五八㎝しかなく検査は不合格となった。彼が新弟子検査の合格したのは昭和四十年三月であるから、入門から初土俵まで三年かかったことになる。一般的には、新弟子の名が番付に載るのは入門の翌場所であり、初土俵年は入門年と同じ年であるか、あるいは入門年の翌年である。江戸時代の力士（新弟子）は入門から初土俵まで約二年位かかったものと推定される。しかし、江戸時代の力士の多くは、地方の相撲団で強くなった者だけが江戸にやってきたので、その実力に見合った階級の付出しで初土俵を踏む者が多かった。通常、付出し力士の入門と初土俵は同時期である。本研究では初土俵年を基本とし、入門年は補足的に取り上げることにする。

(3) 入幕年とは、江戸時代においては力士が幕下から幕内に昇進した年であり、明治二十一年以降は十両から幕内に昇進した年のことである。力士は入幕しても落ちることがあり、再入幕する力士もいる。本研究では、初めて入幕した年を入幕年とする。

(4) 現役引退年とは、力士が力士稼業を引退した年である。力士は現役を引退して年寄となる者（三）、廃業して相撲社会から離れる者（四）がある。また、現役中に亡くなった力士は、その没年が現役引退年となる。

(5) 廃業年とは、年寄・力士が相撲社会から離れた年である。力士が廃業する場合は、この廃業年と現役引退年が重なる。年寄が亡くなった場合は廃業年と没年が重なり、力士が亡くなった場合は現役引退年・廃業年・没年が重なる。

(6) 和歌森太郎『相撲のおもしろさ』文化新書、一九五七、二三頁。

(7) 宝暦十三年の京都勧進相撲の番付（相撲博物館所蔵）では、京都相撲の力士は七十一名であった。

(8)『古今相撲大全』巻之下、武林書林、安永二年（一七七三）、一一―一二葉、（相撲博物館所蔵）。

(9) 同、一五―二三葉。

(10) 酒井忠正『日本相撲史』上、ベースボールマガジン社、一九五六、一六一頁。

(11)同、一六一頁。

(12)『綽号出所記』、崇高堂、寛政十二年(一八〇〇)、(相撲博物館所蔵)。

この書物には、九十九名の力士の師匠名や年齢の他に、出身地、父親名、兄弟数、初土俵年齢、四股名の変遷が記されてある。例えば、雷電の場合は「生國信州大石村関半兵衛子兄弟二人十九ヨリ出ル」、また千田川は「生國肥前嶋原高木郡会津村田中金左衛門子兄弟七人十九ヨリ出ル始メ四角山雪嵐」とある。この九十九名の力士の配列は、当時の江戸相撲の番付順とは異なり、大名の抱え力士を中心に並べてある。この書物が「張藩」(尾張)で出版されていることから考えて、当時の名古屋での興行番付に基づいて力士を配列したものと思われる。また、この書物の力士の年齢は筆者の資料と二—三年の差異があるが、ここではそのまま使用することにする。

(13)上覧相撲は、寛政三年以降、寛政六年(一七九四)、享和二年(一八〇二)、文政六年(一八二三)、文政十三年(一八三〇)、天保十四年(一八四三)、嘉永二年(一八四九)に行われた。将軍の御前で行う相撲が上覧相撲であり、天皇の場合は天覧相撲、皇太子の場合は台覧相撲という。

(14)前掲、『日本相撲史』上、一七一頁。

(15)方屋とは、力士だまり(支度部屋)の意味で、東西に分かれてあった。

(16)寛政三年当時、二十山は二名いたようである。

(17)出所記に記載されている年齢は「数え年」であると考えられるので、本研究の算出方法と一年の差が出る。従って、実際には五・四年若いことになる。

(18)前掲、『日本相撲史』上、二一二頁。

（19）同、二五一頁。
（20）松壽樓永年『續金剛傳』紅林堂、文政五年、（相撲博物館所蔵）。
（21）蓬茱山人永年『相撲金剛傳』文政十年、（相撲博物館所蔵）。
（22）生月鯨太左衛門、十八歳で身長二m二十七cm、体重百六十九kgの巨人力士。天保十五年（一八四四）から嘉永三年（一八五〇）まで、一人土俵入りを演じた看板力士であった。
（23）前掲、『日本相撲史』上、三三九頁。
（24）酒井忠正『日本相撲史』中、ベースボールマガジン社、一九六四、一頁。
（25）『東京市史稿市街篇』第六十、東京都、九四五―九四八頁、一九六九。
（26）前掲、『日本相撲史』中、八二頁。
（27）勝ノ浦は、本節幕内力士（十一）の勝ノ浦と同一人物。
（28）池田雅雄『大相撲ものしり帖』ベースボールマガジン社、一九九〇、二三二頁。
歩持とは、興行の純利益を勧進元としてもらうことができるが、赤字のときは出金して埋めなければならなかった。
（29）東京相撲組合の名称は、明治十一年から明治二十二年まで。
（30）前掲、『大相撲ものしり帖』、一二頁。
（31）『絶縁状』万朝報新聞、明治四十三年一月十五日。
（32）玉椿憲太郎、一五九cmの小兵力士であり、明治四十四年の新橋倶楽部事件では一人だけ事件に加わらず現役引退後は平年寄で終わった。

（33）前掲、『日本相撲史』中、二四〇頁。
（34）伊吹山末吉、大正十二年の三河島事件では彼一人が事件に加わらず師匠の元に帰った。現役引退後は藤島の年寄名跡を襲名したが、昭和五年に三十五歳で亡くなった。
（35）前掲、『日本相撲史』中、三四九—三五〇頁。
（36）『相撲協会決議書』（相撲博物館所蔵）。
（37）前掲、『日本相撲史』中、三七五頁。
（38）同、三七五頁。
（39）東京で二回、大阪・京都で各一回の年四回興行であった。
（40）日本相撲協会監修『近世日本相撲史』（第二巻）、ベースボールマガジン社、一九七七、三八頁。
（41）紅白以上の行司とは幕内以上、本足袋以上の行司とは十両以上の行司である。
（42）片男波（元前頭、開月勘太郎）は、大正五年尾車部屋に入門したが、同年師匠が亡くなり、師匠の死後は峰崎・片男波・伊勢ノ海部屋に預けられ、最後は尾車部屋の兄弟子（元関脇、三杉磯）の興した花籠部屋に移り、昭和八年現役を引退して片男波を襲名した。預けられた形ではあるが、片男波は一応彼の師匠であった。
（43）井筒部屋は昭和五年緑町公園、昭和十五には亀沢町であったが、これは 町名変更があったからであり、両地名は同一の場所である。
（44）『覚え書』（相撲協会所蔵）。
（45）昭和二十九年の年四場所は、東京の蔵前で三回、大阪で一回となった。昭和三十二年には東京で二回、大阪・名古屋・福岡で各一回の年五場所となり、昭和三十三年には東京で三回、大阪・名古屋・福岡で各一回の年六場所となった。

（46）北出清五郎『相撲のわかる本』廣済堂出版、一九七五、一四五頁。
（47）竹森章『相撲の史跡』第一号、相撲史研究会、一九七三、一四四頁。
（48）本研究の算定方法では、年齢は一年短くなる。

結章　相撲社会の特質

第一節　相撲部屋と家制度

わが国のチャンピオンシップ志向のスポーツ集団は、相撲部屋と同じように生活共同体を形成している例が多い。スポーツ集団は、言うまでもなくスポーツをするという目的を達成するための、機能集団である。その相互行為は、他者との関係がスポーツをするという目標達成の手段であるゲゼルシャフト的関係である。一方、生活共同体は家族や地域社会に代表される基礎集団であり、その社会関係はゲマインシャフト的関係である。機能集団のゲゼルシャフト的関係とは、共通目標を達成する過程で、集団の成員が彼等の行為を協働化する関係であり、目的合理的な関係である。一方、基礎集団のゲマインシャフト的関係とは、集団成員が目的を共有することによって、協力しあい結合する共同化の関係であり、価値合理的な関係である。

チャンピオンシップ志向のスポーツ集団あるいは相撲部屋は、試合において他者あるいは他チームに勝つことを目標とする目的合理的な機能集団である。その社会関係は、ゲゼルシャフト的関係であり、ゲマインシャフト的関係である生活共同体は形成しないはずである。しかし、わが国のスポーツ集団では、集団内での士気を高めるために生活を共同化して、自分と集団の他の成員とが目的を共有することが、不可欠と考えられている。この生活共同体の社会関係は、ゲマインシャフト的関係である。すなわち、わが国のチャンピオンシップ志向のスポーツ集団や相撲部屋の社会関係は、ゲゼルシャフト的関係の機能集団であるにもかかわらず、ゲマインシャフト的な社会関係の生活共同体を形成しているのである。

では何故、わが国のチャンピオンシップ志向のスポーツ集団や相撲部屋は、生活共同体を形成するのであろうか。これに対する解答は、テンニエスのゲマインシャフトやゲゼルシャフトの概念では得られない。この解答を探る鍵は、大正末期の東京相撲協会が年寄名跡を「家」と称していたことからも理解されるように(第四章第七節参照)、我が国の歴史的文化的特性をもつ「家」制度の社会関係に求めることができる。

相撲部屋において親方は、部屋の力士に対して絶対的な権力を持ち、力士は親方に対して恭順の感情をもって服従する。その思想的背景は、日本の「家」を支える道徳、忠と孝をモデルとしている。忠とは「忠臣は二君に事えず」といった理念に代表され、孝とは「親に対する子の恭順・服従(1)」を根底とする道徳律である。

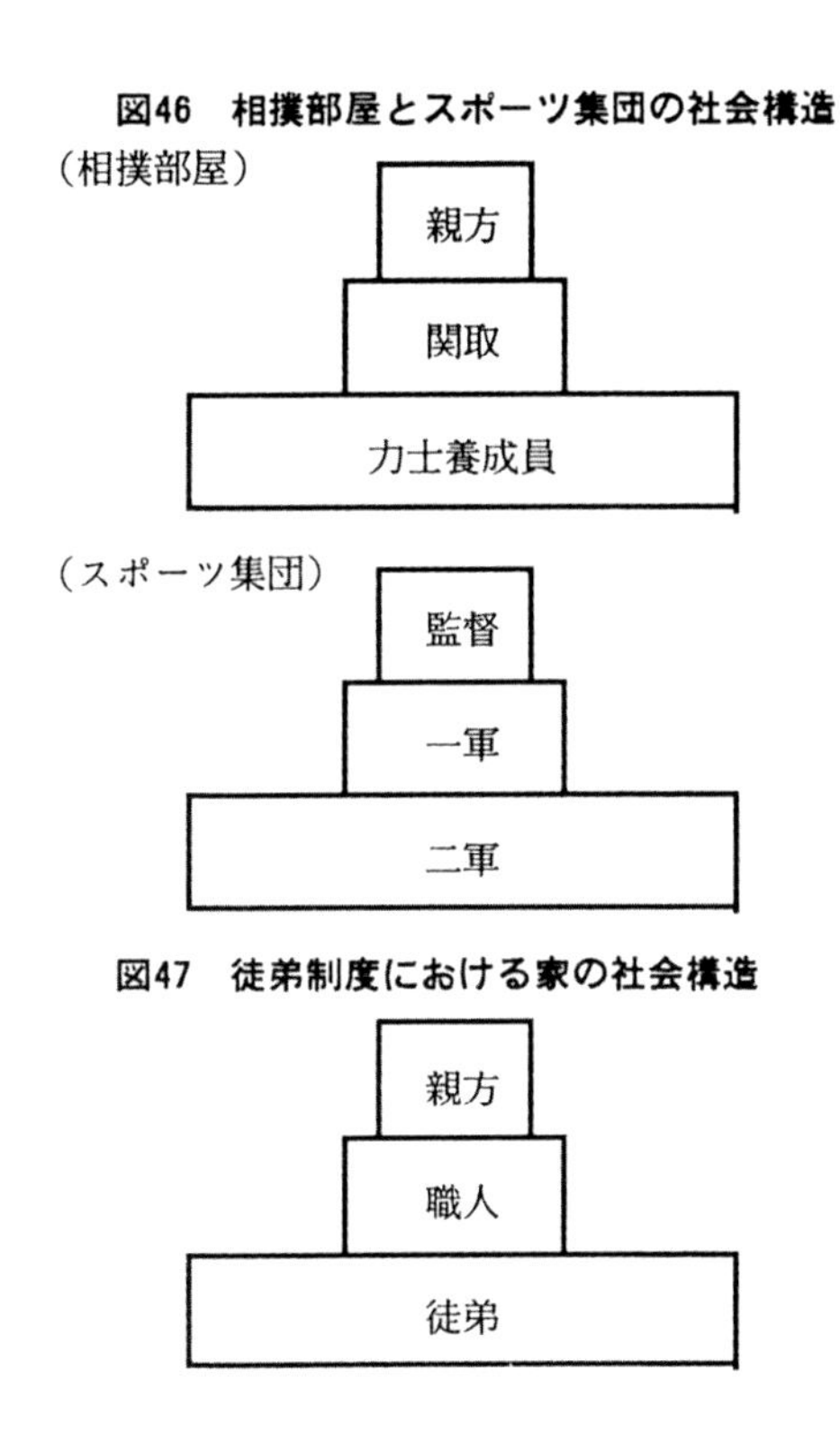

図46　相撲部屋とスポーツ集団の社会構造
図47　徒弟制度における家の社会構造

このような相撲部屋の師弟関係を生活共同体という視点から整理し直すと、その社会構造は上から親方・関取・力士養成員となり、図四十六のようなピラミッド型になる。この社会構造は、江戸時代の商工の同業組合（独占営業団体）である「株仲間」の徒弟制度と同じ構造（図四十七）となる。この株仲間の構成単位は「家」であり、その家は徒弟制度を前提としていた。徒弟制度が、我が国の封建社会の商工業を支えた基本的な社会制度であったことは、言うまでもないことである。ここに相撲社会の部屋制度における、社会制度上の封建性が存在すると考えられる。このことは、相撲部屋ばかりでなく、他の生活共同体を形成するスポーツ集団についてもほぼ同じことが言える（図四十六）。

相撲部屋の師弟関係は、理由の如何にかかわらず、師匠を変えることはむずかしい。力士は、特定の師匠と師弟関係をもつことなく相撲は取れないし、力士の生活費は協会から師匠に支払われる。仮に、ある力士が破門され、師匠が力士の廃業届を協会に提出すれば、その力士は相撲社会を去らなければならない。破門された力士は、以前の師匠の部屋に戻らない限り相撲社会への復帰は認められない。つまり、相撲部屋の師弟関係の特徴は、半永久的で固定的であり、師匠は弟子の選択権をもつが、弟子は親方の選択権を持たない社会関係である。

わが国の師弟関係について石川謙は、「学校形態の外にあった教育、すなわち商人・職人・絵師・役者などの家に入りこんで仕えながら学ぶところの丁稚・小僧・弟子などの、親方・主人・師匠に対する師弟関係は、学校とはちがって、一本立になった後にも続く師弟関係であって、親子関係に似通った要素と形相とが入っていた[2]」と述べている。さらに石川は、この師弟関係について「教育の胎内に打ちたてられた家族制度ともみられるもので、この場合いうまでもなく師は〝道〟の上の家長である[3]」と述べている。このことから、わが国の師弟関係は相撲部屋ばかりでなく、直系家族制の家制度における親子関係に近いことが知られる。

家長について小山隆は、「その家族にたいして生殺与奪の権能をもち、財産は家長の管理するところとなり、そうしてその地位は父系の男子の最年長者が継承するのが普通であった[4]」と述べている。日本の伝統的な家制度における家長の権力は、「家」の秩序を維持するために制度化された権威であり、個人の権威ではない。であるから、実際の家生活は共同体的な雰囲気に支配され、家長の権威は人情的・情緒的性質を帯びている。しかし、相撲部屋の親方の場合、現役時代の実績に基づく「力」の原理のために、家長の権威よりも個人的権威の性質が強い傾向にある。

相撲部屋の親方が定年（六十五歳）となったり死亡した場合、一般的にその地位は師弟の間で継承される。相撲部屋の場合、先代の親方と力士の間の師弟関係は、世代交替した新しい親方に自動的に継承される。このような世代交替あるいは年寄名跡の襲名継承には、先代の親方の老後の生活の面倒を見る、あるいは親方が死亡した場合は親方の遺族の面倒を見る、という義務がともなっている。具体的には、二代目伊勢ノ海の未亡人である加野が、三代目の弟子である柏戸が四代目伊勢ノ海を継ごうとした時に、亭主の弟子であった荒熊に継がせようとして起した事件がある（第三章第三節三参照）。相撲部屋の師弟関係では、先代の師匠とその遺族の面倒は見る義務はあるが、先々代の師匠とその遺族まで面倒を見る義務はない。従って、彼女は四代目を亭主の弟子であった荒態に継がせ、師匠の遺族として生活の面倒を見てもらおうとしたのであったと推察できる。

一般に、わが国の家の規範意識によれば、親を養う「孝の義務」は、すべての子に平等にあるのではなく、親から財産を譲られる家督相続人が、専ら負うものとされている。従って、親が老後に家督相続人の世話になることは、当然の権利と考えられる。「家」制度におけるその権利は、親だけでなく祖父母・曾祖父母にも及ぶが、相撲部屋の師弟関係では、先々代の師匠とその遺族には及ばない。

家の家産および家長権や株仲間の株は家督とともに世襲されたが、相撲社会の年寄株（名跡）はその世襲的保持の期間が制限されている。相撲社会では、相撲部屋の親方の未亡人などの血縁者が、一時的にその年寄株の譲渡を保留することが認められている。しかし、未亡人や血縁者は年寄名跡襲名の有資格者ではないので、年寄株の血縁者による保留期間は五年間に制限されている。

家制度では、家産および家長権が家督として一括してある特定の個人（一般的には父系の男子の最年長者）によって相続される。相撲社会の部屋制度は、家制度のこの特性を次のような形で残している。相撲部屋の継承者は、先代の親方と力士の間の師弟関係ばかりでなく、その相撲部屋に所属するすべての年寄衆・若者頭・世話人・行司・呼出し・床山との関係を相続する。つまり相撲部屋の家産とは、師弟関係に基づく人的関係を意味する。

相撲社会では、この相撲部屋の相続（継承）を巡って、しばしば内紛が起こる。具体例としては、出羽海部屋の相続問題がある。昭和四十二年に出羽海部屋所属の年寄であった九重（第四十一代横綱千代の山）が、出羽海部屋から破門された。九重の弟弟子である佐田の山（第五十代横綱）が、翌昭和四十三年に先代出羽海の養子となって、出羽海部屋を継ぐことが決定した。この相続によって九重は、弟弟子である佐田の山の弟子という地位になる。これを嫌った九重は分家独立を敢行し、その結果、出羽海部屋およびその一門系統から破門された。大正三年の高砂部屋の紛争（第三章第三節二参照）も、同様の例である。また、国際的な問題にまでなった朝日山部屋の六名のトンガ力士帰国事件がある。彼らは、昭和四十九年トンガ王国から朝日山部屋に入門したが、翌年不運にも親方が死亡、新しい朝日山親方の弟子となった。トンガの力士達は、この師弟関係の自動的な継承が外国人であるために理解できず新しい親方と対立し、昭和五十一年に廃業し帰国してしまった。

弘化四年（一八四七）の「相撲改正金剛傳」の年寄連名（第一章第二節参照）には、（五）の武蔵川大次郎と（四十四）の武蔵川虎之助、（十五）の入間川徳蔵と（五十三）の入間川峯五郎の二人の同名の年寄がいた。（四十四）の武蔵川虎之助は先代の伜、（五十三）の入間川峯五郎も先代の伜であり、両者共に先代の血縁者ではあったが、力士経験はなかった。（五）武蔵川は雷の弟子の荒汐、（十五）入間川は入間川の弟子の茨木であり、この両者は力士経験者であった。武蔵川部屋は深川常盤町に、入間川部屋は松島町にそれぞれ宿所稽古場があった。当時は力士(行司)経験がなくても年寄になれたが、力士経験のない年寄は相撲部屋の師匠は勤まらない。つまり、武蔵川部屋と入間川部屋には、力士経験のない血縁の年寄と力士経験のある年寄が二人いて、その二人で相撲部屋の運営をしていたものと考えられる。家の原理からすれば、相撲部屋と年寄名跡(株)は倅(子供)によって家督として相続される。しかし、力士経験のない倅(血縁者)は、相撲部屋の家督相続者にはなれるが、弟子を養成することは困難である。従って、相撲部屋を家の原理から見れば、「家」の相続者である年寄(倅)と相撲部屋の親方(師匠)である年寄の二名が必要となる。寛政年間にも二十山が二人いたが、同様の事例であろうと考えられる(第四章第二節参照)。

相撲部屋の財産は部屋の建物と土地であり、これらは師匠の私有財産である。そのために、明治以降は相撲部屋の相続および年寄名跡の継承の時に、年寄(師匠)とその年寄名跡を襲名しようとする力士(弟子)が養子縁組するケースが増えた。従って、相撲部屋の親方は男児よりも女児が生まれることを喜ぶ。何故なら、親方に娘があれば、自分の弟子である部屋の力士の中から、部屋を継承できる強い力士を選び娘と結婚させ、その力士を自分の養子にして、親方の年寄株と私有財産である相撲部屋の土地と建物を、家督として相続させることができるからである。相撲社会で理想とされる養子制度が、日本の伝統的な「家」制度に適合していることはいうまでもない。

部屋制度には、部屋の継承に養子制度を補完する関係があった。相撲部屋の土地と建物は、血縁や養子関係で相続される場合を除けば、師弟関係で相続（継承）されることはなかった。従って、相撲部屋は移転した。しかし、相撲社会には、部屋の継承で師弟が同郷という地縁関係によって結ばれている場合、部屋が移転しない事例があった。具体例としては、高砂部屋の継承である（第三章参照）。高砂部屋の初代高砂と二代目、三代目と四代目の襲名継承では、部屋の土地と建物が継承され、高砂部屋が移転しなかった。彼らは同郷であった。この事例は高砂部屋ばかりではなく、江戸時代から昭和十五年（一九四〇）まで見られたが、昭和四十五年（一九七〇）以降そのような事例が全く見られなくなった。これは、第二次世界大戦後の我が国の社会変動（都市化）が、この地縁関係を消滅させたからであろうと理解される。

第二節　相撲部屋の一門と同族

我が国の家制度は、さらに同族の社会関係へと発展する。わが国の同族とは、先祖を同じくし、相互に系譜上の本末を認知し合う本家―分家集団のことであり、家と家の共同体的な集団である。

同族には、その構造的特徴として「本家統制」がある。本家統制は、本家の家権威とこれを補強する土地所有とを、主要な基礎としている(5)。高砂一門にも、本家である高砂の本家統制があった。高砂の本家としての権威は、稽古土俵の所有と地方巡業の運営などによって、基礎づけられていた。しかし、昭和三十三年以降は一門組合別で行なわれていた地方巡業も、協会が運営するようになった。そして、昭和四十年から本場所での対戦方法が、一門系統別から部屋別総当制となり、昭和五十四年頃には分家の相撲部屋にも稽古土俵が義務付けられるようになった。従って、現在の相撲部屋の本家の権威は、協会の役員（理事）に選挙されること、行司・呼出し・床山・若者頭・世話人等の保有に限定されるようになった。

もう一つの本家としての権能は、本家の親方が一門葬の責任者を勤めることである。高砂一門の場合、昭和六十一年分家の大山親方が亡くなった時には、本家の高砂親方が一門葬の責任者となった。この大山部屋は、親方が亡くなって部屋を継承できる弟子がいなかったので、大山部屋に所属した年寄や力士は本家である高砂部屋に収容された。このような分家の相撲部屋の収容も、本家の権能の一つである。

家制度における同族は分家の創出に始まり、家産の分与が絶対要件である(6)。相撲社会の部屋制度における一門も、分家の創出にはじまる。農村社会の家において家産は土地であるが、相撲社会の家産は弟子である。高砂部屋の新弟子の中に、高砂部屋の現役力士であった「前の山」の内弟子がいた（第二章第一節二参照）。「前の山」は、高砂部屋からこの内弟子を連れて分家し、高田川部屋を興した。つまり、相撲部屋の分家には内弟子の分与がある。相撲社会では将来相撲部屋を創設しようとする力士や年寄が、あらかじめ入門者を求めて、内弟子として本家の親部屋に預ける。例えば、二所ノ関部屋の大鵬の場合は、引退する一年半前の昭和四十四年十一月に、篠原・桂・高橋・鈴木・水谷の五名を内弟子として、二所ノ関部屋から初土俵を踏ませている。そして引退直後の昭和四十六年七月には篠原が、三段目に進んでいた。また、九重部屋の千代の富士の場合も、昭和六十年三月に臼井・酒巻の二人が内弟子として入門、さらに岡本を加えて九重部屋に三人の内弟子を抱えていた。昭和六十二年七月には、臼井が三段目に昇進していた。昭和四十年一月から昭和六十二年十一月までに二十一の相撲部屋が誕生しているが、相撲部屋設立前に内弟子がなくゼロから出発した部屋は、立田川部屋と大島部屋の二つだけであった(7)。

岡田謙によれば、「同族とは、本家と分家とより成る系譜的に結びつく父系親族の集団である(8)」と述べている。さらに、同族の社会関係について彼は、「同族は、長男によって継承された本家と、次男三男によって創設された分家とからなる集団であって、時にこれに奉公人分家によって出来た家を加えることもある(9)」としている。

同族は親類関係とちがい、集団的境界が明確で定型的構成をなしている。同族は、本家を中心に家の出自をたどる関係であるから、特定の同族団に所属する家々は、他の同族団の構成単位と重複したり、二重の所属はありえず、分離した集団境界をもつ(10)。また、本家・分家を同族団帰属の点からみるとき、分家にとっては所属可能な複数の同族団があって、その一方を選択することによって所属する同族団を決定するのではなく、同族単位の所属は自動的である(11)。

相撲社会には、弟子が年寄名跡を襲名して分家の相撲部屋を興し、さらにその分家の相撲部屋の弟子が年寄名跡を襲名し、孫分家の部屋を興す(第三章第四節参照)。この分家および孫分家の一門への所属は、自動的であり他の一門との重複した所属はありえない。わが国の直系家族制における家制度の親族関係を軸にした社会集団である同族には、しばしば親族ではない奉公人の分家が加わることがある。相撲部屋の師弟関係を軸にした社会集団である一門にも、系統の部屋が加わることがある。系統とは、師弟関係にない部屋が一門に所属している社会関係であり、相撲社会において系統は、一門と区別され一門に付属する。以上のことから、相撲社会の一門が、師弟関係を軸とした本家と分家とより成る系譜的に結びつく相撲部屋の集団であり、同族に近い特質をもつ集団であることが理解される。

同族の機能は、本家と分家の強固なヒエラルヒー的結合を通じて、相互の安全を保障することにある。この相互の安全を保障するための本家分家の庇護奉仕の関係について、岡田謙は(一)経済的共同、(二)地域的共同、(三)宗教的共同、(四)冠婚葬祭における共同、の四つの共同事項を揚げている(12)。大相撲の部屋制度における一門の機能は、江戸時代から地方巡業を成立させることにあったが、地方巡業が昭和三十三年から協会全体で行われるようになったので、この機能は現在ではなくなった。

相撲社会の一門のもう一つの機能は、一門の本家と分家が存続し繁栄するために協力することにある。その協力関係とは、分家にその年寄名跡を襲名できる弟子がいなかった場合、本家は分家に襲名できる力士を与え、分家にその継承者がいない場合は本家が分家の力士などを収容する。また、本家にその年寄名跡を襲名できる弟子がいなくなった場合には、分家が本家に継承できる力士を提供することもある。一門の協力関係は、江戸時代には孫分家にまで及んだが、明治以降はこの関係が縮小される傾向にある。

相撲部屋の分家は、農村社会の分家のように住宅・宅地・耕地の分与を受けることはないが、分家するに当たって弟子の分与や年寄名跡の取得などの他に、次のような援助を受けた。まず、分家の相撲部屋には土俵がなかったので、分家の力士は一門の本家の土俵で稽古していた。しかし、現在では各部屋に土俵の設置が義務付けられたために、この援助は必要なくなった。また、分家は新しく部屋を興すに当たって、新しい部屋の経営には欠かせない行司・呼出し・床山・若者頭・世話人の援助を、本家から受けなければならない。すなわち、相撲部屋の分家は、本家（一門）の後楯がなければ、部屋を新しく興すことはできないシステムになっている。

以上のことから、相撲社会の特質は、相撲部屋がわが国の伝統的な生活共同体である「家」制度の社会関係を、そしてさらに相撲部屋の一門がその家制度の社会集団である「同族」を、意識するとしないとにかかわらず組織モデルとすることによって、その伝統を維持してきたことが理解できる。

では最後に何故、家制度が崩壊に瀕しているにもかかわらず、相撲社会の部屋制度がその家制度的要素を留めているのであろうか。

第四章「相撲社会の変動過程」において、幕内力士の初土俵年齢が明治以降に若年化したことを、ライフコースの歴史比較から明らかにした。江戸時代の力士は初土俵年齢が約二十二歳であったから、江戸時代の相撲部屋には新弟子の力士を養成する目的はあまりなかった。明治維新によって相撲社会は、従来の大名への依存的体質を改めなければならなくなり、経済的に自立することを余儀なくされた。そして、明治維新以降の我が国の社会変動によって地方の相撲団が消失したため、相撲社会は新弟子の養成を独自で行なわなければならなくなり、必然的に初土俵年齢が若年化した。つまり、現在の相撲部屋の新弟子養成機関的な性格は、明治以降に形成されたものであった。

このような状況下の相撲社会に、新弟子養成機関として家制度の属性をもった部屋制度が形成された。すなわち、相撲社会の部屋制度に家制度的要素が残ったのは、我が国の基本的な社会制度であった家制度の属性が、新弟子養成機関として世代を超えて存続しなければならない部屋制度に、適合していたからである。もし、相撲部屋が一代限りで解散することになると、その相撲部屋の所属員は解散の度毎に路頭に迷うことになり、新弟子養成の機能を安定的に果たしえない。

相撲社会の部屋制度が家制度的要素を留めたもう一つ理由は、相撲部屋が師弟関係によって継承されることにあると考えられる。勿論、家制度は血縁の親子関係によってその能力に関係なく世襲されるが、部屋制度の師弟関係においては、能力のある者が部屋を継承する確率が高いという差異は、見逃しえない。

これまでの日本社会学界における多くの家族研究と同族研究の成果からも明らかなように、「家」制度が歴史的文化的特性をもつ我が国の基本的な社会制度であったことは、言うまでもないことである。そして、家制度が明治民法で明文化された頃、相撲社会の部屋制度がその新弟子養成機関としての生活共同体的性格を強めたのは、偶然の一致とは考えられない。

(註)

(1) 川島武宜『日本社会の家族的構成』日本評論社、一九五〇、七七頁。
(2) 石川謙『日本社会民俗辞典』第二巻、誠文堂新光社、一九六〇、五七頁。
(3) 同、五六九頁。
(4) 小山隆『日本社会民俗辞典』第二巻、誠文堂新光社、一九六〇、一七八頁。
(5) 松本通晴『講座家族』六　弘文堂、一九七四、二七〇頁。
(6) 及川宏『同族組織と村落生活』未来社、一九八四、二〇頁。
(7) 三谷光司「昇進力士を生み出すまで」『大相撲』読売新聞社、一九八八、一月号、一四五頁。

（8）喜多野清一・岡田謙編『家』―その構造分析―、創文社、一九六二、三二頁。
（9）同、三二頁。
（10）森岡清美編「家族社会学」『社会学講座』三、東大出版会、一九七二、一七二頁。
（11）同、一七一頁。
（12）前掲、『家』、三三―三六頁。

相撲用語集

【あ行】

預かり（預）…本場所の相撲で、行司の軍配に物言いがつき、どちらの勝ちかを決めかねた時に、協会がその対戦を未決のまま預かること。大正末年までは取り直し制度がなかったので、この「預かり」が多かった。

預かり弟子…ある年寄（力士）が将来分家するために、自分の所属する部屋（本家）に内弟子として預けた弟子であり、本家にとっては「預かり弟子」となる。一般的に、この「預かり弟子」の正式な師匠は本家の親方である。

頭書（あたまがき）（かしらがき）…番付の力士名の上に書かれた出身地名、および横綱・大関・前頭などの地位のこと。

兄弟子（あにでし）…相撲部屋に自分より先に入門した先輩力士のこと。

アンマ…番付下位の力士が上位の力士に稽古をつけてもらうことであり、上位の力士にとっては準備運動であり、体をもみほぐす「按摩」の役目をする。

一代年寄…その功績によって一代に限り認められる年寄名で、力士の四股名がそのまま年寄名となる。従って、一代年寄は名跡ではない。

一門…師弟関係の本末によって結びつく、相撲部屋の本家分家集団。

一門系統別制…一門や系統の部屋の力士が東西に分かれるが、本場所では対戦をさせないという対戦方法の一つ。

内弟子…ある年寄（力士）が将来分家するために、自分の所属する部屋（本家）に預けた弟子である。内弟子の正式な師匠は本家の親方である。

回向院…東京都墨田区東両国にある浄土宗の寺。山号は、もと無宗山であったが、現在は国豊山。江戸幕府が明暦の大火（一六五七）の死者を埋葬した。寛政以後境内で勧進相撲を興行するようになった。

大銀杏（おおいちょう）…十両以上の関取が、本場所や公式の席で結うマゲのこと。マゲの先が銀杏の葉に似ている。

大阪相撲…江戸時代から大阪を中心に興行していた相撲集団。大正十五年東京相撲に吸収合併された。

大相撲…プロの相撲および相撲社会の総称。語源は、江戸時代の本場所を勧進大相撲興行と呼んだことに始まる。

大関…横綱に次ぐ力士の番付地位。関取の「関」に「大」の尊称を付けたと言われる。

おかみさん…相撲部屋の親方（師匠）の妻のこと。

弟弟子（おとうとでし）…相撲部屋に自分より後に入門した後輩力士のこと。

親方…年寄の相撲部屋での俗称。一般的には、部屋の師匠を指す。

【か行】

抱え力士…江戸時代に、大名の家臣となった力士のこと。

方屋…本場所の力士だまり（支度部屋）のことで、通常は東西にある。

借株…年寄名跡の襲名者とその年寄株の所有者が、異なる人物である場合の年寄株のこと。

鑑札…明治・大正時代の年寄や力士に警察署から交付された営業許可証。

勧進相撲…寺社の建立・修理などの資金を集めることを目的として興行された相撲のこと。

勧進元…勧進相撲における興行主催側の力士集団を意味したが、現在は興行の主催者をいう。

看板大関（看板力士）…実力ではなく容姿（巨体）を理由に大関になった力士であり、土俵入りだけで対戦することはあまりはなかった。江戸時代に看板大関が多いのは、勧進相撲の興行において力士としての〝見栄え〟が強調されたためであろう。また、当時多くの力士の錦絵が印刷されたことからも理解されるように、当時の力士は、歌舞伎役者と同じような存在であったと考えられる。

給金相撲…幕内・十両は八勝目、幕下以下なら四勝目の勝ち越しを決めた相撲（取り組み）を指す。昇給と昇進がかかった取り組みのことで、「給金直し」とも言われる。

京都相撲…江戸時代から京都を中心に興行をしていた相撲集団。明治末年に消滅した。

行司…相撲の勝負判定をし、勝ち乗りを授ける人。

金星（きんぼし）…平幕力士が横綱を倒した勝星。持ち給金が十円加算される。

稽古…相撲の練習のこと。

稽古場…一般的には四間（七・三m）四方で、二方が羽目板、一方の隅に鉄砲柱があり、もう一方には上がり座敷があり、必ず神棚がある。昔は稽古場の上に二階を造らなかった。

系統…本家の親方と師弟関係にはないが、何らかの事情があって一門に所属している相撲部屋。

化粧廻し…関取が土俵入りの時に使用する飾りの付いた廻し。

懸賞金…幕内の取り組みに懸けられ、勝った力士に与えられる賞金。

後援会…後援会には部屋の後援会と力士個人の後援会がある。部屋の後援会は、部屋の経営を援助し、部屋の所属力士が新十両・新入幕や三役昇進した時に、お祝いに化粧廻しや締め込み、紋服などを贈る。また、千秋楽には成績優秀な力士を表彰し、金一封を贈り激励する。

興行…興行には、現在年六回定期的に行なわれる本場所興行、本場所興行の間に行なわれる地方巡業の興行がある。

子飼いの弟子…自分の部屋で新弟子の時から指導した弟子。

国技館…明治四十二年両国の回向院境内に、雨天でも開催できる相撲常設館が建設され、それが「国技館」と命名された。相撲が国技と呼ばれるようになったのは、この時からである。戦後この国技館は台東区の蔵前に移り、昭和六十年ＪＲ両国駅前に移った。

個人優勝制度…大正十五年に始まった現在の優勝制度で、勝ち星の最も多い力士に優勝杯が授与される。

小結…三役の最下位で、関脇に次ぐ力士の番付地位。

【さ行】

再入幕…入幕した力士が、十両以下の番付地位に降下し、再び幕内に昇進すること。

再入門…一旦廃業した力士が、相撲社会に復帰すること。

サガリ（下がり）…廻しの前に挾んで下げる飾り。関取用のものは締め込みの布と同じ糸で作られ、ふ糊で固められる。数は十九本が一般的である。幕下以下のものは木綿の丸打ち紐で作られ数も少なく、糊で固められていないのでだらりと下がっている。

差添人（さしぞいにん）…勧進元を補佐する年寄。

先乗り…地方巡業で力士より二週間くらい前にその地に行き、土俵作り、宿割りや宣伝の手配など、興行の準備をすること。

三段目…力士の地位で、番付の上から三段目に四股名が書かれている。

三役…大関・関脇・小結の地位の総称。横綱が大関の中の称号であったことから、横綱を含めた小結以上を「三役」と呼ぶこともある。一般には関脇・小結のこと。

参与…長年にわたって協会に貢献した年寄で、定年の近い年寄の役職。

四股名（しこな）…力士名。醜名とも書き、自分を卑下する意味もあった。

自費養成力士…協会から力士養成のための経費が、部屋の親方（師匠）に支給されない力士のこと。

師匠（師匠である年寄）…弟子のいる年寄であり、相撲部屋の経営者。協会での正式名称は「師匠である年寄」、一般的には「親方」と呼ばれる。

十両（十枚目）…幕内の次の地位で、正式名称は十枚目である。江戸末期から明治初年にかけて、幕下上位で給金が十両となった力士で、幕内の候補力士として関取の待遇であった。

出世披露…新弟子が新序ノ口になった時に行なうお披露目の儀式。兄弟子や親方の化粧廻しを締めて、本場所の土俵上で披露される。

巡業（地方巡業）…本場所以外に地方で行なわれる興行。現在は協会が運営し、関取全員が参加する大合併方式である。昔は二、三の一門や組合で行なう合併、一つの一門で行なう単独巡業、少人数で行なう小相撲があった。ほとんどが一日興行であるが、本場所のない仙台や札幌では三日から七日興行が行なわれる。

春秋園事件…昭和七年一月場所前に出羽海部屋の関取達が、大井町の春秋園に集まり、改革案を協会に提出した事件。

上覧相撲（じょうらんすもう）…将軍の前で行なわれた相撲。鎌倉時代の源頼朝が初めてであるとされている。

奨励金…幕下以下の力士養成員に本場所の勝ち星数に応じて支給される。

序ノ口…番付の上から五段目、すなわち最下段の地位。

序二段…番付の上から四段目、すなわち下から二段目の地位。

新十両…初めて十両に昇進した力士のこと。

新弟子…新弟子検査の合格した力士のこと。一般的に、部屋では入門してから教習所に通う六カ月間を「新弟子」と呼ぶ。

新入幕…初めて幕内に昇進した力士のこと。

新橋倶楽部事件…明治四十四年一月に、力士が待遇改善を協会に要求した事件。

角觝（すもう）…明治・大正時代の相撲の名称。

角力（すもう）…明治・大正時代の相撲の名称。

相撲会所…江戸時代に年寄が会合した場所であり事務所でもあった。

相撲協会…正式には「財団法人日本相撲協会」。

相撲教習所…新弟子を教育する所で、昭和三二年に国技館内に設置された。

晴天興行…明治四十二年両国の回向院境内に、雨天でも開催できる相撲常設館「国技館」が建設されるまでの興行形式である。これ以前の興行では、雨天の場合その日の興行は中止された。

関取…十両以上の力士のこと。

関脇…大関に次ぐ力士の番付地位。大関の「脇」に位置することから「関脇」と言われる。

節会相撲…天皇が宮中で相撲をご覧になる儀式で、奈良朝の聖武天皇が始めたとされている。

摂政盃…昭和天皇が摂政であった大正時代、優勝力士に授与された。現在の天皇盃。
世話人…若者頭の下で、部屋や本場所の雑務をする人物。
千秋楽…本場所興行の最終日のこと。「楽」とも呼ぶ。

【た行】

立行司…木村庄之助と式守伊之助であり、行司の最高位。
団体優勝制…東西対抗制の優勝制度。例えば、東が勝ち点で優勝した時は、東方の力士で勝ち星の最も多い幕内力士（勝ち星が同じ場合は番付上位の力士）に優勝旗が授与される。
チャンコ…力士の食べる料理の総称。一般的には鍋料理を意味する。
チャンコ番…幕下以下の力士が順番に行なうチャンコ当番。部屋の力士の一日の食事を、買い出しから後片付けまで行なう。
付出し…入門と同時に番付に載る力士の地位。
付人（つけびと）…関取や年寄の身の回りの世話をする幕下以下の力士。十両で二～三人、幕内で二～五人、横綱には十人以上の付人がいる。

出入り力士…抱え力士となる前の段階の力士で、大名の屋敷への出入りをゆるされた力士のこと。
弟子…相撲部屋の力士のこと。
東西合併…昭和二年（一九二七）の東京相撲協会と大阪相撲協会の合併。
東西制…力士を東西に分けて、東方と西方の力士がその勝点を競う東西対抗の団体戦方式の取り組み。
頭取…大阪相撲・京都相撲の年寄の名称であり、大名の下（藩）で抱え力士を養成する人物も含めて、関西以西では力士を養成する人物を「頭取」と呼んだ。
床山…力士のマゲを結う人。
年寄…引退した力士で年寄名跡を襲名した者。部屋や協会の運営にあたり弟子を養成する。
年寄株…年寄名跡の俗称。年寄となる者は年寄名跡を相続しなければならないことから、「株」と呼ばれるようになった。
年寄名跡（めいせき）…代々受け継がれる年寄名のことで、現在は百五の名跡がある。尚、大鵬や北の湖のような一代年寄名は年寄名跡ではない。
飛び付き…仕切りなしで行なう相撲。
土俵…二十俵の小俵を土中に六分を埋めて直径四・五五ｍの円形にした相撲を取る場所。
取り組み…本場所の対戦のこと。

取り直し…勝負の着かなかった対戦を、再び行なうこと。

【な行】

二枚鑑札…現役力士が年寄を襲名すること。
入幕（にゅうまく）…十両から幕内に昇進すること。
入門…新弟子が検査に合格して、相撲社会の一員となること。通常、新弟子は検査前に部屋に入門する。
人別帳…相撲社会の戸籍簿。
願人…勧進元と同じ。

【は行】

廃業…力士や年寄を辞め、相撲社会の成員でなくなること。
場所手当…幕下以下の力士養成員に場所毎に支給される手当。

花相撲…本場所後に行なわれる引退相撲や慈善相撲などのこと。地方巡業と同じように、花相撲の成績は番付や給金に関係しない。

初土俵…力士が初めて本場所の土俵に上がること。一般的には、新弟子検査に合格した力士が、前相撲に出場した場所を指す。

番付…力士・行司・年寄の地位を示す一覧表。文字は相撲字、紙の寸法は五十七・五×四十三・八㎝、左右に分かれ、右が東方、左が西方である。

番付外…番付に名前の載らない前相撲の力士の地位。

引分（引き分け）…勝負の決着がつかない取り組み。大正時代までの取り組みには、取り直し制度がなかったので「引分」が多かった。

平幕（ひらまく）…三役（関脇・小結）の下の位置する力士。前頭と同じ。

筆頭（ふでがしら）…相撲会所の最高責任者。現在の相撲協会の理事長。

筆脇（ふでわき）…相撲会所の筆頭を補佐する人物。

歩持年寄…勧進元（願人・差添人）になる資格をもつ年寄。

触れ太鼓…本場所開始の前日に、相撲の開始を市中に触れ歩くための太鼓。

褌かつぎ…関取の廻しや開荷をかつぐ序二段以下の力士の俗称。

部屋別総当制…本場所で少なくとも同じ部屋の力士の取り組みは行なわない対戦方法。
褒賞金（ほうしょうきん）…勝越星によって増加する力士の給金。
星（ほし）…本場所の取り組みの成績を指す言葉。白星が勝ち、黒星が負けを意味する。
星取表…力士の本場所での対戦表で、対戦相手、勝敗や決まり手が記されてある。
本中（ほんちゅう）相撲…本場所で前相撲と序ノ口の間に位置する取り組み。
本場所…現在では年六回、一月・三月・五月・七月・九月・十一月に定期的に行なわれる興行のこと。

【ま行】

前頭（まえがしら）…三役（関脇・小結）の下の位置する力士。平幕と同じ。
前相撲…番付に載らない新弟子が、本場所で取り組む相撲。
幕内…番付の最上段に記されている力士の地位で、横綱から前頭までを指す。
幕下…番付の二段目の力士の地位。現在は関取格の十両を除いた地位。
三河島事件…大正十二年力士会が協会に力士の待遇改善を要求した事件。
持ち給金…力士の褒賞金の基準となる金額。

【や行】

櫓太鼓…相撲の興行を知らせるために櫓の上で打つ太鼓。現在は早朝にたたく「寄せ太鼓」、その日の取り組みが終了したことを知らせる「はね太鼓」がある。

優勝…幕内最高勝者への表彰制度。

養成奨励金…十両以上の関取を養成した親方に、支給される。

養老金…力士および行司の退職金。

横綱…力士の番付最高の地位。江戸時代から明治まで横綱は、大関の中の抜群の力士に許された称号であり、地位ではなかった。明治二十三年五月場所から、番付に「横綱」の文字が明記されるようになった。

吉田司家…江戸時代から、相撲の司を継承している家元。

呼出し…本場所の土俵上で力士名をふれる人物。土俵を築き、触れ太鼓や櫓太鼓をたたく。

【ら行】

力士養成員…幕下以下の力士の正式名称。部屋では「若い衆」と呼ばれる。

力士会…十両以上の関取で結成している会。

【わ行】

若者頭…相撲部屋で幕下以下の力士の監督をする人物。「かしら」とも呼ばれる。

若い衆…部屋の幕下以下の力士養成員のこと。

"THE SOCIAL SYSTEM OF THE SUMO TRAINING SCHOOL"

Abstract

Western sports began to be introduced into Japan in 1869. Rather than being wholly western, even today sports organizations in Japan retain certain characteristics of traditional Japanese institutions. The description of a traditional sports organization, therefore, may provide clues in understanding the cultural context of Japanese sports organizations. For this reason, this monograph about professional Japanese wrestling (Sumo) articulates the characteristics of social relations in a traditional organization. Professional wrestlers' organizations were first established in the mid-18th century. Elders established a number of training schools which socialized and trained novices to become professional wrestlers. In such a school, the social system resembled the Japanese househo的 (Ie) and the clan (Dozoku) in which seniority and brotherhood are the axes of social relations. In contemporary sports organizations in Japan, social relations of the same or of a similar quality can be observed.

INTERNATIONAL REVIEW OF SPORT SOCIOLOGY
Volume 1 (18) 1983

1. INTRODUCTION

During the Tokugawa Period (1616-1867), Japan was a closed country. Due to political pressures from Western powers, it was opened in 1868. This data is referred to as the Meiji Restoration. The newly established Government of Japan set up diplomatic relations with European and American nations and adopted a modernization policy. Consequently, together with western technology, an influx of western culture and custums entered this ″young″ country. Such was the case with western sports which were introduced, including baseball, basketball, boxing, golf, rugby, football, skiing, soccer, swimming, tennis, volleyball, wrestring and so on.

Parallel to these new western sports, Japan has held on to some traditional sports such as Sumo, Judo, Karate, or Kendo

(Japanese fencing), most of which were developed during the period of the warlords (1185-1615). Those who engaged in these sports developed their own organizations. The type of human relations in such organizations may be referred to as "traditional". Although the Japanese people adopted some western sports, the type of human relations in western sports organization are traditional.

The analysis of a traditional sports organization will provide a useful framework for understanding the sports organization in contemporary Japan. We will use the case of one of the oldest institutionalized professional sports—sumo (a kind of Japanese wrestling), because sumo wrestlers have not only had their own social system since the 18th century, but they are also very popular in contemporary Japan.

As anyone familiar with the oriental culture can predict, Japanese sumo is an adaptation from a similar sport developed in ancient China. The origin of Japanese sumo has been buried in legend. According to a report by the Museum of Sumo, "the supremacy of the Yamato tribe on the main island of Japan was supposedly establish when the God, Takemikazuti, won a sumo bout with the leader of a rival tribe".

Apart from the legend, the first recorded sumo wrestling match was held in the year 642. The Imperial Court invited wrestlers from all parts of the country to held a grand sumo tournament, called Sechie-sumo in the Nara Period (710-793). This was ceremonial event to ask for peace on earth and a bountiful harvest. Under the continued patronage of the Imperial Court, the basic rules and a variety of sumo techniques were formulated in this period. Sumo has been closely related to Shinto religion.

The social roles of sumo changed with time. During the period of war-lords, it was regarded chiefly as a body of combat skills and / or used as a means of physical development for Samurai (warriors). During the Tokugawa Period, peace was maintained for two and a half centuries. A new social class, the merchants, emerged and developed in a period of economic and cultural prosperity. Professional sumo groups were organized to entertain the rapidly expanding plebeian class. The present Professional Japanese Sumo Association (from now on, shortened as 'PJSA') has its origin in these groups. The first professional sumo tournament was recorded in 1751.

"THE SOCIAL SYSTEM OF
THE SUMO TRAINING SCHOOL"

Sumo wrestlers began to develop their social system in the mid-18th century. Three guilds were established in Yedo (contemporary Tokyo), Kyoto and Osaka. In these guilds, several masters (Oyakata) held a share (the title and the rights to be an elder). As a rule, each master has his own training school called a Sumo-beya, and trained the trainees (apprentices) to become professional wrestlers. Wrestlers and trainees lived together with the master and ate together, learning the required skills and techniques.

After the institutionalization of the training school during the Tokugawa Period, Japan experienced many social changes, including the Meiji Restoration, many wars, and democratization, particularly after the Second World War. Despite such radical changes, the social system of sumo has strongly persisted. As of 1977, there were about thirty training schools, retaining many aspects of the traditional social system.

The purpose of this study is to describe the social system of the training school of Japanese Professional Sumo Wrestling. Hopefully, this study will help western readers to develop an understanding of Japanese sports organizations in a proper cultural perspective.

2. METHOD

The research methods employed were participant observation in one of the training schools and the analysis of historical documents. Among thirty or more training schools, the auther of this paper chose the one called Takasago-beya mainly because it has been one of the most influential and prestigious in PJSA and also because he had the cooperation of the master of the school. From 1975 until 1977, he lived with the trainees; he was assigned a room in the school and ate with them; he had daily conversations and developed fellowships with them and observed how they live in the school, including their training process. He also had access to the Museum of Sumo, a part of the National Sumo Stadium (Kokugikan), and the materials therein.

After the conversing and observing, he made field notes. Later, he transcribed specific topics onto cards assigned to the topics. Sorting cards of related topics, he inferred the underlying principles. With this "hypothesis" in mind, he looked at documents in the museum and / or interviewed the master, his wife or fellow trainees. The following description of the social system of the training school is based upon the method of analysis outlined above.

3. THE STRUCTURE OF THE TRAINING SCHOOL

During the Tokugawa Period, there were three guilds of wrestlers. In the early 1900's, the guild in Kyoto was disbanded. In 1927, the two guilds of Tokyo and Osaka were amalgamated. At this time, sumo became the national sport of Japan and the Emperor Cup was donated by the Royal Family. The PJSA was established at that time and was organized into a foundational juridical person administered by the Department of Education of the Government of Japan.

From the Tokugawa Period up to 1926, each guild sponsored one or two tournaments per year, which lasted for ten days, weather permitting. For such a tournament, wrestlers of different guilds also participated. In 1927, the PJSA began to sponsor two grand tournaments per year, which lasted at first for 10 days. From 1937, they were extended to 13 days and from 1940, 15 days. After World War II, they began to have six grand tournaments per year, each lasting 15 days. Three of these grand tournaments are held in Tokyo, one is in Osaka, anther in Nagoya (these are all on the main island). The last is in Fukuoka in the southern island.

Those engaged in sumo are called Rikishi, which is the general term for both wrestlers and trainees. In 1982 there are over 700 Rikishi registered in the PJSA, all belonging to one of the training schools.

3.1. THE TRAINING SCHOOL AS A FICTION OF THE HOUSEHOLD (IE)

The training school is conceived as a fiction of the Japanese traditional institution called the Ie (household). We will elaborate later on the idea of a ″fiction″. A household is normally formed by, or around, the nucleus of an elementary family, and may include relatives and non-relatives in addition to immediate family members. Since this institution can include non-relatives, the working principles of this institution can be extended beyond the actual family group. Thus, in many Japanese organizations, principles of the household can be applied to the aggregation of non-related people. Well known groups in this category include gamblers, peddlers, and artists' organizations (Iemoto). The sumo training school is another outstanding example.

The master of the training school is called the Oyakata. Oya means "parent" which implies that the Rikishi in his school are his children. The Rikishi are not actually the consanguineous children of the master, but both the master and the Rikishi acknowledge the principles which regulate parent-children relations.

Because the training school is a fiction of the household, the master must represent the institution. In other words, when a Rikishi in his school does not meet the norm of the PJSA, both the master and the Rikishi are jointly sanctioned. More specifically, if a Rikishi does not show spirit in the wrestling ring (Dohyo) or fixed a match beforehand, both the master and the Rikishi will receive an official reprimand from PJSA.

The wife of the master is the equivalent of the housewife in the Ie. She performs the functions of a "mother" for the members of the school. She is the only female to whom the Rikishi have access. She must perform two sets of functions:

as the housewife of her own (or actual) household; and as a "housewife" for the training school.

Like the relations between parents and children, in theory, the relations between a master and a Rikishi are fixed and permanent; they cannot be changed. For example, a Rikishi who becomes a trainee of Takasago-beya cannot switch masters, implying that he cannot become a member of another training school. If a Rikishi were excommunicated by his master, he would have to leave the sumo world (the PJSA) because other masters are regulated by an implicit agreement that they cannot take on as a novice one who has been excommunicated. Thus, the master exercises a great authority over his Rikishi, and the Rikishi are placed in a subordinate position. In turn, the master is responsible for the support and the welfare of his Rikishi while the latter serve the former with respect and affection.

The housewife exerts an informal authority on the life of the Rikishi in matters other than those related to sumo. She is responsible for their economic well-being. Everyday she gives a certain amount of money to the leader of a chore group (which will be explained later) to purchase material for cooking. When a Rikishi wants to borrow money, he must do so from the housewife. The housewife issues daily clothing and bed linen. She looks after the clothes of all the Rikishi constantly. When a novice joins the school, the housewife is an informal instructor who helps him to adopt smoothly to his new environment. When the Rikishi become sick, she takes care of them. The Rikishi visit her for any personal problems. In brief, she performs the comprehensive roles of being a "mother" for Rikishi in the school.

The major function of the training school is to train Rikishi for the PJSA. Training, however, requires economic resources. The PJSA accepts part of the financial responsibilities for the maintenance of the school and the training, viz. it pays the master a certain fixed amount of money for each Rikishi. Trainees receive a flat rate from the PJSA. Wrestlers receive different rates, depending on the hierarchical grade of the Rikishi's sumo ranking. Thus, with the position of master comes a source of income.

A master privately owns his training school, but the title of master is a position of the institution. Therefore, when the master changes, the training school (including the building and facilities within it), the Rikishi, and other auxiliary personnel (referees, announcers and a hairdresser, etc.), are inherited by the new master. Thus, the problem of succession becomes a very important aspect of the training school.

Traditionally, a master could remain in the position until his death. In the 1960's, however, the retirement system was introduced by the PJSA. When a master reaches the age of 65 or if he dies before that age, the training school faces the problem of succession. The successful candidate must satisfy certain conditions. First, he must have a certificate for the elder of the PJSA. Second, he must be from that particular training school. Third, at the time that master's position became vacant, the candidate must have achieved a high sumo ranking such as grand champion or been in the upper grades. The new master inherits the elder-title of the training school such as Takasago, and he automatically takes on the Rikishi and other auxiliary personnel under his control.

In the traditional institution of Japanese household, there is a system in which adults acquire an "adopted son". This system functions in two ways in the sumo world. First, an outstanding wrestler may marry a daughter of his master. At the time of the master's retirement, the "adopted son" automatically inherits the training school from his father-in-low. Second, even when there is not affiliated relationship between a Rikishi and the master's family members, the person may inherit the training school in the same way that an heir inherits his household in an actual household setting. This phenomenon is expressed as the "extended application of the household principles" or a "fiction of the household" in this paper. The retired master usually leaves the sumo world. The new master has the social obligation of visiting the grave of the preceding master on special religious occasions.

3.2. THE DOZOKU RELATIONSHIP IN THE TRAINING SCHOOL

As mentioned earlier, every Rikishi must belong to a training school in order to be a professional member of the PJSA. Major (mainstream) training schools have a few or sometimes several related training schools by the same principles of Dozoku in traditional Japan. A Dozoku is a set of households which recognize their relationship in term of a Honke (main household) and Bunke (branch household), and on the basis of this relationship, have developed a cooperative function as a group.

In this vein, a major training schools such as Takasago-beya has "branch" training schools, forming a kind of Dozoku group in the PJSA. A branch training school is established in this way: wrestlers who satisfy certain conditions are entitled to buy a share of elders. Such wrestlers are called Toshiyori (an elder) and such shares are called Toshiyori-kabu. Each share inherits a specific elder-title such as Takasago. As the number of shares is limited to 105, not all wrestlers can buy them. Some shares are more expensive than others. The most prestigeous (or major) shares cost more than a million dollars. Thus, some elders cannot afford to operate a training school of their own; they belong to the training school where they were formerly registered as wrestlers. Others may start a training school. The training schools related by such Dozoku relations are called Ichimon (a kind of clan).

The newly established branch schools has serious limitations in terms of facilities and auxiliary personnel. In some cases, it may have no practice wrestling ring and the new master must make an arrangement with the main training school so that his

Rikishi can use the ring. Neither does the branch school usually have referees, announcers or a hairdresser who perform auxiliary functions. The branch school must depend upon the main training school. The new school thus accepts a subordinate position in the clan.

Until 1957, the social unit which did the provincial touring and the tournaments was the clan. Mutual relations within the clan used to be very close. After this date, the PJSA began to sponsor provincial touring. Instead of the whole Rikishi group, only a selected number would join the tournaments, and the social significance of the clan in provincial touring seriously declined. Accordingly, the social solidarity of a clan has weakened.

In the PJSA, the endogamous principle was used until 1957. Rikishi who belong to a clan did not fight with other members of the same clan. Since 1957, however, the endogamous principle was restricted to the training school: only those who belong to the same training school are excluded from fighting at the grand tournaments. Thus, the possible combinations in the matching of Rikishi have greatly increased.

4. THE WORLD OF THE RIKISHI

Having explained the structural aspect, let us look into how the institutions function. The following description is based on the case of Takasago-beya.

4.1. SOCIO-PHYSICAL ARRANGEMENT

Takasago, one of the oldest and most prestigious of elder-titles, emerged during the Tokugawa Period. The Takasago training school is a four store reinforced concrete building located in the south-eastern part of Tokyo. It is a nearly square building 43 x 43 feet. (The reader may be aware that the land prices in Tokyo are extremely high and training schools cannot afford to purchase a large lat of land in the city area.) The first floor of the training school contains the training hall, the dining kitchen, and a large changing area where wrestlers can bathe after training exercises. As will be later explained, the Rikishi are divided into two major groups. The second floor is used as the communal dormitory for trainees. The third floor is divided into five compartments and wrestlers occupy each one of them. In the fourth floor, the master's family lives.

4.2. THE HIERARCHICAL ARRANGEMENTS OF THE RIKISHI

The Rikishi's way of life, behaviour patterns and salaries vary as their statuses in the training school vary. The Rikishi group is divided into two sub-groups; the wrestlers and the trainees. Wrestlers in the training school are perceived as "full adults" and the trinees as "ward". The school deals with these two groups of men accordingly. The PJSA, however, traditionally divides the Rikishi into grades: six grades among wrestlers and four grades among trainees. The lowest grade is Jo-no-kuchi, while the top grade is Yokozuna or the grand champion (see Fig. 1).

The Social System of the SUMO Training School

Class	Grade	Number
Wrestlers class	1.Yokozuna (grand champion)	3*
	2.Ozeki (champion)	2
	3.sekiwake	3
	4.Komusubi	2
	5.maegashira	29
	6.Juryo	25
Trainees class	7.Makushita	120
	8.San-dan-me	180
	9.Jo-ni-dan	308
	10.Jo-no-kuchi	72

*The number of the Rikishi in Sep.1982.
The total number of Rikishi is 744.

Fig. 1. Sumo Ranking

The tournament is divided into three parts. Competitors in the first part of the tournament are the trainees. Those in the second part are Juryo of wrestlers of the sixth grades. The last competitors are the most skillful wrestlers ranked from grades one to five. In each part, the tournament begins with Rikishi of the lowest rank and ends with the highest. Thus, the tournament of the day will end with the wrestling of the grand champion(s).

The number of people in each grade is not fixed. For example, there were three grand champions in 1982, whereas there was only one in 1973. Regarding the position of grand champion, a report by the Museum of Sumo notes: ″In the past three hundred years since the title was created only fifty-seven wrestlers have been so honored. The Yokozuna, alone of all the ranks can never be demoted even if he makes a poor showing during a grand tournament. Instead should he continue with a bad record, he is expected to retire. Before a Rikishi can even be considered for promotion to Yokozuna, he must have won, two or more tournaments while holding the rank of Ozeki. He must have proven himself capable of turning in consistent performances and in the critical eyes of Sumo kyokai (PJSA) be a man of character worthy to hold such an exalted position.″

"THE SOCIAL SYSTEM OF
THE SUMO TRAINING SCHOOL"
(1981, p. 11)

Novice trainees are known by the general title of Honchumae-sumo. They are not included in the sumo-ranking list of Fig. 1. They should be listed under grade 10. These novice trainees are neither listed on the Sumo Ranking List (Banzuke) nor printed on the daily program. This is because at the time of printing, the names of such novices are not yet known. Despite their anonymity, they appear in the very beginning of the tournament.

Since the 1940, the grand tournaments have lasted for 15days. The wrestlers have to fight every day while the trainees fight for senen days. Because they are professional wrestlers, the criteria for promotion and demotion are based on the number of wins and losses during the grand tournament. If a Rikishi has more wins than losses, he is promoted and vice versa. The PJSA officially revises the Sumo Ranking List of the individual Rikishi based on their performances in the preceding grand tournament.

4. 3. THE LIFE OF RIKISHI IN THE TRAINING SCHOOL

In the training school life of a Rikishi, seniority, not sumo ranking legitimatizes authority. This is because except for the grand champion who is not demoted but only forced to retire, the ranking of individual Rikishi may change from one tournament to another. If wrestlers of higher ranking were to have authority over others, authority would change hands frequently. In order to stabilize social order in the training school, a stable source of authority is needed: thus seniority is valued.

Among elders in the training schools, wrestlers and trainees, seniority is valued. The senior elders, senior wrestlers and senior trainees are considered Ani-deshi (elder brothers) and juniors Ototo-deshi (junior brothers). Like elder and younger brothers in the household, the seniors are dominant but protective of the juniors and the juniors are subordinate but hold respect for the seniors. The informal social relations in each of these groups are highly personal and warm, forming a sort of "brotherhood".

Wrestlers enjoy the privilege of occupying a private room and must live there until their marriage. After their marriage, they move out of the training school into a new home. At the same time, however, they must keep their private room in the school for training exercises and other business. The amount of monthly salary which they are paid depends upon their grade in the sumo ranking. (We will elaborate on the reward system in 4.4.) They are eligible to marry provided they have the consent of their master. Wrestlers usually have three trainees assigned to carry out chores for them. The grand champion, however, has five such trainees.

Trainees do not have private rooms: instead they all live in a large communal dormitory. The location of the sleeping area for each trainee is determined by seniority. The higher one's seniority, the farther away from the entrance one sleeps. The trainees of lowest seniority have to sleep close to the entrance, for they must carry out chores for the seniors, including wrestlers and the master. They do not receive a salary but only a certain amount of spending money from two sources. The first source is in the form of tips from the wrestler to whom a trainees is assigned. The second is from a junior leader (Wakamono-gashira) who is appointed from among the trainees to give the trainees money on behalf of the master. Every few days, the master sets a prize for trainees who excel during training. Until they are promoted wrestler, trainees are not eligible to get married.

The wrestlers of top seniority are responsible for the whole training school while the master is absent. The order of bath-taking is in accordance with seniority, as is the order of taking meals. The Rikishi of top seniority starts the meal first, followed by other wrestlers and trainees. When the master is at home, he usually eats with the Rikishi. Then, the master starts first. The order of hairdressing is also by seniority.

The trainees in a training school are formally organized into several groups in order to fulfil certain duties for the institution. Usually members of grades 10 to 7 are represented in each of them. Once a week, such a group is responsible for cooking for the school, cleaning both the practice ring and the bath area.

The Rikishi take two meals a day. They do not eat breakfast for two reasons. The training session starts early in the morning, and it is very strenuous. If Rikishi eat breakfast, they tend to vomit during the practice. Instead, they eat a very substantial lunch and supper. It is also said that omitting breakfast and eating a big lunch will help one to gain weight quickly. In other words, the two meal systems is for the Rikishi's body building. Supper at the training school is virtually limited to the trainees. Both married wrestlers and the master eat at their respective homes.

During lunch, all Rikishi in the training school eat the same food, but not all at the same time. There is only one pot of food cooking and only several Rikishi can sit around the pot. The senior Rikishi start to eat first, and when they are full, they retire to be replaced by junior ones. When wrestlers have visiters, the latter are also invited to take the lunch with the former. Wrestlers start to eat around 11:00 a.m. The trainees of lower ranks can eat only around 1:00 to 2:00 p.m.

Since the training is hard exercise, Rikishi perspire and their bodies are often covered with sand from the wrestling ring. They have to wash after every training session. When a wrestler takes a bath, the three assigned trainees function as bathhouse attendants: they wash the wrestler's body and hair. After the bath, they rub him down with towels.

At this point, the hairstyle of the Rikishi will be mentioned.

When Japan started to become modern, the new Government of Japan issued an order for males to discontinue traditional hairstyles. Despite the abolition edict, because of pressure from powerful politicians the Rikishi hairstyles were permitted to continue as an exception. In contemporary Japan, the Rikishi is the only group of people who still continue to style their hair as they did during the Tokugawa Period. The hairstyles are adopted from those which were fashionable during this period and have been preserved partly because they serve as head protection.

The hairstyle of the Rikishi reflects the individual's social status in the professional organization. Wrestlers wear a style called O-icho (the style of the ginkgo leaf). Trainees wear the Chon-mage, a plainer style tied with paper strings.

The style of dress of the wrestlers and trainees vary. When they go on outings for official purposes, wrestlers are entitled to put on the traditional Japanese Kimono called the Haori-hakama. Wrestlers must either buy one from their own funds or have one provided by their patrons. Trainees, who do not receive a salary, wear the Yukata issued by the school. Changes have been taking place in the style of dress within the training school. Since the early 1970's, the training school began to issue for the trainees, training suits in the western style, which are more functional than traditional attire.

Footwear also shows class distinctions. Up to grade 9, young trainees can only wear wooden clogs. Those who are above grade 8 are entitled to wear straw sandals called Zori. There are a variety of straw sandals; wrestlers use ones of high quality.

The belt which the Rikishi use also differ in accordance with their status. From grade 10 to grade 8, trainees must use a cotton crepe belt. Those above grade 7 can use a silk belt. Wrestlers use more expensive ones than seventh graders who are not yet in the wrestler class.

Official attire during the tournament is the loincloth (Fundoshi). Differences in status are reflected in the type of loincloth. At official tournaments, wrestlers wear silk loincloths while trainees must have either a black or a dark blue one. At the training school, all Rikishi wear cotton loincloths. Wrestlers wear white ones while trainees wear black ones. All Rikishi also wear Sagari, the decorative starched strings that hang down from the wrestling loincloths during matches.

All wrestlers have a heavily embroidered decorative apron called a Kesho-mawashi. This is the status symbol of a wrestler. Since they are very expensive, when a trainee is promoted to the wrestler class, he usually borrows his masters's used ones. Eventually, he will have a group of patrons from outside. A major function of such patrons is to financially help the Rikishi they support, especially by donating a decorative apron. Wrestlers wear their decorative aprons at the ringentering ceremony before the wrestlerclass tournament begins.

Within each class of wrestlers and trainees, their life is structured by the principle of seniority as outlined above. In relations between the classes, however, seniority is void. When a very talented Rikishi is promoted from the trainee class to the wrestler class, even if he is young, he is still treated as a wrestler of full right by senior trainees.

4.4. THE REWARD SYSTEM

"THE SOCIAL SYSTEM OF

THE SUMO TRAINING SCHOOL"

From the Tokugawa Period, the salary system of the wrestlers was based on the principle of the "lead in a tournament". Under this system, the raise was computed by taking the difference of the number of wins and losses. In the case of a fifteen day tournament, if a wrestler had eight wins and seven losses, his salary would be raised one unit (the basic unit of a wrestler's salary to be shortened as 'unit' from now on); if he had eleven wins and four losses, it would be raised seven units, and so on. If he had fifteen wins, his salary would be raised fifteen units. When a wrestler who is not in the top four grades defeats a grand champion, he earns a bonus raise of ten units. If, on the other hand, he has more losses than wins, his salary is not demoted on any account.

The actual salary is determined by the net-income earned at the grand tournament. The net-income is divided by the total number of salary units of the wrestlers and masters involved; this amount will be tentatively called a "payment rate". Individual wrestlers and masters receive an amount determined by multiplying the payment rate by the number of salary units earned. If the tournament does not produce any net-income, the wrestlers and masters have to pay the PJSA a certain amount, based on the individual's salary units to compensate for the net-loss of the group.

This patrimonial management become the focus of debates in Parliament in 1958, and the PJSA was forced to introduce a more rational and formal salary system in 1959. Under the new system, wrestlers are paid a monthly salary by the PJSA in accordance with their sumo ranking. Masters, who are elders of the PJSA, are paid a monthly salary based on different criteria. The trainees are, however, not included in this salary system: they merely receive spending money from their master once every two months.

Today, there are two types of sumo tournaments: six grand tournaments per year and provincial touring tournaments, which are held between grand tournaments. The wrestlers and masters are paid monthly salalies under the new system as far as the six grand tournaments are concerned. In provincial touring, the traditional and patrimonial system described above is still used. At the end of each provincial tour, each person is paid this informal salary.

After World War II, an epoch-making change took place in the PJSA. For the first time in the history of sumo wrestling, university graduates who were amateur college champions began to join. As far as their salaries were concerned, however, they have had to accept a serious disadvantage. As mentioned arlier, trainees do not receive a salary - they receive only spending money. From the beginning of their careers as trainees, however, their "units" have been accumulated. In the case of university graduates, they join the training school at the age of 22 or over. Since they have mastered the basic skills, they do not have to repeat the lower grades, but enter the fourth rank (Maku-shita). Compared to ordinary trainees, the period of time spent by university graduates as a "trainee" is relatively short. As the counting of "units" starts from the time that he joins the PJSA, the length of the time which he has had to accumulate units is also limited. Consequently, when a university graduate is promoted to wrestler, his basic salary is much smaller than those who have been a trainee from the outset.

5. SUMMARY AND CONCLUSION

The social system of the training school can be conceptualized as a fiction of the Japanese traditional Ie (the household) and Dozoku (the clan). The master performs the instrumental role of authority as the head of the household and his wife the expressive role of housewife. Like the household, the training school has the institutions of the "adopted-son" and "inheritance". There is also an exchange of services between the main training school and the branch training school, as in the case of the Dozoku.

There are two reasons that the training school is a fiction of the Japanese household system. The first is that it provides a way of justifying superior - inferior relationships in authority. The second is that it brings about the socialization of young trainees. When trainees enter the training school, they usually 15 years old and have only a compulsory education. They leave their family for the first time in their lives. The fiction is an effective method for their socialization.

We may conclude as follows. In the sumo training school which is a traditional organization, the underlying principles are seniority and brotherhood, which are the two major axes of social relations. Likewise, in sports clubs in the Japanese university, intimate and personal relations between upper classmates and lower classmates have been observed. Among the members of cohort groups, close friendships are prevalent. This is not only true among sports clubs in universities. In any specialized sports organizations, the personal relations between veterans and novices are like the relations between upper classmates and lower classmates. Thus, we may say that traditional social relations are also found in ″modern″ organizations of ″western″ sports which have been introduced since the Meiji Restoration.

BIBLIOGRAPHY

Cuyler, P. L., ″Sumo″ (From Rite to Sport), John Weatherhill Inc., 1979, New York, Tokyo.

Oinuma, Y., ″Sumo to Iemoto″ (Sports Culture and Japanese Public Entertainment Culture), Bulletin of Physical Education in Tokai University No.7, 1977, pp.111-120.

Oinuma, Y., ″Takasagobeya ni miru heyaseido no Ningenkankei″ (The Human Relations in Sumobeya: A Case Study on Takasagobeya), Bulletin of Physical Education in Tokai University No.8, 1978, pp.1-10.

Oinuma, Y., ″Osumo ni okeru Heyaseido no Rekishi″ (History of Sumobeya in Sumodom), Bulletin of Physical Education in Tokai University No.10, 1980, pp.11-16.

Oinuma, Y., ″Nihonshakai ni okeru Sumo no Rekishi″ (Sumo History in Japanese Society), Bulletin of Physical Education in Tokai University No.11, 1981, pp.1-8.

The Museum of Sumo, Nihon Sumo Kyokai, 1981, Tokyo.

著者紹介

生沼　芳弘（おいぬま　よしひろ）

1952年　神奈川県南足柄市に生まれる。
1974年　東京教育大学体育学部卒業
1976年　東京教育大学大学院修士課程修了（体育社会学専攻）
1993年　成城大学大学院博士課程修了（日本常民文化専攻）
1994年　東海大学体育学部助教授、博士（文学）
1997年　東海大学体育学部教授
2017年　東海大学名誉教授、同年退職
2021年　病没・行年69歳

大相撲の社会学

力士のライフコースから相撲部屋の社会構造まで、スポーツ社会学から考察する

2023年7月31日　初版第1刷発行
2024年2月29日　初版第3刷発行

著　者　生沼芳弘

発行者　向田翔一

発行所　株式会社22世紀アート
〒103-0007
東京都中央区日本橋浜町3-23-1-5F
電話　03-5941-9774
Email: info@22art.net　ホームページ：www.22art.net

発売元　株式会社日興企画
〒104-0032
東京都中央区八丁堀4-11-10 第2SSビル 6F
電話　03-6262-8127
Email: support@nikko-kikaku.com
ホームページ：https://nikko-kikaku.com/

印刷
製本　株式会社PUBFUN

ISBN：978-4-88877-240-2